D0719045

De vuurtoren van Connemara

Santa Montefiore bij Boekerij:

Onder de ombu-boom
Het vlinderkistje
De Vergeet mij niet-sonate
De zwaluw en de kolibrie
Valentina's laatste reis
De zigeunermadonna
Het geheim van Montague
De Franse tuinman
In de schaduw van het palazzo
De affaire
Villa Magdalena
Fairfield Park
De vuurtoren van Connemara

www.boekerij.nl
www.santamontefiore.co.uk

SANTA MONTEFIORE

De vuurtoren van Connemara

ISBN 978-90-225-6509-4
ISBN 978-94-602-582-5 (e-boek)
NUR 302

Oorspronkelijke titel: *The Secrets of the Lighthouse*
Oorspronkelijke uitgever: Simon & Schuster
Vertaling: Erica Feberwee
Omslagontwerp: Johannes Wiebel | punchdesign, München
Omslagbeeld: Shutterstock / © Martin Fowler; S.Borisov; Gregory Guivarch
Zetwerk: Mat-Zet bv, Soest

*Voor Miguel Pando en
Natalie Montalembert*

In liefde en dankbaarheid

Proloog

Het is herfst, maar het voelt als zomer. De zon staat stralend aan de hemel, de heldere, smetteloos blauwe lucht lijkt wel doorzichtig. Bontbekplevieren en dwergsternen scharrelen over het strand, bijen zoemen boven de paarse heide en verzamelen nectar. De vorst is nog niet in het land, de stralen van de zon zijn warm en koesterend. Hazen zoeken dekking tussen het hoge gras. Vlinders die door het ongewoon warme weer uit hun pop zijn gekropen, fladderen boven de gaspeldoorns op zoek naar voedsel. Maar de schaduwen beginnen te lengen, en de avond valt vroeg – vochtig, kil, donker.

Ik sta op het klif en kijk uit over de oceaan naar het eind van de wereld, waar water en lucht één worden en waar een geheimzinnige blauwe mist de eeuwigheid versluiert. De wind is zacht, een tijdloze fluistering, als de stem van God die me naar huis roept. Wanneer ik naar links en naar rechts kijk, zie ik de weidse kustlijn van Connemara. De verlaten stranden, de fluweelgroene velden bespikkeld met schapen, de ruige rotsen waar het land breekt en in zee brokkelt. Recht voor me zie ik Carnbrey Island, het rotsachtige stukje grond dat een paar honderd meter uit de kust ligt, als een verlaten piratenschip uit een ver verleden. De oude, witte vuurtoren, die ooit als een trots en veilig baken de zeelui de weg naar huis wees, is zwartgeblakerd na de brand. Een verlaten, lege huls, waar alleen de meeuwen nog komen. Ze pikken de onfortuinlijke krabben en garnalen op die achterblijven in de getijdepoelen, en ze strijken neer op het broze geraamte van verbrande balken dat spookachtig kraakt en kreunt in de wind. Voor mij biedt de eenzame, verwoeste toren een romantische aanblik, waarvan ik me maar moeilijk kan losmaken. Weemoedig denk ik terug aan die eerste keer dat ik erheen roeide, vlak na ons huwelijk. Zelfs toen was de toren al een ruïne, maar precies zoals ik had gehoopt, bezat hij ook een verrassende warmte, als een speelhuis van kinderen waar hun lach nog weerklinkt, lang nadat ze hun spel hebben gestaakt. Ik liet me volledig meeslepen door mijn verbeelding, dus ik merkte niet dat de hemel donker werd, dat de wind aanwakkerde en de zee begon te spoken. Pas toen ik besloot terug te roeien naar de kust, besefte ik dat ik was gestrand, als een zeeman die schipbreuk had geleden. Maar zeelui die schipbreuk lijden, hebben geen dappere echtgenoot die hen in een glanzende speedboot komt redden. Nóg zie ik Conors woedende gezicht voor me, de angstige blik in zijn ogen. En nóg voel ik mijn opwinding toen ik zag hoezeer hij was geschrokken. 'Ik had je verboden hier alleen naartoe te roeien!' zei hij bars, maar mijn hart smolt bij het horen van de kwetsbare ondertoon in zijn stem. Toen ik mijn lippen op de zijne drukte, proefde ik de zoete smaak van zijn liefde. De vuurtoren heeft zijn charme nooit verloren. Dat ik gefascineerd bleef door die eenzame, romantische plek, kwam door een gevoel van herkenning, want ook ik was eenzaam en romantisch. Maar die fascinatie werd mijn ondergang.

Nu wenkt de toren me over de golven, met een licht dat alleen ik kan zien, en ik weet bijna zeker dat ik een kind op het eiland kan onderscheiden. Een kind in het wit, dat met de armen wijd gespreid over het gras rent. Maar ik heb altijd al een levendige fantasie gehad. Dus misschien is het gewoon een grote meeuw die laag over de grond scheert.

Abrupt draai ik me om, want mijn aandacht wordt getrokken door de mensen die bij de grijze kapel achter me arriveren. Van het parkeerterrein is het maar een klein eindje lopen naar boven, en ik kijk nieuwsgierig naar de begrafenisgasten die het pad op komen, in het zwart gehuld, als een plechtige stoet waterhoenen. Ons huis ligt even buiten Ballymaldoon. De kerk in het dorp is veel groter, maar dit kapelletje, geteisterd door de elementen, omgeven door mythen en legenden en omringd door eeuwenoude grafzerken, heeft voor mij iets speciaals, iets betoverends. Volgens de legende is het in de veertiende eeuw door een jonge zeeman gebouwd voor zijn overleden vrouw, opdat ze over hem zou waken wanneer hij naar zee ging. Maar de zerken zijn aangetast door weer en wind, zodat de inscripties niet meer te lezen zijn. Ik stel me voor dat de steen helemaal aan het eind van het kerkhof, het dichtst bij de zee, het graf markeert waarin de vrouw van de zeeman rust. Natuurlijk rust zij daar niet echt en zijn het alleen haar beenderen die daar liggen. Weggebracht, net als de kleren die ze niet langer nodig had. Maar het is een ontroerend verhaal, en ik heb me vaak afgevraagd hoe het de ontroostbare zeeman is vergaan. Dat hij een kapel ter nagedachtenis van zijn vrouw heeft gebouwd, bewijst dat hij heel veel van haar moet hebben gehouden. Zal Conor voor mij ooit een kerk bouwen?

De kapel stroomt vol, maar ik blijf op een afstand. Ik zie mijn moeder aankomen. Ze ziet er vermoeid en verschrompeld uit, als een schriele, zwarte kip. Haar grote, zwarte hoed, versierd met struisveren, is veel te opzichtig voor een bescheiden dorpsbegrafenis, maar ze heeft altijd al haar best gedaan er deftiger uit te zien dan ze is. Mijn vader loopt naast haar, een lange, waardige verschijning in een zwart pak dat past bij de gelegenheid. Hij is pas vijfenzestig, maar het verdriet heeft zijn haar wit gekleurd en drukt als een last op zijn schouders, waardoor hij ouder lijkt. Ze zijn helemaal uit Galway gekomen. De laatste keer dat ze die lange reis maakten, was toen Conor en ik trouwden. Ze waren maar wat blij van me af te zijn. Al mijn zussen – ik heb er zes – schitteren door afwezigheid. Maar dat verbaast me niet. Ik ben altijd het zwarte schaap van de familie geweest.

Mijn ouders verdwijnen naar binnen, waar ze hun plaats zullen innemen tussen de andere gasten die allemaal uit het dorp en de directe omgeving komen. Ik vraag me af of mijn ouders zich ongemakkelijk voelen door de liefde die zo duidelijk op de gezichten te lezen staat. Want hier ben ik geliefd. Zelfs die ene van wie ik niet zeker wist of hij zou komen, zit zwijgend in zijn bank en verbergt zijn geheim achter een masker van onbewogenheid. Aarzelend kom ik dichterbij. De muziek trekt me naar de deur, als reikende armen die me omhelzen. Ik herken de klanken van een oude Ierse ballade, die me maar al te vertrouwd is, omdat Conor hem zo graag zong: 'When Irish eyes are smiling'. Ik glimlach weemoedig bij de herinnering aan onze helikoptervluchten van Dublin naar Connemara, aan hoe we allemaal luidkeels meezongen boven het geraas van de propellers uit. Zelfs onze twee kleintjes deden hun best, met grote koptelefoons op, ook al braken ze hun tong over de woorden.

Net op het moment dat ik mijn toevlucht zoek in het verleden, word ik naar het heden teruggehaald, want ik zie een lange, ruige verschijning het pad op komen. Mijn echtgenoot, met Finbar van drie en Ida van vijf, die krampachtig zijn hand vasthouden. Toch struikelen ze af en toe, want het valt met hun korte beentjes niet mee om zijn grote passen bij te houden. Zijn donkere ogen zijn op de kapel gericht, zijn slanke, knappe gezicht is verwrongen, alsof hij de beschuldigingen tart die in de kerkbanken besmuikt worden gefluisterd. De kinderen kijken verward. Ze begrijpen het niet. En ze kúnnen het ook niet begrijpen.

Plotseling ziet Finbar een meeuw op het pad. Hij laat de hand van zijn vader los om achter het beest aan te gaan, wild maaiend met zijn armen, luid sissend om de vogel weg te jagen. Maar de meeuw stapt onverschillig over het gras en zorgt dat hij op een veilige afstand blijft. Ida zegt iets tegen haar vader, maar Conor hoort het niet. Hij houdt zijn ogen op de kapel gericht. Even denk ik dat hij me ziet, want hij kijkt me recht aan. Mijn hart maakt een sprongetje. Mijn hele wezen wil naar hem toe rennen. Ik wil dat hij me weer in zijn armen neemt. Ik hunker naar zijn omhelzing, zoals het leven hunkert naar liefde. Maar zijn gezicht blijft onbewogen. Ik trek me terug in de schaduwen, want hij ziet alleen bakstenen en keien en heeft slechts weet van zijn verdriet, zijn wanhoop.

Het verlangen om mijn kinderen tegen me aan te drukken, is een helse kwelling, en ineens besef ik wat de hel is. Geen plek vol vuur en martelingen in het diepste der aarde, maar een plek vol vuur en martelingen in het diepst van onze ziel. Mijn verlangen is er altijd en het is ondraaglijk. Ik ben niet in staat hun lieve gezichtjes te kussen, ik kan niet strelend met mijn lippen over hun wangetjes gaan, ik kan niet in hun oor fluisteren hoeveel ik van hen hou. Ik weet zeker dat hun hartje licht zou worden van blijdschap als ze wisten dat ik vlakbij ben. Maar ik kan het hun niet duidelijk maken. Ik ben een gevangene en ik kan alleen maar hulpeloos toekijken terwijl ze langs me lopen, de kapel in, gevolgd door de kist op de schouders van zes plechtige dragers. De kist die tussen zijn eikenhouten wanden zo'n gruwelijke, verschrikkelijke leugen herbergt.

Ik blijf nog even buiten. Binnen wordt een gezang aangeheven. De wind voert de geur van lelies mee. Ik hoor de schrille stem van Daphne, Conors excentrieke moeder. Ze klinkt boven iedereen uit. Maar terwijl ik daar vroeger een beetje spottend om glimlachte, voel ik nu woede in me omhoog borrelen. Woede omdat niet ik, maar zíj de scherven mag oprapen en het gebroken hart van haar zoon mag koesteren. Ik denk aan Finbar en Ida en aan de kist die vóór hen staat, en ik vraag me af wat ze doormaken nu ze voor het eerst in hun jonge leven met de dood zijn geconfronteerd.

Ik moet een manier zien te vinden om hen te bereiken. Er móét iets zijn wat ik kan doen om hun de waarheid te vertellen. Ik raap al mijn moed bij elkaar, zoals een krijger zijn wapens verzamelt. Ik had nooit kunnen denken dat dit zo zwaar zou zijn. Integendeel, eenmaal op dit punt aangekomen, had ik gedacht dat alles veel gemakkelijker zou zijn. Maar ik heb dit over mezelf afgeroepen, en dus zal ik de pijn moedig dragen. Het is tenslotte mijn eigen keuze om hier te zijn.

Maar ik ben bang. Zwijgend stap ik de kapel binnen. Het zingen is opgehouden. Pastoor Michael loopt naar de kansel en begint somber, monotoon te spreken. Ik geloof dat hij oprecht verdrietig is; dat hij niet doet alsof. De gemeente luistert stil en aandachtig. Mijn aandacht wordt afgeleid door de enorme bloemstukken met hoge lelies aan weerskanten van het altaar, als prachtige witte trompetten die hun verstomde lippen naar de hemel heffen. Ze vibreren door een hogere energie die me aantrekt en die ik slechts met de grootste moeite weet te weerstaan. Ik ben als een sliert rook die naar een open raam wordt getrokken. Geconcentreerd en geluidloos loop ik over de stenen vloer naar de kist, overgoten door het zonlicht dat door de stoffige ramen naar binnen valt, als de felle gloed van schijnwerpers op een toneel. Mijn droom een beroemd actrice te worden is nooit werkelijkheid geworden, maar mijn grote moment is nu toch gekomen. Alle ogen zijn op mij gericht. Eindelijk ben ik waar ik altijd heb willen zijn. Ik zou me moeten koesteren in zo veel liefde en toewijding, maar ik voel slechts frustratie, wanhoop en – ik kan het niet ontkennen – spijt. Gruwelijke spijt. Want het is te laat.

Ik draai me om naar de gemeente. Plotseling schreeuw ik het uit, zo hard als ik kan. Mijn stem schalt door de kapel, hij weerkaatst tegen de eeuwenoude muren en het gewelf, maar alleen de vogels horen mijn kreet en vluchten in paniek de hemel tegemoet. De ogen van Conor zijn strak op de kist gericht, zijn gezicht is vertrokken van pijn. Finbar en

Ida zitten tussen hun vader en zijn moeder, roerloos als wassen poppen, en ik keer me naar de kist. De kist met mijn dood, niet mijn leven. Want mijn leven, dat ben ik, en ik ben eeuwig.

Toch kent niemand de waarheid: dat ik voor hen sta als een actrice die na haar laatste applaus het toneel verlaat. Het cliché is waar. Mijn kostuum en mijn masker liggen in die kist, en iedereen denkt dat ik het ben. Mijn man en mijn kinderen rouwen om me alsof ik ben heengegaan. Hoe kunnen ze nu denken dat ik hen ooit zou verlaten? Dat zou ik nooit doen, zelfs niet voor alle rijkdommen van de hemel. Mijn liefde houdt me hier, want ze is sterker dan de sterkste keten, en ik besef nu pas dat de liefde alles is. Dat de liefde ons maakt tot wie we zijn. Alleen weten we het niet.

Ik loop naar mijn kinderen en strek mijn hand uit, maar omdat ik – net als het licht – besta uit een ijlere vibratie dan zij, voelen ze niets, zelfs niet de warmte van mijn liefde. Ik leg mijn wang tegen de hunne, maar ze voelen het niet, want ik heb geen adem die langs hun gezicht strijkt. Ze voelen alleen hun verlies, en ik kan hen niet troosten, ik kan hun tranen niet drogen. Míjn tranen huil ik slechts vanbinnen, want ik ben een geest, een schim, een fantoom, of hoe je het ook wilt noemen. Ik heb geen fysiek lichaam en daarom voel ik de pijn die ik lijd in mijn ziel. In een vlaag van woede raas ik door de kerk, in de hoop op een reactie. Ik ga tekeer als een dolle hond, maar ik ben niet meer dan een fluistering, en op de vogels na hoort niemand mijn jammerkreet.

Het vreemde van doodgaan is dat het helemaal niet vreemd is. Het ene moment leefde ik nog, het volgende was ik buiten mijn lichaam getreden. Het voelde volstrekt natuurlijk, alsof ik het al honderden keren had gedaan maar het me niet meer herinnerde. Ik was alleen verrast dat het zo snel ging, terwijl ik nog zo veel te doen had. Het deed geen pijn en het joeg me geen angst aan. Tenminste, niet op dat moment. De pijn moest nog komen. Wat ze zeggen over het licht, en over je geliefden die je komen halen, is waar. Wat ze je niet vertellen, is dat je een keus hebt. En ik koos ervoor te blijven.

Pastoor Michael schraapt zijn keel en laat zijn vochtige ogen langs de ernstige gezichten gaan. 'Caitlin is nu bij God, haar ziel heeft rust gevonden,' zegt hij, en ik zou de Bijbel uit zijn handen willen rukken en op de grond willen smijten. 'Ze laat haar gezin achter. Haar man, Conor, en hun twee kinderen, Finbar en Ida, van wie ze zo innig veel hield met haar grote, warme hart.' Hij kijkt naar mijn kinderen en spreekt met grote stelligheid en gezag. 'Hoewel ze bij Jezus is, is er iets van haar bij hen gebleven. En dat is haar liefde die ze de rest van hun leven met zich mee zullen dragen.' Maar ik ben meer dan dat, wil ik roepen. Ik ben geen herinnering. Ik ben echt! Echter dan jullie! Mijn liefde is sterker dan ooit, en dat is alles wat ik nog heb.

De dienst is afgelopen, de mensen verlaten de kapel en lopen achter de kist aan naar het kerkhof. Ik zou graag naast de vrouw van de zeeman begraven willen worden, maar in plaats daarvan word ik ter ruste gelegd bij de stenen muur, een eindje heuvelafwaarts. Het is absurd om de kist in de grond te zien verdwijnen, terwijl ik vlakbij op het gras zit. Als het niet zo intens verdrietig was, zou het erg grappig zijn. Conor gooit een witte lelie in de groeve, mijn kinderen laten de tekeningen die ze hebben gemaakt naar beneden dwarrelen. Dan doen ze een stap terug en kruipen ze met bleke, betraande gezichtjes tegen hun vader aan. Ik ben moe van mijn inspanningen om hun aandacht te trekken. Een meeuw hupt naar me toe, maar ik jaag hem weg, gewoon omdat ik het leuk vind om te zien dat hij reageert.

Tijd bestaat niet waar ik ben. Sterker nog, ik besef inmiddels dat waar jullie zijn, tijd ook niet bestaat. Er is alleen het nu. Natuurlijk bestaat er op aarde psychologische tijd, zodat je plannen kunt maken voor morgen en terug kunt kijken op gisteren, maar dat alles bestaat slechts in je verbeelding. De enige werkelijkheid is het nu. Dus dagen, weken, jaren betekenen niets voor me. Er is alleen een eeuwig heden, en vanuit dat heden zie ik alles wat me dierbaar is uiteenvallen.

Het lijkt wel alsof met mijn dood ook Ballymaldoon Castle is gestorven. Ik kijk naar de mannen die in grote vrachtwagens de laan op rijden, onder de Amerikaanse eiken door die zich over de weg buigen als een tunnel van rood en oranje. Hun vliesdun geworden bladeren dwarrelen naar de grond en fladderen als motten op de wind. Aan weerskanten van de laan staat een lage, grijze muur, ooit bedoeld om schapen tegen te houden, maar sinds Connor het kasteel bijna twintig jaar geleden heeft gekocht, zijn er geen schapen meer. En dus zijn de velden verwilderd. Ik vind ze prachtig, zo ruig en ongetemd. Ik kijk naar het hoge gras dat wuift in de wind, als de golven van een vreemde, groene oceaan. De vrachtwagens houden stil voor het kasteel, op de plek waar Cromwell vierhonderd jaar geleden aan de poort verscheen om het huis en de landerijen te confisqueren als beloning voor een loyale officier. Dit legertje potige mannen komt de kostbare meubels en schilderijen ophalen voor de opslag, want Conor laat de ramen dichtspijkeren en de deuren vergrendelen, omdat hij in een kleiner huis gaat wonen, vlak bij de rivier. Zoals zo veel scheppende geesten is hij altijd een eenling geweest, maar ik zie dat hij zich nu nog meer in zichzelf terugtrekt. Zonder mij wil hij hier niet blijven, want ik bracht het kasteel tot leven. En ik ben er niet meer.

Het was liefde op het eerste gezicht, vanaf het moment dat ik het kasteel zag liggen, genesteld aan de voet van de heuvels, als een brok rookkwarts. Ik stelde me voor hoe prinsen in een ver verleden de indrukwekkende grijze muren hadden beklommen om prinsessen te redden die gevangenzaten in de kleine torenkamers hoog boven de puntgevels. In mijn verbeelding zag ik zwanen in de avondzon over het meer glijden, terwijl jonggeliefden hun hofmakerij vanaf de oevers gadesloegen. Over de eeuwenoude stenen brug zag ik de drie geitenbokken uit het sprookje draven, zich niet bewust van de kwaadaardige trol die in de schaduwen daaronder loerde. En ik fantaseerde over ridders en edelvrouwen die nog lang na hun dood door de met scharlakenrood tapijt gelegde gangen dwaalden, zonder te vermoeden dat ik ooit een van hen zou zijn, als de gevangene van mijn verlangen. Ik heb nooit gedacht dat ik jong zou sterven.

Machteloos kijk ik toe terwijl het merendeel van de meubels die ik met zo veel zorg heb uitgezocht naar buiten wordt gedragen en in de vrachtwagens geladen, onder het toeziend oog van Johnny Byrne, onze rentmeester, en zijn zoon Joe. Het is alsof ik zelf uit elkaar word gehaald en in kisten word gestopt. De eikenhouten George VI bibliotheektafel, de vergulde spiegel, de twintig George IV eetkamerstoelen die ik op een veiling bij Christie's heb gekocht. De marmeren bustes, de Chinese lampen, mijn schrijfbureau van esdoornhout. De victoriaanse fauteuils en banken, de ebbenhouten kisten, de Duitse *jardinières*, de zit-slaapbank in regencystijl, de kleden uit India. Ze nemen het allemaal mee en laten alleen de stukken achter die weinig of niets waard zijn. Daarna halen ze de prenten en de schilderijen naar beneden, zodat er lichte plekken op de kale muren achterblijven. Ik huiver door het gebrek aan eerbied waarmee ze te werk gaan; het is alsof een voorname dame door een stel potige kerels van haar kleren wordt ontdaan.

Ik ben bang dat ze ook de grootste kostbaarheid zullen meenemen: het portret dat Conor kort na ons huwelijk van mij heeft laten schilderen door Darragh Kelly, de beroemde Ierse schilder. Het hangt op de ereplaats, boven de indrukwekkende haard in de hal. Ik ben afgebeeld in mijn favoriete, smaragdgroene avondjurk die zo perfect bij mijn ogen past. Mijn rode haar valt in glanzende golven om mijn schouders. Ik was mooi. Een schoonheid. Maar schoonheid telt niet meer wanneer ze in een kist onder de grond ligt weg te rotten. Ik kijk naar het schilderij, naar het gezicht dat eens het mijne was maar nu voorgoed is verdwenen. Ik zou willen huilen om de vrouw die ik was, maar ik kan het niet. En het heeft geen zin om, net als in de kapel, ook hier woest rond te scheren. Niemand zal me horen, behalve de andere geesten die in dit schimmige voorgeborchte rondwaren. Ik heb ze nog niet gezien, maar ze moeten er zijn. Dat hoop ik tenminste, want ik ben alleen en eenzaam.

Maar ze halen mijn portret niet van de muur. Het is het enige schilderij dat blijft hangen. Onwillekeurig voel ik een zweem van trots wanneer de deuren eindelijk worden vergrendeld en ik alleen achterblijf, zodat ik in alle rust kan genieten van de aardse schoonheid die ik eens bezat. Het schilderij schenkt me troost, als een kostuum dat ik kan aantrekken om me weer even mijn vroegere zelf te voelen.

Conor gaat met de kinderen naar Reedmace House bij de rivier, vlak bij de stenen brug van de geitenbokken en de trol waar ik zo graag over fantaseerde. Daphne, Conors moeder, trekt bij hen in. Ik zou dankbaar moeten zijn dat mijn kinderen zo'n lieve, geduldige oma hebben, maar in plaats daarvan ben ik boos en jaloers. Want het is Daphne die mijn kinderen omhelst en vertroetelt. Het is Daphne die hen in bad doet en die hen helpt met tandenpoetsen. En het is Daphne die hun 's avonds voorleest voor het slapengaan. Ik bracht met verschillende stemmetjes de verhalen tot leven, maar Daphne mist mijn gevoel voor drama. Ze leest saai, en ik zie dat de kinderen zich al snel beginnen te vervelen. Ze missen me. Dat weet ik omdat ze stilletjes huilen onder de dekens en naar mijn foto kijken die Conor in hun kamer heeft gehangen. Ze weten niet dat ik altijd bij hen ben. En dat ik er ook altijd zal zijn, zo lang ze leven.

Tijd is niet meetbaar voor me, maar ik besef dat de seizoenen komen en gaan. De kinderen worden groter. Conor is veel in Dublin, maar er komt geen film uit zijn handen. Het ontbreekt hem aan de wil, aan de drang om te creëren. Het verlaten kasteel wordt net zo koud als de rotsen op de heuvels, geteisterd door wind en regen. Ik blijf onveranderd, als de planten en de bomen, met niemand om mee te praten, behalve de vogels. Maar op een nacht, midden in de winter, ziet Finbar me. Hij slaapt onrustig en droomt. Zoals elke nacht zit ik aan zijn voeteneind en ik kijk naar zijn kleine lijfje dat op en neer gaat op het ritme van zijn ademhaling. Maar vannacht is hij rusteloos. Hij droomt van mij, weet ik. 'Rustig maar, lieverd,' zeg ik geluidloos, vanuit mijn andere wereld, zoals ik dat al zo vaak heb gezegd. 'Ik ben bij je. Ik ben er altijd.' Hij gaat rechtop zitten, met een verwonderde uitdrukking op zijn gezicht. En ik zie dat hij me aankijkt. Hij kijkt niet door me heen, hij ziet me! Ik weet het zeker, want zijn blik gaat over mijn haar, mijn neus, mijn mond, mijn lichaam. Zijn ogen zijn groot van verbazing, en ik ben net zo verbaasd als hij.

'Mam?' fluistert hij.

'Dag, lieverd,' antwoord ik.

'Ben je het echt?'

'Ja, ik ben het echt.'

'Ben je dan niet dood?'

Ik glimlach, dankzij het verrukkelijke geheim dat ik koester. 'Nee, Finbar, ik ben niet dood. En ik zal je wat vertellen. De dood bestaat niet.' Mijn hart jubelt als ik zie dat hij bloost van blijdschap.

'Ga je nooit weg?'

'Nee, ik ga nooit weg, Finbar. Ik laat je nooit alleen. Ik blijf altijd bij je. Dat beloof ik.'

Door de opwinding begint hij wakker te worden, met als gevolg dat hij me kwijtraakt. 'Mam... mam... ben je er nog?'

'Ik ben er nog,' stel ik hem gerust, maar hij kan me niet meer zien.

Hij wrijft in zijn ogen. 'Mam!' roept hij zo hard dat Daphne wakker wordt. In haar nachtpon komt ze zijn kamer binnen. Finbar kijkt nog steeds naar de plek waar ik zit, en tuurt zoekend de duisternis in.

'Finbar!' roep ik. 'Finbar, ik ben er nog!' Maar het is zinloos. Hij is me kwijt.

'Het was maar een droom, Finbar,' sust Daphne, en ze stopt hem liefdevol weer onder.

'Nee, oma! Het was geen droom. Het was echt. Mama zat op het voeteneind van mijn bed.'

'Ga maar weer lekker slapen, lieverd.'

'Ze zat er echt!' zegt hij nadrukkelijk, en hij knippert verbijsterd met zijn ogen. 'Ik weet het zeker.'

Daphne strijkt zuchtend over zijn voorhoofd. 'Misschien heb je wel gelijk. Want je mama is een engel, in de hemel. En ik weet zeker dat ze altijd dicht bij je is, om op je te passen.'

Ik weet dat ze het niet gelooft, maar Finbar is gerustgesteld.

'Ja, dat denk ik ook,' mompelt hij. Zijn ogen vallen dicht, en dan slaapt hij alweer. Daphne blijft nog even naar hem kijken. Ik voel haar verdriet, dat zwaar in de lucht hangt. Ten slotte draait ze zich om, ze loopt de kamer uit en ik ben weer alleen. Maar voor het eerst voel ik een sprankje hoop, want ik weet nu dat Finbar me kan zien. Het is één keer gebeurd, dus misschien gebeurt het vaker.

1

Ellen Trawton had maar één koffer bij zich toen ze op Shannon Airport arriveerde. Ze droeg een strakke spijkerbroek, een jasje van namaakbont en dure leren laarzen, die al snel totaal ongeschikt zouden blijken voor een ruig, woest gebied als Connemara. Ze was voor het eerst in Ierland, en haar tante Peg bij wie ze ging logeren – zogenaamd omdat ze rust nodig had om te kunnen schrijven – had ze nog nooit ontmoet. Ze was een echte Londense en het platteland, dat ze zich voorstelde als een soort modderige verlatenheid, joeg haar een zekere angst aan. Maar het huis van haar tante was de enige plek waar haar moeder haar niet zou zoeken. En de enige plek waar ze goedkoop kon logeren. Omdat ze haar baan had opgezegd – op de afdeling marketing van een juwelier in Chelsea – kon ze zich geen grote uitgaven permitteren. Ze hoopte dat tante Peg schatrijk was en in een groot huis woonde, niet te ver van een stad met winkels en cafés. Want als haar tante verafgelegen woonde, met alleen wat schapen om mee te praten, was Ellen bang dat ze het er niet lang zou uithouden.

Bij het betreden van de aankomsthal liet ze haar blik over de gespannen gezichten van de afhalers gaan, op zoek naar haar tante. Haar moeder was lang en op haar achtenvijftigste nog altijd een mooie vrouw, met lang, kastanjebruin haar en hoge jukbeenderen. Ellen verwachtte dan ook dat tante Peg er ongeveer net zo zou uitzien. Toen haar oog op een elegante dame in een lange camel jas viel, die een glimmende designertas in haar gemanicuurde handen klemde, slaakte ze heimelijk een zucht van opluchting. Iemand die in een moerassige verlatenheid woonde, droeg niet zulke modieuze pumps en zo'n onberispelijke tweed broek. 'Tante Peg!' riep Ellen stralend. Met haar koffer achter zich aan liep ze naar haar toe.

De vrouw draaide zich om. 'Sorry?' zei ze verbaasd. 'Tante Peg?' Maar op het moment dat ze het zei, besefte Ellen al dat ze zich had vergist. 'Neemt u me niet kwalijk,' mompelde ze. 'Ik dacht dat u iemand anders was.' Even voelde ze zich verloren op het onbekende vliegveld, en haar vastberadenheid wankelde. Na alle moeite die ze had gedaan om te ontsnappen, wenste ze ineens dat ze weer thuis was, aan Eaton Court.

'Ellen!' klonk een stem achter haar. Ze draaide zich met een ruk om, naar een enthousiast, glimmend gezicht dat stralend naar haar opkeek. 'Kind! Wat zie je er prachtig uit! Echt een vrouw van de wereld!' Ellen was verrast door het sterke Ierse accent van haar tante. Haar moeder klonk als de koningin. 'Ik wist dat jij het was! Zodra ik je door die deur zag komen! Kindje, wat lijk je op je moeder!' Tante Peg had wel iets van een lachend ei, dacht Ellen onwillekeurig, met piekerig grijs haar en grote blauwe ogen die ondeugend en uitdagend schitterden. Opgelucht haar tante te zien, boog Ellen zich voorover om haar op de wang te kussen. Peg greep haar stevig vast en drukte haar gezicht tegen dat van haar nichtje. Ze rook naar lelietjes-van-dalen en natte hond. 'En, had je een goede vlucht, pop?' vervolgde ze enigszins buiten adem toen ze haar weer losliet. 'Je bent in elk geval op tijd, en dat is al heel wat tegenwoordig. Kom, dan gaan we naar de auto. Het is een paar uur rijden naar Ballymaldoon, dus als je nog naar de wc moet, kun je dat beter hier doen. Hoewel, we kunnen natuurlijk ook altijd bij een tankstation stoppen. Heb je honger? Want je hebt vast niet veel te eten gekregen in dat vlieg- tuig. Ik neem altijd boterhammen mee van thuis. Die kaas op de broodjes aan boord is niet te eten! Het lijkt wel plastic, vind je ook niet?'

Ellen liet het aan haar tante over om haar koffer door de hal te slepen. Ze had onmiddellijk gezien dat Peg stevige veterlaarzen droeg en een warme, bruine broek, waarvan ze de pijpen in haar dikke sokken had gestopt. Dus haar tante woonde wel degelijk in een zompig niemandsland, dacht Ellen somber. En te oordelen naar haar ruwe, eeltige handen hakte ze haar eigen haardhout en deed ze ook in de tuin alles zelf.

'Je bent heel anders dan mijn moeder.' Het was eruit voordat ze er erg in had.

19

'Nou, ik ben om te beginnen een stuk ouder, en we zijn altijd heel verschillend geweest.' Haar tante toonde zich volstrekt niet gepikeerd.

De twee zussen hadden elkaar in geen drieëndertig jaar gesproken, maar tante Peg leek geen type om langdurig wrok te blijven koesteren. Heel anders dan Ellens moeder, die zelfs de simpelste onvrede tot een wrok verhief.

Lady Anthony Trawton was een vrouw met wie je geen ruzie wilde. Ellen was maar al te vertrouwd met de afgemeten trek die er om haar mond kon verschijnen, onvermijdelijk gevolgd door een zacht, afkeurend snuiven. Er was niet veel nodig om de afkeuring van Lady Anthony Trawton te wekken, maar het érgste vergrijp in haar ogen was niet tot 'ons soort mensen' behoren. Ellen was een opstandige tiener geweest, in tegenstelling tot haar goudblonde zussen die een toonbeeld van oppassendheid waren en die hoogstens een zekere mate van kleurloosheid kon worden verweten. Haar zussen had hun moeder niet hoeven kneden en vormen, want ze hadden zich precies zo ontwikkeld als Lady Trawton had gehoopt: gehoorzaam, aantrekkelijk en elegant, met de weinig wilskrachtige kin, het blonde haar en de licht bollende ogen van hun vader. Ellen had daarentegen een bruisende, creatieve persoonlijkheid, en door de onredelijke manier waarop haar moeder probeerde haar onafhankelijkheid de kop in te drukken, werd ze alleen maar opstandiger. Het leek wel alsof haar moeder bang was dat haar dochter niet langer tot 'ons soort mensen' zou behoren wanneer ze te veel haar eigen weg ging. Met haar ravenzwarte haar en rebelse karakter was Ellen het zwarte schaap in wat zonder haar een modelgezin zou zijn geweest. Ze liet zich niet kneden, ook al had haar moeder er alles aan gedaan een keurige, aristocratische jongedame van haar te maken. Een tijdlang had Ellen het zich laten aanleunen. Het was zo veel gemakkelijker om niet altijd te moeten vechten, maar gewoon te doen wat er van je werd verwacht. Ze had het bijna als een opluchting ervaren. Maar een mens kan zichzelf niet eindeloos forceren. En uiteindelijk was Ellen zich zo ongelukkig gaan voelen dat ze zich toch weer aan de knedende handen van haar moeder had ontworsteld. Ze kon het moment waarop ze besloot dat het genoeg was geweest niet exact aanwijzen, maar haar vlucht naar Ierland was het gevolg van een levenslange worsteling om vrijheid.

Tante Peg was niet bij de huwelijken van Ellens twee zussen geweest, terwijl Leonora nog wel een graaf aan de haak had geslagen en Lavinia een baronet – alles daaronder zou voor hun moeder aanleiding zijn geweest tot ernstig minachtend snuiven. Het kwam erop neer dat er in huize Trawton nooit over tante Peg werd gesproken. Althans, niet waar de dochters bij waren. Ellen had in de loop van de tijd uit flarden van gesprekken die ze had opgevangen begrepen dat haar moeder en Peg geen contact meer hadden. De kerstkaarten en brieven die ze jaarlijks uit Ballymaldoon ontvingen, werden met verachtelijk gesnuif bekeken en verdwenen vervolgens in de onderste la van haar moeders bureau. Uit nieuwsgierigheid had Ellen er een paar keer stiekem een blik in geworpen en ontdekt dat haar moeder een geheim verleden bezat. Ze was echter wel zo verstandig daar niet naar te vragen. Toch bleven de brieven en kaarten haar intrigeren, en soms, wanneer ze zag dat haar moeder weemoedig voor zich uit staarde, vroeg Ellen zich af of dat iets met de post uit Ierland te maken had. Zoals bladeren die worden verbrand in de herfst een nostalgische geur verspreiden, zo kleefde er aan die brieven en kaarten misschien wel een geur die haar moeder mee terugnam naar haar verleden, vermoedde Ellen. En bij haar zoektocht naar een veilig toevluchtsoord had ze in de post uit Ierland de informatie kunnen vinden die ze nodig had, dankzij de kleine adresstickers boven aan de brieven, waarop ook het telefoonnummer van haar tante stond.

Nu besefte ze opgewonden en een beetje angstig dat ze op het punt stond te ontdekken wat haar moeder al die jaren geheim had gehouden. Ze weigerde na te denken over de vreselijke consequenties als ze daarop zou worden betrapt. Terwijl ze naar Pegs ruwe handen keek, dacht ze aan de zachte, bleke vingers van haar moeder, met de onberispelijk gelakte nagels. Haar moeder had een goede partij getrouwd. Peg niet. Het was duidelijk dat hun levens totaal verschillend waren verlopen. Maar hoe kwam dat?

'Ik was zó verbaasd toen je belde!' zei Peg. 'Wat een verrassing! Ik kon bijna niet geloven dat je het echt was! Ik vind het zo heerlijk dat je er bent!'

'Echt waar? Ik moest gewoon weg uit Londen. Het is er zo druk, zo lawaaiig. Daar kom ik gewoon niet aan rustig werken toe.'

'Nee, dat is geen omgeving voor een aankomend schrijver. Ik geef je groot gelijk. En ik ben zo benieuwd! Je moet me er alles over vertellen! Een boek schrijven! Wat geweldig dat je dat kunt!' Ellen had altijd van taal gehouden, van spelen met woorden. Wanneer ze uit het raam keek, voelde ze de drang om te beschrijven wat ze zag. Ze had hele dagboeken volgeschreven met gedichten en verhalen, maar pas onlangs had ze besloten haar leven radicaal om te gooien, in het besef dat je alleen maar gelukkig wordt wanneer je je hart volgt. Als ze nu niet probeerde eindelijk die roman te schrijven, zou het er nooit van komen. Haar moeder dreef de spot met haar ambitie om 'verhaaltjes te verzinnen', zoals ze het noemde. Maar Ellens drang om zich te uiten was zo sterk dat ze zich niet liet ontmoedigen. En Connemara leek haar de perfecte plek om haar droom te verwezenlijken.

'Ik ben hier niet alleen om te schrijven, tante Peg. Maar ook om jóú te leren kennen. We zijn tenslotte familie,' voegde Ellen er hartelijk aan toe. Door haar jachtige manier van praten kreeg Ellen de indruk dat haar tante niet gewend was aan gezelschap.

'Dat is lief van je. Je hebt je moeder zeker niet verteld dat je hierheen ging?'

'Nee.'

'Dat dacht ik al. Waar denkt ze dan dat je bent?'

Ellen dacht aan het briefje dat ze op de tafel in de hal had neergelegd, onder de ovale spiegel waar haar moeder in keek om haar kapsel en haar make-up te controleren voordat ze naar een van haar liefdadigheidsbijeenkomsten ging, of naar een lunch met andere dames. Ze zou het briefje inmiddels wel hebben gevonden. En Ellen twijfelde er niet aan of het had haar een minachtend snuiven ontlokt. Ze vroeg zich af waar haar moeder méér door van streek zou zijn: de onaangekondigde verdwijning van haar dochter of het feit dat Ellen had geschreven dat ze twijfelde aan een huwelijk met William Sackville. Na lezing van dat laatste had haar moeder misschien wel even moeten gaan zitten. Want ook al was William dan geen baronet zoals de man van Lavinia, en ook geen graaf zoals Leonora's echtgenoot, zijn familie beschikte over uitstekende connecties en bezat een uitgestrekt jachtgebied in Schotland. Bovendien had Ellens moeder nadrukkelijk verklaard dat Williams familie – heel ver, maar boven elke twijfel verheven – verwant was aan wijlen de koningin-moeder. 'Ik heb gezegd dat ik bij een vriendin ging logeren. Op het platteland,' loog Ellen.

'Nou, je durft wel,' zei Peg. 'Zo, en nu eens zien of ik nog weet waar ik de auto heb neergezet.'

Nadat ze langs rijen glimmende auto's waren gelopen, stapte Peg vrolijk af op het smerigste exemplaar in de hele parkeergarage. Een Volvo, oud, hoekig, maar reuze degelijk. 'Let maar niet op de rommel. Meestal is Mr. Badger de enige die met me meerijdt.'

'Mr. Badger?'

'De hond. Ik heb hem niet meegenomen. Dus die zie je bij thuiskomst.'

'O, ik ben benieuwd.' Ellen deed haar best enthousiast te klinken. Haar moeder had een vlinderhondje, Waffle. Het beestje leek meer op een stuk speelgoed dan op een hond. Maar dan wel een irritant en neurotisch keffend stuk speelgoed. Leonora en Lavinia hadden een hondje bij Harrods gekocht, zo klein dat het in hun handtas paste. Niet omdat ze van honden hielden, volgens Ellen, maar als modieuze accessoire, vergelijkbaar met een Smythson-agenda en een leren sleutelring van Asprey. Als ze hun kinderen bij Harrods hadden kunnen kopen, hadden ze dat waarschijnlijk ook gedaan.

Peg stapte in de auto en veegde de kranten van de bijrijdersstoel. De leren bekleding zat onder de hondenharen, zag Ellen. 'Waar woon je?' vroeg ze. Bij het zien van de modder op de mat liet ze alle hoop op een gezellige stad met smaakvolle winkels en leuke restaurants varen.

'Even buiten Ballymaldoon. Een leuk dorp, vlak bij zee. Volgens mij precies wat je zoekt om in alle rust te kunnen schrijven.'

'Ligt het echt helemaal op het platteland?'

'Nou en of! En ik heb een heleboel beesten. Dus ik hoop dat je van dieren houdt. Ik ben gekleed op het buitenleven, maar dat had je vast al gezien. Want het kan behoorlijk koud worden aan de westkust. En vochtig. Heb je ook nog andere laarzen bij je?'

'Nee, alleen deze.'

'Ze zijn prachtig, pop, maar hier heb je er niets aan. Nou ja, je kunt wel een paar van mij lenen.'

Ellen keek naar Pegs degelijke leren laarzen. 'Bedankt, maar ik red me wel. Trouwens, ik ben waarschijnlijk toch niet veel buiten.'

Peg fronste haar wenkbrauwen, toen begon ze te lachen. 'Nou, dat zullen we nog wel eens zien, pop!'

'Hoe is het met Maddie?' vroeg Peg toen ze eenmaal op weg waren. Ze klonk neutraal, maar het ontging Ellen niet dat ze krampachtig voor zich keek en het stuur iets strakker vastgreep.

'Maddie?'

'Je moeder.'

Zo had Ellen haar moeder nog nooit horen noemen. 'In haar vriendenkring heet ze Madeline, en daarbuiten wordt ze Lady Trawton genoemd...'

'Ja, dat zal best. Ze had altijd al deftige neigingen. En ze praat zeker nog steeds net als de koningin?'

Ellen kon haar nieuwsgierigheid niet langer bedwingen. 'Waarom hebben jullie eigenlijk ooit ruzie gekregen?'

Er verscheen een grimmige trek om Pegs mond. 'Dat kun je beter aan je moeder vragen,' antwoordde ze kortaf.

Ellen besefte dat ze te ver was gegaan. 'Sorry. Het is zeker pijnlijk om over te praten.'

'Ach, het is allemaal al zo lang geleden.' Peg haalde haar schouders op.

Bij de gedachte aan de brieven en de kaarten die achteloos in de onderste la van het bureau werden gegooid, kreeg Ellen medelijden met haar tante. Peg had iets eenzaams. 'Je vindt het zeker erg verdrietig om je familie niet meer te zien?'

Peg reageerde geschokt. 'Ík verdrietig omdat ik mijn familie niet zie? *Jaysus*, kind, wat heeft je moeder je verteld? Zíj zou verdrietig moeten zijn. Maar dat is ze blijkbaar niet. Want ze heeft al meer dan dertig jaar niets van zich laten horen.'

Ellen was stomverbaasd. Ze had gedacht dat Peg alleen was, een ouwe vrijster. 'O? Ik eh...' Ze aarzelde, want ze wilde haar tante niet kwetsen. 'Heb je kinderen, tante Peg?'

Peg zweeg even en er gleed een schaduw over haar gezicht, als een wolk die voor de zon langstrok. 'Ik heb drie jongens. Ze zijn inmiddels al in de dertig. En ze hebben allemaal werk. Goeie jongens. Ik ben maar wat trots op ze,' vertelde ze. 'Maddie en ik komen uit een gezin van zes kinderen. Maar dat wist je blijkbaar niet.'

Ellen reageerde opnieuw verbaasd. 'Echt waar? Dus er zijn nog vier kinderen? En waar wonen die?'

'Hier, in Connemara. We zijn een grote, hechte familie. Je hebt een heleboel neven en nichten.'

'Echt? Dat wist ik helemaal niet! Ik heb mijn moeder alleen wel eens over jou horen praten, en dat was niet voor mijn oren bedoeld. Bovendien weet ik dat je elk jaar met Kerstmis een kaart en brieven stuurt.'

'Die ze ongetwijfeld in de prullenmand gooit,' vermoedde Peg bitter.

'In de onderste la van haar bureau.'

'Ach, Maddie en ik waren vroeger heel close. Twee meisjes in een gezin vol jongens. Dus we waren op elkaar aangewezen. Maar het was háár beslissing om uit Ierland weg te gaan en te breken met haar familie. Niet andersom. Onze moeder was er kapot van. Dat mag je best weten. En de jongens hebben het Maddie nooit vergeven.'

'Ik heb mijn oma nooit gekend.'

'Nee, en dat kun je helaas niet meer inhalen.'

'Is ze dood?'

'Ja, ze is tien jaar geleden gestorven.'

'En mijn moeder heeft het niet meer goedgemaakt voor haar dood?'

Peg schudde haar hoofd, nog altijd met een verbeten trek om haar mond.

'En mijn opa?' vroeg Ellen. 'Heb ik een opa?'

'Die is omgekomen bij een auto-ongeluk. Wij waren nog heel klein. Toen stond mijn moeder er helemaal alleen voor. Ze had de boerderij, en ze moest zes kinderen grootbrengen. Maddie had een hekel aan vieze handen, maar ik ben altijd dol op dieren geweest. Toen moeder stierf heeft Desmond, mijn oudste broer, de boerderij overgenomen. En ik ben zelf iets begonnen. Een klein boerderijtje. Iets anders kan ik niet. Trouwens, vind je het vervelend als ik een sigaret opsteek?' Ze leek ineens doodmoe, alsof de opwinding van de kennismaking met haar nichtje haar had gesloopt.

'Rook je?' vroeg Ellen, plotseling iets optimistischer.

'Ja, helaas wel. Ik heb geprobeerd te stoppen, maar volgens mij ben ik te oud om nog nieuwe kunstjes te leren.'

'Roken is bij ons thuis een vies woord. Ik moet het stiekem doen, en als ik op mijn kamer wil roken, moet ik uit het raam gaan hangen.'

'Het is overal een vies woord de laatste tijd. De wereld is een stuk saaier geworden door alles wat er niet mag. Bij een feestje is het buiten tegenwoordig het gezelligst.'

'Nou, inderdaad! Ik sta altijd te vernikkelen in de kou, maar het zijn vaak wel de leukste mensen daarbuiten. Ook al moet ik toegeven dat het behoorlijk stom is om te blijven roken. Ooit wil ik wel stoppen. Ik wacht op een goede reden.'

'In mijn tas zit een pakje Rothmans. Neem lekker een sigaret, en steek er voor mij ook een aan.'

'Je wilt me toch niet vertellen dat je op jouw leeftijd nog thuis woont?'

'Ik ben drieëndertig.'

'Dat is toch veel te oud om nog bij je ouders te zitten?'

'Ik heb ook wel op mezelf gewoond. Tijdens mijn studie, in Edinburgh. En later, toen ik weer terug was in Londen, heb ik met Lavinia een appartementje gedeeld. Tot ze trouwde. En toen het appartement voor mij alleen te duur werd, heeft mijn moeder me overgehaald weer thuis te komen wonen. En waarom ook niet? Ik woonde voor niks, en het huis is groot genoeg. Eigenlijk te groot voor mijn ouders alleen. Mama probeert me al jaren uit te huwelijken.' Bij de gedachte aan William kromp ze ineen. Ze had hem een sms gestuurd, maar sinds haar aankomst had ze haar iPhone nog niet durven aanzetten, dus ze wist nog niet hoe hij had gereageerd. 'Ik vind het behoorlijk ouderwets om trouwen zo belangrijk te vinden.'

'Tja, en prins William is inmiddels bezet. Dat zal Maddie wel erg jammer vinden. Hoewel, Harry is er natuurlijk ook nog.'

Ellen begon te lachen. 'Precies! Mama heeft de hoop nog niet opgegeven!' Terwijl ze in Pegs grote tas rommelde, vertelde ze over de huwelijken van haar zusters. 'In de ogen van mijn moeder tel je pas echt mee als je een goed huwelijk hebt gesloten. Dus je begrijpt dat Lavinia en Leonora inmiddels volledig meetellen!'

'Lieve hemel. Maddie moet wel in de zevende hemel zijn met zulke schoonzoons!'

'Ja. Met mij is ze minder gelukkig. Ik ben nota bene de oudste, dus ik had als eerste moeten trouwen. Het probleem is dat ik niet weet of ik wel wil trouwen met het soort man dat mijn moeder voor me op het oog heeft.'

'Volg je hart, pop. Dan doe je het altijd goed. Een groot landgoed en een adellijke titel hebben allemaal niets met echte liefde te maken. Sterker nog, volgens mij brengen die alleen maar narigheid. Een zware verantwoordelijkheid en een hoop werk. Het leven is een stuk prettiger als je het simpel houdt.' Ellen stak een sigaret op en gaf die aan Peg, waarna ze er een voor zichzelf opstak. Ze draaide het raampje een eindje open en keek de rook na die naar buiten kronkelde, de vochtige februarilucht in.

'Is er ook een meneer Peg?' Terwijl ze diep inhaleerde, voelde ze de spanning wegvloeien uit haar schouders.

'Die was er wel. Maar dat is lang geleden. We zijn allebei onze eigen weg gegaan.'

'O, dat spijt me.'

'Dat hoeft niet. Mijn jongste zoon en mijn broers zorgen goed voor me.'

'Ja, je weet nooit of een huwelijk standhoudt. Mijn vader en moeder lijken heel gelukkig, maar een garantie heb je nooit.'

'Nee, want je weet niet wat het leven brengt en hoe je daarop zult reageren. Door sommige dingen kom je dichter tot elkaar, en door andere word je juist uit elkaar gedreven.'

'Zie je je ex nog wel?'

'Nee, hij is geëmigreerd. Naar Amerika. De jongens gaan natuurlijk nog wel naar hem toe. Hij is hertrouwd, met een veel jongere vrouw, en hij heeft een kleintje...' Ze zweeg even en nam een lange trek van haar sigaret. 'Ze hebben nog een klein meisje gekregen,' zei ze zacht. Haar stem brak, alsof dat haar verdriet deed. 'Nou ja, zo klein is ze inmiddels niet meer. Hoe dan ook, hij heeft geen reden meer om terug te komen.'

Ellen voelde dat de stemming in de auto was omgeslagen, alsof de vochtige, sombere februaridag door het open raampje naar binnen was gekomen. Ze had medelijden met haar tante. Peg was duidelijk bezeerd door het tweede huwelijk en het tweede gezin van haar ex. 'Vertel eens wat over je jongens,' zei ze opgewekt.

Peg glimlachte en de stemming klaarde weer op. 'Goeie jongens, dat zijn het!' begon ze. 'Dermot, Declan en Ronan. Dermot en Declan zijn getrouwd. Ze hebben allebei kinderen, en ze komen regelmatig langs.

Ronan woont nog in Ballymaldoon, en het lijkt er nog niet op dat hij snel zal trouwen.'

Terwijl ze steeds dieper Connemara in reden, luisterde Ellen naar haar tante die honderduit vertelde over haar zoons. Ondertussen zag ze het landschap veranderen, en ze was verrast door de schoonheid ervan. Ze voelde zich op slag aangetrokken tot het wilde, ruige land van bergen, rotsen en dalen, waar rivieren zich door de hei slingerden en de ruïnes van onbewoonde huizen als skeletten op de hellingen standhielden, blootgesteld aan weer en wind en aan de mist die vanuit zee kwam aanrollen. De uitgestrekte verlatenheid had iets melancholieks, alsof de mensen die er ooit hadden gewoond de strijd tegen de ontembare natuur hadden verloren en naar de dorpen en de steden waren gevlucht. Er waren nergens hoogspanningskabels te zien en slechts hier en daar stond een telefoonmast. Verder was er niets. Alleen de lange, rechte weg dwars door het moerassige land en het hoge gras. Woeste heuvels, waarvan de top schuilging in de wolken, verhieven zich naar de hemel. Het was Ellens eerste kennismaking met een dergelijk landschap, en ze keek gefascineerd maar ook angstig toe terwijl de beschaafde wereld zoals zij die kende steeds verder achterbleef en plaatsmaakte voor dit uitdagende, stille land.

Toen ze uiteindelijk de vallei binnen reden en Ballymaldoon naderden, kon Ellen in de verte de oceaan zien glinsteren, net zo uitgestrekt en ontembaar als het land. Als ze alleen was geweest, zou Peg om het dorp heen zijn gereden. Maar ze dacht dat haar nichtje het wel leuk zou vinden om een eerste indruk te krijgen. 'Niet dat er veel te zien is,' zei ze terwijl ze door een rustige straat reden met links en rechts huizen in pasteltinten, keurig naast elkaar, achter struiken en muren. Het dorp werd gedomineerd door een grote gotische kerk, die zich vorstelijk op een helling verhief, omringd door hoge platanen en rotsen. 'Ik ga niet naar de kerk,' zei Peg. 'Pastoor Michael denkt dat ik niets van God wil weten. Maar daar vergist hij zich in. God is altijd bij me, dat voel ik. Het is die pastoor waar ik niks van moet weten. En dat is altijd al zo geweest. Dus als je niet wil, hoef je van mij niet naar de kerk. Ik vind alles best.'

'Het verbaast je misschien, maar mama gaat elke morgen naar de mis,' zei Ellen.

'O, dat verbaast me niets. Maar volgens mij heeft dat weinig met

Onze Lieve Heer te maken.' Ze begonnen allebei te lachen.

'Aha, een pub!' riep Ellen bijna opgelucht, toen Peg gas terugnam terwijl ze langs de Pot of Gold kwamen. 'Is het een goeie pub?'

'Het zit er altijd vol, met familie en andere Ballymaldooners. Ik hou van mijn rust, dus ik zit liever thuis. Maar als je dat wil, nemen de jongens je wel op sleeptouw.'

'Je zoons?'

'Nee, mijn broer Johnny en Joe, zijn oudste zoon. Johnny is rentmeester op het kasteel, en Joe werkt voor hem. Volgens mij zitten ze bijna elke avond in de pub. Dus ga maar met ze mee. Dan kan Joe je aan iedereen voorstellen. Zoals ik al zei, heb je een heleboel neven en nichten. Die wonen natuurlijk niet allemaal in Ballymaldoon, maar er zijn er hier genoeg. Ik denk dat je het wel naar je zin zult hebben in de Pot of Gold. En je vindt er vast en zeker een aantal fraaie personages voor je boek.' Ze grinnikte, alsof ze er al een paar op het oog had.

Peg reed naar de haven, waar vissersboten lagen afgemeerd aan de kade, of aan boeien, een eindje uit de kust. Kreeftenfuiken lagen hoog opgestapeld op de stenen, en wat vissers – ruige kerels met petten en dikke truien – zaten al rokend te kletsen en hun netten te boeten. Een magere straathond lag op de keien, bibberend van de kou. Het zou vast niet lang meer duren of de mannen vertrokken naar de Pot of Gold voor een Guinness, dacht Ellen. En dan zou de hond een warm plekje zoeken bij het vuur. Ballymaldoon was een aantrekkelijk dorp, maar het zag er niet uit alsof er mooie winkels waren met verleidelijke spullen. En dat was maar goed ook. Zo veel had ze niet gespaard, en na het briefje dat ze had achtergelaten, kon ze haar ouders niet om geld vragen. Wat dat betreft had ze al haar schepen achter zich verbrand. Hoe lang zou ze het hier volhouden? Hoe lang zou het duren voordat ze het gevoel had dat ze stikte, als een vis op het droge? Voordat ze snakte naar de drukte en het vertier van de grote stad? Hoe lang zou het duren voordat ze op hangende pootjes naar huis terugging, bereid zich te schikken naar de wil van haar moeder? Want hoe lieflijk het dorp er ook uitzag, er was duidelijk niet veel te beleven.

Tante Peg reed door en het duurde niet lang of ze lieten Ballymaldoon achter zich. Na anderhalve kilometer sloeg ze af, een landweg in en reden ze heuvelopwaarts langs grijze stapelmuren en weelderige groene velden met schapen. Uiteindelijk kwamen ze bij twee bescheiden witte boerderijen, op de top van de heuvel. 'Het is niet groot, maar het is thuis,' zei Peg opgewekt terwijl ze stilhield voor het linkerhuisje. Ellen was teleurgesteld. Ze had zich het huis groter voorgesteld. Maar het zag er wel schilderachtig uit. In het hoge, rieten dak zaten kleine dakkapellen met raampjes. De kozijnen waren, net als de voordeur, rood geschilderd. Er stonden geen bomen op het erf om het huis te beschermen tegen de elementen. Er was alleen een lage, stenen muur. Blijkbaar was het huis zo degelijk gebouwd dat het bestand was tegen de felste winterstormen.

Ellen mocht dan teleurgesteld zijn, toen ze uit de auto stapte en zich omdraaide, wachtte haar een verrassing. Want het uitzicht was adembenemend. In de diepte lag de oceaan, glinsterend door de avondmist, en recht vooruit, als een schim die oprees in de schemering, verhieven zich de verkoolde overblijfselen van een vervallen vuurtoren. Ellen liet haar blik over het weidse panorama gaan. De zon was achter de horizon verdwenen, ver naar rechts kon ze de flonkerende lichtjes zien van Ballymaldoon, en daarboven gluurden de eerste sterren door de wolken. Met het vallen van de duisternis en het aanrollen van de mist werd de vuurtoren steeds moeilijker te onderscheiden, tot hij uiteindelijk was verdwenen, alsof hij er nooit was geweest.

Het geluid van rennende poten deed Ellen opschrikken. Ze draaide zich om en zag Mr. Badger aankomen. De zwart-witte bordercollie werd gevolgd door een luid knorrend, rossig varken.

'Je houdt toch van dieren, hè?' Peg kwam terug naar de auto om Ellens koffer uit de achterbak te halen.

'Natuurlijk.' Ellen wist niet of ze het varken moest aaien of het op een lopen moest zetten.

'Bertie doet niks, hoor. Het is een braaf beest. Keurig zindelijk. Kijk, hij vindt je aardig!' zei ze opgewekt toen Bertie al knorrend zijn neus tussen Ellens benen duwde. In paniek deed ze een stap naar achteren.

'Aai hem maar over zijn oren, pop. Dat vindt hij lekker.' Maar in plaats van het advies van haar tante op te volgen, haastte Ellen zich naar binnen.

Daar was het warm en gezellig en het rook er naar natte hond. De hal had een vloer van vierkante, grijze tegels, de muren waren roomwit gesausd, en er hingen wat aquarellen met zeegezichten. In de keuken lag een stoffig bruin kussen op de grond voor Mr. Badger. En de rieten mat bij het gele Stanley-fornuis in de schouw, met daarnaast een keurige houtstapel, was het bed van Bertie, veronderstelde Ellen. Tenminste, als varkens een bed hadden. Op de tafels tegen de muren stonden mokken en kookspullen, potten met theezakjes, koffie en pennen. En op de Stanley prijkte een ouderwets ogende theepot. Peg wierp een blik op de klok aan de muur. 'Nog te vroeg voor een borrel,' zei ze glimlachend. 'Wil je een kop thee, pop? Je zult wel rammelen. Ik heb een sodabrood gebakken. En er is ham.' Ze deed de koelkast open. 'Voor vanavond heb ik een stoofschotel gemaakt, maar misschien heb je nu al trek in iets. Reizen maakt hongerig. Of wil je liever eerst naar je kamer om je een beetje op te frissen?'

'O, dat lijkt me heerlijk,' antwoordde Ellen met een blik op Bertie, die de keuken kwam binnen draven en zich op de rieten mat liet ploffen.

'Kom maar mee dan.' Ondanks Ellens protesten sleepte Peg de koffer de trap op. 'Ik ben zo sterk als een os. Dit is nog niets vergeleken bij de schapen die ik moet tillen.'

Ze opende de deur naar een slaapkamer met een laag balkenplafond. Op de muren zat bloemetjesbehang en op de vloer lag tapijt. Behalve een groot houten bed stonden er een hoge kleerkast en een kast met laden. Peg liep met grote stappen naar het raam om een vlieg naar buiten te laten die nijdig tegen het glas zoemde. 'Kijk! Je hebt uitzicht op zee.'

Ellens hart maakte een sprongetje. 'En op de vuurtoren!'

'En op de vuurtoren,' herhaalde Peg met enige reserve in haar stem.

'Ik ben dol op ruïnes.' Ellen ging bij haar tante voor het raam staan.

'Bij deze ruïne hoort een verdrietig verhaal. Vijf jaar geleden, toen de toren afbrandde, is er een jonge moeder omgekomen. Wat ze daar deed, op dat uur van de nacht, zullen we nooit weten. En dat gaat ons ook niets aan.'

Ellen tuurde naar buiten, maar daar was het inmiddels pikdonker. 'Dat is inderdaad erg verdrietig.'

'Joe kan je er alles over vertellen. Hij is er nog steeds helemaal vol van. Na haar dood heeft haar man, Conor Macausland, het kasteel afgesloten. Hij woont tegenwoordig in een kleiner huis op het landgoed. Maar Johnny en Joe werken nog steeds op het kasteel en ze houden de

31

tuin en het terrein bij. Ze was dol op tuinieren.' Peg dempte haar stem. 'Het gerucht gaat dat ze is vermoord.'

'Door wie?' vroeg Ellen, vervuld van afschuw.

'Door haar man.' Peg sloot het raam en trok het gordijn dicht. 'Hij gold korte tijd als de voornaamste verdachte. De *garda* heeft de zaak tot op de bodem uitgezocht, maar ze hebben geen enkel bewijs kunnen vinden dat hij het heeft gedaan. Er zijn mensen die zeggen dat er ook geen bewijs is gevonden dat hij het níét heeft gedaan.'

'Wat afschuwelijk! Wat denk jij?'

Peg zuchtte. 'Volgens mij was het een tragisch ongeluk, maar je hebt altijd mensen die daar geen genoegen mee nemen. Mensen die smullen van moordverhalen en onopgeloste raadsels.' Ze glimlachte wrang. 'Het kan hier wel eens een beetje saai zijn en mensen maken de dingen graag mooier dan ze zijn, puur uit verveling. Maar ik hou van mijn rust.' Peg liep naar de deur. 'Je badkamer is in de gang, tweede deur rechts. Pas op dat je de eerste deur niet opendoet. Daar slaapt Reilly.'

'Reilly? Wie is dat?'

'Reilly is een eekhoorn die ik heb gered. Vlak voor Kerstmis. Ik had geen leuker kerstcadeautje kunnen bedenken.' Ze glimlachte vertederd, alsof ze het over een klein kind had. 'Sindsdien houdt hij zijn winterslaap in het washok. Naast de boiler. Daar is het lekker warm, dus ik dacht dat hij zich daar wel prettig zou voelen. Over een maand of twee wordt hij wakker, en dan ga ik proberen hem tam te maken. Dus als je schone lakens nodig hebt, moet je het aan mij vragen. Want ik weet op welke plank hij ligt.'

Ellen glimlachte, alsof een eekhoorn in het washok de gewoonste zaak van de wereld was. 'Oké. Zijn er nog andere dieren waar ik op moet letten?'

'Nee. In elk geval niet binnen. Er zijn wel muizen en vleermuizen op zolder, maar daar heb je geen last van. Bertie komt niet boven, maar als je 's nachts naar de keuken gaat, kan het zijn dat hij je aanvliegt omdat hij denkt dat je een indringer bent. Toen hij nog een biggetje was heeft hij Oswald ooit een gebroken been bezorgd. Dus ik durf er niet aan te denken wat hij nu allemaal kapot zou kunnen maken!'

'En wie is Oswald?'

'Dat is een goede vriend van me. Jij vindt hem ook aardig. Dat weet ik zeker. Hij huurt het huisje hiernaast. 's Avonds komt hij meestal hierheen om te kaarten.'

'Helpt hij je op de boerderij?'

Peg maakte een geluidje dat leek op het geknor van Bertie. Toen begon ze te lachen. 'Nee! En als je Oswald kende, zou je begrijpen hoe grappig dat klinkt! Oswald is een gepensioneerde Engelse gentleman. Hij schildert. In driedelig tweed! Die aquarellen beneden zijn van hem. Hij verdient er genoeg mee om de huur te kunnen betalen. Maar veel meer ook niet. Volgens mij doet hij het voor zijn plezier. Nogmaals, hij is een goede vriend. En ik weet zeker dat jij hem ook aardig vindt.' Er dansten lichtjes in haar ogen, en Ellen vroeg zich af of haar tante misschien een beetje verliefd was op deze Engelse gentleman.

'Ik ben heel benieuwd,' zei ze.

'Beneden is een kleine zitkamer waar je kunt schrijven. Dan steek ik het vuur voor je aan en dan kun jij daar lekker werken wanneer ik buiten bezig ben. Zo, fris je eerst maar even op. Ik ga vast theezetten.'

Ellen viste haar telefoon uit haar tas. Toen ze hem aanzette, zag ze dat ze twee sms'jes had, bovendien waren er twee boodschappen ingesproken op haar voicemail. Door haar moeder. Ze wiste ze zonder ze af te luisteren. De ene sms was van William. *Liever, wat moet dit voorstellen? Ik begrijp er niets van. Bel me alsjeblieft, dan kunnen we het erover hebben.* Zijn beheerste reactie verbaasde haar niet. William was de prototypische Engelsman uit de betere kringen, die zich niet snel uit zijn evenwicht liet brengen. Dankzij zijn opvoeding en zijn opleiding was hij er stellig van overtuigd dat hij recht had op alles wat hij bezat en ambieerde. Tegenslag was iets wat hij niet kende. Dus Ellen stelde zich voor dat haar plotselinge vlucht hem slechts een licht geërgerde verzuchting had ontlokt – 'Vrouwen!' – en dat hij zich, net als zijn vader, weigerde druk te maken over de grillen van het andere geslacht. De andere sms was van Emily, haar beste vriendin. *Oooo! Je hebt het echt gedaan! Je moeder heeft al twee keer gebeld, maar ik durf niet op te nemen. Wat moet ik zeggen? Bel me alsjeblieft.* Ellen zette de telefoon uit. Ze liep naar het raam en duwde het open om de vochtige avondlucht op te kunnen snuiven. Er ging een huivering door haar heen. Van de kou? Of van opwinding omdat ze van huis was weggelopen? Ze wist het niet, en het deed er ook niet toe. Ze voelde zich bevrijd. Ze had drieëndertig jaar haar best gedaan om het haar ouders naar de zin te maken. Van nu af aan wilde ze alleen nog maar rekening houden met zichzelf. En met wat zíj wilde.

2

Toen Ellen beneden kwam, zat Peg aan de keukentafel met de krant. Ze had brood en kaas klaargezet. Op de rugleuning van haar stoel troonde een nogal dreigend ogende vogel, gitzwart met glimmende, bleekgroene ogen. 'Dat is zeker ook een vriend?' vroeg Ellen, terwijl ze de stoel nam die het verst bij de vogel vandaan was.

'O! Ja, dat is mijn kleine kauw,' vertelde Peg enthousiast. 'Ik heb hem uit het ei zien kruipen en sindsdien woont hij hier. Ik probeer hem wel eens weg te jagen, maar hij komt altijd weer terug. Ik kom nooit meer van hem af.' En blijkbaar vond ze dat ook helemaal niet erg, want ze vertelde het lachend. 'Wil je een kop thee?'

'Ja, lekker. Hoe heet hij?' vroeg Ellen, terwijl de kauw haar wantrouwend zat op te nemen.

'Jack! Dat past wel bij hem, vind ik.' Toen hij zijn naam hoorde, fladderde Jack op de tafel om naar de koekkruimels te pikken die Peg voor hem had laten liggen. Naast hem maakte het koekjesblik een nietige indruk.

'Je hebt wel een hoop dieren.'

'Ik kan geen nee zeggen, dat is het probleem. En iedereen weet dat. Als er ergens een beest komt aanlopen, of als ze een dier vinden dat gewond is, komen ze ermee bij mij.' Peg gaf haar een mok thee. 'Melk zit in de kan. Oswald komt om zes uur voor een glas wijn. Thee hoeft voor hem niet. Ik heb altijd een fles rode wijn voor hem in huis, maar als je ook een glas wilt, moet je het zeggen. Morgen zal ik je voorstellen aan de kippen en de schapen, en aan Charlie de ezel en Larry de lama. Ik heb twaalf schapen en Sneeuwvlok is mijn oogappel. Inmiddels is ze een grote meid, maar ik heb haar met de fles grootgebracht, want haar moeder was door een vos gegrepen. Ze mekkerde de hele nacht om eten. Ik deed geen oog dicht. Het was nog erger dan de jongens toen ze klein waren!'

Ellen nam een slok thee en voelde haar energie terugkeren. 'Mama houdt niet van dieren. Behalve van Waffle dan.'

'Waffle is een hond, neem ik aan? Tenminste, met zo'n naam hóóp ik dat het een hond is.'

'Ja, een heel kleintje.'

'Maddie was altijd bang dat haar kleren vies werden. Als klein meisje al. Volgens mij veranderen mensen niet echt. Ze was een zwaan tussen de ganzen.'

'Tante Peg, jij bent toch geen gans!' zei Ellen lachend.

'Vergeleken bij je moeder wel. Ze was de jongste en de mooiste. Niet dat het wat uitmaakt. Ik ben inmiddels oud en wijs genoeg om te weten dat schoonheid niet telt als die niet ook vanbinnen zit.'

'Volgens mij kan het mijn moeder niet zo veel schelen wat er vanbinnen zit.'

'Nou, vroeger wel, hoor. Afijn, als ze maar gelukkig is.' Ze haalde haar schouders op. 'Wil je nog een sigaret? Oswald houdt er niet van, dus ik probeer niet te roken vlak voordat hij komt. Anders ruikt hij het.'

'Ja, graag.' Peg was inderdaad geen schoonheid, zoals haar zus, dacht Ellen. Maar haar brede, lieve gezicht verried dat ze altijd bereid was het goede in de ander te zien. 'Ik ben toch zo blij dat ik je heb gevonden, tante Peg. Stel je voor dat ik niet stiekem in mama's brieven had gekeken. Dan had ik misschien nooit geweten dat je bestond!'

Peg gaf haar nicht het pakje sigaretten. 'Het is nooit te laat. Uiteindelijk stromen alle rivieren naar de zee. Ze heeft geprobeerd ons verborgen te houden, maar je hebt ons gevonden. Helemaal op eigen kracht.'

Ze staken een sigaret op en genoten in de knusse, warme keuken van hun thee. Peg vertelde weer over haar familie en terwijl Ellen luisterde naar het zachte rijzen en dalen van de stem van haar tante en naar haar Ierse accent dat zich als een varkensstaartje om ieder woord krulde, voelde Ellen zich tot rust komen. Op de mat knorde Bertie in zijn slaap, Mr. Badger lag opgerold op zijn kussen, en Jack keerde terug naar zijn vaste plek op de rugleuning van Pegs stoel. Maar hij bleef Ellen achterdochtig aankijken.

Ellen voelde zich al helemaal thuis in Pegs keuken, die zich als een beschermende, warme mantel om haar heen sloot. Thuis in Londen was de keuken het domein van mevrouw Leonard. De familie at in de eetkamer, mevrouw Leonard kookte en ruimde af. Ze was niet zo jong meer en vertrouwd met de groen gecapitonneerde deur, zoals die sinds de achttiende eeuw in alle huizen met personeel bestond. Daarachter lag het domein van de kok. Behalve mevrouw Leonard hadden Ellens ouders een huishoudster, mevrouw Roland, die haar eigen vertrekken had in het souterrain. En dan was er nog Janey, een spichtig meisje, rechtstreeks van de universiteit, die fungeerde als persoonlijk assistente van Madeline Trawton, ook al kon Ellen zich niet voorstellen waar ze haar dagen mee vulde. Haar moeder had tenslotte geen baan. Haar vader had een chauffeur, die het er vooral druk mee had haar moeder naar de boetieks aan Bond Street te rijden, en naar haar lunches voor goede doelen. Wanneer Ellen terugkeek op haar jeugd, besefte ze dat die was gedomineerd door nanny's, opgeleid aan het beroemde Norland College en in het voorgeschreven grijze uniform. Ze kon zich niet herinneren dat er ooit geen personeel in huis was geweest.

Denkend aan thuis, moest ze toegeven dat het niet echt een thuis was. Het was meer een modelwoning, ingericht, gestoffeerd en regelmatig gemoderniseerd door Jacques le Paon, de beroemde Franse ontwerper. En de keuken, waar mevrouw Leonard met ware territoriumdrift heerste, was een functionele, onpersoonlijke ruimte. Een plek waar de familie zelden kwam. Heel anders dan de keuken van Peg. Ellen zakte genietend onderuit in haar stoel. Pegs keuken was het hart van het huis, en Ellen koesterde zich in de warme, liefdevolle sfeer.

Na een tijdje stond Peg op om het raam open te doen en een pannetje zwarte koffie op te zetten tegen de rooklucht. Ze keek op de klok aan de muur. De grote wijzer kroop langzaam naar de twaalf. Om vijf voor zes haalde Peg twee wijnglazen uit de kast, ze pakte de halfvolle fles rode wijn van de koelkast, ontkurkte hem en zette hem op de houtstapel naast de Stanley om op temperatuur te komen. Vijf minuten later ging de voordeur open en kwam er een man in driedelig tweed binnen. Een rijzige verschijning, lang en dun als een bonenstaak. Ellen schatte hem op een jaar of vijfenzestig. Hij droeg een pet en een bril.

'Allemensen, is het al zo laat?' riep hij joviaal. 'Kijk eens aan! Daar hebben we de lieftallige Ellen! Helemaal uit de Big Smoke.'

'Dit is Oswald.' Pegs gezicht straalde.

Ellen stond op. 'Leuk u te ontmoeten. Ik heb al veel over u gehoord.' Er dansten pretlichtjes in Oswalds lichtgrijze ogen terwijl hij haar de hand schudde. 'Wij kunstenaars kunnen het vast wel goed vinden samen. Als ganzen in een vijver,' verklaarde hij opgewekt, met een onmiskenbaar, welluidend Engels accent. Ellen vond dat hij er helemaal niet als een schilder uitzag. Hij had zachte, schone handen en zijn overhemd en zijn tweed pak waren onberispelijk geperst en gestreken.

Peg zette haastig de glazen op tafel, gevolgd door de fles. Oswald pakte een stoel en liet zich inschenken.

'Nee maar, wat gezellig.' Hij nam een slok en hief zijn glas naar Ellen. 'Welkom in het land van herkomst.'

'Dank je wel,' zei ze lachend. Ze vond hem nu al aardig.

'Dit is het land van meerminnen en magie. Denk vooral niet dat het alleen maar folklore is, alle verhalen die je over Ierland hebt gehoord. Want ze zijn allemaal waar! Als je maar goed kijkt, kun je de kleine groene dwergjes zien, verstopt tussen de hei. Ze stelen munten om ze in de pot goud te stoppen, aan het eind van de regenboog.'

'O, Oswald! Wat ben je toch een schurk!' zei Peg lachend. Ze gaf Ellen ook een glas wijn en ging weer in de stoel van Jack zitten, met een glas Jameson en een kannetje water. 'Geloof er maar niks van, hoor, pop. Hij ziet ze vliegen.'

'Over vliegen gesproken, er zijn hier ook elfen,' voegde Oswald er heel serieus en op gedempte toon aan toe. Ellen wist niet of hij een grapje maakte, om haar tante te plagen. 'Ze horen alles,' zei hij fluisterend, met een blik om zich heen. 'En ze stelen, dus zorg dat je al je kostbaarheden goed opbergt.'

'Hij houdt je voor de gek,' zei Peg. 'En dat al na één slok wijn.'

'Het is echt waar. Kom op, Peg. Je zegt zo vaak dat dingen onverklaarbaar zijn verplaatst, of soms zelfs verdwenen.'

Ze schudde haar hoofd. 'Dat is niet zo vreemd in een huis vol beesten. Bertie is dol op alles wat glimt.'

'Heb je hem ooit betrapt?' vroeg Oswald.

'Nee, maar ik weet dat hij het doet.'

'Zie je nou wel? Je kunt het niet bewijzen. Ik zeg het je, dat doen de elfen. Heeft ze Dylan al ontmoet?'

'Nee, nog niet. Dat zal morgen wel gebeuren, neem ik aan.' Peg klonk ineens niet helemaal op haar gemak, vond Ellen.

'Dylan weet waar de dwergen begraven liggen,' vertelde Oswald. 'En als je hem op een whisky trakteert, vertelt hij het je. Hij is creatief, een kunstenaar. Net als wij, Ellen. En dus heel gevoelig. Jammer genoeg is hij door de drank nog veel excentrieker geworden dan hij al was. Dus soms denk ik dat de dwergen die hij beweert te zien, voortkomen uit zijn in whisky gedrenkte fantasie.' Hij grijnsde, en door zijn twee scheve hoektanden had hij ineens iets van een wolf. 'Maar hij bezit nog steeds die beroemde Ierse charme. Dylan is iemand die je wel aardig móét vinden. Of je wilt of niet.'

'Dat klinkt allemaal veelbelovend voor mijn boek,' zei Ellen.

'O, reken maar dat je hier inspiratie vindt,' viel Oswald haar bij. Toen trok hij zijn wenkbrauwen op. 'Waar gaat het over? Je boek?'

'O, liefde... raadsels... geheimen... je weet wel,' antwoordde ze vaag. 'Eerlijk gezegd, weet ik het nog niet precies.'

'Heel goed. Hoe minder je al een vastomlijnd idee hebt, hoe beter het is. Dan kun je de sfeer volledig in je opnemen en je door je verbeelding laten meevoeren naar nieuwe, magische oorden. Laat je verhalen uit Londen ver achter je. Die hebben in Connemara niets te zoeken.'

Ellen voelde zich aangemoedigd door zijn advies. Ze was gewend aan haar moeder die telkens opnieuw een domper op haar enthousiasme zette. Ze zag ernaar uit om haar nieuwe omgeving te verkennen en om inspiratie te putten uit de ruïnes, de verlaten huizen en de woeste heuvels. Hier, ver van huis, in dit afgelegen deel van Ierland, kon ze rustig, in haar eigen tempo, bedenken hoe het verder moest. Peg wekte de indruk dat ze het oprecht leuk vond dat ze er was. En haar dominante moeder, William en de bruiloft leken geruststellend ver weg.

Oswald zette zijn pet af en bleef eten. Ellen veronderstelde dat het altijd zo ging. Ze aten stoofvlees, gekookte kool en aardappels. 'Piepers' zoals Peg ze noemde. Ze zette ze midden op tafel, in de schil, zodat iedereen zijn eigen 'pieper' kon 'jassen'. Als toetje was er vruchtentaart. Oswalds favoriete dessert, ook al zou je dat niet zeggen. Broodmager als hij was, zag hij eruit als een rietstengel met een bos grijze krullen.

Na het eten liep hij naar de hal, om Ellen de schilderijen te laten zien die hij aan Peg had gegeven. Als hij niet genoeg geld had om de huur te betalen, kreeg ze een schilderij, legde hij uit. 'Ooit zijn ze een fortuin waard. En dan is Peg van de ene op de andere dag schatrijk.'

'Alsof dat zo geweldig is!' riep Peg vanuit de keuken.

'Je weet zelf niet wat goed voor je is.'

'Geld geeft alleen maar problemen. Ik doe mijn hele leven al zonder, en dat bevalt me prima.'

'Geld maakt niet gelukkig. Dat ben ik met je eens. Maar het kan het leven wel een stuk aangenamer maken!' riep hij terug. Toen dempte hij zijn stem, en hij wees naar een aquarel van de vuurtoren, nog voordat die door de brand was verwoest. 'Hier heb je iets om over te schrijven. Raadsels, geheimen...' Hij tikte met zijn nagel op het glas.

'Peg vertelde over de brand.'

'Ja. Een afschuwelijke zaak. Dat arme kind. En ze was nog zo jong. Niet veel ouder dan jij. En beeldschoon. Ze had golvend haar, vlammend rood als de hei, groene ogen en een roomblanke huid. En ze was wild. Wild en onstuimig, maar ook kwetsbaar. Ze had iets kinderlijks. Volgens mij stond ze heel dicht bij de elfen en de dwergen.' Hij grinnikte en praatte nog zachter. 'Maar dat moet je niet tegen Peg zeggen. Ze geeft liever niet toe dat ze in dat soort dingen gelooft.'

'Peg vertelde dat de man van die mooie jonge vrouw...'

'Conor! Ach ja, die arme kerel. Al dat geroddel, al die mensen die zeggen dat hij het heeft gedaan. Als ik in zijn schoenen had gestaan, was ik hier weggegaan. Maar hij woont hier nog steeds, een eind buiten het dorp. We zien hem nooit. Hij is erg op zichzelf. Bovendien geloof ik dat hij het grootste deel van de tijd in Dublin zit. Hij was een heel succesvolle filmregisseur. Maar sinds de dood van Caitlin geloof ik niet dat er nog iets uit zijn handen is gekomen. De kinderen zitten in Dublin op school.'

'Ik begreep dat ze vroeger in het kasteel woonden.'

'Ja. Dat heb ik ook geschilderd. Het is schitterend. Johnny en Joe nemen je wel een keer mee, dan kun je er een kijkje nemen. Het is de perfecte locatie voor een roman.'

'Ik krijg nu al inspiratie,' antwoordde ze opgewonden.

'Heb je geen vriend?'

'Nee,' loog ze, en ze sloeg haar armen over elkaar.

'Dat ziet eruit alsof je je in de verdediging gedrongen voelt,' zei hij bedachtzaam.

'Ik had een vriend, maar het is uit.'

'Aha, dus je hebt in Londen een arme kerel met een gebroken hart achtergelaten?' Met een welwillende glimlach keek hij haar aan over de rand van zijn bril. 'Beter nu dan dat jullie uiteindelijk allebei met een gebroken hart komen te zitten.'

Het was vooral haar moeder die met een gebroken hart zat, bedacht Ellen.

Na het eten bracht ze het blad met de koffie naar de zitkamer. Peg had het haardvuur aangestoken en het rook er heerlijk naar brandend hout. Mr. Badger sjokte achter hen aan en klom op de bank met een nonchalance die verried dat hij dat elke avond deed. Peg en Oswald gingen aan de kaarttafel in de erker zitten, terwijl Ellen het zich gemakkelijk maakte in de stoel voor de haard. Jack kwam aanvliegen en installeerde zich op de hoge ladekast tegen de muur.

'Heb je zin om mee te doen?' vroeg Peg.

'Nee, dank je. Ik kaart eigenlijk nooit,' antwoordde Ellen, zich afvragend waar de televisie stond en of haar tante Sky kon ontvangen.

Peg raadde haar gedachten. 'Ik heb geen televisie. Wel een kast vol boeken. In de kleine zitkamer, waar jij gaat werken. Wat voor boeken lees je het liefst?'

'Vooral fictie. Liefde, geheimen, beschrijvingen van mooie plekjes. Puur escapisme.' Ze dacht aan alles waaraan ze wilde ontsnappen. 'Trouwens, ik ben ook dol op historische fictie. Zoals de boeken van Philippa Gregory. Die heb ik allemaal gelezen.'

'En de klassieken! Die moet je lezen,' deed Oswald een duit in het zakje. '"De mens bereikt slechts wat hij nastreeft. Dus doet hij er goed aan de lat zo hoog mogelijk te leggen," citeerde hij filosofisch. 'Je moet Oscar Wilde lezen, Dumas, De Maupassant, Austen, Dickens. De grote schrijvers. Lees ze, Ellen, en wie weet, misschien word jij uiteindelijk ook zo'n grote.'

'Is dat wat jij ook nastreeft met je schilderijen?' vroeg ze grijnzend.

'Nee, want ik ben oud. En ik zit aan de top van mijn kunnen. Maar jij bent jong. Jij hebt nog een lange weg te gaan.'

'Dat ben ik niet met je eens, Oswald. Volgens mij is een mens nooit te oud om naar grootheid te streven.'

'Nu ben jij het die mij plaagt,' zei hij grinnikend.

'Een koekje van eigen deeg! Je verdiende loon.' Peg klakte bestraffend met haar tong, maar ondertussen keek ze hem vertederd aan.

'Deel de kaarten nou maar, meisje. Dan kunnen we beginnen.'

Ellen besefte dat lezen de enige optie was als er elke avond werd gekaart en als ze het zonder televisie moest stellen. Ze vroeg zich af wat Emily zou zeggen. Die zou het in een huis zonder televisie nog geen vijf minuten uithouden, bedacht ze glimlachend. Trouwens, ze was er nog niet zo zeker van dat zíj het veel langer zou volhouden. Anderzijds, een huis zonder televisie en met twee excentrieke oude mensen was ruimschoots te prefereren boven een huis in Londen met een verloofde van wie ze niet hield, en een dominante moeder die haar naar het altaar wilde slepen.

Terwijl ze peinzend in het vuur staarde, besefte ze dat ze William niet kon afschepen met een sms'je. Bovendien had ze duidelijker moeten zijn. *Ik heb wat tijd nodig voor mezelf, om na te denken*, was iets heel anders dan *Ik hou niet van je, dus ik wil niet met je trouwen*. Het huwelijk stond gepland voor juni. Over bijna vijf maanden. De Kerk van de Onbevlekte Ontvangenis aan Farm Street was geboekt voor zaterdag de tweeëntwintigste, en dankzij de aansluitende receptie bij Claridges had haar moeder een excuus om er elke week te gaan lunchen met meneer Smeaman, de glibberige special-eventsmanager. Haar moeder had bovendien al een afspraak gemaakt met Sarah Burton, die de bruidsjurk voor de hertogin van Cambridge had ontworpen. Want voor haar oudste dochter wilde ze een jurk die daar niet voor onderdeed, aldus Madeline Trawton. Ellen had echter al snel begrepen dat haar moeder niet zozeer een mooie jurk wilde voor haar dochter, maar dat ze vooral indruk wilde maken op haar vriendinnen. Voor de bruiloft van Leonora en Lavinia waren kosten noch moeite gespaard, maar ze waren op de mooiste dag van hun leven allebei overschaduwd door hun stralende, knappe moeder, die er oogverblindender uitzag dan de bruid.

Terwijl Ellen somber nadacht over haar situatie, en terwijl Peg en Oswald kaart speelden in de erker, begon Jack op de ladekast plotseling te krassen. 'Krrggaaa-krrggaaa!' Ondertussen hipte hij nerveus heen en weer over zijn hoge richel. Mr. Badger tilde zijn kop op, spitste zijn oren en verstijfde, alsof al zijn zintuigen alert waren op iets wat alleen een hond kon waarnemen. Ellen sloeg hem afwezig gade, maar geleidelijk aan raakte ze steeds geboeider. Hij kwispelde licht met zijn staart, en het leek alsof hij met zijn blik iets volgde. Iets wat zich onzichtbaar door de kamer bewoog. Toen begon hij opgewonden te janken, en hij sloeg met zijn staart op de kussens van de bank. Het was allemaal erg vreemd, maar Oswald en Peg hadden blijkbaar niets in de gaten. Ellen werkte zich overeind en hurkte voor de bank om Mr. Badger te aaien. Hij keek haar vluchtig aan, maar was toen weer een en al aandacht voor wat hij wat het ook mocht zijn dat hij zag.

'Tante Peg, kijk eens naar Jack! En naar Mr. Badger!' zei Ellen. 'Ze doen raar! Heel raar!'

Tante Peg keek haar glimlachend aan. 'Ze zíjn ook een beetje raar, ben ik bang.'

'Het komt door de elfen,' zei Oswald zonder zijn blik van zijn kaarten af te wenden.

Peg schudde haar hoofd. 'Hou op. Ik wil niet dat je haar bang maakt. Ze is er niet. Ik wil niet dat ze op stel en sprong teruggaat naar Londen omdat ze denkt dat het hier spookt.'

'Als het een spook is, dan is het wel een spook dat het goed bedoelt,' zei Ellen. Op dat moment vloog Jack de kamer uit. 'Hm, daar denkt hij blijkbaar anders over. Maar Mr. Badger vindt hem aardig. Moet je kijken hoe hij hem volgt met zijn ogen.'

'Honden zijn dol op elfen,' zei Oswald, op een toon alsof hij er verstand van had. 'Maar van dwergen moeten ze niks hebben.'

'Was je nog van plan op te leggen, Oswald? Of blijf je dit soort onzin verkondigen?'

Hij legde een kaart op tafel. 'Alsjeblieft, meisje. Daar heb je niet van terug.'

Ellen aaide Mr. Badger. Hij werd al snel weer rustig, legde zijn kop op zijn poten en viel met een diepe zucht in slaap.

Waarom was hij ineens opgeschrokken? Ellen geloofde niet in elfen en dwergen, maar het bestaan van geesten vond ze heel natuurlijk. Zeker hier. 'Van wanneer is dit huis?' vroeg ze.

'Begin achttiende eeuw,' antwoordde Peg.

'Dus het kan best zijn dat er geesten rondspoken.'

'Zoals ik al zei, kindje, het stikt hier van de elfen,' merkte Oswald op. Toen gooide hij bulderend van het lachen weer een kaart op. 'Kijk! Hoe vind je die? Nou heb ik je, Peg!'

'Is hier misschien ooit iemand gestorven?' Ellen gaf niet op. Ze kreeg geen reactie, maar het idee dat het misschien spookte in het huis van haar tante hield haar zo bezig, dat ze niet zag dat Pegs vingers weifelend boven haar kaarten hingen. 'Dat zou toch best kunnen? Dat je een geest in huis hebt?'

'Ik geloof niet in geesten,' antwoordde Peg kortaf. 'Als mensen geesten zien, dan is dat omdat ze die wíllen zien,' vervolgde ze zacht. 'Dáárom horen en zien ze dingen die er niet zijn. Het is een soort zinsbegoocheling. En wat Mr. Badger betreft, die gaat wel vaker achter een stofdeeltje aan waar de zon op valt, of een heel klein vliegje… zo klein dat wij het niet kunnen zien. Laat je door Oswald maar niks wijsmaken, met zijn verhalen over elfen. Ierland is hem naar het hoofd gestegen. Maar ik wil zulke onzin hier niet horen. Waarom ga je niet op zoek naar een mooi boek? Er staan er genoeg in de kamer hiernaast.'

Ellen besefte dat ze een gevoelige snaar had geraakt. Ze stond op en verliet de kamer. Terwijl ze door de gang liep hoorde ze haar tante en Oswald zacht praten. In de kleine bibliotheek was het doodstil, op het tikken van de oude staande klok na.

Twee muren van de kleine kamer waren bedekt met boekenplanken, voor het raam aan het eind van het vertrek stond een bureau, en in de muur daarnaast zat een grote open haard, die op dat moment een koude, donkere aanblik bood. Er lagen losse kleden op de vloer, en in het midden van de kamer stond een salontafel met wat stapels tijdschriften en boeken. De geur van het houtvuur was in de gordijnen en de kleden getrokken. De vloer kraakte toen Ellen naar de boekenkast liep, op zoek naar iets waaruit ze inspiratie hoopte te putten. Ze kon zich bijna niet voorstellen dat er tegenwoordig nog mensen waren zonder televisie. Hoe bleef haar tante op de hoogte van het nieuws? Haar blik gleed langs de boeken tot ze op een titel stuitte die haar aansprak. *Kastelen van Ierland.* Het was geen roman, maar dat deed er niet toe. Ze bladerde het boek door en las de koppen boven de bladzijden. Het betrof een geschiedenis van diverse Ierse kastelen. Sommige waren tot ruïnes vervallen, andere waren nog intact. Het boek was geïllustreerd met schitterende kleurenfoto's. Ellens nieuwsgierigheid was gewekt. Want ze vond niets zo romantisch als een ruïne.

3

De nieuwe dag brak aan, de haan kraaide, maar Ellen was al wakker. Vanuit haar slaapkamerraam kon ze de vuurtoren nu veel duidelijker zien. De witte buitenmuren stonden nog gedeeltelijk overeind en boden een vreemde aanblik in het zwakke ochtendlicht. Het zwartgeblakerde inwendige deed haar denken aan de verkoolde ribben van een oud schip, blootgesteld aan weer en wind, en aan de meeuwen die zich daarbinnen waagden. De vervallen staat waarin de toren verkeerde had iets intrigerends en bezorgde Ellen een gevoel van melancholie. De toren had voor haar dezelfde aantrekkingskracht als vervallen kastelen, en ze vroeg zich af hoe de jonge moeder was gestorven en waarom ze in de toren was geweest.

De zee was rimpelloos en glad als zijde en de rotsen oogden welwillend in de vredige stilte van de ontwakende wereld. Die stilte was nieuw voor Ellen, gewend als ze was aan het lawaai van de stad. Het was alsof de stilte haar omhulde als een zachte, donzen deken en even verloor ze zich in de aanblik van het landschap. Haar gedachten kwamen tot rust, haar hoofd werd licht, en ze leefde in het moment, zich bewust van de oneindigheid van het tijdloze panorama.

Toen hoorde ze dat Peg al in de keuken bezig was, begeleid door geknor en het geluid van rennende poten. De voordeur ging open, en Ellen zag haar tante naar buiten komen, gevolgd door Bertie en Mr. Badger, die opgewonden aan de grond snuffelde en zijn poot optilde tegen de omheining. Peg stak met grote stappen het veld over, gehuld in een dikke bruine jas met handschoenen, laarzen en een wollen muts die ze diep over haar voorhoofd had getrokken. Ze sjouwde een grote, zwarte emmer mee, en in haar warme uitmonstering zag ze eruit alsof ze zo de heuvel af kon rollen als ze dat wilde.

Het was wonderlijk te beseffen dat Peg hetzelfde DNA had als Ellens moeder, die met haar slanke verschijning altijd even onberispelijk gekleed ging en zich perfect verzorgde. Madeline Trawton liet drie keer in de week haar haar föhnen bij een dure kapper in Chelsea, en ze ging regelmatig naar de manicure en de schoonheidsspecialiste. Ellen kon zich niet voorstellen dat tante Peg ooit haar nagels of haar gezicht had laten doen. Zoals ze daar liep – licht voorovergebogen en rond als een kerstpudding – bood ze een eenzame aanblik. Ellen was verrast hoezeer ze haar tante al in haar hart had gesloten, terwijl ze haar nog maar nauwelijks kende. Ze zag dat ze de schapen telde en toen keihard floot. Door de kou was haar adem zichtbaar als rook. Ellen dacht dat ze naar de hond floot, maar even later kwam er een ruigharige grijze ezel aan draven over de heuvel. Bij Peg gekomen stak hij zijn neus in de emmer en liet hij zich liefkozend over zijn kop en achter zijn oren krabben. Ook de schapen drongen om Peg heen, totdat Mr. Badger jaloers werd en ze wegjoeg. Een schaap met een uitzonderlijk lange hals was daar niet van onder de indruk en drukte zijn zachte, wollige lijf nog dichter tegen Peg. Een raar beest, vond Ellen, tot ze zag dat het geen schaap was maar een lama. Ze glimlachte om haar excentrieke tante en vroeg zich af wat haar moeder van haar zou vinden.

Bij de gedachte aan haar moeder keerde ze het raam de rug toe en haalde ze haar iPhone uit haar tas. Ze zette hem aan. Haar hart begon wild te kloppen en de onrust die ze in Londen had gevoeld nam weer bezit van haar. Het was op slag gedaan met de vredige kalmte van nog maar enkele ogenblikken eerder. Het zweet brak haar uit bij het zien van de boodschappen, sms'jes en e-mails die binnenkwamen. Blijkbaar had het nieuws van haar verdwijning zich als een lopend vuurtje verspreid. Angstig bekeek ze de berichten. William, haar moeder, haar vader die zich doorgaans buiten huiselijke besognes hield, Leonora, Lavinia, Emily en nog diverse andere vriendinnen hadden geprobeerd haar te bereiken. Paniek maakte zich van haar meester en dreigde haar te overweldigen. Dit was nou precies waarom ze Londen was ontvlucht! Om weg te komen bij iedereen die haar probeerde te dicteren hoe ze haar leven moest leiden. Waarom lieten ze haar niet met rust!

Met een toenemende benauwdheid trok ze haastig een spijkerbroek en een trui aan. Ze stopte de telefoon in haar achterzak en rende met twee treden tegelijk de trap af. Zonder acht te slaan op de rij rubberlaarzen van Peg schoot ze haar leren laarzen en haar jasje van namaakbont aan. Eenmaal buiten kwam ze dankzij de kou die haar wangen deed tintelen en haar longen deed branden, weer tot zichzelf. Waarom had ze dit niet veel eerder gedaan, dacht ze nijdig. Ze liep over het grind naar het veld waar Peg tegen de lama stond te praten. Daar klom ze over het hek.

'Goeiemorgen,' zei haar tante toen ze haar nichtje zag aankomen. 'Alles goed, pop?' vroeg ze ernstig bij het zien van Ellens zorgelijke gezicht.

Ellen ademde huiverend in, zonder acht te slaan op de lama die haar streng opnam. 'Ik ga even naar het strand!' Ze stopte haar handen diep in haar zakken.

'Nu meteen? Voor het ontbijt?'

'Ik moet even een eindje lopen om wakker te worden.'

Peg fronste bezorgd. De angstige blik in Ellens ogen was haar niet ontgaan. 'Wil je dat ik met je meega?'

'Nee, dat hoeft niet. Het is oké.' Ellen schonk haar een vluchtige glimlach.

'Wat wil je straks eten? Eieren met spek? Havermoutpap?'

'Dat heb ik nog nooit gegeten. Havermoutpap. Ik neem meestal fruit. Mijn moeder let erop dat ik niet te veel eet, want ze is bang dat ik aankom...' Voor de bruiloft, had ze bijna gezegd, maar ze slikte het nog net op tijd in. Peg keek haar niet-begrijpend aan, alsof ze Chinees sprak.

'Jaysus, je moet goed eten, kindje! Je bent broodmager! Vel over been. Je moeder is niet goed bij haar hoofd. Ik maak een lekker bord havermoutpap voor je, met honing en banaan. Daar word je een ander mens van.'

Ellen slikte om de tranen te verdringen die in haar ogen opwelden. Want ze wilde zo graag een ander mens worden.

Peg keek naar haar voeten. 'Weet je wel zeker dat je die mooie laarzen aan wil houden? Het is zonde om ze te bederven.'

'O, dat maakt niet uit.' Ellen wendde zich af. 'Leer kan tegen een stootje, en trouwens, die laarzen kunnen me niks schelen. Ik blijf niet lang weg.' De schapen weken voor haar uiteen toen ze haastig de helling afdaalde. Peg keek haar na, met haar handen op haar heupen en een frons op haar voorhoofd onder haar muts.

Hoe harder Ellen liep, hoe beter ze zich voelde. De frisse ochtendlucht was verkwikkend en haar wangen begonnen te gloeien. Ze stak de weg over en sloeg een pad in dat door het hoge gras naar de zee leidde. Een verlaten huisje stond eenzaam en verloren naast de beschadigde overblijfselen van een omheining. Op het dak en tussen de stenen van de muren groeiden struiken en onkruid. Uiteindelijk zou het huisje instorten en worden weggespoeld door de golven. Net zoals alles ooit weg zou zijn, dacht ze filosofisch. Want al het stoffelijke was maar tijdelijk. Niets was voor de eeuwigheid. *En daarom moet ik mijn eigen weg gaan, want aan mijn leven komt ooit ook een einde.*

Het was eb, de zee had zich teruggetrokken en een brede strook lichtgeel zand achtergelaten. Hier en daar lagen zwarte rotsblokken, als slapende zeehonden. Witte meeuwen hupten rond de ondiepe getijdepoelen, op zoek naar voedsel. De wind blies door de verlaten vuurtoren, en het klonk alsof er geesten tussen oude beenderen dansten. Ellen haalde diep adem, zo diep als ze kon. Toen ze weer uitademde, voelde ze de spanning wijken en haar verkrampte schouders werden weer soepel. Bij de aanblik van de oneindige zee met daarboven de weidse hemel verdween de last die op haar borst drukte en werd ze zich bewust van een verrukkelijk licht, bevrijd gevoel. Ze liep over het zand naar het water, zonder zich er ook maar iets van aan te trekken dat haar dure laarzen nat werden. Het geraas van de zee werd steeds luider. Het was een prettig geluid, heel anders dan verkeersgeraas. Gretig ademde ze de zilte lucht in. De wind speelde met haar haar dat krulde door het vocht, zodat het in kastanjebruine strengen over haar schouders en in haar gezicht woei. Ze haalde de iPhone uit haar zak en zonder ook maar één moment te aarzelen, gooide ze hem zo ver mogelijk in zee. Hij viel met een plons in het water en was verdwenen.

Onmiddellijk werd ze overweldigd door een gevoel van vrijheid. Weg waren alle storende, bemoeizieke boodschappen. Weg was haar contact met Londen. Het was alsof ze, mét de telefoon, ook haar moeder en William, haar zussen en vriendinnen – haar hele leven! – in het water had gegooid. Ze was alleen, op een verlaten strand, eindelijk bevrij van de verwachtingen waaraan ze moest voldoen, van de plichten en verantwoordelijkheden die haar gevangen hadden gehouden. Ze was een brug overgestoken en had die vervolgens achter zich verbrand. Eindelijk kon ze zijn wie ze wilde zijn. Ze glimlachte voldaan en liet haar verleden wegvoeren door de wind. Uitkijkend over de weidse watervlakte besefte ze dat de hele wereld voor haar openlag.

Met veerkrachtige tred liep ze terug over het strand, de helling weer op, waar de schapen rustig graasden en waar de ezel naar de zee stond te staren. Toen het huis in zicht kwam, zag ze naast Pegs bemodderde Volvo nog meer auto's op het grind staan. Net zo oud, en net zo onder de modder. Bezoek? Zo vroeg al?

Toen ze de deur opende, sloeg haar met de vochtige warmte een geur van bacon tegemoet. Mr. Badger kwam de hal instormen. Ze aaide hem vluchtig, hing haar jas op en trok haar laarzen uit. De punten waren donker van het vocht, maar daar kon ze zich niet druk over maken. De laarzen hoorden bij een leven waarvan ze inmiddels zeker wist dat ze daar nooit meer voor zou kiezen. Uit de keuken kwamen stemmen. Diepe mannenstemmen, besefte Ellen verrast. Verlegen liep ze naar binnen.

'Ach, daar ben je, pop! Mag ik je even voorstellen? Je familie!' zei Peg stralend. Om de keukentafel zaten vijf mannen thee te drinken. Vier van de vijf waren van Pegs leeftijd en de vijfde was aanzienlijk jonger, ongeveer net zo oud als zijzelf, schatte Ellen. Ze nam hen verbaasd op. 'Dit zijn je ooms,' vertelde Peg. 'Johnny, Desmond, Ryan en Craic. En dat is Joe, de zoon van Johnny.' Ze stonden geen van allen op om haar te begroeten, maar ze zetten wel hun pet af. Gretig als jonge honden namen ze haar nieuwsgierig op. 'Toen ze hoorden dat je kwam, waren ze er allemaal als de kippen bij om poolshoogte te nemen,' aldus Peg.

Dit is mijn familie, dacht Ellen ongelovig, terwijl ze de ruige, harige mannen bekeek alsof ze afkomstig waren van een andere planeet. Op het eerste gezicht zag ze geen enkele gelijkenis met haar moeder. Ze kon zich gewoon niet voorstellen dat deze mannen en haar moeder dezelfde genen hadden. Toen riep ze zichzelf tot de orde en stak ze beleefd haar hand uit. Op kostschool had ze geleerd haar gevoelens te verbergen en onder alle omstandigheden beleefd te blijven. Dat bood houvast in situaties waarin je je onzeker voelde. 'Dus jullie zijn mama's broers?' Ze schudde hen een voor een de hand, terwijl ze hun naam noemden en haar onderzoekend aankeken, alsof ook zij zochten naar bekende familietrekken.

'Ik ben Desmond, de oudste Byrne,' zei de eerste een beetje gewichtig. 'Mijn vrouw Alanna was ook graag meegekomen, maar ze moest werken. Dus die leer je later nog wel kennen.'

'Leuk!' Ellen vond Desmond met zijn donkere ogen en zijn brede, ernstige gezicht nogal intimiderend. Hij was de grootste van de mannen, met een buik als een bierval, brede gespierde schouders en een korte dikke nek. Zijn weerbarstige zwarte haar begon al grijs te worden, en hij had een wollige, zwarte baard die een groot deel van zijn gezicht bedekte. Een man met wie je geen ruzie wilde. Zo zag hij er tenminste uit, vond Ellen.

'Ik ben Johnny,' zei de man naast hem, die er aanzienlijk minder intimiderend uitzag. 'En dit is Joe, mijn zoon.' Net als Desmond had ook Johnny diepliggende blauwe ogen, maar zijn blik was milder, gevoeliger. Zijn baard leek zachter en bedekte niet zo'n groot gedeelte van zijn gezicht. Anders dan Desmond, die een dikke bos haar had, was Johnny kalend.

'Hallo.' Joe, de zoon van Johnny, legde zijn warme hand in de hare en drukte die zo hard dat Ellen geschrokken haar adem inhield. 'Sorry,' zei hij met een scheve grijns. Als hij lachte was hij erg knap, en Ellen stelde zich voor dat zijn vader in zijn jonge jaren ook een knappe vent moest zijn geweest. Ze leken erg op elkaar, vader en zoon. Alleen had Joe groene ogen. Een warme kleur mosgroen.

'Hij kent zijn eigen kracht niet, die jongen,' zei Ryan terwijl hij in gespeelde minachting zijn hoofd met het kastanjebruine haar schudde. 'Neem het mijn neef maar niet kwalijk. Een en al branie zonder brein!' Hij lachte zijn scheve, vergeelde tanden bloot. 'Zo doe je dat, knul,' zei hij tegen Joe, en hij schudde Ellen voorzichtig de hand. 'Leuk je te ontmoeten, Ellen. Ik ben Ryan.'

'Hallo, Ryan,' zei ze lachend. Zijn hand was warm en zacht, als deeg.

'En ik ben Craic,' zei de laatste. Zijn bleekgrijze ogen stonden een beetje verlegen en waren, net als zijn blonde haar, de trekken waarin hij van zijn broers verschilde. Van al haar ooms leek hij het meest op haar moeder, en Ellen schonk hem een warme glimlach, opgelucht toch iets vertrouwds te ontdekken in de onbekende gezichten. Ondanks die gelijkenis bleef er echter een wereld van verschil. De mannen spraken met een sterk Iers accent en hun grote handen waren ruw en eeltig. Ellen dacht aan de zachte handen van haar vader, aan zijn keurig verzorgde nagels. Het waren de handen van een man die in Mayfair werkte, op een deftig kantoor, en die regelmatig met vrienden ging lunchen bij White's. De handen van haar ooms daarentegen deden haar denken aan de bouwvakkers die in het huis aan Eaton Court bijna voortdurend aan het werk waren, om de wensen uit te voeren van Ellens veeleisende moeder, die nooit tevreden was, of bang dat ze zich anders zou vervelen.

'Ga zitten, pop. Ik heb havermoutpap voor je en een kop thee.' Jack zat op de leuning van Ryans stoel, aan het hoofd van de tafel. Haar oom scheen hem niet op te merken, of misschien was hij zo gewend aan de ongebruikelijke huisgenoten van zijn zus dat hij hem negeerde. Ellen nam de nog vrije stoel aan het eind van de tafel. Peg zette een kom havermoutpap voor haar neer met een spiraal van goudgele honing. De pap dampte verleidelijk.

'En wat eten jullie allemaal?' vroeg Ellen om de ongemakkelijke stilte te verbreken. Ze zaten haar aan te kijken alsof ze een exotisch dier was waarvan Peg zich het lot had aangetrokken. 'Tante Peg heeft een feestmaal voor jullie klaargemaakt!'

'Gebakken eieren en bacon voor de jongens.' Peg schonk thee in haar mok. 'Tast toe, pop. We doen hier niet aan deftige tafelmanieren.'

'Maakt ze elke ochtend ontbijt voor jullie?' Ellen vroeg het aan Joe omdat ze hem het minst intimiderend vond, misschien doordat hij van haar leeftijd was.

Hij grijnsde en zijn donkere ogen glinsterden ondeugend. 'Nee, daar begint ze niet aan. Meestal kan er niet meer af dan een kop thee. Hè, Peggine?'

Ze gaf hem een speelse tik tegen zijn hoofd. Hij had dik, glanzend zwart haar en zijn smalle gezicht had iets brutaals. Het ontging Ellen niet dat hij met een warme blik naar zijn tante keek.

'Peg komt niet in de pub, dus dan moeten wij wel hierheen komen,' voegde Johnny er grijnzend aan toe.

'Waarom wil je niet naar de pub, tante Peg?' vroeg Ellen.

'Te vol en te druk,' antwoordde ze schouderophalend.
'Pegs keuken is de perfecte plek om bij te praten na een lange werkdag,' zei Johnny liefdevol. 'En ze zet lekkere sterke thee!'
'De pub is van mij,' vertelde Craic. 'Maar ik vat het niet persoonlijk op,' voegde hij er met een knipoog naar zijn zus aan toe. 'Is de Pot of Gold van jou?' Ellen was onder de indruk. Ze kende niemand die een pub had.
'Ja, ik ben bang van wel.'
Desmond hief met een scheve grijns zijn mok. 'De Heer Zelve veranderde water in wijn, dus waarom zou drinken een zonde zijn?'
'Wie schreef dat?' vroeg Ellen.
'Geen idee, maar het moet een Ier zijn geweest!' Ze barstten in lachen uit, de spanning was gebroken, en iedereen begon door elkaar heen te praten, met diepe basstemmen als brommende beren. Peg zorgde voor een voortdurend aanvoer van toast en thee. Denkend aan de eenzame figuur van die ochtend in het veld, verbaasde Ellen zich over het verschil met de gullende, blozende gastvrouw die ervan genoot voor iedereen ontbijt te maken.

Ellen was niet gewend aan zo'n grote familie. Anthony Trawton, haar vader, stamde uit een aristocratisch geslacht dat vier eeuwen lang op Hardingham Hall had gewoond, een schitterend landgoed in Norfolk. Na de dood van Anthony's vader had Robert, de oudste zoon, het landgoed geërfd en was hij de nieuwe markies Van Zelden geworden. Conform de regels ging de titel van graaf naar Roberts zoon George, zodat Ellens vader zich slechts lord mocht noemen. Zijn zuster, Anne, was met een Schot getrouwd en woonde in Edinburgh. Anthony had voor Londen gekozen. De weinig hechte familie zag elkaar eigenlijk alleen bij de traditionele kerstviering, wanneer iedereen samenkwam op Hardingham Hall. In een vertoon van eenheid en verbroedering werd de dienst in de plaatselijke kerk bezocht en werd de wens uitgesproken elkaar in het nieuwe jaar vaker te zien. Maar het kwam er nooit van. Omringd door haar nieuwe familie deed Ellen haar best alle grappen en plaagstoten te begrijpen. Ze verwonderde zich over de wereld die haar moeder voor haar verborgen had gehouden en wenste dat ze er van jongs af aan deel van had kunnen uitmaken.

'Ik zou het leuk vinden om vanavond met z'n allen iets te gaan drinken in de Pot of Gold,' stelde Ellen voor, nadat ze haar bord leeg had gegeten. Ze vond het jammer dat de pap op was. 'Ik ben nog nooit in een echte Ierse pub geweest.'

'Nou, dan heb je wat gemist!' zei Johnny.

'Ik kom je wel halen,' bood Joe aan.

'Dan zie je vanavond de hele familie,' voegde Johnny eraan toe.

'Weet je zeker dat je er klaar voor bent?' vroeg Ryan hoofdschuddend, zodat zijn rode krullen op en neer dansten.

'Ik red het nu toch ook? En jullie zijn al met een heleboel,' zei ze lachend.

'Maak je geen zorgen, pop.' Peg klopte haar bemoedigend op de schouder terwijl ze de lege kom weghaalde. 'En je ziet het, ik had gelijk! Een stevig bord pap was precies wat je nodig had om weer kleur op je wangen te krijgen.'

'En hoe is het met Maddie?' Desmond leunde achterover, en de sfeer werd opnieuw gespannen, alsof er een donkere wolk over het gezelschap neerdaalde. Zijn broers keken elkaar aan, duidelijk niet op hun gemak, maar Desmond gaf geen krimp. Hij oogde niet als het tactvolle type.

'Heel goed,' antwoordde Ellen luchtig.

'Wat vindt ze ervan dat je hier bent, bij ons? In het land van herkomst?' Johnny streek nerveus over zijn baard.

'Ze weet niet dat Ellen hier is,' antwoordde Peg in haar plaats.

De mannen keken hun nichtje doordringend aan. 'Ze weet niet dat je hier bent?' herhaalde Ryan. 'Waar denkt ze dan dat je zit?'

'Ergens in Engeland. Op het platteland. Om een boek te schrijven.'

'Dus je bent schrijver?' zei Joe. 'Wauw!'

'Dat probeer ik te worden.' Ellen glimlachte in een poging om het niet te gewichtig te maken.

'Waar schrijf je over?' vroeg Joe.

'Romans. Je weet wel, relaties, spanning, het leven in al zijn facetten. Oswald vertelde me over het kasteel. Dat klinkt als een goede plaats van handeling voor een boek.'

'Als je wil kun je straks wel met ons mee. Joe en ik werken op het kasteel. Tenminste, ik ben rentmeester. Joe hangt wat rond en staat te ro-

ken,' zei Johnny grinnikend. 'Een luie donder, dat is het!'
'Ach, hij denkt dat hij het allemaal alleen doet. Dus ik laat hem maar in die waan.' Joe rolde met zijn ogen. 'Het stikt er van de geesten om over te schrijven.'

'Laat hem maar praten, pop. De enige twee geesten, dat zijn zij!' Na een zware avond in de Pot of Gold,' zei Peg.

'Ik kan me niet voorstellen dat ze veel te doen hebben,' merkte Ryan op. 'Het kasteel is dichtgetimmerd en meneer Macausland zit het grootste deel van zijn tijd in Dublin. Dus al zouden ze de hele dag uit hun neus eten, dan is er niemand die het merkt.'

'Maar Ellen, als je moeder blijkbaar niet mag weten dat je bij Peg bent, hoe ben je hier dan toch terechtgekomen?' Desmond liet zich niet afleiden en nam haar onderzoekend op.

'Ik was nieuwsgierig, door de brieven en de kerstkaarten die tante Peg altijd stuurde. Die heb ik stiekem doorgekeken. Ik dacht altijd dat mijn moeder alleen maar een zus had. Dat er ook nog vier broers waren, heb ik nooit geweten.'

'Nee, dat zal wel niet,' mompelde Desmond. 'En wat ga je nu tegen haar zeggen?'

Ellen haalde haar schouders op. 'Ik zeg helemaal niks. Wat niet weet, wat niet deert. Ze hoeft niet te weten dat ik jullie heb gevonden.' In het besef dat Peg dwars door haar heen keek, sloeg ze haar ogen neer. Haar tante stond bij de Stanley, met een peinzende uitdrukking op haar gezicht. Er zaten gaten in haar verhaal, wist Ellen, maar ze was er nog niet klaar voor om open kaart te spelen. Het was echter wel duidelijk dat Peg al doorhad dat ze van huis was weggelopen.

'Ik zou het geweldig vinden om het kasteel te zien,' zei ze, haastig overschakelend op een ander onderwerp. Ze had het gevoel dat ze werd ondervraagd, en dat vond ze niet prettig.

'Nou, waar wachten we dan nog op?' Johnny kwam overeind. 'Bedankt voor het ontbijt, Peg.'

'Graag gedaan, maar verwacht morgenochtend niet weer een gedekte tafel!'

'Te laat, Peggine,' zei Joe lachend. 'Ik kan me geen betere manier voorstellen om de dag te beginnen.'

'Stelletje hongerlappen! Vooruit, ingerukt. Ik moet aan het werk.'

'Hoe is het met die eekhoorn?' vroeg Craic.

'Die is nog in zijn winterslaap. Trouwens, hij heet Reilly.'

'Je bent geweldig, Peg!' Desmond klopte haar op de schouder.

'Ja, ja, het is goed met je, Desmond Byrne. Zo, en nu mijn huis uit.' Ze loodste hen naar de deur als een kudde schapen.

'Weet je zeker dat je vanavond niet mee wil naar de pub?' vroeg Desmond. Het ontging Ellen niet dat zijn barse stem ineens verrassend zacht klonk.

'Nee.' Ook Peg klonk ineens anders, alsof ze allebei aan hetzelfde dachten. Aan iets wat beter ongezegd kon blijven.

'Oké, dan proosten we alleen met onze nicht.'

'Als jullie maar zorgen dat ze weer heelhuids thuiskomt.'

'Ik zal een oogje in het zeil houden.'

'Neem een paar laarzen van mij mee, pop,' zei Peg toen ze zag dat Ellen haar bontjack aantrok. 'Het is een modderboel op het kasteel. Bovendien wordt er regen verwacht. Dus je moet ook maar een jas van mij aantrekken. Dat berenvel ziet er schattig uit, maar je hebt er hier niks aan. En het is zonde om het te bederven.'

Ellen besloot het toch aan te houden, maar ze zwichtte voor de laarzen. Ze waren verre van modieus, maar wel comfortabel en ze pasten haar perfect. 'We hebben dezelfde schoenmaat, Peg!' riep ze.

'Dan moeten we wel familie zijn.' Haar tante grinnikte. 'Tot straks. En denk erom dat je niet alles gelooft wat Joe vertelt. Die jongen kan soms zulke onzin uitkramen.'

'Ik ben dol op spookverhalen,' zei Ellen terwijl ze de mannen naar buiten volgde.

'Ja, dat was ik ook ooit,' mompelde Peg. Toen Ellen zich omdraaide, las ze een intens verdriet op haar gezicht, alsof haar hart, net als de vuurtoren, ooit door een vernietigende brand onherstelbaar was beschadigd.

4

Ik bevind me in een soort voorgeborchte, nog altijd verbonden met het leven, maar ik maak er geen deel meer van uit. Het feit dat ik overal kan zijn waar ik wil, biedt weinig troost. Ik heb geen lichaam meer. Als een soort eeuwige rooksliert zweef ik van plek naar plek, gedreven door wilskracht. Het ene moment ben ik in Dublin, het volgende in Connemara. Wat zou het gemakkelijk zijn geweest als ik vroeger zo had kunnen reizen, toen ik nog leefde! In de jaren na mijn dood ben ik steeds eenzamer geworden. Ik heb mezelf de hemel ontzegd, maar op aarde speel ik geen rol meer. Ik kan alleen mijn dierbaren observeren, als in een droom. Slapen hoef ik niet, en ik heb nooit honger. Ik voel geen kou, geen regen, en toch ontleen ik nog altijd een diepe vreugde aan de schoonheid van het Ierse land. Misschien wel meer dan vroeger, want het is alles wat ik nog heb.

Mijn aanvankelijke frustratie is minder geworden. Ik heb me neergelegd bij dit bestaan dat geen bestaan is. Ik ben eenzaam, maar niet alleen. Geesten dwalen door de gangen van het kasteel, maar ze besteden geen aandacht aan me. Ik zou mezelf tot waanzin kunnen drijven door ze op te jagen en alle kamers te doorzoeken, in de hoop op gezelschap. Ze zijn als mist die oplost in de lucht, als adem die verdampt op een koude winterochtend. Ik vermoed dat ze er in deze parallelle dimensie ook al waren toen ik nog leefde en dat ze toen net zomin in me geïnteresseerd waren. Ik weet niet waar ze naartoe gaan en waarom ze geen contact met me willen. Het zou leuk zijn om aanspraak te hebben.

Als meisje uit Galway, waar ik ben geboren en getogen, heb ik nooit iets met Dublin gehad. Toen ik nog leefde vond ik het lawaai en de drukte, de stenen en het beton altijd al afschuwelijk, en dat is niet veranderd nu ik dood ben. Maar om bij mijn kinderen te zijn neem ik het allemaal voor lief. Ik vind het heerlijk om te zien dat ze gelukkig zijn, en gezond. Want ze zijn gelukkig, dat valt niet te ontkennen. Ze hebben hun verdriet begraven, zoals honden dat met hun botten doen. Maar ze weten waar het ligt en op een dag zullen ze me opgraven en opnieuw verdriet hebben om hun verlies. Want zo werkt het. Verdriet is een diepe pijn die zich niet zomaar laat uitwissen. Je kunt het wegstoppen, in de hoop dat je het met het verstrijken der jaren vergeet. Maar vroeg of laat zul je het onder ogen moeten zien en ermee in het reine moeten komen, want zoals de grond zelfs de diepst begraven botten uiteindelijk weer naar boven werkt, zo doet het hart dat met de pijn die je hebt weggestopt. Ik mag dan niet in staat zijn mijn armen om hen heen te slaan wanneer mijn kinderen getroost moeten worden, maar ik ben vlakbij, als een onzichtbare schaduw, en ik zal er zijn wanneer hun verlies weer naar boven komt en wanneer ze daar opnieuw de confrontatie mee moeten aangaan.

En Conor? Anders dan Ida en Finbar heeft hij zijn verdriet niet weggestopt. Hij draagt het altijd met zich mee, als een vurige kool die zijn hart verschroeit. Als ik had geweten dat hij zo veel van me hield, zou ik hem nooit zo gruwelijk op de proef hebben gesteld. Ach, mijn liefste, had je maar op die manier van me gehouden toen ik nog leefde!

Hoewel hij bijna altijd in Dublin zit, zijn de ideeën voor zijn films waar hij zo hard en met zo veel enthousiasme aan werkte, verdord als dorstige hortensia's. Hij drinkt te veel, hij stort zich te uitbundig in het nachtleven, in de hoop in de mensen en de muziek afleiding te vinden van de pijn in zijn hart en het knagen van zijn geweten. Wanneer hij met de kinderen naar Ballymaldoon gaat, mijdt hij het kasteel. Hij jaagt te paard door de heuvels, terwijl zijn zwarte haren wapperen als manen wanneer hij over greppels en muren springt. Hij loopt over het strand, een donkere, eenzame figuur die zich aftekent tegen het witte zand en de wilde golven. Hij weet niet dat ik naast hem loop, want ik laat geen voetafdrukken achter, en wanneer ik zijn hand probeer te pakken, ben ik koel en ongrijpbaar als de wind.

In het dorp waagt hij zich niet. In de Pot of Gold is het geroddel niet van de lucht, en hij kan de beschuldigende blikken en het gefluister niet verdragen. De inwoners van Ballymaldoon hebben hem van meet af aan met wantrouwen bekeken. Al toen hij het kasteel kocht. Een stadsmens uit Dublin, met een Engelse moeder en een Ierse vader. Ook al beschouwt hij zichzelf als een Ier, in de ogen van de echte Ieren blijft iemand van 'gemengde afkomst' toch in de eerste plaats een Engelsman. Maar voor Conor geldt dat niet. Hij houdt van Ierland met heel zijn hart, en dus is daarin voor Engeland geen plaats. Maar in Ballymaldoon storen ze zich eraan dat hij zich afzijdig houdt en zich met niemand bemoeit, laat staan dat hij uitbundige feesten geeft op het kasteel. Bovendien gaat hij niet naar de kerk, en dat vinden ze nog het ergst. Conor is niet religieus, maar wel een diepe denker, en ik weet dat hij zich in de natuur dichter bij God voelt dan in een kerk. Ik vraag me af of hij zich door God verraden voelt en of hij twijfelt aan het bestaan van een hogere macht. Ik zou willen dat ik het wist. Maar ook al ben ik dood, ik heb ervoor gekozen verbonden te blijven met het leven, dus ik weet van God net zo weinig als hij. Ik weet alleen dat we niet sterven, want daar ben ik zelf het bewijs van. Maar waar we naartoe gaan na dit leven, zal ik ook moeten afwachten. Op dit moment heb ik alleen maar oog voor wie me lief zijn. Ik durf mijn blik niet op te heffen naar de hemel, uit angst voor de verleiding om dit alles voorgoed achter me te laten.

Toen ik met Conor trouwde, was ik een dromerig Iers meisje met de ambitie actrice te worden. We leerden elkaar kennen in Galway, op de set van een film die hij regisseerde. Ik had een kleine rol, en ze zeiden allemaal dat ik welbewust probeerde zijn aandacht te vangen, in de hoop zo hogerop te komen. Maar we werden gewoon verliefd. We waren allebei romantisch en creatief en daarin vonden we elkaar. Ik was het soort vrouw dat de inspiratie vormde voor gedichten, muziek, schilderijen, zei hij. Maar hoe graag ik dat ook wilde, ik zou als actrice nooit in staat zijn geweest een grote film te dragen. Dus stortte ik me op Ballymaldoon Castle, op de zorg voor onze twee kinderen, en ik stelde me tevreden met de gedichten die Conor voor me schreef en met het portret dat hij van me liet schilderen. Conor had alles wat ik zocht in een man. Zolang we samen waren, zou ik nooit naar iets anders verlangen. Zolang we samen waren, zou ik niet terugverlangen naar mijn leven als actrice, waarvan ik bereidwillig afscheid had genomen. Zolang we samen waren, zou ik niet dromen van roem en aanbidders. Want als ik het licht was in Conors ogen, had ik niet de behoefte te stralen voor anderen. Maar de liefde is een wonderlijk iets. En hoeveel liefde een mens ook krijgt, soms is het toch niet genoeg.

Wanneer ik de druk van Dublin niet langer kan verdragen, vlieg ik over de hoge bomen en de heuvels van Connemara, en dan zingt mijn hart van vreugde. Ik scheer over het oppervlak van het meer waarin de wolken zich spiegelen, als momenten uit mijn leven waar ik naar kijk alsof ze niet over mij gaan maar over anderen. Vanaf het klif zie ik de ruïnes van de vuurtoren waar mijn leven ten einde kwam. Ik kijk er van verre naar, want ik zou het niet kunnen verdragen erheen te gaan. Ik blijf hangen op de plekken die me dierbaar zijn: het kasteel, de kapel van de zeeman, het strand, de kliffen, de heuvels. Naar de vuurtoren ga ik niet, die herinneringen zijn te pijnlijk. Spijt steekt nog altijd als een doorn in mijn hart, en zelfs nu ik dood ben, gaat er geen moment voorbij zonder dat ik lijd.

Wanneer ik op een koude ochtend in februari rond het kasteel dwaal, zie ik plotseling een vreemde in mijn domein. Een prachtige vreemde met ravenzwart haar. Ze is in gezelschap van Johnny en Joe Byrne. Vader en zoon Byrne werken op het landgoed en houden de boel in de gaten terwijl Conor in Dublin zit. En mevrouw Hagget, die elke week komt stoffen en soppen in het verlaten huis dat ooit mijn thuis was, zorgt dat binnen alles op orde blijft. Sinds mijn dood is zij de enige vrouw die een voet over de drempel van het kasteel heeft gezet.

Geïntrigeerd kijk ik toe. Het is lang geleden dat iemand mijn belangstelling wekte. Wanneer ik dichterbij kom, zie ik dat ze inderdaad buitengewoon aantrekkelijk is. In haar diepliggende, lichtbruine ogen dansen gouden lichtjes. Ze heeft een gladde, smetteloze huid. Haar volle mond glanst dankzij de lipgloss die ze gebruikt. Ze ziet eruit als een buitenlandse, met die blik van verwondering en onzekerheid waarmee mensen om zich heen kijken wanneer ze een onbekende plek bezoeken. Het korte jasje dat ze draagt staat haar belachelijk, maar ik neem aan dat namaakbont in de mode is. Misschien is ze de vriendin van Joe, ook al raken ze elkaar niet aan zoals geliefden dat doen, en ik voel niet de speciale aantrekkingskracht die tussen geliefden bestaat. Ze gedragen zich eerder als broer en zus, maar Joe heeft alleen maar broers.

Op hun gemak zwerven ze over het terrein van het kasteel. Het meisje is zichtbaar onder de indruk van mijn prachtige huis. En dat verbaast me niet. De hemel is vandaag net zo blauw als de zee en luchtige, witte wolken drijven als boten voorbij. De zon schijnt stralend, maar telkens wanneer er een wolk langstrekt, wordt het dal in schaduwen gedompeld en voelt de lucht koud en vochtig. Dan zeilt de wolk weer verder en spoelt het zonlicht als een stralende golf over de heuvels, slokt de schaduwen op en zet het kasteel in een verblindende gloed. Het is alsof God zijn schatkist vol goud heeft geopend en daarmee de wereld doet oplichten. Even ben ik afgeleid door het schitterende spel van licht en schaduw, maar dan hoor ik mijn naam noemen, en mijn aandacht wordt weer naar het kleine groepje getrokken dat langs het meer loopt.

'Hoe was ze, die Caitlin Macausland?' vraagt het meisje aan Joe. Ze praat met een deftig, Engels accent, net als Conors moeder.

'Ze was getikt,' antwoordt Joe. 'Ze zag ze vliegen.'

'Hoe bedoel je? Was ze gek?'

'Nee, niet echt gek. Meer excentriek, denk ik.'

'Ze was een schoonheid!' Er klinkt bewondering door in Johnny's stem. 'Maar ze had ook iets wilds. Ze was actrice. Daar was ze voor in de wieg gelegd! Maar toen ze met meneer Macausland trouwde, gaf ze haar carrière op. Doodzonde. Want volgens mij had ze het ver kunnen schoppen.'

Joe schenkt zijn vader een warme glimlach. Naast zijn lange zoon lijkt Johnny klein en gedrongen. 'Pa was een beetje verkikkerd op haar,' zegt Joe grijnzend. 'Waar of niet, pa? Kom op, dat kun je tegenover Ellen best toegeven. Ze is familie.'

Aha, dus ze is familie. Misschien een nicht uit Engeland. Maar hoe zit dat dan?

Johnny haalt nonchalant zijn schouders op. Hij is het gewend om door zijn zoon geplaagd te worden. 'Oké, dat is zo. Bovendien had ik medelijden met haar, zo helemaal alleen in dat grote kasteel. Haar man was vaak weg. Caitlin was een vrouw die veel zorg en aandacht nodig had.'

'En daar weet jij alles van, pa? Waar of niet?' zegt Joe, nog altijd grijnzend.

'Ach, jongen. Je moet nog een hoop leren over vrouwen. Vooral als het om mooie vrouwen gaat. En mooi, dat was ze!'

'Had ze veel contact met de mensen in het dorp?' vraagt Ellen.

'Als meneer Macausland niet thuis was, zong ze uit volle borst mee in de Pot of Gold,' zegt Joe. 'Ze had een mooie, krachtige stem. Kun jij een beetje zingen, Ellen?'

'Ze was een intrigerende vrouw,' zegt Johnny voordat Ellen antwoord kan geven. Er klinkt weemoed door in zijn stem. 'Je móést naar haar kijken, of je wilde of niet.'

'Wat was er zo intrigerend aan haar?' vraagt Ellen nieuwsgierig.

'Ach, ze had zulke prachtige groene ogen. Als ze je aankeek, had je het gevoel dat ze tot in je ziel kon kijken. Dan voelde je je een vis, spartelend aan een haak. Een schoonheid, dat was ze. Met vlammend rood haar en een roomblanke huid. Een vrouw als een schilderij.'

'Sterker nog, er is een schilderij van haar,' vult Joe aan. 'Het hangt in de hal van het kasteel. Een enorm portret. Meneer Macausland wilde per se dat het daar bleef. Na haar dood hebben we alle andere spullen van waarde uit het kasteel gehaald, maar het schilderij moest blijven hangen.' Hij stopt zijn handen in zijn broekzakken. Het is zo vochtig dat zijn adem zichtbaar is als witte wolkjes. 'Meneer Macausland is dichter bij de rivier gaan wonen, en het kasteel werd vergrendeld. Het voelt alsof hij háár ook achter slot en grendel heeft gezet.'

'Bedoel je dat hij het niet kon verdragen om daar te blijven wonen? Zonder haar?'

'Precies. En dat komt door wat er bij de vuurtoren is gebeurd.'

Johnny's gezicht verstrakt. De weemoed is verdwenen en vervangen door boosheid. 'Jaysus! Dat had nooit mogen gebeuren! Ze was nog veel te jong om dood te gaan!' zegt hij heftig.

'Is ze inderdaad vermoord?' vraagt Ellen, en even lijkt het alsof de hele wereld zijn adem inhoudt.

'Nee, ze is niet vermoord. En meneer Macausland heeft geen enkele schuld aan haar dood. Trouwens, hoe kom je daarbij?' vraagt Johnny bars.

Ellen schrikt een beetje van zijn reactie. 'Dat wordt gefluisterd, zei tante Peg.'

'Ach, de mensen moeten nou eenmaal wat te roddelen hebben! Stelletje idioten! Maar dat betekent nog niet dat het waar is.'

Joe neemt het woord van hem over. 'Ik heb het verhaal al talloze malen gehoord, maar ik ben geïnteresseerd in het meisje, in wat zij ervan vindt. Ze is heel nieuwsgierig. 'Op de avond van haar dood was ze in de vuurtoren. En meneer Macausland was er ook. Blijkbaar kregen ze ruzie. Ze rende de trap op en op de een of andere manier is er brand uitgebroken. Ze moest naar beneden springen om zich in veiligheid te brengen. Maar ze is op de rotsen te pletter geslagen. Dat was rond middernacht. Toch, pa? Afijn, misschien een half uur eerder liep Dylan Murphy langs het strand om zijn hond uit te laten. En hij zweert dat hij een man zag weg roeien.'

'Wie was die man?' vraagt Ellen geïntrigeerd.

'Dat weet niemand.' Johnny haalt opnieuw zijn schouders op.

'En als iemand het weet, dan houdt hij zijn mond,' voegt Joe er geheimzinnig aan toe. 'Meneer Macausland heeft altijd volgehouden dat er verder niemand in de toren was. Alleen Caitlin en hij.'

'Heb jij een vermoeden wie die geheimzinnige onbekende is geweest?'

Johnny krabt aan zijn zachte, peper-en-zoutkleurige baard. 'Volgens mij heeft Murphy het zich verbeeld. Hij had in de pub gezeten, dus hij was ongetwijfeld stomdronken.'

'Maar hoe kan het dat de vuurtoren in brand vloog? Ik dacht dat hij niet meer werd gebruikt.'

'De garda heeft ik weet niet hoeveel kaarsen gevonden. Op de hele trap naar boven,' zegt Joe.

'Caitlin Macausland was een vrouw met gevoel voor drama,' vulde Johnny aan. 'Ze roeide wel vaker naar de vuurtoren. Maar alleen als meneer Macausland niet thuis was. Hij wist dat het gevaarlijk was, dus hij had het haar verboden. Zelfs overdag. Natuurlijk hield ze zich daar niet aan. Ze was nou eenmaal opstandig. Wild en ontembaar. Het gebeurde regelmatig dat ik kaarslicht achter de ramen van de vuurtoren zag als ik laat bij Peg wegging. Ik heb geen idee wat ze daar deed. Maar iedereen wist dat zij het was, en daar heeft niemand ooit iets achter gezocht. Tot de brand.'

'Wat had ze in die vuurtoren te zoeken? En dan ook nog 's avonds?' vraagt Ellen zich hardop af. 'Het moet er ijzig koud zijn geweest. Heeft niemand haar ooit gevraagd wat ze daar deed?'

Joe begint te lachen en zijn vader lacht mee, als om een grap voor ingewijden. 'Aan Caitlin Macausland stelde je geen vragen,' zegt Joe. 'En als je dat toch deed, dan antwoordde ze in raadselen. Ze liet niets los als ze dat niet wilde.'

'Volgens mij was ze bang voor meneer Macausland,' zegt Johnny onheilspellend, en hij knikt, alsof die angst voor mijn man het antwoord is op alle vragen. 'Want als hij thuis was, liet ze zich niet zien. Niet in de pub, niet in het dorp.'

'Mensen die haar op het schoolplein zagen, wanneer ze de kinderen kwam brengen, zeiden dat ze nerveus en teruggetrokken leek als hij thuis was. Heel anders dan het zorgeloze meisje dat ze werd zodra haar man weer naar Dublin vertrok.' Joe geniet er zichtbaar van om Ellen alle roddels en geruchten te vertellen.

'Hoe zou dat komen?' vraagt ze zich af.

'Ach, meneer Macausland is niet makkelijk,' legt Johnny uit. 'Hij is erg veeleisend. Caitlins hart lag hier, in Connemara. Ze was een kind van het platteland. En ze had een hekel aan de stad. Dat heeft ze me zelf verteld. Ze kwam vaak helpen in de tuin, en dan mopperde ze als ze weer naar Dublin moest. Ze hadden regelmatig hooglopende ruzie. Volgens mij wilde meneer Macausland dat de kinderen in de stad naar school gingen. Maar Caitlin stond erop dat ze hier bleven wonen. Die strijd heeft ze gewonnen. Trouwens, volgens mij won ze meestal. Uiteindelijk gaf meneer Macausland bijna altijd toe, waarschijnlijk om ervan af te zijn. Met als gevolg dat hij zelf zo veel mogelijk in Dublin zat. Ze leefden als kat en hond.'

'Na haar dood heeft meneer Macausland de kinderen meegenomen naar Dublin,' vertelt Joe op een toon alsof daar van alles uit af te leiden valt. 'Ze komen niet vaak naar Ballymaldoon, en áls ze hier zijn, ziet meneer Macausland eruit alsof hij doodongelukkig is.'

'Dat kun je wel zeggen,' valt Johnny hem bij. 'Het lijkt wel alsof het van hem allemaal niet meer hoeft.'

'En toch blijft hij komen. Alsof hij het niet kan laten,' zegt Joe. 'Hij zou de boel toch kunnen verkopen? Maar dat doet hij niet. Waaróm niet, vraag ik me af.' De twee mannen halen hun schouders op en schudden hun hoofd.

Ze komen aan de voorkant van het kasteel. Ellen laat haar blik vol verwondering over de puntgevels en de torentjes glijden, net als ik, toen ik het kasteel voor het eerst zag. Het is van een adembenemende schoonheid, zelfs op een koude februarimorgen wanneer de muren vochtig zijn en de kale, grillige bomen eruitzien als jichtige oude mannen. Johnny haalt de sleutel uit zijn zak en stopt hem in het slot. Ik volg hen naar binnen. Brandde de haard maar! Stonden er maar meubels en lagen er maar kleden op de grond! Dan zou de onbekende bezoekster mijn kasteel in zijn volle glorie kunnen zien. Ontdaan van alles wat het tot leven bracht, heeft het alleen nog zijn herinneringen en is het net zo verloren en verdrietig als ik. Het lijkt binnen wel kouder dan buiten en er hangt een verschaalde, muffe lucht als in een kathedraal. Ik wil de ramen openen, maar die zijn dichtgetimmerd met planken. Ellen is zich bewust van het verdriet dat hier hangt, zie ik, want ze stopt haar handen in haar zakken en zegt bijna niets. Ze loopt naar mijn portret – een explosie van kleur in een kleurloos interieur – en kijkt omhoog. Haar mond valt open en ik zie dat ze een zucht slaakt.

Door de ogen van het schilderij kijk ik haar aan. Zo staren we naar elkaar. Zij geconcentreerd op mij, ik op haar. En ze ziet me! Ze ziet me alsof ik nog leef. Ik houd haar vast, als een vis aan een haak, en ze kan zich niet van me losmaken. Johnny en Joe komen zwijgend naast haar staan en kijken ook omhoog, zoals ze dat de laatste vijf jaar zo vaak hebben gedaan, in een poging een verklaring te vinden voor mijn dood. Johnny neemt eerbiedig zijn pet af, Joe weet even niets grappigs te zeggen. Ze kijken alle drie bewonderend naar me op. Johnny krijgt een blos op zijn wangen, want hij houdt van me. Joe ziet leven in het portret dat hij er nooit eerder in heeft gezien. En Ellen… Behalve door mijn schoonheid is ze getroffen door mijn tragische lot. Er gaat een huivering door hen heen, en ineens voel ik dat ik niet meer alleen ben. Hier, in dit schilderij, kan ik mezelf bijna wijsmaken dat ik nog leef.

Ten slotte wordt de stilte verbroken. 'In die prachtige jurk ziet ze eruit als een ouderwetse filmster,' fluistert Ellen.

'Ze was een ouderwets meisje,' valt Johnny haar verdrietig bij. 'Ze paste niet in deze tijd.'

'Haar huid lijkt wel doorzichtig. Zo volmaakt. Hoe oud was ze toen ze stierf?'

'Vierendertig,' zegt Johnny vlak. 'Nog maar een meisje. Ze liet twee kinderen achter, maar die waren nog zo klein dat ze zich hun moeder later nauwelijks meer zullen herinneren.'

'Vind je ook niet dat het lijkt alsof ze ons aankijkt?' Joe klinkt nerveus.

'Ja, dat is zo,' valt Ellen hem bij. 'Het lijkt alsof ze leeft.'

'Ik krijg er de koude rillingen van.' Joe loopt naar de deur. 'Als je het mij vraagt spookt het hier. Ik zie jullie buiten.' Hij vertrekt.

Joe weet dat ik hier nog ben, besef ik triomfantelijk. Hij voelt het. En Ellen, de lieftallige onbekende die ik gevangenhoud met mijn ogen, voelt het ook. Ze kijkt nog steeds omhoog naar mijn portret, overweldigd door vragen. En terwijl ze dat doet kan ik haar gedachten lezen. Zo helder alsof ze haar vragen hardop heeft gesteld. *Hoe ben je gestorven, Caitlin? En waarom? Wie was de man die weg roeide, in het holst van de nacht? Wat deed hij bij de vuurtoren? Trouwens, wat deed jij op het eiland? Caitlin, wat deed je daar? Vertel! Wat deed je helemaal alleen in een verlaten vuurtoren?*

'Waar is ze, Johnny?' vraagt Ellen zacht.

'Hoe bedoel je?'

'Gewoon, waar is ze? Denk je dat ze hier is?'

Voor Johnny zijn leven en dood strikt gescheiden, als dag en nacht. 'Ik geloof niet in geesten, als je dat bedoelt. Ze is bij God, Ellen.'

Maar Ellen kijkt me opnieuw aan en voelt mijn aanwezigheid, achter de verf en het linnen. Dat weet ik nog niet zo zeker, denkt ze. En ik besef dat zij mijn hoop is op communicatie.

5

Ellen liep naar Joe, die stond te roken, verkleumd van de kou. Toen hij haar zag aankomen, blies hij de rook van zijn sigaret naar opzij. 'Dat schilderij bezorgt me de kouwe rillingen,' zei hij nogmaals, en hij schudde zijn hoofd. 'Wil je ook een sigaret?' Hij haalde het pakje uit zijn zak.

Ze aarzelde even, toen zwichtte ze. 'Nou vooruit.'

'Wat vind jij ervan?'

'Ze was beeldschoon.' Ellen stopte de sigaret tussen haar lippen en stak hem aan met de gloeiende peuk van Joe.

'Volgens mij was ze een soort heks. Maar pa wil geen kwaad woord over haar horen. Dat heb je zelf gezien.'

'Wat denk jij dat er die nacht is gebeurd?'

Joe dempte zijn stem en keek naar de deur, slecht op zijn gemak. 'Ik denk niet dat meneer Macausland haar heeft vermoord, maar volgens mij heeft hij haar wel de dood in gedreven.'

'Hoe bedoel je?'

'Ach, ze hadden voortdurend heibel, voor zover ik dat kon zien. Ze maakte hem uit voor alles wat mooi en lelijk was, en hij schreeuwde net zo hard terug. Meneer Macausland is nogal driftig.' Hij blies een rookwolk uit. 'Laat ik het anders zeggen. Als hij die nacht niet op het eiland was geweest, had ze nog geleefd.'

Ze vervielen in stilzwijgen toen Johnny naar buiten kwam en de deur achter zich sloot. 'Behalve het schilderij is er binnen niet veel te zien,' zei hij terwijl hij over het grind naar hen toe kwam.

'Nee, en ik heb trouwens wel genoeg gezien,' zei Ellen.

'Ik kan het je niet kwalijk nemen. Het spookt daar.' Joe gooide zijn sigaret op de grond en trapte hem uit met zijn laars. 'Jaysus, ik krijg de zenuwen van dat schilderij.'

'Wat ben je toch een sukkel!' Johnny grinnikte.

Joe keerde zich naar Ellen. 'Ze zag eruit alsof ze zo uit die verrekte lijst zou stappen!' Hij lachte nerveus. 'Dat vond ik ook. Ik heb nog nooit zo'n levensecht portret gezien. Ze keek me recht aan.'

'Hoogste tijd voor een borrel,' stelde Johnny voor. 'Kom, dan nemen we Ellen mee naar de Pot of Gold. Dan kunnen we daar verder praten. Ik heb het koud.'

Ze klommen gedrieën in de cabine van Johnny's rode pick-up. 'Wat zonde dat er niemand meer woont,' zei Ellen peinzend toen Johnny de laan uit reed, onder het vlechtwerk van eikentakken.

'Ja, het zag er schitterend uit voordat we alles weghaalden. Echt indrukwekkend,' viel Johnny haar bij.

'Denk je dat ze ooit terugkomen?'

'Dat betwijfel ik,' zei Joe. 'Volgens mij zijn er voor meneer Macausland te veel herinneringen met het kasteel verbonden.'

'En dus? Denk je dat hij het uiteindelijk verkoopt?'

'Nee, ik denk dat hij het doorgeeft aan zijn zoon. Tegen de tijd dat Finbar oud genoeg is om er te gaan wonen,' zei Johnny.

'Die arme kinderen,' mompelde Ellen. 'Ze hadden hun moeder verloren en toen raakten ze ook nog eens hun huis kwijt.'

Ze keek uit het raampje naar het winterse landschap dat baadde in het zonlicht. Links en rechts strekten zich ruige velden uit, met daartussen lage, hier en daar afbrokkelende stenen muren. Een zwerm glimmend zwarte kraaien ruziede om het karkas van het een of andere onfortuinlijke schepsel. Hun luide gekras sneed door de lucht, scherp als ijsscherven. De aanblik van de zwarte vogels had iets onheilspellends, alsof het kasteel en zijn omgeving werden beheerst door de dood. Toen de pick-up de weg op reed was Ellen opgelucht het achter zich te laten.

'En, heb je inspiratie opgedaan voor je boek?' Joe trok veelzeggend zijn wenkbrauwen op. 'Volgens mij heb je hier stof voor een geweldig spookverhaal.'

'Ik weet niet of ik wel terug wil om research te doen. Hoe kun je het opbrengen om hier elke dag te gaan werken?'

'Ik ga niet naar binnen,' antwoordde Joe. 'Maar soms, als ik in de tuin bezig ben, heb ik het gevoel dat er iemand naar me kijkt.'

Johnny zuchtte. 'Jaysus! Jullie zouden jezelf eens moeten horen!' 'Ik zweer je dat het er spookt,' verklaarde Joe heftig. 'Misschien dat meneer Macausland er dáárom nooit meer komt. Hij is bang dat ze wraak neemt!'

'Je kletst uit je nekharen, Joe,' gromde Johnny. 'Hij heeft last van een gebroken hart. Daarom komt hij nooit meer. En nou wil ik er niks meer over horen.' Joe deed er het zwijgen toe, en er werd niet meer gesproken tot ze Ballymaldoon binnen reden.

De Pot of Gold lag aan de hoofdstraat. De pui was stierenbloedrood geschilderd, met de naam in dikke, gouden letters boven de deur. Johnny zette de pick-up op het parkeerterrein aan de achterkant. 'Welkom in mijn tweede thuis,' zei hij terwijl ze om het gebouw heen liepen. Het vooruitzicht van een biertje en een stevige maaltijd had een brede glimlach op zijn gezicht getoverd.

'Je twééde thuis, pa?' grapte Joe.

'Zo kan-ie wel weer, knul,' bromde zijn vader, maar er glinsterden pretlichtjes in zijn ogen toen hij de deur opende.

Ellen volgde hen naar binnen. Het was er warm en benauwd. En ook al was roken in openbare gelegenheden inmiddels verboden, de geur van sigaretten hing nog altijd in de gordijnen en het tapijt. Aan het eind van de ruimte brandde een knapperend vuur en de muren hingen vol met prenten, cartoons en andere curiosa. Craic stond achter de bar. Hij keek hen lachend aan, en er was iets in zijn glimlach wat Ellen aan haar moeder deed denken. Ze was zich bewust van een vluchtig schuldgevoel, maar het was alweer verdwenen voordat ze de kans kreeg er verder bij stil te staan.

'Wat ben je vroeg,' zei Craic tegen zijn broer. 'Je gebruikt Ellen toch niet als excuus om het werk voor gezien te houden?'

'Ik ben te oud en te versleten om nog een excuus nodig te hebben.' Johnny leunde tegen de bar, als een schip dat afmeerde op zijn gebruikelijke ligplaats. 'Ellen! Wat mag het zijn?'

'Nou, ik denk dat ik maar een Guinness ga proberen.'
Johnny toonde zich blij verrast. 'Een echte Byrne,' zei hij grinnikend. Craic zette een hoog, buikig glas onder de tap en vulde het met donker bier. Ellen probeerde geen vies gezicht te trekken. Ze had liever cola genomen, maar ze was een beetje bang voor Johnny en ze hoopte op zijn waardering als ze Guinness bestelde. Craic zette het glas voor haar neer op de bar. De schuimkraag zag er in elk geval verleidelijk uit. Het liefst zou ze haar vinger erin steken en eerst het schuim proeven. Maar bij het zien van de verwachtingsvolle blikken van Johnny en Craic wist ze dat er geen ontkomen aan was. Ze zou het glas rechtstreeks aan haar mond moeten zetten. Het smaakte sterk, bitter, ronduit smerig. Ze had nog nooit zoiets walgelijks gedronken. Maar ze deed alsof ze het heerlijk vond. En blijkbaar deed ze dat overtuigend. Craic vulde nog twee glazen, voor Johnny en voor Joe, en begon toen over iets wat Ellen niets zei. Zou ze zich verraden door om een glas water te vragen? Het bier brandde in haar keel.

Ze namen hun drankjes mee naar een tafeltje in de hoek, zodat Ellen goed zicht had op de cafébezoekers. Ze had al snel in de gaten dat ze zelf daardoor ook goed in het zicht zat. Iedereen die binnenkwam, liep rechtstreeks naar Johnny alsof hij de gastheer was op een feestje, maar ondertussen keken ze allemaal onderzoekend naar háár.

'Het nieuws dat Maddies dochter in het dorp is, heeft zich als een lopend vuurtje verspreid,' fluisterde Joe tegen Ellen. 'Ik ben bang dat ze allemaal een kijkje komen nemen.'

'Als ik dat had geweten, had ik wat meer zorg besteed aan mijn uiterlijk.' Ze was in verlegenheid gebracht. 'Het lijkt wel een soort aapjes kijken.'

'Er komen hier niet veel nieuwe gezichten, maar jij bent meer dan een curiositeit, vrees ik. Je moeder was berucht.'

'Hoezo? Vertel! Wat is er gebeurd? Waarom heeft ze al die jaren geen contact gehad met haar familie?'

Joe haalde zijn schouders op. 'Dat moet je aan Peg vragen. Ik ben niet zo op de hoogte van de familiegeschiedenis.' Hij dronk van zijn Guinness, en er bleef een snor van schuim achter op zijn bovenlip. 'Ik wist tot vanmorgen niet eens dat je bestond.'

'Dat verbaast me niks. Toen ik Peg ernaar vroeg, zei ze dat ik dat maar aan mijn moeder moest vragen. Maar die heeft er nooit iets over gezegd. Nooit. Ik heb altijd gedacht dat ze alleen een zus had. Van haar vier broers heb ik nooit iets geweten. Om over al mijn neven en nichten maar te zwijgen. Het was alsof jullie niet bestonden.' Hij schudde verdrietig zijn hoofd. 'Dat moet oma heel erg hebben gevonden.'

'Vertel eens wat over onze oma.' Joe lachte even ondeugend als charmant. 'Nou, dat was me d'r een. Een klein vrouwtje, maar ze heeft wel helemaal alleen zes kinderen grootgebracht. Dat moet heel zwaar zijn geweest, want de boerderij leverde niet veel op. Maar ze vond steun in haar geloof, en het is haar gelukt. Pastoor Michael was een neef van haar. Hij kwam elke zondag lunchen. Onze oma heeft tot haar dood in het zwart gelopen. Vanwege opa. Ik heb haar nooit in iets anders gezien. Daardoor zag ze er erg streng uit, maar ze had een goed hart. Ze kon drinken als een vent, en als je iets stoms deed, bleek dat haar handen behoorlijk loszaten, maar je kon op haar rekenen als je verdrietig was of in de problemen zat. En wie haar familie te na kwam, die lustte ze rauw. Haar familie betekende alles voor haar. Daarom heeft je moeder haar hart gebroken toen ze wegging en niets van zich liet horen. Maar oma heeft er nooit iets over gezegd. Klagen, dat deed ze niet.'

'Waarom deed mama dat, denk je?' Ellen beet op haar lip en probeerde een reden te bedenken waarom haar moeder van huis kon zijn weggelopen. 'Denk je dat ze iets ergs had gedaan?' Ze dempte haar stem. 'Iets wat zo erg was dat niemand er meer over wil praten? Zelfs mijn moeder niet?'

Op dat moment werd de deur met een ruk opengeduwd, en woei er een vlaag koude wind naar binnen. In de deuropening stond een duistere verschijning, in een dikke, zwarte jas en met een zwarte pet op die hij diep over zijn ogen had getrokken. Terwijl hij naar binnen liep, gleed zijn blik door de ruimte en bleef uiteindelijk rusten op Ellen, als een projectiel dat zijn doel had gevonden. Ze kromp ineen toen ze de zweem van waanzin in zijn ogen zag.

'Wie is dat?' vroeg ze fluisterend.

'Dát is Dylan Murphy,' antwoordde Joe, op een toon die suggereerde dat ook Dylan berucht was. 'En hij komt hierheen, want hij wil je leren kennen.'

'Hij doet toch niks?' Ze keek naar Johnny, die nerveus aan zijn baard begon te krabben.

Joe lachte. 'Welnee. Hij spoort gewoon niet. Hallo, Dylan!' Dylan pakte de stoel tegenover Ellen, zonder te vragen of die nog vrij was. Hij deed zijn jas uit, ging zitten en begroette Johnny en Joe alsof hij hen een paar minuten eerder nog had gezien. 'Dus jij bent Maddies dochter?' Over de tafel heen keek hij haar aan. Zijn bruine ogen hadden de kleur van de turf uit Connemara.

'Ja, ik ben Ellen. Hallo.'

Zijn blik werd nog intenser. 'Je weet toch dat die naam uit een boek komt, hè?'

Ellen lachte nerveus. 'Nou, ik weet alleen dat hij "stralend licht" betekent in het Grieks.'

'Het is de naam van een schitterend personage uit *De jaren van onschuld*, van een Amerikaanse auteur, Edith Wharton. Ellen Olenska, de beruchte gravin Olenska.' Hij ademde diep genietend door zijn neus, toen zei hij het nog eens, op zangerig toon nu. 'Gravin Olenska.'

'Eet je straks mee?' vroeg Johnny. Even dacht Ellen dat het over het avondeten ging, maar het werd al snel duidelijk dat hij het over de lunch had. De drie mannen overlegden even wat ze zouden bestellen. Ondertussen was de pub volgestroomd met vissers in dikke truien, en Ellen ontdekte ook de hond die ze de vorige dag had gezien. Hij sjokte naar het vuur alsof dat speciaal voor hem was aangestoken.

'Ik ga wel bestellen,' bood Joe aan. 'Wat wil jij, Ellen Olenska?' vroeg hij, met de nadruk op haar nieuwe bijnaam.

Ze negeerde de plagende trek om zijn mond. 'Doe mij maar lamsstoof. En mag ik er een glas water bij?'

'Je bent niet echt een Guinness-liefhebber, hè?'

'O... ik...'

'Geeft niks, Ellen. Als je liever water drinkt, dan moet je dat gewoon doen.' Ze keek naar Johnny. Die luisterde niet, want hij boog zich met een nijdig gezicht over de tafel naar Dylan. Hij praatte zo zacht dat Ellen niet kon verstaan wat hij zei. Ze staarde naar haar Guinness, slecht op haar gemak in het besef dat alle ogen in de pub op haar gericht waren.

'En, wat vind je van Ballymaldoon?' vroeg Dylan. De verandering in zijn toon deed vermoeden dat Johnny hem een uitbrander had gegeven.

'Ik ben er nog maar net. Maar wat ik tot nu toe heb gezien is prachtig.'

'Mooi zo.' Er viel een ongemakkelijke stilte. De vechtlust waarmee hij was binnengekomen, was verdwenen en hij maakte ineens een merkwaardig uitgebluste indruk. Er lag een onrustige blik in zijn ogen, alsof hij haar gezicht afzocht in de hoop daar het antwoord te vinden op een onuitgesproken vraag.

'We zijn net naar het kasteel geweest,' zei ze, om een eind te maken aan de stilte en in de hoop aan zijn blik van waanzin te ontsnappen. 'Het ziet er verdrietig uit, helemaal leeg en onbewoond.'

'Ik heb haar het schilderij laten zien,' vertelde Johnny. 'Je had Joe en haar moeten horen! Ze hadden de mond vol over geesten!'

Dylan leek opgelucht ergens op te kunnen inhaken. De uitdrukking op zijn gezicht verzachtte. 'Ach, Johnny is een ouwe cynicus.' Er gleed een glimlach over zijn gezicht. 'Hij gelooft alleen wat hij ziet.'

'Ik zeg niet dat er geen geesten zijn. Ik zeg alleen dat Caitlin Macausland daar niet bij hoort. Als je Joe moet geloven, zorgt ze ervoor dat hij in de tuin niet de verkeerde planten uit de grond trekt bij het wieden. Wat een flauwekul!'

Dylan schudde zijn hoofd en grijnsde naar Ellen. Op dat moment leek zijn gezicht te ontspannen en was het alsof de ware Dylan door het masker heen schemerde. Ineens zag Ellen een aantrekkelijke, krachtige man met gevoel voor humor. 'En wat vind jij, Ellen Olenska? Is het flauwekul wat Joe zegt?'

Ze merkte tot haar verrassing dat ze hem aardig vond, terwijl hij nog altijd ondeugend naar haar grijnsde. 'Vraag het me over een week nog eens. Ik ben gisteren aangekomen, en ik ken Joe pas sinds vanmorgen. Dus ik heb geen idee of het bullshit is wat hij verkondigt.'

'Wat klinkt dat leuk zoals jij het zegt.' Dylan grinnikte. '"Bullshit." Met zo'n deftig Londens accent.'

'Ja, ze is heel deftig, mijn nichtje,' zei Johnny. 'Een deftige jongedame uit Londen!'

Joe kwam terug met een glas water dat Ellen dankbaar aanpakte. 'Je was zeker wel verrast toen bleek dat je familie hebt in de werkende klasse.' Hij liet zich weer op zijn stoel zakken.

'Daar is anders niks mis mee,' merkte Johnny op. 'Zolang het maar eerlijk werk is!'

'Tante Peg zei dat mama altijd al iets deftigs had. Is dat zo?'
Johnny keek Dylan aan en keerde zich toen weer naar Ellen. Hij nam
een slok Guinness. 'Ja, ze wou graag deftig zijn. Daar droomde ze van,'
antwoordde hij op zijn hoede.
'Ik weet helemaal niets van haar jeugd.' Ellen gooide een lijntje uit, in
de hoop een vette vis aan de haak te slaan. De veelbetekenende blikken
tussen haar oom en Dylan waren haar niet ontgaan. Misschien was zij
niet de enige die geen open kaart speelde. 'Het lijkt wel alsof ze geen verleden heeft. Ik had nota bene medelijden met tante Peg. Ik dacht dat ze
een hoop miste omdat ze ons nooit ontmoet had. Maar het is andersom!
Wij hebben ontzettend veel gemist omdat we jullie niet kenden. Ik wist
niet eens dat mama broers had. Laat staan vier! Dat is toch idioot?'
  'Heb jij broers of zussen, Ellen Olenska?' Dylan wreef nerveus over
zijn borstelige kin.
  'Ja, twee jongere zussen.'
  Hij trok zijn wenkbrauwen op. 'Echt waar?'
  'Ze zijn allebei getrouwd.'
  'Aha.'
  Ze haalde haar schouders op. 'Ik ben de laatste. Tenminste, áls ik
trouw.' Ze wilde er aan toevoegen dat haar moeder geen middel onbe-
proefd liet om haar uit te huwelijk, maar ze bedacht zich. Iets zei haar
dat ze zich niet te veel moest blootgeven.
  'Ach, je kunt je hele leven nog getrouwd zijn. Dus begin er vooral niet
te jong aan,' zei Joe.
  Dylan keek haar over de tafel heen zwijgend aan. De zweem van
waanzin in zijn ogen had plaatsgemaakt voor een ernstig soort nieuwsgierigheid. Met hongerige gretigheid verslond hij haar gelaatstrekken.
  'Hoe was mijn moeder als meisje?' vroeg Ellen, om het over iets anders dan trouwen te hebben en om te zorgen dat Dylan haar niet langer
zo aankeek. Ze voelde zich erg ongemakkelijk onder zijn blik.
  'Ze was een wilde!' zei Johnny, en hij dronk zijn glas leeg.
  'Echt waar? Mijn moeder?'
  'Nou en of! Zo waar als ik Johnny heet. Peg was altijd een verstandige
meid, maar Maddie... Hoe zal ik het zeggen?' Hij schudde zijn hoofd.
'Ze was koppig. En het was onvermijdelijk dat ze uiteindelijk iets stoms
zou doen. Iets heel erg stoms.'

Ellen fronste haar wenkbrauwen. 'Wat dééd ze dan?'

Op dat moment kwam de serveerster naar hun tafel met de bestelling. Ze boog zich over de tafel. 'Worstjes met puree. Voor jou, Johnny?' Ze schonk hem een warme glimlach. 'En voor jou hetzelfde, Dylan?'

'Nog een rondje Guinness,' zei Johnny, terwijl hij het hete bord van haar aanpakte. 'En een...' Hij keek in Ellens glas.

'Water.' Joe haalde spijtig zijn schouders op.

'En een glas water,' zei Johnny hoofdschuddend. 'Jaysus, het is zonde om goed bier weg te gooien!' Hij pakte Ellens glas en nam een grote slok.

Nadat de serveerster de rest van het eten had gebracht, tastten ze gretig toe. Ellen stelde de vraag nogmaals. 'Wat dééd mijn moeder dan? Dat moet iemand me toch kunnen vertellen?' Ze keek naar Dylan, maar die ontweek haar blik en zei niets.

'Ze is van huis weggelopen,' zei Johnny.

'Zomaar? Van het ene op het andere moment?'

'Precies,' antwoordde hij, kauwend op een stuk worst. 'Ze ontmoette je vader, ze werd verliefd, en we zagen haar nooit meer terug.'

'Maar dat begrijp ik niet,' klaagde Ellen.

'Nee, wij begrepen het ook niet.'

'Dus ze liep weg om te trouwen?'

'Zo zou je het kunnen zeggen. Ik zei het al, ze was een wilde. Volstrekt onberekenbaar. Het was van meet af aan onvermijdelijk dat ze ooit iets stoms zou doen.'

'Maar waarom dan? Was jullie moeder het niet eens met haar keuze? Mensen lopen toch niet zomaar weg?'

'Ma wilde dat ze met een katholieke Ier trouwde. En ze koos een Engelsman. Die bovendien niet katholiek was. Daar heb je het hele verhaal.'

Daarop wist Ellen niets te zeggen. Madeline Byrne mocht dan met een protestant zijn getrouwd, zelf was ze met hart en ziel katholiek gebleven. Ellen en haar zussen waren katholiek opgevoed, en zowel Leonora als Lavinia was met een katholieke man getrouwd. Het was glashelder dat haar moeder nooit aan haar geloof had getwijfeld.

'Dus daarom is ze nooit meer naar huis teruggegaan? Omdat jullie moeder dacht dat ze haar geloof had afgezworen? Maar dat is belache-

75

lijk! Ze is nog altijd belijdend katholiek. En ze gaat elke ochtend naar de mis.'

'Je moeder wilde een ander leven, Ellen,' zei Johnny zacht. 'Niemand heeft haar weggestuurd en niemand zou haar de rug hebben toegekeerd als ze was teruggekomen. Het was haar keuze.'

'Ben je hier omdat je op zoek bent naar iets?' vroeg Dylan. Hij keek haar nog altijd strak aan. De waanzin was niet teruggekeerd in zijn ogen, maar wat ze er nu in las was nog verdrietiger. Een zweem van hoop. Verbleekt. Misschien een laatste restje.

Mijn vrijheid, zou ze moeten zeggen als ze eerlijk was. Maar dat zei ze niet. 'Nee, het is eigenlijk toevallig dat ik hier ben. Ik had nooit verwacht dat ik een grote familie zou blijken te hebben.' Ze sloeg haar ogen neer en keek naar haar bord. 'En volgens mij heeft mijn moeder ook nooit gedacht dat ik jullie zou vinden.'

'Dus ze weet niet dat je hier bent?' vroeg Dylan. Toen knikte hij, alsof er een stukje van een puzzel op zijn plaats was gevallen. Hij grijnsde, in zijn ogen schitterde een nieuw optimisme. 'Als mensen koppig zijn, helpt het lot soms een handje.'

Ellen keek hem fronsend aan. 'Bedoel je dat het was voorbestemd dat ik mijn familie vond?' vroeg ze.

'Dat is precies wat ik bedoel.' Hij schonk haar opnieuw een grijns, en weer was ze verrast door de warmte in zijn ogen. 'Toeval bestaat niet, Ellen Olenska. Alles gebeurt met een reden.'

'Ze is schrijver,' mengde Johnny zich in het gesprek. 'Ze is hier om over het kasteel te schrijven en over de geesten die daar rondwaren.'

'Zo, dus je bent schrijver? Toe maar,' mompelde Dylan met een vluchtig trekken van zijn mondhoeken. 'Dus terwijl je overal naartoe had kunnen gaan, besloot je hierheen te komen om je boek te schrijven.' Hij knikte opnieuw peinzend en prikte het laatste stuk worst aan zijn vork. 'Toe maar!'

'Het was voorbestemd.' Joe knipoogde naar Ellen. 'Dylan wéét dat soort dingen.'

'Volgens Oswald weet je ook waar de dwergen begraven liggen,' zei Ellen tegen Dylan. 'Is dat zo?'

'Oswald is gek,' zei Johnny. 'Maar Peg is blij met hem.'

'Hij is een waardeloze schilder,' voegde Dylan eraan toe.

'Maar hij kan kaarten als de beste,' merkte Joe op.

'Hij is een bijzondere man.' Ellen pakte haar glas. 'Zulke mensen zijn zeldzaam. Die moeten we koesteren. Ze geven kleur aan het leven. Mensen zijn vaak zo gewoon, zo nietszeggend. Nee, dan Oswald! Die is uniek. Zo kleurrijk kom je ze maar zelden tegen.'

'Je bent echt een schrijver, hè?' zei Dylan peinzend.

Ellen bloosde, plotseling slecht op haar gemak. 'Nee, niet echt,' zei ze eerlijk. 'Ik heb niets gepubliceerd en de kans is groot dat het daar ook nooit van zal komen.'

'Nog niet,' zei Dylan. 'Je hebt nóg niets gepubliceerd.'

'Bedankt. Dat is aardig van je.'

'Hij kan ook de toekomst voorspellen,' grapte Johnny, die rode wangen had gekregen van het bier. 'Ga door, Dylan. Vertel! Wat zie je in haar toekomst?'

'Je hebt schrijversogen,' vervolgde Dylan, zonder acht te slaan op Johnny. 'Met een sprekende, onderzoekende blik.' Ellen lachte een beetje verlegen. 'En je hebt een prachtige glimlach,' voegde hij er weemoedig aan toe. 'Net als je moeder.'

6

Na de lunch werd Ellen door Johnny weer bij Peg afgezet. De Volvo stond er niet, dus misschien was haar tante boodschappen aan het doen. Als ze een echte schrijver was, zou Ellen de kans moeten verwelkomen om zich met haar laptop terug te trekken in de kleine zitkamer. Maar ze moest bekennen dat ze er nogal tegen opzag om aan een roman te beginnen. Tenslotte had ze zoiets nooit eerder gedaan. Ze ging niet naar binnen en bleef bij de voordeur staan, zich afvragend wat ze zou doen. Nu Peg er niet was, zou ze Emily kunnen bellen met de vaste telefoon. Maar ze wist eigenlijk niet of ze wel wilde weten dat haar moeder alles in het werk stelde om erachter te komen waar ze zat, of dat William de radeloosheid nabij was. Tenslotte had ze haar iPhone niet voor niets in zee gegooid. Ze stopte haar handen in haar jaszakken en dook weg in haar kraag. Er was bewolking komen opzetten, waardoor het mistig en vochtig was geworden. De vuurtoren rees als een spookschip op uit de nevelen. Hij bood een eenzame, koude aanblik, omringd door de golven. Wat had Caitlin Macausland bezield om er zo vaak heen te roeien, en dan ook nog 's avonds? Ellen huiverde toen ze zich probeerde voor te stellen dat ze alleen in een bootje zat, midden op zee, met alleen de meeuwen als gezelschap.

Ze besloot een eind te gaan lopen in plaats van de confrontatie aan te gaan met het lege huis en haar laptop. Ze liep het veld in waar Pegs wollige lama en haar ruige ezel liepen te grazen, samen met de schapen. Het was een vreemde gewaarwording om volledig afgesneden te zijn van haar leven in Londen. Ze was er helemaal aan gewend om met een druk op de knop contact te kunnen leggen met al haar vrienden. Sms'jes en e-mails hadden voortdurend haar aandacht gevraagd, als de komma's en punten op de bladzijde van een boek. Maar nu was haar enige manier om te communiceren de vaste telefoonverbinding van tante Peg. Connemara lag er stil en vredig bij. Ze hoorde het gekrijs van de meeuwen, ze voelde de wind op haar gezicht, de motregen op haar huid. Het gebulder van de oceaan klonk in haar oren en ze rook de zilte geur van de golven, de frisse tinteling in de lucht. Diep vanbinnen ervoer ze een stilte waarvan ze zich nooit eerder bewust was geweest. In Londen was ze voortdurend in beweging. Daar had ze altijd haast, ze moest altijd hollen en vliegen om op tijd op haar werk of op een afspraak te zijn. Zelfs als ze uitging was het haasten. Ze had geen moment rust en op de achtergrond was er altijd lawaai te horen. Ze kreeg nooit de kans alleen te zijn. Zelfs als ze met vrienden naar buiten ging, de stad uit, was ze nooit echt alleen. Niet zoals nu. Ze was zich nog nooit zo goed bewust geweest van de vredige stilte diep in de kern van elke rots, elke boom, elke bloem.

Hier, in Connemara, hoefde ze niet te hollen en te vliegen, ze hoefde nergens heen, ze hoefde alleen maar te 'zijn', en het was deze overgave aan het moment die haar deed beseffen hoe hol en leeg haar leven was geweest. Terwijl ze de heuvel af liep naar de zee, vroeg ze zich af wat ze van een toekomst met William had verwacht en of ze alleen maar voor hem had gekozen om te ontsnappen aan een onbevredigend heden, thuis, bij haar ouders. En wat wás dat heden precies? Waaróm was het zo onbevredigend? De stilte stelde haar in staat haar leven in een helder licht te zien, alsof het antwoord er altijd al was geweest, maar zij het nooit had gezien. Alsof ze het stemmetje diep binnen in haar, dat boven het lawaai en de jachtigheid uit probeerde te komen, nooit had gehoord. Haar leven was onbevredigend omdat het niet voelde alsof het echt van háár was. Ze had het leven geleid dat haar ouders voor haar wilden, maar waar ze zelf nooit bewust voor had gekozen. Ze had genoeg van de worsteling om te voldoen aan hun verwachtingen, van de voortdurende strijd om zich anders voor te doen dan ze was. Het leek alsof ze kleren had gedragen die haar niet pasten, en alsof ze er eindelijk uit was geknapt.

Terwijl ze langs het verlaten huis op het strand liep, besefte ze dat ze ook op de vlucht was geweest voor zichzelf. Dat ze niet van zichzelf kon houden zoals ze was en zoals ze zou worden als ze dezelfde weg zou volgen als haar zussen, het zorgvuldig uitgestippelde pad naar een comfortabel, maar zielloos bestaan als mevrouw William Sackville. Haar dagelijkse routine in Londen had iets afschuwelijk leegs. De feestjes, het winkelen, de lunches, de kring van gelukkige, succesvolle vrienden die elkaar obligaat, maar zonder warmte begroetten met een kus in de lucht. Het had geen diepgang. Het schonk geen bevrediging. Zich schrap zettend tegen de wind liep ze over het zand, net buiten het bereik van de golven. Leonora en Lavinia zouden haar uitlachen als ze zei dat ze geen zin meer had in vakanties naar Saint Barths, dat ze genoeg had van liggen aan het zwembad met glossy's die beloofden dat je gelukkig werd van een nieuwe lippenstift of handtas, dat skiën in Sankt Moritz voor haar niet meer hoefde, dat ze was uitgekeken op het milieu waarin ze zich bewoog, op de oppervlakkigheid van de mensen om haar heen, mensen die het er vooral om ging te worden uitgenodigd op de juiste feestjes en toegang te krijgen tot de juiste kringen. De rusteloze, oppervlakkige mensen voor wie de volgende sport op de sociale ladder hun grootste ambitie was. Ze grinnikte wrang, verbaasd over hoe helder ze alles ineens zag, en verbaasd dat ze hardop in zichzelf liep te praten. Haar moeder zou denken dat haar iets mankeerde en haar onmiddellijk meeslepen naar haar therapeut. Haar vader zou haar verbijsterd aankijken en voor de zoveelste keer zijn hoofd schudden om de dochter die hij nooit had begrepen. Maar ze moest de waarheid onder ogen zien. En die waarheid was dat het haar allemaal niet gelukkig kon maken. O, af en toe was er heus wel een moment van geluk. Best vaak zelfs. Maar die momenten waren vluchtig als een zonnestraal. Diep vanbinnen was ze rusteloos. Rusteloos en ongelukkig.

Ze had altijd de sterke drang gehad om iets te scheppen, iets te creëren. Een boek, gedichten, songteksten, een tuin... Wat precies, dat was haar nog niet helemaal duidelijk. Ze wist alleen dat ze zich wilde uiten. Als tiener had ze zichzelf gitaar leren spelen, maar toen ze vroeg of ze op les mocht, had haar moeder haar neus opgetrokken. Ze wilde niet dat haar dochter 'bij een bandje ging of zoiets belachelijks'. In plaats van gitaarlessen kreeg Ellen bijles Frans, want als beschaafde jongedame moest je Frans kunnen spreken, aldus haar moeder. En dus had Ellen op eigen houtje toch een band opgericht, ze had samen met de andere leden nummers geschreven en ze hadden opgetreden tijdens schoolconcerten waarvoor haar ouders niet waren uitgenodigd. Daarnaast had ze korte verhalen geschreven, ze had uitgeblonken in de creatieve vakken en ze had in het schoolkoor gezongen. Maar uiteindelijk had ze zich aangesloten bij de opstandige meisjes in haar klas en haar puberteit vooral doorgebracht met stiekem roken en zich afzetten tegen de autoriteiten, in plaats van dingen te doen waar ze innerlijk van groeide. Nu had ze spijt van alle tijd die ze had verspild. Ze betreurde het dat ze haar creatieve kant had verwaarloosd. Maar het was nooit te laat om de ramen open te zetten en de zon naar binnen te laten schijnen. Het was nog niet te laat om een boek te schrijven, om muziek te componeren, om een tuin aan te leggen. Ineens had ze het gevoel dat alles mogelijk was, het gevoel dat het leven een deur voor haar had geopend naar een eindeloze, nieuwe horizon.

Ze haalde diep adem, de spanning week uit haar schouders. Hier, op deze prachtige plek, ervoer ze een diepe vrede. De vrede die een mens alleen vindt wanneer hij in harmonie is met de natuur. De vreugde die bezit van haar nam was zo overweldigend dat ze begon te huilen, en zo verrassend dat ze tegelijkertijd moest lachen. Dat had ze nog nooit gedaan. Lachen en huilen tegelijk. En met zo veel overgave. Ze had zich nog nooit zo heerlijk gevoeld. De wolken werden grijs en zwaar en het begon te regenen. Haar jack van namaakbont was al snel doorweekt en plakte aan haar vast als de natte vacht van een hond. Als het niet zo koud was geweest, had ze het uitgetrokken en in zee gegooid, een waterig einde tegemoet, net als haar iPhone.

Het probleem was dat ze niet wist wat of wie ze wilde zijn. Wat ze wél wist, was dat ze niet gelukkig was met de manier waarop ze zich had ontwikkeld. En dat ze niet terugging naar Londen tot ze duidelijkheid had over wie ze werkelijk, diep vanbinnen was, los van de sturende invloed van haar ouders. Tot die tijd bleef ze hier, in Connemara. Ze maakte rechtsomkeert en begon terug te lopen over het strand. Het stortregende inmiddels, en ze was nat tot op haar hemd. Geleidelijk aan ging ze steeds harder lopen, en ze rilde toen er een druppel langs haar kraag naar binnen gleed, over haar rug. Als ze bij Peg wilde blijven, zou ze huur moeten gaan betalen. Haar tante had het niet breed, zoveel was wel duidelijk. En het zou niet netjes zijn om op haar zak te teren. Als ze langer dan een week bleef, was het niet meer dan redelijk om bij te dragen in de kosten.

Tegen de tijd dat ze de heuvel bereikte, had ze het op een rennen gezet. Het vooruitzicht van een warm bad en een kop thee dreef haar voort. Ze strompelde omhoog over het drijfnatte gras, langs de onverstoorbare schapen die onder hun wollen mantel kurkdroog waren, en langs de arme ezel die er nogal ongelukkig en verfomfaaid uitzag, ook al stond er aan de voet van de heuvel een schuurtje waarin hij kon schuilen. Toen het huis in zicht kwam, was ze niet verrast te zien dat er behalve de Volvo nog een auto op het grind stond. Het was haar allang duidelijk dat Pegs grote familie er wel voor zorgde dat ze nooit eenzaam was.

Ze stormde naar binnen. Mr. Badger kwam opgewonden de hal in om haar te begroeten. Bertie bleef luid knorrend voor de Stanley liggen. Peg sprong van tafel op, waar ze thee zat te drinken met een jonge man. 'Jaysus, kind! Wat zie je eruit! Waar ben je geweest? Heeft Johnny je na het bezoek aan het kasteel niet thuisgebracht? Trek onmiddellijk dat jack uit. Dan hang ik het te drogen.'

'Ik ben een eindje gaan lopen,' legde Ellen uit terwijl ze het natte jack afstroopte.

'Met dit weer? Je lijkt wel gek!'

'Gooi dat jack maar weg. Dat is geruïneerd.'

'Dieren zijn er trouwens op gebouwd om nat te worden,' merkte de man droogjes op.

'Dat geldt niet voor namaakdieren,' kaatste Ellen terug.

Peg wees naar haar bezoeker. 'Dit is Ronan. Mijn zoon.' De jonge man – Ellen schatte dat hij ongeveer net zo oud was als zij – keek haar van onder een dikke, blonde pony aan. Zijn gezicht bleef ernstig.

'Ik kan je geen hand geven,' zei Ellen verontschuldigend. 'Want ik ben drijfnat.'

'Dan stellen we dat uit tot je weer droog bent.'

'Ik denk dat ik maar even in bad ga.'

'Goed idee, pop. Jullie Londenaren weten echt niks van het platteland, hè?' Peg keerde zich naar haar zoon. 'Je zou de laarzen moeten zien waar ze mee aankwam...'

Op weg naar boven dacht Ellen aan de leden van haar familie die ze tot op dat moment had ontmoet. Ze waren allemaal knap om te zien, met sprekende ogen en een sterke persoonlijkheid. Het leek wel alsof ze dwars door de kast van C.S. Lewis in een betoverende nieuwe wereld was terechtgekomen, een wereld die er achter de bontjassen altijd was geweest. Even voelde ze een overweldigende woede jegens haar moeder, omdat ze dit alles voor haar verborgen had gehouden. Het was tenslotte ook haar familie! Trouwens, Lavinia en Leonora waren net zozeer slachtoffer! Wat had hun moeder bezield om haar dochters hun familie te onthouden? Wat had ze gedaan dat zo verschrikkelijk was dat ze elk contact had verbroken? En de herinneringen aan haar jeugd, telden die dan helemaal niet? Hielden die haar 's nachts niet uit haar slaap? Of miste ze haar familie?

Ellen liet zich in het warme bad zakken. De ramen besloegen terwijl de regendruppels als kiezelstenen tegen de ramen roffelden. Tegen de tijd dat ze weer naar beneden ging, in een droge spijkerbroek en een trui, zat haar tante nog met Ronan aan de keukentafel. 'Neem lekker een kop thee, pop.' Ze stond op om de ketel van het pitje op het fornuis te pakken. 'Je ziet er een stuk beter uit. Wat heb je met je natte kleren gedaan?'

'Die liggen nog in de badkamer.' Ellen ging tegenover Ronan zitten.

'Daar worden ze niet droog. Haal ze straks maar naar beneden, dan hangen we ze over de Stanley.'

'O, cake!' riep Ellen gretig, met een blik op Jack die op zijn vaste stoelleuning troonde. 'Het verbaast me dat hij nog iets voor ons heeft overgelaten,' zei ze tegen Ronan.

'Dan wordt hij weggejaagd, en dat weet hij,' antwoordde die. 'Neem een plak. Hij is lekker.'

Ellen sneed een plak cake af, terwijl Peg een verse pot thee zette.

'Dus ik neem aan dat de jongens je hebben meegenomen naar de pub? Hebben jullie daar ook geluncht?' Peg kwam weer aan tafel zitten, met de theepot en een mok voor haar nichtje.

'Ja. En ik heb Dylan Murphy ontmoet.' Ze nam haar tante aandachtig op terwijl ze dat zei.

'Ach, Dylan! Ja, dat is me d'r een.' Het gezicht van Peg verried geen enkele emotie.

Ellen besloot er niet omheen te draaien. 'Hij hield van mama, hè?'
Peg stopte met thee schenken. Even leek ze niet te weten wat ze moest zeggen. 'Ik zag het aan hem,' vervolgde Ellen. 'Hij keek me met zulke grote, verdrietige ogen aan.'

'Ik denk dat hij hoopte je moeder in jouw gezicht terug te zien.' Peg schonk weer verder.

'Wat is er gebeurd?'

'Met Dylan? Ach, het kan geen kwaad om het je te vertellen, neem ik aan. Het is allemaal al zo lang geleden. Dit heb jij ook nog nooit gehoord, Ronan.' Ze schonk melk in haar thee en begon peinzend te roeren. 'Dylan is met ons opgegroeid, maar hij was van meet af aan helemaal dol op Maddie. Ze is ook een tijdje verliefd op hém geweest, maar toen leerde ze je vader kennen. Nou ja, de rest van het verhaal ken je.'

'Maar ik zou er zo graag meer van weten,' hield Ellen vol. Peg zuchtte en nam nog een plak cake. Ellen had de indruk dat ze zich niet op haar gemak voelde. 'Hè toe, tante Peg. Volgens mij heb ik recht op het hele verhaal. En uiteindelijk krijg ik het toch wel te horen. Van een van de anderen. Dus je kunt het me net zo goed vertellen.'

'Goed. Jij je zin. Als je het dan precies wil weten, Dylan en zij waren verloofd toen ze je vader ontmoette.'

'Verloofd?' herhaalde Ellen verbaasd. 'Dus ze zou met Dylan gaan trouwen?'

Ronan was net zo verrast als zij. 'Allemachtig!' Er gleed een vluchtige grijns over zijn ernstige gezicht. 'Dylan Murphy! Wie had dat gedacht?'

'Hij was vroeger een knappe vent.' Peg glimlachte. 'Trouwens, volgens een heleboel vrouwen is hij er met de jaren alleen maar knapper op geworden. Hij is nooit getrouwd. Ik denk omdat hij nog altijd een zwak plekje heeft voor je moeder. Die arme Martha heeft een waar engelengeduld. Ze is een lief mens. Als hij verstandig was trouwde hij met haar. Maar ik betwijfel of hij je moeder ooit helemaal zal kunnen vergeten.'

'Geen wonder dat hij zo naar me keek.'

'We dachten allemaal dat ze met Dylan zou trouwen. Ze pasten perfect bij elkaar. Echt, ze waren voor elkaar geschapen. Allebei artistiek, onconventioneel, creatief. Maar toen leerde ze je vader kennen.'

'Hoe kwam dat zo? Wat deed hij hier?'

'Hij logeerde die zomer bij de Martins. Die woonden vroeger op het kasteel.'

'Logeerde hij in het kasteel? Het kasteel waar ik vandaag ben geweest?'

'Precies. Conor Macausland heeft het van Peter Martin gekocht. Peter vond het verschrikkelijk dat hij het moest verkopen. De Martins hebben er generaties lang gewoond. Maar Peters aannemersbedrijf kwam in zwaar weer terecht, dus hij had geen keus. Ze zijn naar Australië vertrokken. Volgens mij om zo ver mogelijk weg te zijn van Ballymaldoon Castle.'

'Wat merkwaardig dat mijn ouders elkaar hier hebben leren kennen. En dat ik dat nooit heb geweten.'

'Waar dacht jij dan dat ze elkaar hadden ontmoet?' vroeg Ronan.

En ineens besefte Ellen dat haar ouders tegen haar hadden gelogen. 'In Schotland,' antwoordde ze zacht. 'Mama zei dat ze elkaar tijdens een jachtpartij in Schotland hadden leren kennen.'

'Je moeder op een jachtpartij,' schamperde Peg, en ze morste bijna met haar thee. 'Ze had altijd de ambitie om hogerop te komen, maar om te doen alsof ze toen al in dat soort kringen kwam... dat is belachelijk. En dan druk ik me nog heel beschaafd uit. Toen ze je vader leerde kennen, was ze nog nooit de grens over geweest!'

'Wist je wel dat ze Ierse is?' Ronan keek haar verbijsterd aan, alsof hij het erg onnozel van haar vond dat ze zo goedgelovig was geweest.

Verontwaardiging maakte zich van Ellen meester. 'Ja, natuurlijk wist ik dat. Maar ze had het nooit over Ierland. Ze zei wel eens iets over jou, Peg, maar alleen als ze dacht dat wij het niet hoorden. Als ik iets over vroeger wilde weten, trok ze een zuinig gezicht, en dan begon ze over iets anders. Dan wisten we dat we beter niet door konden vragen, en eerlijk gezegd kon het ons ook niet zo veel schelen. Maar tante Peg, was het nou echt zo verschrikkelijk dat ze er met een Engelse protestant vandoor ging?'

Peg draaide peinzend haar theekopje in het rond. 'Volgens mij was het geloof van je vader niet zozeer het probleem. En ook niet dat hij Engels was. Het probleem was dat ze met Dylan zou trouwen. De ene dag was ze nog vol plannen voor hun huwelijk, en de volgende pakte ze haar koffers en was ze vertrokken.'

'Dus ze is echt van huis weggelopen om te trouwen?'

'Ja, ik ben bang van wel.' Peg aarzelde, alsof ze aan iets dacht maar besloot het niet te vertellen. 'Ze had al iets met je vader, achter Dylans rug,' voegde ze er toen zacht aan toe. 'Dat was natuurlijk niet aardig. Dylan aanbad haar. Hij kuste de grond waarop ze liep. Dus daarom is ze nooit meer terug geweest. Ze voelde zich schuldig,' besloot ze gedecideerd.

'Oké, maar is het niet een beetje overdreven om je meer dan dertig jaar schuldig te blijven voelen?'

'Ze koos voor een ander leven, pop.' Het was duidelijk dat Peg er liever over wilde ophouden. 'Ze trouwde met een rijke man, ze begon een nieuw leven, en met haar oude leven wilde ze niets meer te maken hebben. Meer valt er niet over te zeggen.'

Ellen was geschokt, verbijsterd. 'Schaamde ze zich voor jullie?'

'Dat denk ik,' antwoordde Peg zacht. 'Volgens mij waren we niet goed genoeg voor haar. Ze was erg ambitieus, onze Maddie. Ze wilde een leven als een prinses, al vanaf dat ze heel klein was. Het leven dat Dylan haar kon bieden, was haar te min. Ze wilde meer. En zodra ze haar kans schoon zag, greep ze die met beide handen aan. Ook al wist ze dat ze Dylans hart brak. Je moeder was een erg mooi meisje, Ellen. Vergeet dat niet. Mooi en verleidelijk. Ze hoefde maar met haar vingers te knippen, of de mannen lagen op hun knieën, bereid om haar met goud te behangen.' Peg nam een hap van haar plak cake. 'Dus dat leven als een prinses, dat heeft ze gekregen, neem ik aan.'

'Maar het is toch ontzettend egoïstisch om jullie bij ons weg te houden? Jullie zijn onze familie!'

'Tja, ik vind het vervelend om te zeggen, maar Maddie was altijd al behoorlijk egoïstisch.'

'Het is zo oneerlijk!' riep Ellen hartstochtelijk uit. 'Ik wou dat ik jullie mijn hele leven had gekend!'

Pegs gezicht verzachtte. 'Dat is lief van je, pop. Maar probeer het je niet al te erg aan te trekken. Je moeder deed wat zij dacht dat het beste was. En jij en je zussen zijn toch goed terechtgekomen? Alleen… je hebt nu wel de knuppel in het hoenderhok gegooid. God mag weten hoe ze reageert als ze erachter komt dat je hier bent.' Peg keek ineens nerveus. 'Zeg alsjeblieft niet dat ik je het hele verhaal heb verteld.'

'Natuurlijk niet. Maar ik ben er wel erg boos over. En ik ga nooit meer terug.'

Peg keek haar streng aan. 'Dan doe je hetzelfde als je moeder.' Dat deed ze al, door op de loop te gaan voor haar huwelijk. 'Arme Dylan,' zei ze verdrietig. Ze nam een slok thee, maar die was inmiddels bijna koud na al hun gepraat.

'Kom, dan krijg je thee van me.' Peg stond op. 'De mens is de som van zijn ervaringen. Als je kijkt naar zijn verleden, begrijp je waarom Dylan naar de fles greep. Vroeger was hij heel vrolijk en positief. Er ontbrak niets aan zijn geluk. Maar Maddie heeft zijn hart gebroken. En daar is hij nooit meer overheen gekomen. Ze heeft hem zo veel pijn gedaan. Sindsdien hangt er altijd een waas van verdriet en somberheid om hem heen. Volgens mij is zijn leven sindsdien één grote teleurstelling.'

Ronan vertrok meewarig zijn gezicht. 'Ach, dat heb ik nooit geweten. Arme kerel! Het is een hard gelag, om zo veel van iemand te houden en je grote liefde te verliezen.'

'Wat doet hij voor werk?' vroeg Ellen.

'Hij schrijft. Muziek, liedjes. Hij heeft veel talent. Het is doodzonde dat hij aan de drank is geraakt, want volgens mij had hij echt iets van zijn leven kunnen maken. Hij had ooit een band en daar had hij veel succes mee. Althans, hier in Ierland.' Peg lachte. 'Dat kun je je nu bijna niet meer voostellen, hè? Hij speelt gitaar en hij zingt.' Ellen vroeg zich af of haar moeders weigering haar gitaarles te laten volgen, iets met Dylan te maken had.

'En nu is hij de beste klant van de pub. Arme kerel,' herhaalde Ronan somber. 'Ik vond hem altijd een sukkel. Wat stom van me!'

'Je moet jezelf geen verwijten maken, Ronan. Dat kon je toch allemaal niet weten?' Peg keerde zich naar Ellen. 'Eerst schreef hij nummers voor zichzelf. Maar toen hij stopte met optreden, schreef hij voor andere bands. Het zou je verbazen als je wist hoeveel grote namen zijn nummers zingen. Hij heeft ooit wat ballads geschreven waar hij heel veel succes mee had. Hoe gingen ze ook alweer... Even denken, dan kan ik ze nog wel zingen.'

'En wat doe jíj, Ronan?' Het viel Ellen op dat hij erg stil was, en ze probeerde hem in het gesprek te betrekken.

'Ik ben timmerman.' Hij klonk alsof hij zich in de verdediging gedrongen voelde en keek haar bijna uitdagend aan.

'Daar hoef je je toch niet voor te schamen?' mopperde zijn moeder. 'Timmerman, daar is niks mis mee. En je bent een vakman! Hij kan alles maken! Echt alles. Die mooie keukens, die in de tijdschriften staan, die maakt Ronan zo na. En je ziet geen enkel verschil. Hij heeft echt heel veel talent.'

'Dat zeg je alleen maar omdat je mijn moeder bent.' Hij rolde met zijn ogen, zichtbaar slecht op zijn gemak.

'Hij heeft heel veel voor Caitlin Macausland gedaan. In het kasteel.' Bij het noemen van Caitlins naam verscheen er een sombere, bijna chagrijnige uitdrukking op zijn gezicht. 'Ach, dat is al zo lang geleden. Ik heb sindsdien al weer heel veel andere dingen gemaakt.'

'Ronan houdt er niet van om vast te zitten,' vervolgde Peg, wat haar een geneerde blik van haar zoon opleverde. 'Hij wil eigen baas zijn. Zodat hij zelf zijn tijd kan indelen.'

'O, eigen baas! Dat lijkt me heerlijk!' zei Ellen, in een poging Ronan weer op te vrolijken. 'Ik zou graag met schrijven mijn brood verdienen. De afgelopen zes jaar heb ik op de afdeling marketing gewerkt van een juwelier in Londen, en ik vind het afschuwelijk, zo'n baan van negen tot vijf. Hoe ik ook mijn best deed om op tijd te komen, ik was elke ochtend te laat op mijn werk. Dus eigen baas zijn lijkt me geweldig. Daar zou ik echt alles voor doen.'

'Wat heb je geschreven?' vroeg hij.

'Nog niks wat echt goed is. Maar ik hoop hier inspiratie op te doen.'

'Het kasteel en de vuurtoren, daar zit wel een boek in,' suggereerde Peg.

'Hoezo?' vroeg Ronan.

'Nou, vanwege alle geheimzinnigheid, alle onopgeloste vragen,' antwoordde zijn moeder.

'Dus je wilt een thriller schrijven? Over een moordzaak?' vroeg Ronan aan Ellen.

'Zo is het wel genoeg, Ronan!' viel Peg nijdig uit. 'Die onzin wil ik niet horen. Was ik er maar nooit over begonnen.'

'Nou, dat is anders wel schitterend materiaal voor een boek.'

'O, maar ik ben niet van plan hún verhaal te schrijven,' mengde Ellen zich in de discussie. 'Daar weet ik tenslotte niets van. Ik vind het kasteel en de ruïne van de vuurtoren gewoon erg romantisch.'

'Hm, volgens mij heeft het allemaal weinig met romantiek te maken.' Hij grinnikte cynisch. 'Die twee gunden elkaar het licht in de ogen niet.'

'Waarom zeg je dat nou? Ooit vond je haar zo geweldig,' zei Peg.

'Ik heb haar portret gezien,' vertelde Ellen. 'Ze was prachtig! Echt een schoonheid!'

Ronan sneed nog een plak cake af. 'Prachtig of niet, ze is dood.'

Ellen zette haar mok neer. 'Waarom heeft haar man dat schilderij eigenlijk laten hangen? Hij heeft verder alles laten weghalen. Je zou toch denken dat hij het schilderij bij zich wilde houden?'

Ronan slaakte een geërgerde zucht. 'Misschien was het te groot voor het huis waar hij nu woont? Ik heb geen idee. Trouwens, wat doet het ertoe?'

'Ik ben gewoon nieuwsgierig. Als het te groot was, dan had hij het toch in de opslag kunnen doen? Het heeft iets spookachtigs om het daar te laten hangen, vind je ook niet? Net alsof ze er nog is.'

'Ik weet het niet, en het kan me niet schelen,' antwoordde hij nors.

'Laat hem maar, Ellen,' zei Peg met een toegeeflijke glimlach. 'Hij heeft gewoon genoeg van het hele gedoe.'

'En dat krijg jij ook als je hier maar lang genoeg bent,' zei Ronan. 'Want ze hebben het nog steeds nergens anders over!' Hij nam driftig een hap van zijn cake.

Peg knikte instemmend. 'Dat is waar. We zijn inmiddels vijf jaar verder, maar iedereen heeft het er nog steeds over. En dat is ook niet zo vreemd. De vuurtoren staat hier pal voor de kust.'

'Ga je daarom nooit naar de pub, tante Peg?' vroeg Ellen. 'Omdat je genoeg hebt van het geroddel?'

'Nee, ik ga niet naar de pub omdat ik graag op mezelf ben,' antwoordde ze een beetje kortaf. 'Trouwens, waarom neem jij Ellen niet mee, Ronan? Joe zou haar komen halen, maar ik zal zeggen dat jullie er al naartoe zijn. Dan kan Ronan je voorstellen aan de rest van de familie.'

Hij trok een wenkbrauw op en keek zijn nichtje vragend aan. 'Kun je het aan? Een overdosis Byrnes?'

'Geen idee. Misschien moet ik wel gewoon thuisblijven, om te kaarten met tante Peg en Oswald.'

'Je zei toch dat je niet van kaarten houdt? En televisiekijken kun je hier ook niet. Dus ga nou maar met Ronan mee. Ik weet zeker dat hij goed op je past. Toch, Ronan?'

'Maak je geen zorgen. Dat komt best goed,' zei hij nog altijd ernstig.

Ellen hoopte dat ze hem in de Pot of Gold een glimlach kon ontlokken. 'Ik moet wel eerst even mijn spullen langs huis brengen.' Hij stond op. 'Dus als je dat niet vervelend vindt, kun je met me meerijden.'

'Nee, natuurlijk niet.' Ellen reageerde extra enthousiast om hem wat op te vrolijken. 'Ik vind het juist leuk om je werkplaats te zien.'

'O, zijn werkplaats is echt een schatkamer!' verklaarde Peg enthousiast.

'Als je mijn moeder moet geloven, is het atelier van Michelangelo er niks bij!' zei hij spottend, maar toen hij Peg aankeek, verzachtte de uitdrukking op zijn gezicht, en hij glimlachte vluchtig, ondanks zichzelf.

7

Het was niet ver naar het huisje van Ronan, ongeveer halverwege de boerderij van zijn moeder en Ballymaldoon, met net zo'n betoverend uitzicht op zee. Hij parkeerde zijn bestelbus en haalde de loodzware gereedschapskist uit de laadruimte. 'Loop maar mee als je wilt,' zei hij tegen Ellen. 'De werkplaats ligt aan de achterkant.' Ze volgde hem over een pad tussen hoog gras en onkruid door naar het eind van een verwaarloosde tuin. De schemering viel en de eerste sterren verschenen aan de hemel, als verre boten in de mist. Het was koud en vochtig, met een venijnige wind uit zee. Ellen huiverde en trok de jas die ze van haar tante had geleend nog dichter om zich heen.

Ronans werkplaats was een grote houten schuur, gebouwd tegen een hoge aarden wal, begroeid met gras. Vanbuiten was er niets bijzonders aan te zien, maar toen hij de deur opendeed en het licht aankniptc, besefte Ellen dat het inderdaad een schatkamer was, zoals Peg al had gezegd. Het gereedschap hing in keurige rijen aan de wanden, planken en balken lagen op geordende stapels, wonderbaarlijke machines stonden tussen bergen houtkrullen, en de stoere werkbank in het midden van de ruimte was ingenieus voorzien van gaten waarin diverse gereedschappen waren geschoven. Die werkbank was op zich al een kunstwerk. Ellen streek er met haar hand overheen, zich verbazend over het inventieve ontwerp. 'Dit is je eigen ontwerp, zeker?' vroeg ze. Blijkbaar hoorde hij de bewondering in haar stem, want hij zette zijn gereedschapskist neer en begon aan een rondleiding.

'Noodzaak inspireert tot nieuwe ideeën,' zei hij. 'Dus gaandeweg maak ik regelmatig dingen voor eigen gebruik, om efficiënter te kunnen werken.'

'Je moeder heeft gelijk. Je kan echt alles maken.'
'O, dit is nog niks. Dit is alleen maar mijn werkplaats, meer niet. Wil je mijn portfolio zien?'
'Ja, graag!' Ze zag dat er een blos van trots op zijn wangen verscheen toen hij een grote, zwarte map met foto's achter zijn bureau vandaan haalde en het stof eraf veegde. 'Ik gebruik hem niet vaak, want iedereen kent me. De meeste opdrachten krijg ik dankzij mond-tot-mondreclame. Maar ik hou wel bij wat ik heb gemaakt, vooral voor mijn eigen plezier. Ik neem aan omdat ik mijn hart in elke opdracht leg.' En toen glimlachte hij eindelijk. Ellen werd er vrolijk van. Ze gingen aan de werkbank zitten, en Ronan liet haar de foto's van zijn opdrachten zien. Complete keukens en badkamers, een speelhuisje voor kinderen, ladekasten, tafels en stoelen.

'Hoe heb je geleerd om dat allemaal te maken?' vroeg ze, terwijl ze zich over de uitgezaagde hartjes in de luiken van het speelhuisje boog.

'Mijn oom Ryan heeft een bouwbedrijf. Zijn timmerman, Lee, is echt een tovenaar met hout! Hij heeft me alles geleerd.'

'Dus je bent zijn leerling geweest?'

'Ja, acht jaar lang. Toen ging Lee met pensioen en heb ik hem opgevolgd. En weer een tijd later ben ik voor mezelf begonnen. Want inmiddels had ik al naam gemaakt.'

Ellen sloeg weer een bladzijde om en herkende een bank bij het meer van het kasteel. 'Aha! Deze heb je, volgens mij, voor Caitlin Macausland gemaakt?' Ze merkte dat hij verkrampte. 'Hij is prachtig,' vervolgde ze haastig. Verder bladerend besefte ze al snel dat Ronan nog veel meer voor Caitlin had gemaakt. Er waren foto's van een achthoekig prieel, van een schommelstoel, van een tuinpoort, van een bankje om de stam van een boom en van een stel kweekbakken voor de moestuin. 'Allemachtig! Volgens mij had je geen tijd om ook nog voor anderen te werken toen je met die opdrachten voor haar bezig was.'

'Nee, dat klopt. Ze gaf me de kans om dingen te maken waarvan je als timmerman doorgaans alleen maar kunt dromen.'

'Dan moet je haar wel goed gekend hebben,' mompelde Ellen zonder nadenken. 'Sorry,' zei ze toen haastig, indachtig zijn eerdere reactie. 'Ik weet dat je schoon genoeg hebt van de hele zaak.'

'Ik heb vooral schoon genoeg van de leugens,' zei hij tot Ellens verrassing. Hij slaakte een diepe zucht. 'Iedereen doet alsof hij weet wat er is gebeurd, die avond bij de vuurtoren. Maar dat is onzin. Er zijn maar twee mensen die dat weten. De een wíl er niet over praten, en de ander kán er niet meer over praten.'

'Maar als dat zo is, hoe weet jij dan zo zeker dat hij haar heeft vermoord?' vroeg ze met een glimlach, in een poging het luchtig te houden. 'Doe je dan niet hetzelfde als iedereen?'

Hij haalde diep adem, waarbij zijn neusvleugels trilden. 'Ik heb haar gekend. En ik weet dat ze bang voor hem was. Hij is ongelooflijk driftig. En volgens mij is hij in een vlaag van woede tot alles in staat.'

'Maar dan is het geen moord, toch?'

'Nee, strikt genomen heet het dan doodslag. Wat er ook is gebeurd, volgens mij is hij verantwoordelijk voor haar dood.'

'Maar dat weet je niet zeker.'

'Nee, dat weet ik niet zeker,' moest hij toegeven. Zonder met concretere aanwijzingen te komen waarop hij zijn mening baseerde, sloeg hij het boek dicht. 'Maar ik weet wel zeker dat de schuld bij hem ligt. Daar durf ik alles om te verwedden.'

En daar wilde hij in geloven, zag Ellen aan de verbeten trek om zijn mond. Ze vroeg zich af of er ook maar één man in Ballymaldoon te vinden was, die níét verliefd was geweest op Caitlin Macausland.

'Ik weet niet hoe het met jou is, maar ik lust wel een borrel.' Ronand stond op, zette de portfolio weer achter zijn bureau en deed het licht uit.

Toen ze bij de Pot of Gold kwamen zat het er al stampvol. Het was er warm, bijna heiig door de drukte en de rook van de open haard, en erg lawaaiig. Het geroezemoes verstomde echter toen Ellen binnenkwam, en ze zag weer talloze nieuwe gezichten die zich nieuwsgierig naar haar toe keerden. Ze was opgelucht toen ze Johnny en Joe ontwaarde aan een tafeltje tegen de muur.

'Je lijkt wel een filmster,' zei Johnny toen ze haastig kwam aanlopen. 'Straks moet je nog handtekeningen gaan uitdelen.'

'En dan vraag ik een pond per handtekening.' Joe wreef in zijn handen. Desmond was er ook. Hij stelde Ellen voor aan Alanna, zijn vrouw, met rossig blonde krullen die tot op haar tengere schouders vielen, een fijn getekend gezicht en een roomblanke huid. Ze klopte glimlachend op de bank naast haar.

'Kom hier zitten, kindje. Ik hoor de hele dag al hoe mooi je bent. Joe, haal eens iets te drinken voor Ellen. Wat mag het zijn? Ik drink wodkatonic.'

'Nou, ik weet wel wat ze níét wil, hè, Ellen?' Hij knipoogde grijnzend naar haar.

Ze grijnsde terug. Zijn geplaag gaf haar het plezierige gevoel dat ze erbij hoorde. 'Ik wou gewoon indruk op jullie maken,' gaf ze toe.

'Dat is je bij pa misschien gelukt, maar mij hou je niet voor de gek.' Hij gooide lachend zijn hoofd achterover.

Alanna begreep er niets van. 'Waar gaat het over?'

'Je had haar gezicht moeten zien vanmiddag! Bij de eerste slok Guinness. Onbetaalbaar!'

'Oké, Joe. Zo kan-ie wel weer!' Alanna kwam Ellen te hulp. 'Let maar niet op hem. Hij roept vaak de raarste dingen, maar er is niemand die naar hem luistert.'

'Ik krijg je nog wel, Joe Byrne!' dreigde Ellen.

'Ik kan niet wachten! Maar goed, wat wil je drinken?'

'Hetzelfde als Alanna.'

'Gelukkig. Ik had me doodgeschaamd als ik weer om water had moeten vragen.' Joe verdween in de drukte.

'Eens even kijken, wie ken je nog meer niet?' Alanna keek om zich heen.

Ellen ontdekte Dylans duistere verschijning aan de bar. Hij dronk Guinness en praatte geanimeerd met Ronan. Af en toe keek hij op van onder zijn verwarde, zwarte haren en richtte hij zijn doordringende blik op haar. Als een buizerd die zijn prooi observeert, dacht ze onwillekeurig. Ze probeerde hem te negeren. Tenslotte was er niets wat ze kon doen aan zijn onbeantwoorde liefde voor haar moeder. Wat zou er gebeuren als hij haar nu zou ontmoeten, vroeg ze zich af. Zou hij dan spijt hebben van al die verspilde jaren?

Haar aandacht werd afgeleid toen ze werd voorgesteld aan de echtgenotes van haar ooms en hun volwassen kinderen. Ze vroeg zich af of ze alle namen ooit zou kunnen onthouden. En ze had nooit kunnen dromen dat ze zo veel neven en nichten had. Haar familieleven in Londen leek kil en saai vergeleken bij de vrolijke Byrnes-clan. Vrolijk en luidruchtig! Het duurde niet lang voordat Eddie, een ruige visser met een verweerde kop, zijn accordeon pakte en de pub losbarstte in schor gezang.

Ellen dacht aan Caitlin Macausland, die volgens Joe uit volle borst had meegezongen. In gedachten zag ze haar voor zich, mooier, stralender dan een engel, tussen de Byrnes en de andere stamgasten, maar tegelijkertijd onbereikbaar. Geen wonder dat iedereen nog steeds geschokt en verdrietig was door haar dood. Sterker nog, waarschijnlijk was ze nog intrigerender geworden doordat ze zo jong was gestorven. Zo ging het altijd.

'En, hoe vind je het bij Peg?' vroeg Alanna toen het zingen afgelopen was en de pub geleidelijk begon leeg te stromen.

'O, ik ben nu al dol op tante Peg,' antwoordde Ellen naar waarheid. 'Ze is echt een schat.'

'En ze vindt het heerlijk dat je er bent. Dat weet ik zeker.'

'Ik hoop niet dat ik haar tot last ben.'

'Helemaal niet. Integendeel. Ze is blij dat ze gezelschap heeft.'

'Ze heeft Ronan toch?'

'Jawel, en die zorgt goed voor zijn moeder. Het is een lieve jongen. Maar hij is niet makkelijk. Je bent gewaarschuwd.'

'Hij is zo ernstig, heel anders dan Joe.'

Ze begon te lachen. 'Ach, Joe! Ja, met Joe is het altijd dikke pret!'

'Hij is erg aardig. En Johnny ook. Ik wil nooit meer terug naar Londen.'

'Nee, natuurlijk niet. Trouwens, je bent er net.'

'Maar ik voel me hier nu al helemaal thuis.'

'Dat is het bijzondere van Connemara.' Ze lachte zacht. 'Ik ben hier geboren, net als alle Byrnes. En we wonen hier nog steeds. Allemaal. Is er een reden dat je terug zou moeten?'

Ellen slaakte een zucht. Het liefst zou ze open kaart spelen en haar nieuwe familie vertellen dat ze in Londen een verloofde had achtergelaten. Maar ze wilde niet dat ze slecht over haar dachten. 'Ach, een reden... Ik heb mijn moeder niet verteld dat ik hier ben.' Dat was tenminste waar.

'Ja, dat hoorde ik van Desmond.'

'Maar ik zal het haar toch een keer moeten laten weten, neem ik aan.'

'Zolang ze maar weet dat alles goed met je is. Moeders maken zich nu eenmaal altijd zorgen. Maar meer hoef je niet te zeggen, volgens mij. Dan laat ze je verder met rust.'

'Nou, dat weet ik nog niet zo zeker. Volgens mij is ze woedend omdat ik in haar verleden ben gaan wroeten.'

'Maar dat hoef je haar toch niet te vertellen?'

'Nee. Tenminste, nog niet. Voorlopig blijf ik bij Peg, om mijn boek te schrijven.'

'Waar gaat het over?'

'Dat weet ik nog niet zeker. Ik had gehoopt dat ik hier inspiratie zou opdoen.'

'O, dat lukt vast wel,' zei Alanna lachend.

'Ik zou over tante Peg en al haar beesten kunnen schrijven. Dat is op zich al genoeg voor een boek.'

'Ja, het hele huis zit er vol mee, hè? Dieren zijn niet achterlijk. Als ze gewond zijn of als ze gewoon toe zijn aan een nachtje in de warmte, dan weten ze Peg te vinden.'

'Het is zo jammer dat ze niet mee wil naar de pub.'

Alanna's gezicht werd ernstig. 'Ze voelt zich niet op haar gemak vanwege het geroddel.'

'Dat zei ze.'

'In een dorp als Ballymaldoon wordt nu eenmaal altijd gepraat.'

'Toch is het verbazingwekkend dat ze het na al die jaren nog steeds over Caitlin Macausland en haar man hebben.'

'O, maar dat zijn niet de roddels waar Peg bang voor is. Het zijn de praatjes over haarzelf.'

'Wat valt er nou over Peg te roddelen?'

Alanna zette haar glas neer. 'Je weet toch dat ze een dochtertje heeft verloren?' vroeg ze zacht.

Ellen keek haar geschokt aan. 'Nee, dat wist ik niet. Wanneer was dat dan?'

'O, het is al jaren geleden. Na haar zoons kreeg ze een dochtertje. Ciara.'

'Wat is er gebeurd?'

'Ze is niet ouder geworden dan zeven. Heel verdrietig allemaal.'

'Hoe is ze gestorven?'

'Ze is verdronken. In zee. Het was een ongeluk. Maar Peg is er nooit overheen gekomen. En volgens mij kóm je daar als moeder ook nooit overheen. Je leert hoogstens ermee te leven.'

'God, wat vreselijk!' Ellen dacht aan de eenzame figuur van haar tante bij de schapen in het veld, en ze begreep ineens waarom er altijd verdriet om haar heen leek te hangen. 'Is ze wel gevonden?'

'Ja. Peg en haar man hadden haar maar heel even uit het oog verloren. En toen zagen ze haar ineens drijven, met haar gezicht naar beneden. Ze hadden ruzie staan maken of zoiets, dus ze gaven zichzelf de schuld. Het huwelijk was al niet ideaal, maar vanaf dat moment ging het steeds slechter.'

'Ach, die arme Peg. Wat verschrikkelijk. Wat een verdriet om met je mee te dragen.'

'Haar broers houden haar in de gaten. Ze zorgen goed voor hun zus. En ze heeft Ronan. Die woont vlakbij. Niemand praat erover, maar we zijn ons er allemaal goed van bewust. Zoiets blijft je bij. Dat vergeet je niet.'

'Dus daarom zijn ze gescheiden. En daarom is hij naar Amerika vertrokken.'

'Ja, door zoiets verschrikkelijks kom je óf dichter tot elkaar, óf je raakt elkaar kwijt. In hun geval gebeurde het laatste. Het was niemands schuld, maar ze maakten elkaar en zichzelf verwijten. Toen Bill zei dat hij weg wilde, zette Peg haar hakken in het zand. Ze wilde bij Ciara blijven. Ze ligt hier op het kerkhof begraven.'

Ellens hart ging uit naar Peg. Nu begreep ze waarom haar tante zo verdrietig had gekeken in de auto toen ze vertelde over haar ex die een dochtertje had gekregen.

'Noemt ze zich daarom nog steeds Peg Byrne?'

'Dat is ze altijd gebleven, ook toen ze getrouwd was.' Alanna legde haar hand op Ellens arm en keek haar indringend aan. 'Niks tegen Peg zeggen, hoor!'

'Nee, natuurlijk niet.'

'Misschien had ik het je niet moeten vertellen. Maar als je bij haar in huis woont, is het belangrijk dat je begrijpt waarom ze is zoals ze is.'

'Ik geloof niet dat mijn moeder dit weet.'

'Nee, dat denk ik ook niet. Toen je moeder hier wegging, was Ronan volgens mij nog niet eens geboren.'

'Ik weet zeker dat ze het verschrikkelijk vindt als ze hoort dat haar zus een kind heeft verloren. En dat zij er niet was om haar te troosten.'

'Zeg dan maar niks tegen je moeder. Als Peg het haar ooit wil vertellen, moet ze dat zelf doen.'

'Oké, ik hou mijn mond.'

Een beetje terneergeslagen verliet Ellen de pub. Johnny, zijn vrouw Emer en Joe zetten haar op de terugweg bij Peg af, te vrolijk en uitgelaten om iets aan haar te merken. Ze keek de achterlichten van de auto na terwijl die de heuvel af reed, de weg op. De vuurtoren tekende zich scherp af tegen de heldere sterrenhemel. Ze dacht aan Ciara die was verdronken, en ze vroeg zich af hoe Peg het kon verdragen om elke morgen wanneer ze haar gordijnen openschoof op de zee uit te kijken. Maar misschien ontleende ze wel troost aan de gedachte dat de geest van haar kind daar nog ergens was en aan de nabijheid van de plek waar haar dochtertje was verdronken.

In de koude, vochtige avond keek Ellen naar de verre horizon, de weidse oceaan. De heldere maansikkel, die haar deed denken aan het opbollende zeil van een bootje, wierp een bleek lint van zilver op het water terwijl hij langzaam hoger klom. Nu ze wist welk verdriet er onder de oppervlakte school, ging Ellens hart nog meer naar Peg uit. Oswald wist het ongetwijfeld ook, dacht ze. Hij was Pegs naaste metgezel en waarschijnlijk haar vertrouweling. Ellen dacht aan het ontbijt van die ochtend, aan de vrolijke gesprekken tussen Peg en haar broers. Er ging troost uit van een grote familie. En ze dacht ook aan haar familie in Londen. Aan de geringe troost die ze daaraan ontleende.

Toen ze even later in bed lag, luisterde ze naar het bulderen van de zee en het huilen van de wind rond het huis. De geluiden vormden een sussend slaaplied. In Connemara klonken geen jankende sirenes, geen razende auto's en motorfietsen. Geen stemmen van dronken feestvierders die strompelend naar huis gingen na een lange nacht met veel drank. Hier waren geen luidruchtige buren die harde muziek draaiden. De geluiden van het platteland waren zacht en geheimzinnig, de duisternis was volmaakt en ondoordringbaar. Het duurde niet lang of Ellen viel in slaap.

Toen ze de volgende morgen wakker werd, hoorde ze de roep van een kieviet en het geblaf van Mr. Badger die met Peg in het veld liep en achter de schapen aan joeg. Ellen bleef nog even liggen, genietend van de nieuwe ervaring dat ze niet vroeg op hoefde te staan om naar haar werk te gaan. De dag lag voor haar als de nog lege bladzijden van haar roman. Ze kon hem zelf invullen, afhankelijk van wat er op haar pad kwam.

'En, hoe was het gisteravond in de pub?' vroeg Peg even later toen Ellen genietend aan haar havermoutpap begon.

'Erg druk. Ik heb een heleboel familie ontmoet. Volgens mij is het hier een en al Byrne wat de klok slaat.'

'Ja, dat is zo. Maar er zijn ook nog een paar andere grote families.' Peg gaf Jack een stukje brood dat hij gretig van haar hand pikte. 'En, wat zijn je plannen voor vandaag? Ga je met je boek beginnen?'

'Ik denk dat ik eerst een eind ga lopen en misschien dat ik dan vanmiddag een plot kan uitwerken.'

'Goed idee. Je kunt hier prachtig wandelen.'

Ellen nam een slok thee en vroeg zich af waarom die in Pegs keuken beter smaakte dan thuis. 'Kan ik iets voor je meenemen uit het dorp?'

'Hoe bedoel je?'

'Nou, iets te eten bijvoorbeeld.'

'O. Nee, dat hoeft niet. Ik heb gisteren boodschappen gedaan.'

'Ik wil graag meebetalen, tante Peg.'

Er verscheen een glimlach op het gezicht van haar tante. 'Dus je hebt het hier naar je zin?'

'Nou en of.'

'Mooi zo. Want als je wil meebetalen, dan ben je blijkbaar van plan een poosje te blijven,' legde ze uit bij het zien van Ellens verbaasde gezicht. 'Iemand die voor een paar dagen komt, zegt zoiets niet.'

Ellen glimlachte een beetje ongemakkelijk. 'Als jij dat geen bezwaar vindt.'

'Nee, natuurlijk niet! Je kunt zo lang blijven als je wilt. Die kamer staat anders toch maar leeg.'

'Dan reserveer ik hem tot wederopzegging.'

'Geweldig! En meebetalen is onzin. Als ik geld nodig heb, dan zeg ik het wel. Maak je geen zorgen.'

'Oké.'

'Mooi. Dat is dan geregeld. Het is een prachtige dag, ideaal om de omgeving te verkennen. Als je dat wilt kun je mijn auto meenemen. Ik hoef nergens heen.'

'Denk je dat Johnny en Joe het vervelend vinden als ik op het terrein van het kasteel rondkijk?'

'Integendeel. Ze zijn blij met elk excuus om het werk even neer te leggen.' Ze klakte afkeurend met haar tong. 'Ik begrijp niet wat die twee daar de hele dag doen. Toen mevrouw Macausland nog leefde, waren ze altijd druk met zaaien en planten en plannen maken voor de tuin. Ronan heeft een bank voor haar gemaakt om de stam van een boom, zodat ze van het uitzicht over het meer kon genieten. En hij heeft een boomhut gebouwd voor de kinderen. Ze zat vol met ideeën. Volgens mij verveelde ze zich.'

'Ik kreeg de indruk dat Ronan haar erg graag mocht.'

'Dat is ook zo. En hij heeft goed verdiend aan alle opdrachten die ze hem gaf.' Ze grinnikte vertederd. 'Volgens mij was hij een beetje verliefd op haar. Toen ze overleed was hij in alle staten. Hij ging tekeer dat meneer Macausland haar de dood in had gejaagd. Het was zo erg dat we uiteindelijk allemaal genoeg van zijn beschuldigingen kregen. De politie heeft nooit iemand gearresteerd, en uit niets bleek dat er sprake was van een misdrijf. Toch hield Ronan voet bij stuk. Maar niemand weet precies wat er die avond is gebeurd. Ronan ook niet. De enige die dat weet, is meneer Macausland. Inmiddels praat Ronan er liever niet meer over.'

'Dat snap ik. Hij was een van de weinigen hier die haar echt hebben gekend.'

'Ach, zo goed kende hij haar niet. Maar als je haar sprak, wist ze je het gevoel te geven dat je belangrijk voor haar was. Die gave had ze. En dus had Ronan dat gevoel ook. Net als Johnny. En Joe. Ze waren door haar gefascineerd en ze bezweken allemaal voor haar charmes. Dus het is geen wonder dat Ronan geschokt was door haar dood. De dood is zo definitief. Het valt niet mee om daarmee in het reine te komen.' Ellen wendde haar blik af. Door het verdrietige verhaal over Pegs dochtertje voelde het ongemakkelijk om haar aan te kijken wanneer het over de dood ging. Sterker nog, het voelde opdringerig, indiscreet.

Even later reed Ellen door de laan met eikenbomen naar Ballymaldoon Castle. Op het eerste gezicht had het kasteel haar intimiderend geleken, maar nu werd ze getroffen door de schoonheid ervan. Het zonlicht dat door de takken viel, wierp een grillig rasterwerk van licht en schaduw op de laan, dat voortdurend bewoog met de wind die door de boomtoppen blies. In de stralende zonneschijn bood het kasteel zelfs een vriendelijke aanblik en leken de daken en torentjes rechtstreeks afkomstig uit een sprookje. Johnny's rode pick-up stond aan de voorkant geparkeerd, naast een kleine personenwagen, van een werkster of een huishoudster, veronderstelde Ellen. Ze wilde dolgraag het kasteel vanbinnen bekijken, maar was bang dat ze haar ongepast nieuwsgierig zouden vinden als ze werd betrapt. En dus stelde ze zich tevreden met verkenning van het landgoed.

Ze ging op zoek naar Johnny en Joe, maar het terrein was zo uitgestrekt, met ommuurde bloementuinen, arboretums en boomgaarden, dat ze het uiteindelijk opgaf en eropuit trok zonder precies te weten waarheen. Af en toe gleed er een wolk voor de zon, maar dat duurde nooit lang. Dan scheen de zon weer en joeg schaduwen over de heuvels en door het dal. Het was een dramatisch schouwspel. Ellen voelde zich opgetild, haar hart zwol van geluk, omringd door het ruige, verlaten landschap. Ze beklom steile hellingen, sprong over kleine stroompjes en klauterde omhoog langs rotsachtige uitsteeksels en over stenen muren die zich door het land slingerden. Boven haar hoofd zongen de vogels, de wind voerde de geuren aan van de vruchtbare grond en van de Ierse hei, die het grimmige landschap roze kleurde en een verrassend zwierig accent verleende. Ellen ging volledig op in de natuur en liet zich meevoeren door haar nieuwsgierigheid.

Ze liep maar door, zonder te weten hoe lang ze al onderweg was, want ze had die ochtend vergeten haar horloge om te doen. Uiteindelijk vertelde haar maag haar dat het bijna lunchtijd moest zijn, en ze maakte zichzelf verwijten dat ze niet op z'n minst een stuk koek had meegenomen. Ze probeerde zich te herinneren hoe ze was gelopen en dezelfde weg terug te nemen. Maar alle heuvels en valleien leken op elkaar. Net wanneer ze dacht dat ze op het goede spoor was, bleek even later weer dat ze zich had vergist.

Ze raakte niet meteen in paniek. Op een gegeven moment zou ze wel weer op de goede weg uitkomen, dacht ze. Of ze zou de torens van het kasteel zien, of de zee. Gaandeweg begon ze steeds meer dorst te krijgen en haar benen leken met elke stap een beetje zwaarder. Toch bleef ze optimistisch, door de schoonheid om haar heen afgeleid van dorst en vermoeidheid. Toen ze een half uur later nog steeds niet wist waar ze was, besloot ze naar de top van een hoge heuvel te klimmen. Vandaar zou ze ongetwijfeld het kasteel kunnen zien, en dan kon ze aan de hand daarvan haar positie bepalen. Gejaagd begon ze aan de tocht naar boven, met een dikke keel van ongerustheid. Eenmaal boven bleek ze echter bij lange na niet op het hoogste punt te zijn. Achter de top verhief zich weer een volgende. Ze was verdwaald. Hopeloos verdwaald. Dat was het moment waarop ze in paniek raakte. Wat zou er gebeuren als ze de weg terug niet kon vinden? Zou ze omkomen van de kou? Het was tenslotte pas half februari. Zouden ze haar weten te vinden? Zou – behalve de vogels – iemand haar horen als ze heel hard gilde?

Net toen de moed haar volledig in de steek dreigde te laten, hoorde ze gefluit, gevolgd door de stem van een man die zijn hond riep. Haar hart maakte een sprongetje bij het vooruitzicht op redding. Zo hard als haar vermoeide benen haar wilde dragen, rende ze in de richting van het geluid. Ze klauterde over rotsen en daalde strompelend een helling af, tot ze bijna omver werd gelopen door een groot, kastanjebruin paard, dat haar over de kam van de heuvel tegemoet kwam.

Toen het dier haar zag, gooide het verrast zijn hoofd achterover en steigerde. Zijn ervaren berijder wist het paard snel te kalmeren en keek woedend op Ellen neer. 'Wat moet dit voorstellen?' beet hij haar toe.

Opgelucht als ze was, hoorde ze het niet eens. 'Goddank!' verzuchtte ze hijgend, en ze ging struikelend opzij. Ze was buiten adem, haar wangen gloeiden van de inspanning, en het kostte haar de grootste moeite om niet in snikken uit te barsten. Zo kwam het dat ze ook zijn boze gezicht niet zag, waarop de ergernis al snel plaatsmaakte voor bezorgdheid.

'Is alles in orde?' vroeg hij bruusk. Hij had niet zo'n zwaar Iers accent als de Byrnes. Ellen knikte heftig, nog altijd naar adem snakkend. 'Magnum!' bulderde de man. Er kwam een enorme, lichtbruine Engelse dog over de rand van een heuveltje aandraven.

'Oei, wat een enorm beest,' zei Ellen toen haar benen plotseling begonnen te beven van vermoeidheid.

'Maakt u zich geen zorgen. Hij zal u niet opeten. Daar bent u te dun voor.' Hij nam haar nieuwsgierig op. 'U komt niet uit het dorp, hè?' vroeg hij toen iets vriendelijker.

'Nee, ik kom uit Londen.'

'Dat is een hele tippel!' Zijn mondhoeken krulden licht. Zijn grapje ontlokte haar een zwakke glimlach. 'Ik woon in Londen, maar ik logeer bij mijn tante.'

'En wie is uw tante?'

'Peg Byrne.'

Hij knikte. 'Dus u bent ook een Byrne? Een van de velen?'

'Ja, we zijn wel met veel, hè?'

'Hoe heet u?'

'Ellen.'

'En wat doet u hier?'

Door zijn gebiedende toon ging haar hart plotseling sneller slaan. Ze keek op naar zijn gezicht, dat voor een deel schuilging onder een bruine gleufhoed en een zachte zwarte baard. Hij was knap, met een donkere huid en diepliggende, korenbloemblauwe ogen – ze had nog nooit zulke stralend blauwe ogen gezien. Ze werden omlijst door lange, zwarte wimpers. Zijn haar viel tot op zijn schouders. Zo te zien was het al een tijd niet geborsteld. Terwijl hij gebiedend op haar neerkeek, wist ze ineens wie hij was. Dat kon gewoon niet anders. Het was hem aan te zien dat alles om hen heen – de heuvels, de struiken, de bomen – van hem was.

'Ik ben bang dat ik in overtreding ben,' zei ze. Haar uitputting was vergeten nu ze wist wie ze voor zich had.

Hij knikte. 'Daar ben ik inderdaad ook bang voor.' Maar zijn glimlach stelde haar gerust. Hij was niet boos. 'Ik ben Conor Macausland,' stelde hij zich voor. 'Dit is mijn land, en ik denk dat u verdwaald bent. Klopt dat?'

'Ja, ik liep zo te genieten dat ik me geen moment heb afgevraagd of ik de weg terug wel zou kunnen vinden. Trouwens, ik was helemaal niet van plan om zo ver te lopen.'

'Waar bent u gestart?'

'Bij het kasteel. Ik was bij Johnny en Joe,' voegde ze er haastig aan toe, om haar aanwezigheid te rechtvaardigen. 'Ik hielp ze een beetje...'

'Dus u moet terug naar het kasteel?'

'Ja. Als u me de weg zou kunnen wijzen dan red ik me verder wel.' Ze geneerde zich voor haar onnozelheid.

Hij schudde lachend zijn hoofd. 'Zo mag ik het horen, maar ik kan u niet dat hele eind terug laten lopen. Het is verder dan u denkt, en u ziet er vermoeid uit. Ik woon hier vlakbij. Als u meeloopt, breng ik u wel even met de auto.'

Haar hart klopte in haar keel. De gedachte om met Conor Macausland mee naar huis te gaan joeg haar ineens angst aan. Maar ze verdrong haar twijfels en weigerde te luisteren naar het stemmetje in haar achterhoofd dat haar waarschuwde om niet met vreemden mee te gaan. En al helemaal niet met een man van wie werd gefluisterd dat hij zijn vrouw had vermoord.

Ze nam zijn aanbod aan en volgde hem heuvelafwaarts naar het dal.

8

Ik ken die uitdrukking op zijn gezicht maar al te goed. Zijn mondhoeken die licht krullen, de intense, warme blik in zijn ogen. Ze kunnen ook kil en ijzig blauw zijn. Maar niets weet ze zo te ontdooien als een mooie vrouw. Dan worden ze zacht en stralend blauw als de hemel. Met die zachte ogen keek hij mij vroeger aan, en als hij dat deed, kon ik niet boos blijven. Dan zonk ik weg in die gelukzalige staat van geheugenverlies. Dan vergat ik de ruzies en de verwijten. De eenzaamheid en het eeuwige verlangen naar liefde dat me geen moment rust gunde. Als hij me met die ogen aankeek, was ik tevreden.

Nu is zijn nieuwsgierigheid gewekt door dit onbekende meisje dat hij op zijn land heeft aangetroffen. Haar benen trillen zo dat ze hem amper kan bijhouden. Ze is bang voor hem, maar dat laat ze niet merken. Johnny en Joe Byrne hebben haar angst aangejaagd met hun onnozele praatjes. Bovendien maakt ze zich zorgen over Magnum, die meer op een leeuw dan op een hond lijkt. En door haar allergie voor paardenhaar beginnen haar ogen te wateren en raakt haar huid geïrriteerd. Haar wangen en haar neus zijn rood van de kou. Dat doet afbreuk aan haar schoonheid, maar volgens mij kijkt Conor daar wel doorheen. Zoals zijn hond een teef al van verre kan ruiken, zo heeft Conor een antenne voor aantrekkelijke vrouwen. Zelfs als haar haar kroest door het vocht in de lucht en als haar sensuele contouren schuilgaan onder een dikke jas.

Hij praat met haar en stelt vragen, waarop ze terughoudend antwoord geeft, want ze wil niet te veel over zichzelf vertellen. Wanneer het huis in zicht komt, kan ik haar opluchting voelen. Volgens mij is ze veel vermoeider dan ze laat merken. Reedmace House is een simpele, grijze villa met witte schuiframen en een leien dak. Toch heeft het huis een zekere charme. In de zomer bloeit de witte wisteria langs de voorgevel, en in de tuin staan appelbomen, waarvan de witte bloesem lijkt op sneeuw wanneer die door de lentebries wordt meegevoerd. Toen we in het kasteel gingen wonen, liet Conor het huis renoveren voor zijn ouders. Maar na het overlijden van zijn vader besloot zijn moeder in Dublin te gaan wonen. Ze vond het huis te groot, te afgelegen. En zo bleef het onbewoond, als een meisje dat zich helemaal mooi heeft gemaakt maar dat door niemand mee uit wordt gevraagd.

Ik hou van het riviertje dat zich door het dal slingert, en van de grijze stenen brug, voor een deel overwoekerd door klimop. Ooit, toen de mensen nog met paard en wagen reisden, leidde de weg eroverheen. Maar met de komst van de auto werd het verkeer te zwaar en kwam er een omleiding. De oude zandweg werd teruggegeven aan de natuur, en de brug aan de trollen en de geiten uit mijn verbeelding. De brug heeft iets magisch, alsof hij deel uitmaakt van een verloren wereld waar je toevallig op stuit. Het voelt bijna alsof je daar niet hoort, alsof je er niet mag zijn. Maar nu ben ik vrij om er net zo lang te blijven als ik wil. Soms zie ik lichtjes dansen, als elfen, maar het kan ook gewoon het zonlicht zijn dat een spelletje met me speelt.

Bij het huis gekomen, brengt Conor zijn paard naar de zeventiende-eeuwse stallen aan de achterkant; een verweerd gebouw met een grote klok boven de poort, die je verwelkomt. De klok staat al jaren – misschien al eeuwen – op kwart voor vijf. Ik stel me voor dat er ooit, om kwart voor vijf, iets dramatisch is gebeurd. Iets romantisch en verdrietigs, zoals de dood van een geliefde.

Ellen gaat op het oude trapje zitten – een paar stenen treden tegen de muur – om een sigaret te roken. Haar handen beven. Ik vind het geweldig dat ze rookt, want dat is iets wat Conor verafschuwt. Terwijl ze het gif inhaleert, brengt Conor zijn paard naar binnen en geeft het aan de zoon van het echtpaar dat voor het huis zorgt wanneer Conor in Dublin is. Ze komen niet uit Ballymaldoon. Conor heeft welbewust mensen gezocht die niet op de hoogte waren van het schandaal rondom mijn dood. Meg en Robert zijn discreet. Als ze er al iets van weten, dan laten ze dat niet merken. Meg maakt schoon en kookt, Robert zorgt voor de stallen en de tuin. Hun zoon, Ewan, is negentien. Hij is een enthousiaste jongen, die het leuk vindt om met Finbar en Ida op te trekken wanneer ze hier zijn. Nu is het voorjaarsvakantie, en ze hebben een kamp gebouwd van hout en stenen. Daar willen ze een vuur maken en zelf theezetten. Als ik nog had geleefd, zou ik verhalen verzinnen over heksen en tovenaars, en we zouden rond het vuur zitten, gehuld in dekens, tot het tijd was om naar bed te gaan. Finbar en Ida waren altijd dol op mijn verhalen. En nu ze ouder zijn, zouden ze die nog meer waarderen. Maar gelukkig hebben ze Daphne, ook al is haar voorlezen in de loop der jaren niet verbeterd. Toch heb ik alle reden tot dankbaarheid, want er zijn mensen die van ze houden.

'Je ziet er koud en moe uit, Ellen.' Conor staat voor haar, met zijn handen op zijn heupen. Zijn heupen waren een van de eerste dingen die me opvielen, in die lage spijkerbroek, extra geaccentueerd door zijn riem met een grote gesp. Hij is een lange man, met brede schouders en lange benen. Hij is atletisch gebouwd en zijn kleren vallen op de een of andere manier altijd goed. Zelfs nu hij van verdriet veel te veel is gaan drinken, heeft hij zijn goede figuur behouden. Hij vindt dit meisje leuk. Maar er zijn al zo veel meisjes geweest die hij leuk vond. Dan ging hij ermee naar bed, en de volgende morgen zette hij ze buiten de deur, net als de flessen wijn die zijn verdriet maar tijdelijk konden verzachten.

Hij kijkt glimlachend op haar neer. Wanneer hij lacht, verandert zijn gezicht. Het wordt milder, sensueler, en door de manier waarop zijn mondhoeken krullen zie je ineens hoe knap hij is. Toen ik nog leefde had hij geen baard. Maar zijn uiterlijk laat hem tegenwoordig onverschillig, en het is hem te veel moeite om zich te scheren en zijn haar te laten knippen. Zijn uiterlijk weerspiegelt zijn diepgewortelde ongelukkigheid, alsof het leven nauwelijks meer zin heeft nu ik er niet meer ben.

Wanneer hij haar aankijkt met zijn warme, blauwe ogen, kan ze hem niet weerstaan. Ze glimlacht terug, haar terughoudendheid smelt weg in de stralende zon van zijn charisma. Ik weet uit ervaring wat ze voelt. Maar ze moet niet denken dat het blijvend is. Er zijn zo veel vrouwen geweest die zich tot hem aangetrokken voelden, als lieveheersbeestjes die zich laten verwarmen door de zon. Maar ze hebben ook allemaal de kilte ervaren van de teleurstelling wanneer hij zich van hen afkeerde en ze in de kou werden gezet. Ik was de enige die bleef. Zelfs als hij zich van me afkeerde, kwam hij altijd weer terug. Altijd! En ook al ben ik dood, ik koester me nog steeds in de eeuwige zon van zijn liefde.

'Kom even binnen, dan zet ik een pot thee om weer warm te worden,' zegt hij.

'Weet je dat zeker? Ik wil je niet tot last zijn.' Ze maakt haar sigaret uit en staat op.

Hij grijnst, alsof het ondenkbaar is dat ze ook maar iemand tot last zou zijn. 'Het is echt geen moeite. Eerlijk gezegd lust ik zelf ook wel een kop thee.' Ze lopen naar de achterdeur en gaan naar binnen. De kinderen zijn in de keuken met Daphne. Ze hebben net theegedronken en een boterham gegeten. Wanneer ze Magnum zien, springen ze op van tafel en rennen naar hem toe. Ellen kijkt toe, verbaasd dat ze zo'n enorme hond durven te knuffelen. Maar Magnum is mak als een lammetje. De kinderen missen hem wanneer ze in de stad zijn, en ik weet zeker dat Magnum hen ook mist. Maar hij is te groot om hem mee te nemen.

'Moeder, dit is Ellen, een nichtje van Peg Byrne,' zegt Conor. 'En die twee apen, dat zijn mijn kinderen. Finbar en Ida.'

'Hallo, Ellen. Leuk je te ontmoeten,' zegt Daphne. Ze fronst haar wenkbrauwen. Ik zie aan haar gezicht dat ze zich afvraagt waar Conor dit meisje met haar keurige Engelse accent heeft opgepikt. 'Zeg maar Daphne,' voegt ze eraan toe terwijl Ellen een nies smoort. Haar ogen tranen en zijn gezwollen. Finbar fluistert iets tegen zijn zus en ze beginnen allebei te giechelen.

'Kindje, heb je misschien last van een allergie?' vraagt Daphne bezorgd.

'Ja, ik ben allergisch voor paarden.'

'Wacht. Dan haal ik even een tabletje voor je. We hebben antihistamine in huis. Finbar heeft 's zomers last van hooikoorts.'

'Sorry. De meeste vrouwen reageren niet zo heftig op me,' grapt Conor. Ellen moet lachen en begint weer te niezen. Even later komt Daphne terug met een pil.

'Ik zal een kop thee zetten. Jullie zien er verkleumd uit. Allebei.'

'Ik kwam Ellen tegen in de heuvels.' Conor gaat aan de keukentafel zitten.

'Ik was verdwaald,' legt ze uit.

'Geen wonder dat je het koud hebt. Waarom trek je die laarzen en die jas niet even uit? Ga zitten. Kan ik iets te eten voor je maken? Waar heb je trek in?'

'Nee, dank je. Doe geen moeite.'

'Weet je wat, ik zet gewoon wat op tafel. Dan kun je zelf een boterham smeren, mocht je toch trek krijgen.' Daphne vindt het heerlijk om bezoek te hebben. Ze zou dolgraag willen dat haar zoon zijn leven weer oppakte. Ik wou dat ik haar kon vertellen dat die hoop vergeefs is. Conor pakt zijn leven niet meer op. Het is inmiddels vijf jaar geleden! Maar ze blijft hopen. Nu zet ze eten op tafel en mokken met thee. Ellen slaat haar koude handen om haar mok en buigt zich eroverheen, als een bedelaar over zijn bekertje met muntjes. Ze zei dat ze geen trek had, maar het duurt niet lang of ze maakt toch een boterham klaar – met ham – en ze begint te eten alsof ze uitgehongerd is. Conor heeft altijd honger. Volgens mij hebben mannen nooit genoeg. Hij snijdt wat kaas af en een dikke snee brood en tast gretig toe. Het eten geeft hun weer energie. Ondertussen spelen Finbar en Ida met de hond en vallen hun vader in de rede met vragen. Daphne schenkt zichzelf ook een kop thee in, terwijl Meg binnenkomt en discreet de borden van de kinderen afruimt.

'Ik zou nooit hebben gedacht dat je een Byrne bent.' Conor knijpt zijn ogen tot spleetjes en kijkt Ellen aan. Ze heeft haar jas uitgedaan en zijn blik blijft even rusten op de ronding van haar borsten onder haar trui.

'Waarschijnlijk omdat ik mijn hele leven in Londen heb gewoond.'

'Dat verklaart je Engelse accent. Je klinkt heel anders dan de Byrnes.'

'Dat zeggen zij ook. Mijn vader is Engels en mijn moeder is haar Ierse accent kwijtgeraakt.'

Hij trekt een wenkbrauw op. 'Je moeder is getrouwd met een Engelsman. Dat zal de familie niet leuk hebben gevonden.' Hij kijkt naar zijn moeder, die als Engelse met een Ier trouwde. Maar zij was tenminste katholiek.

'Ik geloof niet dat het goed viel, nee. Mijn vader is protestant, maar ik ben katholiek opgevoed.'

'Hoe lang blijf je hier?' vraagt Daphne. Mijn schoonmoeder is beeldhouwster en net zo excentriek als je van een kunstenares zou verwachten. Ze draagt een wijdvallende kaki broek, paarse sportschoenen en een vrolijke gebloemde sjaal op haar dikke trui. Haar handen verraden wat ze doet. Ze zijn ruw en zitten onder de opgedroogde klei.

Ellen vindt haar aardig, merk ik. Trouwens, dat vond ik vroeger ook, voordat ze zich met ons begon te bemoeien.

'Dat weet ik nog niet,' antwoordt Ellen. 'Ik heb geen concrete plannen. Ik ben hier om een boek te schrijven, dus ik neem aan dat ik nog wel een tijdje blijf. Bovendien vind ik het hier heerlijk. Echt heerlijk. Ik voel me al helemaal thuis, ook al ben ik hier pas drie dagen.'

'Dat is het bijzondere van Connemara,' zegt Daphne met een brede glimlach. Zij is er ooit ook verliefd op geworden.

Ellen beantwoordt haar glimlach. 'Dat zeggen ze allemaal.'

'En ze hebben gelijk,' zegt Conor. 'Ik kwam hier ooit om op locatie te filmen, en het slot van het liedje was dat ik een kasteel kocht.' Hij lacht, alsof hij zijn eigen impulsieve besluit achteraf belachelijk vindt.

'Werk je op dit moment aan een film?' vraagt Ellen. Ik zou haar kunnen vertellen dat hij daar niet de moed voor kan opbrengen. Dat hij sinds mijn dood niets meer heeft gemaakt. Maar Conor haalt zijn schouders op.

'Er zitten wat dingen in de pijplijn,' antwoordt hij. Zijn moeder duikt weg achter haar theemok. Ze weet dat het niet waar is wat hij zegt. Dat hij in de pub zit als hij op kantoor zou moeten zijn. En dat hij woest tekeergaat op de squashbaan om zijn frustraties af te reageren. Door zijn rusteloosheid is hij ontworteld geraakt. Net als de zaden van een plataan die worden meegevoerd door de wind, vindt ook hij nergens rust.

'De filmbusiness zal het wel moeilijk hebben met de recessie en alles wat daaruit voortvloeit,' zegt Ellen.

Hij snijdt nog een stuk brood af. 'Een goed verhaal is het nog altijd waard om verfilmd te worden. Maar er wordt zo veel rommel gemaakt. Een goed verhaal is moeilijk te vinden.'

'Ik kwam hier om inspiratie op te doen.' Ellens ogen beginnen te stralen. 'En ik moet zeggen dat ik nu al ongelooflijk geïnspireerd ben. Dat komt door de schoonheid die je hier om je heen ziet. Dat doet iets met een mens. Hier.' Ze legt haar hand op haar hart. 'Diep vanbinnen.'

'Dat ben ik roerend met je eens, Ellen. Schoonheid is het meest inspirerende wat er bestaat,' valt Daphne haar bij. Ze komt met haar mok thee ook aan tafel zitten. 'Toen Conors vader nog leefde, zaten we in het voorjaar altijd in Frankrijk. De bougainville was schitterend! Spectaculair. En dan die schattige dorpspleintjes, de parken met banken en fonteinen. Heerlijk! Het ontbrak me nooit aan inspiratie. Maar niets is zo inspirerend als Connemara. Volgens mij heb ik mijn beste werk hier gemaakt. Misschien geldt dat straks ook voor jou.'

Conor zegt niets. Ik weet wat hij denkt. Dat Connemara hem aan mij herinnert en dat hij hier daarom niet gelukkig meer kan zijn. Het is dat de kinderen het zo graag willen, anders zou hij hier waarschijnlijk nooit meer komen. Toch heeft hij het kasteel niet verkocht en het land eromheen ook niet. Misschien om de band met mij in stand te houden, zodat de kinderen en hij nog een tastbaar aandenken aan me hebben. Ach, wisten ze maar dat ik er nog altijd ben, in de bries die rond de kasteelmuren en de trollenbrug waait, in het warme zonlicht dat op hun gezicht schijnt terwijl ze brandhout zoeken voor hun vuur, en stenen om hun kamp mee te bouwen. Ik ben op het strand en in de heuvels. Ik ben altijd bij hen. Altijd. Ach, wisten ze dat maar!

Ellen vertelt niet dat ze mijn portret heeft gezien in de hal van het kasteel. Conor heeft iets intimiderends, en hoewel hij charmant glimlacht en haar belangstellend aankijkt, kan het haar niet ontgaan dat hij driftig en onvoorspelbaar is. Ondanks de humor in zijn glimlach hebben zijn ogen iets duisters. Dat vond ik altijd zo aantrekkelijk. Conor is het soort man dat zich niet laat temmen. Ik heb mijn best gedaan, maar het is me niet gelukt. Dat geef ik eerlijk toe. Het is – samen met mijn dood – mijn grootste mislukking.

Terwijl ze zitten te praten, kruipt Ida bij haar vader op schoot. Hij slaat zijn armen om haar middel, trekt haar tegen zich aan en begraaft zijn gezicht in haar hals. De uitdrukking op zijn gezicht verzacht en hij slaakt een diepe, tevreden zucht. Ellen kijkt naar hem. Ik zie dat ze geroerd is door zijn liefde voor zijn kinderen.

'Hoe oud ben je, Ida?' vraagt ze.

'Ik ben tien,' antwoordt Ida zacht.

'Tien! Toe maar! Dat is al groot.' Ida glimlacht trots. 'Wanneer ben je jarig?'

'Op acht juli.'

'In de zomer!'

'Vorig jaar waren we in Spanje met mijn verjaardag en toen heeft Manuela mijn nagels gelakt. Roze. Met kleine bloemetjes en glitter.'

'O, wat mooi!' roept Ellen uit. Dan dempt ze haar stem, en ze doet alsof ze Ida een geheimpje vertelt. 'Dat kan ik ook, wist je dat? Ik ben heel goed in nagels lakken. Mijn nichtjes in Londen willen altijd dat ik hun tenen doe. En dan plak ik er diamantjes op.'

Ida's ogen worden groot. Ze is dol op alles wat glinstert, en het idee van diamantjes op haar tenen is onweerstaanbaar. 'Zijn het échte diamanten?' vraagt ze. De volwassenen lachen om haar naïviteit.

'Nee, ze zijn niet echt. Anders moeten we je naar de bank brengen en je in de kluis stoppen. Dat zou je vast niet leuk vinden.' Ida trekt haar neusje op en schudt haar hoofd.

'Je hebt in elk geval genoeg fantasie,' zegt Daphne. 'Ik zou het nooit bedacht hebben. Een kind in een kluis!'

Aangetrokken door hun gelach, komt Finbar naar de tafel. Hij wil ook bij zijn vader op schoot, maar daar is geen plek meer. Daphne trekt hem op haar knie. Ik voel een lichte steek van jaloezie. Met haar armen om hem heen drukt ze een kus op zijn zachte wang. Wat zou ik mijn lippen graag op het blote stukje huid drukken, net boven zijn oor, onder de haarlijn. Ik weet nog precies hoe het voelt. En ik weet nog hoe hij ruikt. Dan keer ik hun de rug toe en ik zwerf de tuin in, waar de knoppen van de appelbomen op uitkomen staan. Ida heeft een voederhuisje voor de vogels aan een tak gehangen. Wanneer ik dichterbij kom, vliegt een stel pimpelmezen verschrikt weg, de struiken in.

Na een tijdje vertrekken Conor en Ellen in de Range Rover. Uit pure nieuwsgierigheid volg ik hen. Ze zitten te praten alsof ze elkaar al jaren kennen. Er gaat niets boven samen eten om het ijs te breken. Het is maar een klein stukje naar het kasteel, maar een lange wandeling over de heuvels. De auto van Ellen tantes auto staat op het grind en Conor stopt ernaast. Ze praten nog even door, dan stapt hij uit om het portier voor haar te openen. In dat opzicht is hij een ouderwetse gentleman. Ik zou op hem hebben gewacht, maar Ellen heeft haar portier zelf al opengedaan en stapt uit.

'Heel erg bedankt,' zegt ze enthousiast, en ineens is de ongemakkelijke sfeer terug, alsof ze niet goed weten hoe ze afscheid moeten nemen. Ik kijk geamuseerd toe, in het besef dat ze elkaar waarschijnlijk nooit meer zullen zien. Conor mijdt het dorp, en hij zal zeker niet bij Peg over de vloer willen komen.

'Ik ben blij dat ik je heb gered,' zegt hij met zijn charmantste glimlach.

'Ik ook, maar ik voel me wel bezwaard dat ik zo lang beslag op je heb gelegd. En dat ik je koelkast heb leeg gegeten.'

'Van lopen krijg je trek. Ik rammel hier voortdurend van de honger.'

'Nou, nogmaals bedankt.'

'Rij voorzichtig.' Ik zie aan Conor dat hij nog geen eind wil maken aan het gesprek.

'Dat zal ik doen.'

'En veel succes met je boek.'

'O, dank je wel. Ik begin vanavond. Als ik er nog langer mee wacht, komt het er nooit van.'

Hij lacht – volgens mij maakt het hem niet uit wat ze zegt. Hij lacht hoe dan ook en kijkt toe terwijl ze in haar auto stapt en de motor start. Zijn blik gaat naar de deur van het kasteel, en plotseling wordt zijn gezicht ernstig. Ellen wuift wanneer ze langs hem rijdt. Hij wordt afgeleid en wuift terug. De auto rijdt de laan met de eikenbomen in, en wanneer hij uit het zicht verdwenen is, keert Conor zich opnieuw naar het kasteel. Ik weet dat hij vecht tegen de drang om naar binnen te gaan, om mijn portret te zien. Hij staart naar de deur, maar ten slotte draait hij zich om naar de auto.

Mijn interesse in het Engelse meisje is alleen maar groter geworden. Ik denk oprecht dat zij wel eens mijn enige kans op communicatie zou kunnen zijn. Ze heeft mijn aanwezigheid gevoeld, dus dat zal vast en zeker vaker gebeuren. Ik weet nog niet hoe ik het moet aanpakken, maar ik ga Conor en mijn kinderen laten weten dat ik nog leef! Via háár.

Ik ken Pegs huis heel goed uit de tijd dat Ronan er nog woonde. Sinds mijn dood ben ik er niet meer geweest. Ik ken de schapen en de onhebbelijke lama, de zachtmoedige ezel en dat eigenzinnige varken. Wanneer ik in de vuurtoren was, blafte Mr. Badger altijd naar me vanaf de heuvel, alsof hij wist dat het gevaarlijk was wat ik deed; alsof hij me wilde waarschuwen. Ik sta op de heuvel en kijk uit over de zee, naar mijn dood. Het water is zwart, de hemel is bewolkt. De golven rijzen en dalen, ze beuken schuimend en kolkend tegen de rotsen. Het wordt vroeg donker in februari, en de vuurtoren tekent zich als een silhouet af tegen de indigoblauwe hemel. Ik denk aan de zomerdagen dat we vrijen in het gras. Aan de keren dat hij me in zijn armen hield en in mijn oor fluisterde dat ik alles voor hem betekende. Ik herinner me de nachten onder de sterren waarin we opkeken naar de maan en ik wist dat hij alles voor me zou doen. Echt alles. Wat een heerlijk gevoel om zo te worden bemind. En nu? De vuurtoren was van mij. Mijn eigen geheime eiland. De enige plek waar ik me echt veilig voelde – de enige plek waar ik helemaal niet veilig bleek te zijn.

Terwijl ik op de heuvel sta en wacht op Ellen, zie ik voor het huis van Peg een klein meisje staan. Ze is in het wit gekleed, de stralende gloed om haar heen verraadt dat ze niet tot de levenden behoort. Haar lange, zwarte haar glanst met een andere gloed dan het haar van gewone stervelingen. Ze kijkt me aan met een open blik in haar grote ogen, haar glimlach is verlegen maar sereen. Dan weet ik dat ze een geest is, maar anders dan ik is ze gehuld in een onaardse gloed. Ik ben nog verbonden met het aardse, maar zij? Nee, zij niet. Ze is delicater, verfijnder, alsof ze is gemaakt van stralen zacht licht. Ik beantwoord haar glimlach.

De deur gaat open. Peg komt naar buiten met Mr. Badger. Ze ziet het kleine meisje niet, maar dat had ik ook niet verwacht. Ik verkeer al lang genoeg in dit voorgeborchte om te weten dat de levenden maar heel zelden in staat zijn de doden te zien. En de enkeling die dat overkomt, wordt door zijn medemens al snel voor gek versleten, of een leugenaar genoemd. Had ik destijds maar geweten wat ik nu weet. Maar het is zinloos om het onmogelijke te wensen. Ik kijk naar Peg en naar het kind, en ineens besef ik dat de kleine geest haar dochter is die door verdrinking om het leven is gekomen. Ik weet niet hoe ik dat weet, maar ik weet het.

Peg gaat bij haar schapen kijken. Ze loopt met grote stappen het veld in. Mr. Badger gaat naar het kleine meisje toe en dan gebeurt er iets heel bijzonders. Ik kan mijn ogen niet geloven. Het meisje strekt haar hand uit en aait de hond over zijn kop. Ze raakt hem aan en de hond voelt dat! Ik zie dat het haar onder haar hand wordt platgedrukt, terwijl ik weet dat het meisje geen vaste vorm heeft. Dit geestenkind bestaat slechts uit licht, maar op de een of andere manier kan ze materie beïnvloeden. En dat is iets wat ik niet kan.

Peg draait zich om, en wanneer ze ziet dat Mr. Badger wazig voor zich uitstaart, schudt ze vertederd haar hoofd. Rare hond, denkt ze. Dan fluit ze en spitst hij zijn oren. Het kleine meisje trekt haar hand terug en Mr. Badger zet het op een rennen, het veld in. Het kind rent achter hem aan, terwijl haar gezichtje straalt van geluk. Ik kijk omhoog, ervan overtuigd dat de maan achter de wolken tevoorschijn is gekomen en op ons neer schijnt. Maar de hemel is bedekt met dikke, grijze wolken, het motregent, en de maan is nergens te bekennen. De lichtende gloed is afkomstig van het kleine meisje zelf, en terwijl ze naast Peg gaat staan, wordt ook zij omhuld door het stralende licht. Ik vraag me af of ze het ergens, onbewust, kan voelen.

9

Ellen stopte op een parkeerhaven. Ze haalde diep adem. Voor het eerst sinds ze hier was, had ze de dringende behoefte om Emily te bellen. Ze moest haar opwinding met iemand delen! God, wat een mooie man, zei ze tegen zichzelf. *Conor Macausland! Ik heb geluncht met de beruchte Conor Macausland.* Ze deed haar ogen dicht, en opende ze weer, alsof ze zeker wilde weten dat ze niet droomde. Toen greep ze het stuur vast, om te zorgen dat haar handen ophielden met beven.

Ze zou niet zo opgewonden moeten zijn over een man die door velen verantwoordelijk werd geacht voor de dood van zijn vrouw. Een gevaarlijke man. Dat was wel duidelijk. Het soort man waar moeders hun dochters voor waarschuwen. Maar de smet op zijn naam, de geheimzinnigheid die er om hem heen hing, maakten hem alleen maar aantrekkelijker en versterkten zijn charisma. Juist omdát hij gevaarlijk zou kunnen zijn, was hij des te verleidelijker.

Door deze ontmoeting was alles in haar leven nog meer op losse schroeven komen te staan, besefte ze. Haar toekomstperspectief was tot op dat moment bepaald door Londen, maar nu richtte het zich volledig op Connemara, op dit kleine graafschap in Ierland. En, nog specifieker, op het ruige, schitterende Ballymaldoon Castle en de fascinerende eigenaar van het kasteel. Haar ouders, William, al haar vrienden en bekenden in Londen vervaagden en verdwenen naar de achtergrond. Ze was zich alleen nog maar bewust van Conor Macausland en van dit wilde verlangen dat haar volslagen had verrast.

In gedachten zag ze zijn onstuimige glimlach, zijn stralende blauwe ogen die zo'n schitterend contrast vormden met zijn gebruinde, verweerde huid en zijn lange, donkere wimpers. De tragiek die ze in zijn ogen las, maakte dat haar hart naar hem uitging. Ze was nooit eerder op een man met een baard gevallen, maar bij Conor hadden zijn lange haren en zijn baard iets wilds, iets opwindends, alsof hij een held was uit een sprookje, of een ridder uit vroeger tijden. Bovendien zag zijn haar eruit alsof het heel zacht was. Ze stelde zich voor hoe het zou voelen op haar huid. Alleen al bij de gedachte huiverde ze van genot. Ze bleef langs de kant van de weg staan tot het te koud werd zonder verwarming. Haar vingers waren verstijfd, maar dankzij de dikke jas van tante Peg had ze het verder nog heerlijk warm. Tegen de tijd dat ze de motor weer startte, had ze al haar verlangens geprojecteerd op de man die ze stuk voor stuk leek te belichamen. Ze wilde hem weer zien, maar hoe moest ze dat aanleggen?

Opgewonden en stralend kwam ze thuis, waar ze haar tante met Ronan en Oswald in de keuken aantrof. Zodra hij haar in de gaten kreeg, kwam Bertie aandraven en drukte zijn natte snuit tegen haar benen. Van pure uitbundigheid aaide ze hem over zijn stekelige kop. Die was veel zachter dan ze had verwacht. 'Wel heb ik ooit!' Peg sloeg haar armen over elkaar. 'We wilden net een zoekactie organiseren!' Ellen liet haar blik over het drietal gaan. Voor mensen die op het punt stonden een zoekactie te organiseren, zaten ze er wel erg ontspannen bij, vond ze.

'Waar kom jij vandaan?' vroeg Oswald. 'Die blos op je wangen bevalt me helemaal niet. Wat heb je uitgehaald?'

Peg stond op. 'Ik zal een kop thee voor je inschenken. Je bent helemaal verkleumd! Moet je nog iets eten, pop?'

Ellen trok haar laarzen uit. 'Ik heb geluncht met Conor Macausland,' zei ze nonchalant, zich verheugend op het effect van die mededeling. Peg bleef op weg naar de Stanley met een ruk staan, Oswald keek haar met open mond aan en Ronans gezicht werd rood van boosheid.

'Je hebt geluncht met meneer Macausland?' herhaalde Peg. 'Versta ik dat nou goed, of hou je me voor de gek?'

'Wat had je bij die man te zoeken?' riep Ronan verhit.

Ellen trok Pegs jas uit en hing hem over de deur. 'Ik was verdwaald en hij heeft me gered.' Ze besefte dat haar ogen straalden, maar ze kon er niets aan doen.

'De ridder en de jonkvrouwe in nood,' zei Oswald met een zucht.

'Ja, ja,' zei Ronan sarcastisch.

'Hoe kwam het dat je verdwaald was?' vroeg Peg.

Ellen liep op haar sokken naar de tafel en ging naast Oswald zitten, tegenover Ronan. 'Ik was de heuvels in gelopen. Het zag er allemaal zo schitterend uit. De zon scheen, het rook heerlijk, ik voelde me zo geïnspireerd.'

'Ach, de schoonheid en luister van Connemara.' Oswald slaakte opnieuw een zucht.

'En toen?' drong Peg aan.

'Nou, ik liep maar door, tot ik dacht dat het tijd werd om terug te gaan. Maar toen bleek dat ik verdwaald was. Die heuvels lijken allemaal op elkaar. Ik had het gevoel dat ik rondjes liep. Eerlijk gezegd begon ik best bang te worden. Ik had geen idee waar ik was. En toen kwam Conor op zijn paard over de heuvel en heeft hij me gered.'

'Heeft hij zijn zwaard getrokken en je vijanden neergeslagen?' vroeg Oswald plagend.

Ellen klakte met haar tong en sloeg haar blik ten hemel. 'Hij heeft me mee naar zijn huis genomen en toen heb ik daar geluncht met Daphne, zijn moeder, en zijn twee schattige kinderen. Alleen de hond... die is behoorlijk angstaanjagend.'

Peg was duidelijk geschokt. 'Ik zou denken dat meneer Macausland ook behoorlijk angstaanjagend is.'

'Dat kun je ook van je broers zeggen, tante Peg. Die zien er best angstaanjagend uit. Maar als je ze leert kennen, zijn ze heel aardig. Net als Conor. Met die donkere baard en dat woeste haar vond ik hem in eerste instantie nogal angstaanjagend. Maar hij was heel charmant.'

Ronan boog zich naar voren en zette zijn ellebogen op de tafel. 'Doe niet zo onnozel, Ellen. Conor Macausland ís niet charmant! Het is misschien een knappe vent om te zien, maar laat je niet voor de gek houden.' Hij kon zijn nieuwsgierigheid echter niet bedwingen. 'Waar hebben jullie het over gehad?'

'O, over van alles en nog wat,' antwoordde ze vaag. 'Hij vroeg wie ik was en wat ik hier deed. Ik heb hem verteld dat ik je nichtje ben, Peg. En toen maakte hij een grapje. Dat we zo'n grote familie hebben.'

'Nou ja, Johnny en Joe kent hij natuurlijk goed, dus je was niet echt een vreemde voor hem.' Peg zette de ketel op het fornuis.

'Daphne is kunstenares, net als jij, Oswald,' voegde Ellen eraan toe.

'Het stikt in Ierland van de kunstenaars.' Oswald was duidelijk niet onder de indruk.

'Wat doet hij hier eigenlijk?' vroeg Ronan.

'De kinderen hebben voorjaarsvakantie.' Ellen voelde zich gewichtig omdat zij ook eens een nieuwtje had.

'Dan zal hij wel terugvliegen naar Dublin zodra de vakantie voorbij is,' zei Ronan. 'Met die poenige heli van hem.'

'Denk je?' vroeg Ellen, heimelijk teleurgesteld.

'Hij komt nog maar zelden. Toch, mam? En als ik hem was, liet ik me hier liever ook niet meer zien.'

Peg knikte. 'Het was verschrikkelijk. Echt verschrikkelijk. Dus ik vind het niet zo gek dat hij niet vaker komt. Op het landgoed herinnert alles hem natuurlijk aan zijn vrouw.'

Ronan dronk zijn thee op. De woede die zijn gezicht verduisterde, ontging Ellen niet.

'Ik had hem graag van alles willen vragen,' zei ze.

'Als je dat had gedaan, had je hem heel wat minder charmant gevonden,' zei Ronan nijdig.

'Zeg, waar zie je me voor aan?' vroeg Ellen verontwaardigd. 'Ik zou het niet in mijn hoofd halen om mijn neus in zijn zaken te steken. Die arme man heeft verschrikkelijk geleden.'

Ronans donkere ogen begonnen vurig te schitteren. 'Maar híj leeft nog!' Hij ademde abrupt in, als om te voorkomen dat hij nog meer zei. Jack vloog op van zijn stoelleuning en streek neer op de gordijnroe boven het raam. Het was pikdonker buiten, de wind was aangewakkerd en huilde als een geest om het huis. 'Dat heeft hij dan volledig aan zichzelf te wijten,' voegde Ronan er zacht aan toe. 'Ze hebben het allebéi aan zichzelf te wijten.'

'Ach, allemaal roddel en achterklap,' zei Oswald. 'Over twintig jaar hebben ze het er hier nog over.'

'En dan weet nog steeds niemand er het fijne van.' Peg nam de ketel van het fornuis en schonk kokend water in de theepot. 'Zo, wie wil er nog thee? En laten we het over iets anders hebben.'

Even later vertrok Ronan naar de pub en Peg installeerde Ellen in de kleine zitkamer waar ze het vuur aanstak. Het duurde niet lang of het knetterde gezellig. 'Heeft Ronan een vriendin?' vroeg Ellen terwijl ze de stekker van haar laptop in het stopcontact achter het bureau stopte. 'Was dat maar waar! Ronan is bepaald niet makkelijk. Dat heb je gezien.' Peg slaakte een diepe zucht. 'Het zal mijn schuld wel zijn. Bij een scheiding raken de kinderen altijd beschadigd.'

'Hij is erg knap om te zien.'

'Dat is-ie inderdaad. En dat geldt voor alle mannen in de familie.' Ze trok de gordijnen dicht. 'Het is winderig buiten. Ik ben blij dat je de deur niet meer uit gaat.'

'En ik vind het heerlijk om thuis te blijven. Wat een gezellige kamer is dit.'

'Je kunt hem gebruiken zo vaak als je wilt.'

'Tante Peg, ik besef heel goed dat ik je tot last ben.'

Peg draaide zich naar haar om. 'Dat ben je niet,' zei ze met een glimlach. 'Echt niet. Ik zou het eerlijk zeggen als het wel zo was. Het is leuk om een meisje in huis te hebben. Ik heb altijd alleen maar jongens gehad. En het is hier erg stil sinds Ronan de deur uit is. Gelukkig heb ik Oswald.' Haar glimlach werd breder. 'Die goeierd. Maar het is leuk om een meisje te hebben om voor te zorgen.' Ze aarzelde even, zich afvragend hoe ze Ellen kon overtuigen. 'Weet je, als je graag iets wil doen, dan kun je me inderdaad misschien helpen met de boodschappen. Maar ik hoef geen geld van je. Ik heb genoeg om van te leven, en ik ben zuinig. Maar als je wilt helpen, dan zou ik het heel fijn vinden als jij voor me naar het dorp gaat. Met dit vochtige weer heb ik last van mijn gewrichten.'

Ellen was blij dat ze kon helpen, ook al vermoedde ze dat Peg het alleen maar vroeg om haar een plezier te doen. Want ondanks het vochtige weer was ze de hele dag buiten bij haar beesten geweest. 'Natuurlijk! Graag. Geef me maar een lijstje, dan doe ik de boodschappen. Trouwens, ik wil ook wel andere dingen doen. Of helpen met de dieren. Beschouw me maar als je manusje-van-alles.'

'Afgesproken.' Peg keek op haar horloge. 'Zo, nu moet ik naar Oswald. Hij wil dat ik hem help met het uitkiezen van schilderijen voor een tentoonstelling in het gemeentehuis. Het kan zijn dat Mr. Badger bij het vuur komt liggen. Dat vindt hij heerlijk. Maar maak je geen zorgen. Je zult geen last van hem hebben. Als je me nodig hebt, dan ben ik hiernaast.'

'Dank je wel, tante Peg. Het is heerlijk om te weten dat je zo blij met me bent. Ik voel me hier al helemaal thuis.'

Peg glimlachte. 'Fijn, pop. Probeer wat te schrijven.'

'Dat zal ik doen.'

Peg vertrok en liet de deur op een kier. Het vuur knetterde steeds lustiger, terwijl de vlammen het aanmaakhout verslonden en met oranje tongen aan de blokken begonnen. Ellen zette de computer aan en wachtte dromerig terwijl hij opstartte. Met haar kin op haar handen ging ze in gedachten terug naar het moment waarop Connor op zijn paard over de kam van de heuvel was gekomen. Ze was zich niet bewust van de flauwe glimlach die om haar mond verscheen toen ze hem weer voor zich zag, met zijn vilten gleufhoed, zijn verwilderde haren en de rusteloze blik in zijn ogen. Het scherm lichtte op, maar ook daarvan was ze zich niet bewust, totdat Mr. Badger kwam binnen sjokken en zich met een tevreden zucht voor het vuur liet ploffen. Toen pas schrok ze op uit haar gedachten.

Ze wilde haar e-mail aanklikken, maar besefte toen dat Peg geen internet had. En dat was maar goed ook. Ze was tenslotte naar Ierland gekomen om sommige mensen te ontvluchten, dus dan kon ze maar beter geen contact zoeken. Ze opende Word en tikte in sierlijke letters ROMAN ZONDER TITEL, met daaronder haar naam. Vervolgens was ze minstens twintig minuten bezig met het uitproberen van verschillende lettertypes. Toen ze naar de volgende bladzijde ging, merkte ze dat ze geen idee had wat ze wilde schrijven. Verslagen en ontmoedigd staarde ze naar het lege scherm. Zonder plot had het geen zin om te beginnen. Maar haar held had ze al. Ze sloeg haar handen voor haar gezicht en in gedachten ging ze opnieuw naar die middag.

Om elf uur die avond bonsden Johnny en Joe op de deur. Ellen lag al in bed, met een boek van Daphne du Maurier uit Pegs bibliotheek. Ze liet haar boek zakken, spitste haar oren en hoorde Peg naar de deur gaan, mopperend dat ze haar wakker hadden gemaakt. Maar dat was niet zo, wist Ellen. Oswald was amper tien minuten eerder vertrokken en haar tante lag nog maar net in bed. Ellen schoot een trui aan over haar T-shirt en haar gestreepte pyjamabroek en haastte zich naar beneden, nieuwsgierig naar de reden van de commotie.

'Jou moeten we net hebben,' zei Joe toen zijn nichtje in de deuropening verscheen. Hij nam haar belangstellend op, geamuseerd door haar jongensachtige pyjama en haar verwarde haren. 'Sorry dat we je uit bed hebben gehaald.' Hij klonk echter niet alsof het hem speet.

'Hebben ze je wakker gemaakt, pop?' vroeg Peg.

'Nee, ik lag nog te lezen. Wat is er aan de hand?'

Johnny ging aan de keukentafel zitten en keek haar ernstig aan. 'Meneer Macausland was in de pub. En hij vroeg naar jou!'

Ellens hart sloeg een slag over. 'Echt waar?'

'Hij was in de pub!' herhaalde Joe. 'Het is niet te geloven! Daar heeft hij sinds de brand nooit meer een voet over de drempel gezet.'

'Wat zei hij?' vroeg Ellen. Ze probeerde niet al te geïnteresseerd te lijken, maar dat mislukte grandioos.

'Het werd doodstil toen hij binnenkwam. Je had zelfs de scheet van een muis kunnen horen,' vervolgde Joe.

'Craic tapte een biertje voor hem en ze praatten wat,' vertelde Johnny, nog altijd met een ernstig gezicht. 'Er is een hoop lef voor nodig om je in het hol van de leeuw te wagen.'

'Dat pleit voor hem,' zei Peg, terwijl ze de ketel opzette.

Joe ging naast zijn vader zitten. Ellen was zo van slag dat ze zich op Jacks stoel liet ploffen. Dat drong pas tot haar door toen de vogel naar haar haren pikte.

'Godallemachtig!' Ze schoot overeind en liep naar de andere kant van de tafel. 'Wat is dat beest brutaal!'

'Het duurde even voordat hij het gesprek op jou wist te brengen,' zei Joe met een ondeugende grijns. 'Hij had het eerst over het landgoed. En toen vertelde hij dat hij je in de heuvels had gevonden. Dat je verdwaald was en dat je bij hem had geluncht.'

'Dat klopt,' zei Ellen opgewonden.

'Zijn dochtertje wil dat je haar nagels lakt.'

Ellen glimlachte. 'Ik had gezegd dat ik dat ook bij mijn nichtjes doe. En dat ik er diamantjes op plak.'

Peg sloeg haar vanaf de Stanley zwijgend gade. Haar gezicht stond nadenkend.

'Hij wil dat je haar een manicure geeft, of hoe dat ook heet.' Joe trok zijn wenkbrauwen op. 'Volgens mij valt hij op je.'

Ellen bloosde. 'Doe niet zo raar. Ik ben gewoon goed met kinderen. Dat is alles.'

'Nee, hij valt op je. Anders was hij nooit naar de pub gekomen. Blijkbaar hoopte hij dat je daar zou zijn.'

'Hij had toch ook gewoon kunnen bellen?' zei Peg. 'Ik mag dan geen tv hebben en geen internet, maar ik heb wel telefoon!'

'Dat zou te veel opvallen. Hij probeerde het subtiel aan te pakken.' Joe knipoogde naar Ellen.

'Subtiel? Mijnheer Macausland die de Pot of Gold komt binnenlopen? Ik dacht het niet!' zei Johnny schamper. 'Zeg maar dat je het te druk hebt met schrijven. Dan zorg ik dat hij de boodschap krijgt.'

'Vind je dat ik het niet moet doen?' vroeg Ellen verrast.

'Nee, natuurlijk niet,' zei Peg bij het fornuis. 'Daar moet je helemaal niet aan beginnen. Ik wil het niet hebben.'

'Maar wat kan het voor kwaad? Ik ga voor Ida, om haar nagels te lakken?'

Peg kneep haar ogen tot spleetjes. 'Daar komt alleen maar narigheid van, pop. Trouwens, over een week is hij weer vertrokken.'

Ellen voelde zich plotseling opgejaagd. Ze probeerde koortsachtig een oplossing te bedenken waarmee ze niemand voor het hoofd stootte. 'Waarom ga je niet mee, Peg?' stelde ze voor.

Haar tante keek geschokt.

'Ik vind het zielig voor Ida. Ze heeft geen moeder die haar nagels kan lakken. Dat arme kind. En je had haar gezichtje moeten zien toen ik vertelde dat ik er diamantjes op kon plakken.'

'Maar waar koop je dat spul?' vroeg Peg.

Ellen haalde haar schouders. 'Er is toch vast wel een cadeauwinkel in het dorp?'

'Alanna heeft een boetiekje. Maar ze verkoopt geen diamantjes om op je nagels te plakken. Dat weet ik zeker.'

'O, ze heeft vast wel iets wat ik kan gebruiken. Iets waar ik figuurtjes uit kan knippen, en dan kan ik daar overheen lakken.'

'De drogist heeft nagellak.'

'Mooi zo. Meer heb ik niet nodig. Ik ga morgen het dorp in.' Ze keerde zich triomfantelijk naar Johnny. 'Zeg maar tegen meneer Macausland dat tante Peg en ik morgen op de thee komen om Ida's nagels te doen. Je ziet hem morgen toch op het kasteel?'

Johnny keek met gefronste wenkbrauwen naar zijn zuster. 'Ja, we zien hem morgen. Maar weet je wel zeker dat je dat wilt, Peg? Wat denk je dat Desmond daarvan vindt? Die zal er niet blij mee zijn.'

'En ik ben er ook niet blij mee,' antwoordde Peg. 'Maar ik wil niet dat Ellen alleen gaat. Dus ik heb geen keus.'

'Daar heb je gelijk in. Als het dan per se moet, kun je beter met haar meegaan,' gaf Johnny toe.

Ellen begon te lachen. 'Alsof ik een chaperonne nodig heb. Het lijkt wel een boek van Jane Austen.'

Maar Peg bleef ernstig. 'Jij weet niet waar je aan begint. Ik wel. En zolang je hier logeert, ben ik verantwoordelijk voor je. Je moeder zou erin blíjven als ze het wist. Een man als Conor Macausland kun je maar beter uit de weg gaan. Anders komt er alleen maar narigheid van. Dat meen ik echt.'

'Rustig nou maar, Peggine,' zei Joe. 'Ze gaat voor dat meisje. Om haar nagels te lakken. Dat is alles.'

Peg keek hem streng aan. 'Nee, dat is niet alles. Ze gaat theedrinken met meneer Macausland. Die nagels zijn een excuus. Je denkt toch niet dat ik achterlijk ben?' Het water kookte en ze nam de ketel van het fornuis. 'Nu jullie hier toch zijn, kunnen we net zo goed nog even een kop thee drinken.'

Ellen kon niet slapen van opwinding. Conor Macausland had de nieuwsgierige blikken in de pub getrotseerd. Voor háár! Terwijl ze elkaar maar één keer hadden ontmoet. Maar die ene keer was voor haar ook genoeg geweest om haar belangstelling te wekken. Dus waarom zou het hem dan niet net zo zijn vergaan? Maar terwijl ze daar lag in het donker, begon ze toch weer te twijfelen. Misschien had hij het inderdaad voor Ida gedaan. Het kleine meisje had geen moeder en ze had met eigen ogen kunnen zien hoe dol hij was op zijn dochter. Misschien ging het echt alleen maar om Ida die nagels met diamantjes wilde. Misschien vergiste ze zich, dacht Ellen, en had het niets met háár te maken.

Ze lag te draaien en te woelen, haar hart ging wild tekeer, en het lukte haar niet in slaap te komen. Denkend aan Caitlin vroeg ze zich af wat die in het holst van de nacht in de vuurtoren te zoeken had gehad. Hoe kwam het dat de vuurtoren in brand was gevlogen? En was Conor inderdaad verantwoordelijk voor haar dood? Was hij het geweest die weg roeide toen er brand was uitgebroken? Weg van de toren? Weg van de moord? En waarom had hij haar portret in het kasteel laten hangen? Om haar nog te kunnen zien? Of had hij het gedaan om haar, met de rest van zijn herinneringen, weg te sluiten in de graftombe waarin het kasteel was veranderd?

Was het gevaarlijk, roekeloos wat ze deed? Was ze een mot die te dicht bij de kaars kwam? Liep ze het risico door het vuur te worden verteerd? Of werd Conor ten onrechte beschuldigd en belasterd?

Toen dacht ze aan William, en hoe veilig hij leek in vergelijking met Conor. Probeerde hij contact met haar te zoeken? Ze schaamde zich bij de gedachte aan de sms die ze hem had gestuurd. Dat verdiende hij niet. Maar misschien wilde ze gewoon nog niet kiezen, misschien wilde ze nog niet al haar schepen achter zich verbranden, voor het geval ze zich bedacht en alsnog voor een veilige, zij het saaie toekomst koos.

Ze was nog geen week uit Londen weg, maar die paar dagen in Ierland voelden als een paar maanden. Ze had altijd veel gereisd. Ze was op vakantie geweest in Zwitserland, Zuid-Afrika, Thailand, India, ze had shopping-trips gemaakt naar New York en Milaan, ze was voor een weekendje naar Italië en Frankrijk gevlogen, maar ze had nog nooit ergens zo'n gevoel van thuiskomen ervaren. Ze had zich altijd een toerist gevoeld, een bezoeker, iemand op doorreis. Connemara daarentegen voelde als iets blijvends. Als meer dan een reisbestemming. Hier voelde ze zich als een ontwortelde boom die eindelijk was herenigd met zijn oorsprong. Met die troostrijke gedachte viel ze ten slotte in slaap.

10

De volgende morgen werd ze na een onrustige nacht al vroeg wakker. Achter het huis begon het licht te worden, de dageraad zette de vuurtoren in een zachtroze gloed. Ellen ging bij het raam staan en zag hoe de zee steeds hoger reikte en met woeste schuimkoppen tegen de rotsen aan de voet van de toren beukte. Grote witte meeuwen zaten op het zwartgeblakerde houten geraamte en kibbelden over de zee-egels die de vloed op het strand had geworpen. Even later zag ze Peg naar buiten komen en met Mr. Badger het veld in lopen om de schapen te tellen en een praatje te maken met de ezel en de lama. Terwijl ze naar die kleine gestalte keek, in haar bruine broek en dikke jas, met een wollen muts op haar korte, grijze haar, voelde Ellen haar hart zwellen van compassie. De lichte buiging van haar schouders had iets schrijnends, alsof de last van het verdriet haar in de loop der jaren te veel was geworden. Kwam je ooit over de dood van een kind heen? Ellen keek naar Peg, terwijl haar tante de lama achter zijn oren krauwde. Ze zag er zo eenzaam uit in het veld, tegen de achtergrond van de zee. Nee, natuurlijk kwam je daar nooit overheen, dacht Ellen. Haar tante had gewoon geleerd te leven met haar verlies.

Na een stevig ontbijt van havermoutpap en thee reed Ellen met Pegs auto naar het dorp om nagellak en glittertjes te kopen. Ze parkeerde bij het haventje, waar de vissers druk doende waren met de vangst van die nacht, en ging op zoek naar het boetiekje van Alanna. Ze slenterde door de smalle straten, langs fraaie pastelkleurige huizen en cadeauwinkeltjes met visserstruien, aardewerk, schapenvachten en kristal, bedoeld voor de zomer, wanneer de toeristen kwamen. De winkel van Alanna was niet moeilijk te vinden en lag tussen een café en de drogist. Alanna had de pui stralend fuchsiaroze geschilderd.

Er rinkelde een bel toen ze de deur openduwde. Alanna zat achter haar bureau, helemaal achter in de winkel. Toen ze opkeek, verscheen er een blik van herkenning en blijde verrassing op haar gezicht. 'Ellen! Nee maar, je ziet eruit alsof je al helemaal bent ingeburgerd!'

'Dus dit is je winkel. Wat leuk!' Ellen liet haar blik in het rond gaan, over de kasten en vitrines met glimmende prulletjes, pakjes mooi postpapier, beschilderd aardewerk, geborduurd linnen, ouderwets ogende stukken zeep en geurkaarsen. Een schatkamer vol geurige, mooie spulletjes om jezelf of een ander mee te verwennen. Ellen was dol op dit soort winkels.

'Het is erg stil,' klaagde Alanna. 'Dat wordt weer anders in de zomer, met de toeristen. En ik ben op dit moment alleen. Anders is Mary er ook, maar die moest naar haar zieke moeder in Waterford. Dus wat dat betreft is het maar goed dat het zo rustig is.'

'Maar ík kom iets bij je kopen,' zei Ellen.

Alanna trok haar wenkbrauwen op. 'O, ik dacht dat je alleen voor de gezelligheid kwam.'

'Dat ook, natuurlijk. Maar ik heb wat glittertjes nodig om nagels mee te versieren.'

'O ja, Desmond vertelde het. Je gaat op de thee bij Conor Macausland.' Haar ogen werden groot van nieuwsgierigheid. 'Pas op, Ellen. Hij is woest aantrekkelijk, maar vergis je niet. Volgens mij komt er alleen maar narigheid van.'

'Ach, ik ben gewoon nieuwsgierig. En het zou stom zijn om niet te gaan, denk je ook niet? Als schrijver ben ik nu eenmaal altijd en overal op zoek naar inspiratie.'

Alanna kwam lachend overeind. 'Tja, de lokroep van een knappe schurk is moeilijk te weerstaan. Afijn, ik zal eens zien of ik iets voor je heb. Wat dacht je hiervan?' Ze liep naar een standaard met allerlei pakjes en zakjes. 'Pailletjes. Is dat iets?'

'Ja, perfect! Geweldig, dank je wel.' Ellen keek nog even verder rond. 'Wat een schattig dorp is dit toch.'

'Ja, beeldschoon, met fatsoenlijke, hardwerkende mensen. Ik zou niet in Londen kunnen wonen. Te druk, te veel lawaai, om nog maar te zwijgen van de criminaliteit. De paar keer dat ik er ben geweest, was ik helemaal kapot toen ik weer thuiskwam. Ik hou van een rustig leven.'

'Pas toen ik hier was, besefte ik hoezeer ik behoefte had aan de rust van het platteland. Wat je niet kent, dat mis je niet, neem ik aan. Maar nu ik eenmaal weet hoe het voelt om alleen door de heuvels te zwerven, denk ik niet dat ik ooit nog kan wennen in de stad.'

'Ik begreep dat je verdwaald was?'

'Ja. Erg onnozel, maar dat krijg je als je in de stad bent opgegroeid.' Ellen wendde zich af om haar blos te verbergen.

'Pas maar op,' zei Alanna nogmaals. 'Je bent oud en wijs genoeg, daar twijfel ik niet aan. Maar vergeet niet met wie je te maken hebt als je de nagels van zijn dochtertje lakt, en als hij je aankijkt met die prachtige blauwe ogen. Met een man als Conor Macausland kom je geheid in de problemen.'

'Hij leek me niet het type dat zijn vrouw zou vermoorden.' Ellen voelde zich in de verdediging gedrongen.

'Nee, dat geloof ik ook niet. Ik weet dat Ronan er anders over denkt, maar dat is ook niet zo verwonderlijk. In zijn ogen was Caitlin de prinses in de toren en Conor de reus die haar gevangenhield.' Ze lachte. 'Arme Ronan. Hij was er kapot van toen ze stierf.'

'Wat is er volgens jou dan gebeurd?' vroeg Ellen.

'Nou, ze stierf wel onder verdachte omstandigheden. En mensen zijn nu eenmaal dol op complottheorieën. Maar ik geloof niet dat Conor een slecht mens is. Egoïstisch en verwend, dat wel. En erg arrogant. In de pub liet hij zich nooit zien, hij bemoeide zich niet met het dorp en was altijd erg op zichzelf. Alsof hij zich te goed voelde om uit zijn kasteel af te dalen naar het gewone volk. Caitlin was heel anders. Die kwam naar de Pot of Gold als hij in Dublin zat. Dan hing ze maar al te graag aan de bar voor een praatje met Craic. Ze was dol op een goed glas Murphy's. En op zingen. Volgens mij vond ze het heerlijk als ze kon ontsnappen uit haar gouden kooi en gewoon zichzelf kon zijn. Ze was beeldschoon, maar diep ongelukkig. Dat zag je in haar ogen. Ondanks al zijn geld was het vast niet makkelijk om met hem getrouwd te zijn. Arme meid. Ze had beter verdiend.'

'Heb je haar goed gekend?'

'Nee, niet echt. Ze trok meer met mannen op. Maar ik kende Molly, haar kindermeisje.'

Ellens belangstelling was onmiddellijk gewekt. 'Echt waar?'

'Ik denk dat ze zich verveelde, dus als de kinderen op school zaten, kwam ze vaak langs in de winkel voor een praatje. Een mooi meisje. Heel lief ook. En ze aanbad haar werkgeefster. Haar ogen begonnen te stralen als ze het over haar had. Voor Conor was ze volgens mij een beetje bang. Waarschijnlijk omdat ze daar in huis te veel zag. Hoe dan ook, na het drama vertelde ze dat Caitlin had geweten dat Conor die avond thuis zou komen, maar dat ze toch naar de vuurtoren was geroeid. Dat was vreemd, zei Molly. Conor had het Caitlin verboden want het was niet ongevaarlijk. Zeker met zo'n klein bootje. Maar eigenzinnig als ze was, ging ze toch. Sterker nog, die avond leek het wel alsof ze het erom deed, vertelde Molly. Alsof ze wilde dat hij haar zou betrappen. Toen later bleek dat de vuurtoren vol kaarsjes stond, dacht Molly dat ze dat had gedaan uit romantische overwegingen, om hem te verleiden. Het huwelijk was slecht. Dus misschien was het inderdaad een poging hem opnieuw te veroveren.'

'Maar waarom uitgerekend in de vuurtoren? Je zegt net dat hij niet wilde dat ze daarnaartoe ging?'

Alanna haalde haar schouders op. 'Ik weet het niet, maar volgens Molly wachtte ze anders altijd tot hij weg was. Dit was voor het eerst dat ze het deed terwijl ze wist dat ze betrapt zou worden. Blijkbaar wilde ze dat hij achter haar aan zou komen. Maar waarom? Ik heb geen idee. En dat wist Molly ook niet. Ze is ondervraagd door de garda, maar die vond het blijkbaar niet belangrijk.'

Ellens hart begon wild te kloppen. 'Misschien was zij van plan hém te vermoorden. Misschien heeft ze hem daarom naar de vuurtoren gelokt.'

Alanna zette grote ogen op. 'Jaysus, Ellen, daar heb ik nooit aan gedacht!'

'Ach, waarschijnlijk kijk ik te veel televisie,' zei Ellen lachend.

'Zeg het alsjeblieft niet tegen de jongens. Voor je het weet gaan die met je theorie aan de haal.'

'Ik denk dat Peg me dat niet in dank zou afnemen.'

'Dat denk ik ook. Jij en Ronan en jullie duistere theorieën.'

'En dan waag ik me ook nog in het hart van het mysterie,' zei Ellen vrolijk.

'Pas nou maar op,' waarschuwde Alanna. 'Mannen zoals Conor Macausland maken er een sport van om knappe jonge meisjes te verleiden. En ze vervolgens weer te dumpen. Ik zou maar een eind bij hem uit de buurt blijven. We hebben hier genoeg aanbod als je een leuke Ierse man wil.'

'Maar die zijn allemaal familie van me!'

'O, ja. Dat kan natuurlijk ook niet! Dat je verliefd wordt op een van je neven!'

'Over neven gesproken, Joe is een knappe vent. Waarom heeft hij geen vriendin?'

'Te veel keus. Waarom genoegen nemen met één als je er wel tien kan krijgen?'

Bij de drogist naast Alanna's boetiek kocht Ellen roze nagellak en nog wat spullen die op het lijstje van haar tante stonden. Net toen ze klaar was, verscheen Dylan Murphy in de deuropening. De felle blik in zijn ogen leek erop te duiden dat hij naar haar op zoek was geweest. 'Kijk eens aan! Ellen Olenska,' zei hij grijnzend. Hij zag er verrassend verzorgd uit, in een jasje met een das. Maar ze vond het toch wat ongemakkelijk om met hem alleen te zijn.

'Hallo, Dylan. Hoe gaat het?' Het viel haar op dat hij sterk naar tabak rook.

'Ik mag niet klagen.' Hij stopte zijn handen in zijn jaszakken. 'En, vordert je boek al?'

'Ik heb nog geen letter geschreven.'

'Dat komt wel. Je hebt talent. Dat zie ik zo.'

Zijn compliment was net zo ontwapenend als de vertedering in zijn glimlach, die echter onmiddellijk weer verdween, alsof hij zich ervoor geneerde dat hij zich van zijn zachte kant had laten zien. 'Ik hoor dat Peg en jij bij Macausland op de thee gaan.'

'Allemachtig! Er blijft hier ook echt niets geheim, hè?'

'Nee, als je een geheim wilt bewaren, moet je het alleen aan de vissen vertellen.'

'Hij vroeg of ik de nagels van zijn dochtertje wilde lakken.'

'Tja, dat behoort niet tot de plichten van een vader, neem ik aan.'

'En ook niet van een oma,' vulde Ellen aan. 'Bovendien doe ik het graag.'

'Pas maar op...'

'Hè, nee! Begin jij nou ook al? Iedereen waarschuwt me dat ik voorzichtig moet zijn. Alsof Conor een monster is. Hij was heel aardig.'

'Natuurlijk was hij dat. Je bent een mooi meisje, en hij is ook maar een man van vlees en bloed.'

Ellen was verrast door de nadruk die hij legde op het woord 'mooi'. Het klonk bijna zangerig. 'Tante Peg gaat met me mee.' Ze vroeg zich af waarom ze zich geroepen voelde hem dat te vertellen.

'Hm. Interessant.'

Ze wist niet wat hij daarmee bedoelde. 'Afijn, ik moest maar weer eens gaan.'

Er verscheen een teleurgestelde uitdrukking op zijn gezicht. 'Moet je nog meer boodschappen doen?'

Ze haalde het lijstje van Peg uit haar jaszak. 'Ik moet nog naar de slager en naar de kruidenier.'

'Kom, dan wijs ik je de weg.'

'Dat hoeft niet. Echt niet. Ik wil je niet tot last zijn. Het is maar een klein dorp, dus ik red me vast wel.'

Maar Dylan hield de deur al voor haar open.

Ellen glimlachte toen ze vijf deuren verder bij de slager kwamen. 'Nou, het is maar goed dat je mee bent gegaan,' grapte ze. 'Anders had ik het misschien nooit gevonden.'

Dylan grijnsde verlegen. 'Wat het dichtst bij is, zie je soms het gemakkelijkst over het hoofd.' Hij deed de deur voor haar open, en ze stapte de winkel binnen. 'En, hoe lang denk je te blijven?'

'Dat weet ik nog niet.' Ze liep naar de toonbank en inspecteerde het vlees achter het glas. 'Op dit moment heb ik in elk geval geen plannen om terug te gaan naar Londen.' Ze zuchtte. 'Maar ooit zal het er toch van moeten komen, neem ik aan.'

'Is er een reden waarom je terug zou moeten?'

Ja, en dat is precies de reden waarom ik ben gevlucht, dacht ze. 'Nou ja, mijn hele leven ligt daar.'

'Onzin, Ellen Olenska. Jíj bent je leven. Dus je leven is waar jij bent.'

Verrast door de wijsheid van die woorden, maakte Ellen haar blik los van de toonbank. 'Zo heb ik het nooit bekeken.'

'Toch is het zo. Je leven is niet iets wat je achter je kunt laten of waar je voor weg kunt lopen. Want je leven, dat ben je zelf. Mensen... dat is een heel ander verhaal. Voor mensen kun je weglopen.'

Ze keek hem aan. Hij leek ineens kleiner, en plotseling wilde ze haar armen om hem heen slaan vanwege de wrede manier waarop haar moeder hem aan de kant had gezet en zijn hart had gebroken. Maar ze stonden in een winkel, en de slager keek haar vragend aan. Dus haalde ze het lijstje weer tevoorschijn.

Even later liepen ze de straat verder af naar de kruidenier. De hemel was zo grauw als havermoutpap, maar soms weken de wolken uiteen en scheen de zon even, verrassend warm voor februari.

'Je lijkt op je moeder,' zei hij zacht, met zijn blik strak vooruit, alsof het hem pijn zou doen haar aan te kijken terwijl hij dat zei.

'Het spijt me wat er is gebeurd,' hoorde ze zichzelf zeggen. 'Tante Peg vertelde dat jullie verloofd waren.'

'Dat klopt. Heel lang geleden.' Ellen was zich bewust van wat onuitgesproken bleef: *maar het voelt als gisteren*. Ze liepen even zwijgend verder, totdat Ellen vond dat ze de stilte moest doorbreken.

'Ik had geen idee wat ik allemaal zou ontdekken toen ik hier kwam. Ik heb nooit geweten dat mijn moeder zo'n grote familie had. Dat ze van huis was weggelopen. En van jou. Ze is een totaal nieuw leven begonnen. Ik ben benieuwd wat ze zegt als ze erachter komt dat ik alles weet.'

'Dat het je niets aangaat?'

'Ja, dat denk ik. Maar het gaat me wél aan. Tenminste, de familie die ik hier heb.'

Op dat moment keek hij haar aan. Ze voelde de intensiteit van zijn sombere blik, alsof hij op het punt stond haar iets belangrijks te vertellen. Nerveus keek ze hem in de ogen. Maar blijkbaar bedacht hij zich, want hij zei niets en richtte zijn blik op de grond.

'Misschien moet ik het maar niet vertellen,' zei ze, om een eind te maken aan het ongemakkelijke moment.

'Uiteindelijk kun je er niet omheen, Ellen Olenska. Je kunt de doos van Pandora niet openen en vervolgens doen alsof er niets is gebeurd.'

'Ik ben bang.' Maar zolang ze hem niet de volledige waarheid had verteld, kon hij zich niet voorstellen waar ze bang voor was. Hij legde zijn hand op haar arm en ze was getroffen door de vanzelfsprekende tederheid van het gebaar.

'De Maddie die ik heb gekend, had een groot, gul hart. Ze was misschien koppig en een beetje wild, maar ze stroomde over van liefde. Dus ik weet zeker dat ze je vergeeft.'

'Misschien kan ik haar zover krijgen dat ze hierheen komt en het goedmaakt met haar familie. Het zou mooi zijn als ik de katalysator ben die iedereen weer bij elkaar brengt.'

Hij grinnikte cynisch. 'Dat wordt heel wat ingewikkelder dan jij denkt, vrees ik.'

'Nee, daar geloof ik niks van. Je kunt niet ongedaan maken wat er is gebeurd. Maar het ligt allemaal in het verleden. En uiteindelijk gaat je familie toch voor alles.'

'Je bent nog erg jong, Ellen Olenska. Ik bewonder je moed. Maar als ik jou was zou ik geen slapende honden wakker maken. Want als je niet oppast, word je gebeten.'

Ze waren bij de kruidenier. Dylan hielp haar de fles Jameson en de thee van het merk Barry's te vinden, die op Pegs lijstje stonden. Toen pakte hij een fles gin van de plank en hield die haar met een ondeugende grijns voor. 'Gin met sleedoornbessen! Uit pastoor Michaels eigen stokerij!'

'Dat meen je niet! Maakt jullie pastoor zelf gin?'

'Ja, dat kan alleen in Ierland. En het is behoorlijk sterk spul.' Hij lachte. 'Hij verkoopt het alleen hier in het dorp en inmiddels wordt hij een dagje ouder. Maar hij rechtvaardigt zijn stokerij door al het geld dat hij ermee verdient in de kerk te investeren. Volgens mij is de restauratie van de toren met gin bekostigd.'

'Wat een ondernemersgeest! En allemaal voor de goede zaak!' Ze dacht aan wat Alanna had verteld. Dat Peg ruzie had gekregen met de pastoor. 'Wat is hij voor iemand? Pastoor Michael?'

'Ach, het is een goeie vent. Misschien een beetje dominant. Hij hoort zichzelf graag praten, maar volgens mij geldt dat voor ons allemaal. En trouwens, ik ben nog nooit een zwijgzame priester tegengekomen!' Hij grinnikte.

'Schrijf je nog altijd muziek, Dylan?' vroeg ze.

Hij keek verrast. 'Dus Peg heeft je over me verteld?'

'Ja, ze kan zelfs een paar van je nummers neuriën.'

Hij grinnikte weer. 'Staat er verder nog iets op je lijstje, Ellen Olenska?'

'Nee, ik denk niet dat Peg gin nodig heeft.'

'In elk geval niet van pastoor Michael.'

'Maar vertel! Schrijf je nog?'

Hij keek haar aan en kneep zijn ogen tot spleetjes. 'Af en toe. Een beetje.'

'En ik weet zeker dat het goed is.'

Hij haalde zijn schouders op. 'Ik kan mijn eigen werk moeilijk beoordelen.'

'Ik zou het graag willen horen.' Ze volgde hem naar de toonbank. 'Ook al zou ik niet willen beweren dat ik er verstand van heb.'

Hij glimlachte, en opnieuw verraste het haar hoe lief en zacht zijn gezicht plotseling was. 'Je bent een goed mens, Ellen Olenska,' zei hij, maar hij bood niet aan haar zijn muziek te laten horen. 'Zo, laten we betalen. Ik heb sigaretten nodig.'

Toen Ellen naar huis terugreed, was ze zich bewust van een warme genegenheid jegens Dylan, terwijl ze zich daarvóór zo slecht bij hem op haar gemak had gevoeld. Ze hadden afscheid genomen bij de haven en hij had haar nagewuifd. Ze vroeg zich af hoe haar moeder hem nu zou vinden. Hij was nog steeds knap. Sterker nog, hoe beter ze hem leerde kennen, hoe knapper ze hem vond. Zijn ogen verrieden een grote wijsheid en intelligentie en wanneer hij glimlachte, verdween de waanzin uit zijn blik en werd zijn gezicht zachter. Ze kon zich bijna voorstellen hoe hij als jongeman moest zijn geweest, toen hij verliefd was op haar moeder. Slanker, minder ruig en verweerd, en zijn jeugdige enthousiasme nog niet bedorven door teleurstelling, zijn vuur nog niet geblust door verdriet. Als jonge man was hij een ondeugd geweest, met uitgesproken ideeën. Een beetje zoals Joe. Ze zag hem voor zich als zanger in een band en als schrijver van gedichten, want het was duidelijk dat hij een gevoelig mens was. Gevoelig en een echte denker. Hij had het over de liefde gehad op een manier zoals haar vader dat als emotioneel geremde Engelsman nooit had gekund. Haar vader en Dylan verschilden van elkaar als dag en nacht. Als de beer en de forel. Ellen twijfelde er niet aan of haar moeder had passie ingeruild voor veiligheid.

Toen ze thuiskwam was haar tante in de tuin achter het huis met een enorme schaar bezig de struiken te snoeien. Ze schonk haar nichtje een warme glimlach. 'En, heb je gevonden wat je zocht voor de nagels?'

'Ja, ik heb alles. En ik kwam Dylan ook nog tegen.'

Peg ging weer verder met snoeien. 'Ongetwijfeld zwalkend over de straat.'

'Nee hoor, hij was broodnuchter.'

'Nou, dat is dan voor het eerst.'

'Hij was in pak, met een das.'

'Jaysus, op een gewone, doordeweekse dag? Wat bezielt die man ineens?'

'Hij zag er heel verzorgd uit.'

Peg lachte schor. 'Hm, dat is niet het eerste waar ik aan denk bij Dylan Murphy.'

'En ze weten allemaal dat we bij Conor op bezoek gaan.'

'Natuurlijk weten ze dat. Hier weet iedereen altijd alles. Als je een geheim wil bewaren...'

'Moet je het alleen aan de vissen vertellen,' vulde Ellen aan.

'Precies.' Peg stak het grasveld over. 'Heb je honger? Zullen we iets eten? Waar heb je trek in?'

Ellen was zo nerveus voor het weerzien met Conor dat ze bang was geen hap door haar keel te kunnen krijgen. Maar ze liep met haar tante mee naar binnen en hielp met het klaarmaken van de lunch. Bij alle maaltijden die Peg bereidde, vormden aardappels een voornaam bestanddeel. Gekookt in de schil, met boter. Ellen dekte de tafel, gadegeslagen door Jack die haar met zijn kraalogen door de hele keuken volgde. Bertie lag voor het fornuis, languit en in een diepe, gelukzalige slaap. Mr. Badger liep rusteloos van binnen naar buiten en weer terug, alsof hij niet wist waar hij zou gaan liggen.

'Dylan zei dat ik op mijn moeder lijk,' vertelde Ellen, terwijl ze thee inschonk.

'Dus hij heeft eindelijk moed gevat.'

'Ja, ik denk dat hij over haar wil praten.'

Peg goot de aardappels af en zette ze op tafel. 'Hij had haar al jaren geleden uit zijn hoofd moeten zetten. In plaats van naar Maddie te blij-

135

ven smachten had hij moeten trouwen, kinderen krijgen.'

'Ik heb met hem te doen.'

'Ja, dat snap ik. Het is ook sneu,' viel Peg haar bij. 'De stroom van het leven voert ons mee, maar sommige mensen, zoals Dylan, blijven steken en komen nooit verder.'

'Wat zou mijn moeder zeggen als ze hem nu zag?'

Peg snoof. 'Dat zullen we wel nooit weten.' Toen begon ze doelbewust over iets anders. 'Heb je gisteren nog wat geschreven?'

'Nee, niet echt. Ik heb wat met ideeën gespeeld,' voegde ze er haastig aan toe. 'Volgens mij moet ik eerst een plot uitwerken voordat ik kan beginnen met schrijven.'

'Aha.' Ze gingen aan tafel. 'Vind je niet dat je je moeder moet bellen? Om haar althans te laten weten dat alles goed met je is?'

'Ik heb mijn iPhone in zee gegooid.'

'Hoe kon je dat nou doen? Die dingen zijn toch heel duur?' Ze nam haar nichtje onderzoekend op. 'Je kunt ook mijn telefoon gebruiken?'

'Mam maakt zich geen zorgen,' antwoordde Ellen, maar ze hoorde zelf dat het niet overtuigend klonk.

'Hoor eens, pop, het maakt niet uit hoe oud je bent, of hoe zelfstandig. Je blijft haar dochter. En dus maakt je moeder zich zorgen. Zeker als je niet eerlijk tegen haar bent geweest.'

Ellen legde haar mes en vork neer. 'Oké, daar heb je gelijk in.' Ze legde haar handen om haar mok thee. 'Ik ben niet eerlijk tegen haar geweest, want ik moest daar weg. En ik wist dat dit de enige plek was waar ze me niet zou zoeken.'

Peg glimlachte. 'Dat dacht ik al. Maar als je je moeder niet wil spreken, dan kun je toch een boodschap doorgeven aan een vriendin? Of aan een van je zussen? Wat er ook speelt tussen jullie, ze blijft je moeder, en je moet haar af en toe laten weten dat alles goed met je is. Zullen we dat afspreken? Je kunt hier blijven zolang je wilt, maar ik wil niet dat je moeder zich zorgen maakt.'

'Oké, ik zal Emily bellen. Emily is de enige die weet waar ik zit.'

'Zo mag ik het horen.'

Peg nam nog een aardappel en begon hem zwijgend van zijn schil te ontdoen. Ze vroeg niet waarom Ellen van huis was weggelopen. Dat hoefde ze ook niet te vragen, want Ellen had nog niet gezegd dat haar moeder haar in Ierland nooit zou zoeken, of alles kwam eruit. Al haar onvrede, in een stroom van verwijten en beschuldigingen. Ze vertelde alles. Alleen over William zei ze niets. Ze schaamde zich om te vertellen dat ze verloofd was en dat ze over amper vijf maanden werd geacht te trouwen.

Toen Ellen was uitgesproken, legde Peg in een teder gebaar een hand op haar arm. 'Pas op dat je niet dezelfde fouten maakt als je moeder, pop. Daar is het leven te kort en te kostbaar voor.' Na die wijze woorden stond ze op om af te ruimen. Ellen was opgelucht nu ze haar hart had gelucht, en ook al ging haar tante er verder niet op door, ze wist dat ze bij haar altijd een luisterend oor zou vinden.

Peg deed de afwas, Ellen droogde af. Daarna haalde Peg het voer voor Mr. Badger en Bertie uit de zakken die ze in de provisiekast bewaarde. Ze had de gewoonte het varken een paar keer per dag over zijn rug te strijken. Toen Ellen ernaar vroeg, legde ze uit dat Bertie te mager was als ze zijn botten duidelijk kon voelen. En als ze die niet kon voelen, dan was het varken te dik. 'En dat willen we niet, hè, Bertie?' Peg krauwde hem lachend achter zijn oren, waarop het varken het uitgilde van genot. Mr. Badger kwam jaloers aanlopen en duwde zijn neus onder Pegs arm. Peg moest ze allebei tegelijk aaien en werd volledig omvergelopen, zodat ze op het grote kussen belandde, bedolven onder de hond en het varken.

'Ach, Ellen, loop even naar mijn slaapkamer, alsjeblieft. In de onderste la van de kast tegen de muur rechts ligt een oud fotoalbum. Wil je dat voor me halen?'

'Natuurlijk. Wat zijn het voor foto's?'

'Van je moeder als klein meisje.'

'O, wat leuk!' Ellen haastte zich de keuken uit en rende met twee treden tegelijk de trap op.

In de slaapkamer van Peg rook het naar talkpoeder en viooltjes. De eenvoudige kamer zag er keurig uit, met roze roosjes op het behang en de gordijnen. Het raam keek uit op de oceaan, waar de vuurtoren uitdagend standhield in weer en wind, alsof hij Ellen tartte zijn geheimen te onthullen.

Haar blik ging naar het nachtkastje. Daar stond, naast een beeldje van de Heilige Maagd, een zilveren lijstje met een foto van een klein meisje in een mooie witte jurk. Ze had lang zwart haar en glimlachte stralend. Bij de foto brandde een votiefkaars met een flakkerend klein vlammetje. Ellen liep erheen. Toen ze door haar knieën zakte en de kale plek op het tapijt zag, begreep ze dat Peg hier knielde om te bidden. Met een brok in haar keel bestudeerde ze het gezichtje van het kind dat Peg had verloren. Op datzelfde moment voelde ze een zachte windvlaag en doofde het vlammetje van de kaars. Geschrokken richtte Ellen zich op. Had ze de vlam per ongeluk uitgeblazen? Nee, dat kon niet. Daarvoor was ze niet dichtbij genoeg. Bovendien had ze dan heel gericht moeten blazen. Geschrokken keek ze om zich heen. Waar waren de lucifers? Dan kon ze de kaars weer aansteken. In het besef dat Peg zich onderhand afvroeg waar ze bleef, liep ze haastig naar de ladekast en haalde het album eruit. Voordat ze de kamer verliet, keek ze nogmaals achterom, nog altijd verbaasd dat de kaarsvlam zo plotseling was gedoofd. Een dun sliertje rook kringelde omhoog en loste op. Ellen keek naar het raam. Dat zat dicht.

11

Ik ben niet langer alleen. Het kleine meisje zegt weliswaar niets, maar ik weet dat ze zich bewust is van mijn aanwezigheid. Volgens mij moet ze een engel zijn, want ze is zo helder en stralend dat ze van goud zonlicht lijkt te zijn gemaakt. Ik ben daarentegen donker als een schaduw en gebonden aan de aarde. Maar wanneer ik haar blik weet te vangen, glimlacht ze naar me, en ik glimlach terug. Ziet ze de wanhoop in mijn ogen, ook al probeer ik die te verbergen?

Het kind dat ik op het eiland zag was geen meeuw die laag over de grond scheerde, maar deze kleine lichtstraal die ervan lijkt te genieten om met de vogels en in de ruïne te spelen, zoals ieder kind daarvan zou genieten, gedreven door nieuwsgierigheid. Ze is een en al vreugde. Sterker nog, licht en vreugde zijn blijkbaar synoniem, want daar bestaat ze uit, terwijl ik nog net zo onvolmaakt ben als tijdens mijn leven. Alleen ben ik in mijn eenzaamheid nog ongelukkiger.

Toch is mijn bestaan plotseling interessanter geworden nu Conor zijn zinnen op het meisje uit Londen heeft gezet. Ze is knap, met glanzend donker haar en chocoladebruine ogen. Haar neus is bedekt met kleine sproetjes, en ze heeft een volmaakte, stralende huid. Toch is ze niet echt bijzonder, terwijl Conor zich altijd aangetrokken heeft gevoeld tot bijzondere vrouwen; vrouwen die opvallen. Dat zou ik van Ellen niet kunnen zeggen, ook al heeft haar hartvormige gezicht iets liefs wat haar ontegenzeggelijk charmant maakt. Als ik nog leefde zou ik me volstrekt niet door haar bedreigd voelen, maar nu ik dood ben, wekt iedere vrouw die Conors pad kruist mijn jaloezie, zelfs al was het bij de meesten na één nacht gedaan met zijn belangstelling.

Conor is vierenveertig en weduwnaar, zij een frisse jonge vrouw van rond de dertig. Dus mijn angst is ongetwijfeld ongegrond, maar toch… De interesse in zijn blik toen hij haar tegenkwam in de heuvels, was onmiskenbaar. En ik heb gezien dat hij naar de Pot of Gold is gegaan, in de hoop haar daar te treffen. Terwijl hij weet dat hij daar niet welkom is. Dus hij moet wel heel erg in haar geïnteresseerd zijn. Ik heb gezien dat alle gesprekken verstomden toen hij binnenkwam, en ik heb gehoord dat er werd gefluisterd terwijl hij naar de bar liep om een biertje te bestellen. Craic deed alsof het allemaal heel gewoon was, tapte een Guinness voor hem en maakte een praatje. Ondertussen zag ik dat Conor zijn blik door de pub liet gaan, nerveus over zijn baard strijkend. Hij was zichtbaar teleurgesteld toen hij haar niet kon ontdekken tussen de vele nieuwsgierige gezichten. Omdat hij verder niemand had om mee te praten, schoof hij aan bij Joe en Johnny. Zijn gezicht lichtte op toen het gesprek op Ellen kwam en toen ze beloofden dat ze Ellen zouden vragen of ze Ida's nagels wilde lakken. Ik vond het niet prettig dat hij zijn dochter als excuus gebruikte voor een volgende ontmoeting, en ik weet zeker dat ze hem onmiddellijk doorziet. Maar ze gaat. Natuurlijk gaat ze. Er zijn maar weinig vrouwen die Conor iets kunnen weigeren. Dat weet ik als geen ander. En dan te bedenken dat ik mijn hoop op haar had gevestigd. Het is een teleurstelling dat ze die niet waard is. Dat ze haar begerige blik op mijn man heeft laten vallen, waardoor ik niets aan haar heb.

Ik wil niet dat ze Ida's nagels lakt. Ik wil haar niet weer in mijn huis. Ik wou dat ze terugging naar Londen en dat ze mijn gezin met rust liet. Maar helaas, ze komt. Met haar tante Peg. En ik kan er niets tegen doen. Ze heeft zich opgemaakt, met lange, donkere wimpers en glanzende lippen. Ik zie dat ze nerveus is, want haar vingers trillen wanneer ze een sigaret opsteekt en de rook uit het raam van de auto blaast. Bij de gedachte dat Conor dat straks zal ruiken, glimlach ik triomfantelijk. Hij rookte vroeger zelf ook, maar ik heb gezegd dat hij moest stoppen. Hoe kun je van de geuren in de tuin genieten als je neus vol zit met rook? Inmiddels vindt hij roken een verwerpelijke gewoonte.

Ida is in alle staten van opwinding. Ze heeft haar roze feestjurk aangetrokken en Daphne heeft haar haren bij elkaar gebonden met een lint. Ida mist het kasteel, want daar kon ze spelen dat ze een prinses was in een toren. Tegenwoordig moet ze genoegen nemen met een huis. Maar ze ziet er vandaag wel op en top uit als een prinses. Wat zou ik graag willen dat ik haar nagels mocht lakken, in plaats van die indringster uit Londen.

Ze zijn er. Peg parkeert de auto voor het huis. Ellen stapt als eerste uit. Er verschijnt een stralende glimlach op haar gezicht wanneer Conor opendoet. Nu zie ik waarom hij zich tot haar aangetrokken voelt. Het is heel simpel. Hij is donker, en zij is het licht. Net als alle schepselen van de duisternis wordt hij door het licht aangelokt. Haar glimlach is open en vol vertrouwen. De manier waarop ze hem kust, is helemaal 'Londen'. Ze heeft een wereldse, erudiete uitstraling die bij haar familie ontbreekt. Voor Conor, die houdt van opvallende vrouwen, schuilt daarin haar aantrekkingskracht, besef ik ineens. Ellen valt op omdat ze niet Iers is. Ze mist de Ierse melancholie, en ze is nog te jong om verbitterd te zijn door verdriet of teleurstelling. In plaats daarvan bezit ze een aanstekelijke uitbundigheid.

Ida staat naast haar vader. Ze is ineens verlegen. Maar Ellen zakt door haar knieën, doet haar tas open en laat zien wat ze bij zich heeft. De ogen van mijn dochter worden groot wanneer ze de glittertjes ziet die Ellen op haar nagels gaat plakken. Van verrukking houdt ze haar adem in. Conor kijkt toe, vol bewondering voor de vanzelfsprekende manier waarop Ellen met kinderen omgaat. Het klinkt misschien bitter, maar het is echt niet moeilijk om voor even het hart van een kind te veroveren. Ida zou zelfs de grootste heks lief vinden als die naar haar lachte en aanbood haar nagels te lakken.

Peg is nerveus, maar Daphne is ook in de hal en verwelkomt haar. De twee vrouwen kennen elkaar. Ronan had vroeger geen auto en wanneer hij voor mij aan het werk was, bracht Peg hem naar het kasteel. Maar ze zijn geen vriendinnen. Peg is heel anders dan mijn schoonmoeder. Ze hebben echter één ding gemeen. Ieder op hun eigen manier zijn ze excentrieke persoonlijkheden, en het duurt niet lang of ze zitten met een kop thee voor de haard in de salon te kletsen als oude vriendinnen. Ieren zijn echte praters, en ook al heeft Daphne dan geen Iers bloed, ze had niet spraakzamer kunnen zijn als ze hier was geboren en getogen. En dus praten ze honderduit, allebei.

Ik neem aan dat Peg als chaperonne is meegekomen. Te oordelen naar haar koele begroeting heeft ze de nodige reserves jegens Conor.

Anders dan haar nichtje! Ellen stalt haar spulletjes – nagellak, glitter en kleine, glimmende bolletjes – uit op de kaarttafel aan de andere kant van de salon, terwijl Conor erbij komt zitten met Ida en Ellen vol bewondering gadeslaat. Ellen heeft een blos op haar wangen, en af en toe slaat ze haar ogen naar hem op, met een blik alsof ze gefascineerd is door alles wat hij zegt. Ze lijken wel een stel tieners, zo opgewonden zijn ze door elkaars aanwezigheid. En de onmogelijkheid om alleen te zijn, geeft de situatie iets verbodens en maakt de opwinding alleen maar groter.

Ik sla hen aandachtig gade en voel de aantrekkingskracht die in golven warmte tussen hen heen en weer beweegt, zinderend als elektriciteit. Ze praten op gedempte toon, regelmatig onderbroken door Conors schallende lach en Ellens hese gegiechel. Peg kijkt nerveus hun kant uit, maar Daphne zegt zacht dat ze Conor in geen jaren zo uitbundig heeft horen lachen. En wanneer Peg opnieuw hun kant op kijkt is ze niet langer nerveus, maar vervuld van compassie, alsof ze hem ineens in een heel ander licht ziet. Alsof ze hem voor het eerst ziet als een man die zijn vrouw heeft verloren, in plaats van als een nogal tweedimensionaal personage uit een shakespeariaanse tragedie.

Daphne vindt Peg aardig, zie ik. Ze zorgt al vijf jaar voor haar zoon en zijn kinderen, maar hier, in Connemara, heeft ze verder niet veel aanspraak. Dus ze geniet van het gezelschap, en wat nog veel belangrijker is, ze voelt dat ze Peg kan vertrouwen. Ik zou haar kunnen vertellen dat ze er goed aan doet haar hart te luchten bij iemand die ook heeft geleden. Peg mag dan niet uit hetzelfde sociale milieu komen, en ze is niet half zo werelds en erudiet, maar Daphne is niet iemand die oordeelt op basis van dat soort oppervlakkigheden. Ik vond haar bemoeiziek toen ik nog leefde, maar nu ik dood ben, waardeer ik het in haar dat ze bovenal integer is, met een groot, warm hart. Peg lijkt haar nichtje te zijn vergeten, en wat Ellen en Conor betreft, die flirten en praten en plagen alsof ze alleen met z'n tweeën zijn.

Ida is verrukt van haar flonkerende nagels. Ellen is dan ook erg creatief. Ze heeft uit glimmend papier piepkleine hartjes en sterretjes geknipt en die met lichtroze lak op Ida's nagels geplakt. Het effect is betoverend, en Ida rent naar haar oma. Daphne en Peg bewonderen haar nagels uitbundig, als koerende duiven, en dan holt Ida naar haar broer.

Die zit voor de televisie en is natuurlijk niet geïnteresseerd. Conor daarentegen toont zich oprecht belangstellend. Ondertussen vraagt hij Ellen om iets over zichzelf te vertellen, en hij luistert gefascineerd naar alles wat ze zegt. Hij kijkt haar diep in de ogen, met die intense blik waaraan maar weinig vrouwen weerstand kunnen bieden. Ellen heeft een blos van plezier op haar wangen, en ik weet dat ze zich koestert in zijn aandacht, net zoals ik dat deed bij onze eerste ontmoeting. Wanneer ze hun thee op hebben, zegt Conor dat hij Magnum mee naar buiten neemt om Ellen de tuin te laten zien. Alsof daar ook maar iets te beleven valt in februari! Het enige wat er te zien is, zijn kale bomen en lege bloembedden! Peg en Daphne blijven bij het vuur zitten, blij dat ze ongestoord kunnen praten.

Ellen moet nog altijd niets van de grote hond hebben en ze kijkt een beetje angstig wanneer Conor hem uit de keuken haalt. Magnum is dolblij dat hij naar buiten mag. Hij tilt zijn poot op tegen de taxushaag, dan stormt hij weg over het gras. Ellen en Conor lopen op hun gemak de tuin in, en Ellen kijkt geboeid naar het vogelhuisje waar vinken, roodborstjes en zwermen pimpelmezen kibbelen om de zaden. Het gekwetter van vogels die elkaar het hof maken weerklinkt in de lucht, en in de aarde steken sneeuwklokjes hun kopje omhoog, als sneeuwvlokken die nog niet zijn weggesmolten. Aan de takken van de bomen zijn al knoppen zichtbaar, en in de bloembedden verschijnen kleine groene scheuten. De lente zit in de lucht, en die belofte heeft een aanstekelijke uitwerking op Conor en Ellen terwijl ze genietend van elkaars gezelschap tussen de appelbomen slenteren.

Uiteindelijk lopen ze de tuin uit, weg van Daphne, Peg en de kinderen. Ze zwerven steeds verder van huis om eindelijk alleen te kunnen zijn. Conor neemt Ellen mee naar de brug van de geitenbokken. Geleund over de stenen balustrade kijken ze naar het smalle beekje dat eronderdoor kabbelt. Ik word steeds bozer. Het voelt alsof ze zich op verboden gebied begeven. Mijn gebied! Deze vergeten plek is een stukje hemel dat per ongeluk op aarde is beland. Het is een plek tussen twee werelden, waar ik in alle rust kan nadenken over wat er gaat komen wanneer ik eindelijk besluit de aarde vaarwel te zeggen. Voor mijn gevoel hebben ze niet het recht daar te zijn. Samen! Terwijl de aantrekkingskracht, het golvende vibreren dat ik tussen hen kan voelen, steeds sterker wordt. Ik ervaar hun aanwezigheid hier als een gebrek aan respect voor mijn nagedachtenis. Woedend raas ik door mijn stille wereld. Het onrecht dat hij me aandoet drijft me tot waanzin. Weet hij dan niet dat ik hem en de kinderen heb verkozen boven de hemel? Beseft hij dan niet wat ik heb opgeofferd om bij hem te kunnen zijn? Ze staan lang te praten, op die magische plek tussen de dansende zonnevlekken die op elfen lijken. De beek stroomt onder hen door, en ik zou willen dat daar een trol zat die hen met huid en haar opslokte!

12

Leunend op de brug keerde Ellen zich naar Conor, en toen ze de broeierige blik in zijn ogen zag, wist ze dat hij haar ging kussen. Ze had geen tijd om na te denken. Maar al had ze die wel gehad, dan nog zou ze zich niet hebben verroerd, of het moment hebben verstoord met zwakke uitvluchten. Het roekeloze in haar wílde dat hij haar zoende, en het stemmetje dat haar zei voorzichtig te zijn, werd door begeerte het zwijgen opgelegd. Conor had geen uitnodiging nodig. Hij legde zijn hand in haar nek en drukte zijn lippen op de hare. Met gesloten ogen gaf ze zich over aan zijn kus. Zijn baard streek zacht langs haar huid, zijn mond was warm en hartstochtelijk, en zo lang zijn kus duurde, was ze zich slechts bewust van het moment, van de huiveringen van genot die door haar lichaam trokken.

'Ik vind je erg aantrekkelijk, Ellen,' fluisterde hij toen hij de kus eindelijk verbrak en teder een lok haar achter haar oor streek.

Ze voelde dat ze bloosde. 'Het gaat allemaal wel heel snel. Doorgaans ben ik niet zo...'

Hij onderbrak haar. 'Doorgaans laat je je niet op een brug door vreemde mannen kussen?'

'Nee, inderdaad.'

'Daar ben ik blij om. En ik kan je geruststellen, mijn respect voor je is er niet minder om geworden.' Ze zag een twinkeling in zijn ogen en Ellen besefte dat hij haar plaagde. Ze lachte een beetje beschaamd. Maar ze kon hem moeilijk vertellen dat iedereen haar voor hem had gewaarschuwd. Dat iedereen had gezegd dat ze voorzichtig moest zijn. Waarom eigenlijk? Wat hadden ze gedacht dat hij zou doen?

Hij streek met zijn vingers over haar wang en hij nam haar met zijn blauwe ogen aandachtig op, alsof hij haar ineens in een ander licht zag. Hij zag er niet uit als een man die in staat was zijn vrouw te vermoorden. 'Ik ben zo blij dat je verdwaald was, en dat je in mijn leven bent gekomen,' zei hij zacht. 'Ik ook.' Bij het horen van de tederheid in zijn stem maakte haar maag een kleine salto. Met een grijns legde hij zijn hand onder haar kin en hij kuste haar nogmaals, deze keer vuriger. Ellen voelde zich door hem omhuld, opgetild.

Hand in hand liepen ze de rivier langs, over de vochtige hei, door het hoge gras, begeleid door het gorgelen van het stromende water. Al pratend en lachend dwong Conor haar af en toe te blijven staan om haar in zijn sterke armen te nemen, om haar te kussen en haar dicht tegen zich aan te drukken. 'Ik wou dat dit moment eeuwig kon duren.' Hij drukte zijn lippen opnieuw op de hare, zodat ze geen antwoord kon geven. Maar door de manier waarop ze haar armen om zijn middel sloeg, wist hij dat voor haar hetzelfde gold. Het begon echter al snel te schemeren en het werd kouder, dus ze zetten met tegenzin koers naar huis.

Peg en Daphne zaten nog bij de haard. Ze hadden nauwelijks gemerkt hoe lang Conor en Ellen weg waren geweest. Daphne vertelde Peg over haar leven, maar ze was nog niet eens op de helft! Ida en Finbar waren in de speelkamer. Finbar zat een voetbalspelletje te doen op zijn iPad en Ida lakte de nagels van een pop die ze na jaren weer uit de speelgoedkast had gevist.

Voordat ze naar binnen gingen, stal Conor nog een kus op de veranda. 'Je wangen zijn ijskoud,' fluisterde hij, en hij wreef ze liefkozend met zijn duimen.

'Je baard zou ze wel opwarmen,' zei ze grijnzend, met in haar ogen de opgewonden schittering van een ondeugend schoolmeisje.

'Als je me de kans geeft, warm ik niet alleen je wangen op.'

'We moeten naar binnen. Stel je voor dat je moeder of tante Peg ons zo ziet.'

'Geweldig toch? Want ik weet niet wie er dieper geschokt zou zijn. Jouw tante of mijn moeder.'

Ze deden hun jas uit in de hal en liepen naar de keuken. Conor riep naar Meg, maar het was doodstil in de keuken, op het luidruchtige geslobber van Magnum na die water dronk uit zijn bak. Ellen leunde tegen de zijtafel en keek uit het raam naar de schemerige tuin. De middag liep ten einde en ze werd zich plotseling bewust van een overweldigend, maar zinloos verlangen om de klok stil te zetten. Hoe lang bleef hij nog? Wanneer ging hij terug naar Dublin? Conor zette de ketel op. Toen hij opkeek, zag hij de zorgelijke uitdrukking op haar gezicht. 'Wat zijn je plannen voor morgen?' vroeg hij.

'O, dan heb ik het razend druk.' Ze keerde de schemering de rug toe. 'Ik heb een date met een ezel en een lama.'

'En daarna?'

Ze zuchtte melodramatisch. 'Daarna met de kippen en het varken.'

Hij reikte over haar heen om twee mokken te pakken. 'En dáárna?'

Zijn gezicht was zo dicht bij het hare dat haar hart wild tekeerging, zodat ze bang was dat hij het hoorde.

'Dáárna heb ik misschien wel even tijd voor je,' antwoordde ze fluisterend. Ze deed een stapje bij hem vandaan.

Hij glimlachte en keerde zich weer naar de ketel. 'Laten we dan iets leuks gaan doen. We kunnen een eind gaan rijden, dan laat ik je de omgeving zien. Wat vind je? Ik weet een leuke pub waar we kunnen lunchen, zonder dat je hele familie ons in de gaten houdt.'

'Ja, in Ballymaldoon valt het niet mee om mijn familie te ontlopen.'

'Waar een wil is, is een weg.' Hij grijnsde ondeugend, en ze grijnsde terug. 'Dus zeg het maar! Wat zou je leuk vinden?'

Ze haalde haar schouders op. 'O, er is een heleboel wat ik leuk vind.'

'Vertel!'

'Ik ben dol op verlaten stranden en op kasteelruïnes.'

'Nou, dan kun je hier je hart ophalen.'

'En ik vind het heerlijk om buiten te zijn, in de vrije natuur.'

Hij nam haar onderzoekend op. 'Ik ook. Dat is ook de reden dat ik Ballymaldoon Castle heb gekocht. Om in de heuvels te zijn, omringd door rust en schoonheid. Ik werk in de stad, maar het platteland trekt aan me. Telkens als ik hier ben, besef ik hoezeer ik het heb gemist.'

'Ik hou van een simpel bestaan. Maar als je me een paar weken geleden hetzelfde zou hebben gevraagd, had ik iets heel anders gezegd.'

'Hoe komt dat?'

'Nu ik weg ben uit de stad, nu ik afstand heb kunnen nemen, heb ik een duidelijker zicht op mijn leven gekregen. En ik ben tot de conclusie gekomen dat ik het allemaal heel anders wil.'

Hij schonk kokend water in de theepot. Op dat moment kwamen Ida en Finbar de keuken binnenstormen. 'Wil je m'n tenen ook doen?' vroeg Ida aan Ellen.

Ze moest lachen om het enthousiasme van het kind. 'Natuurlijk. Tenminste, als je glimmers op je tenen mag.'

'Mag het, papa?' Ze vouwde smekend haar handjes.

'Van mij wel. Maar dat doen we een andere keer, lieverd. Ellen wil nu even met de grote mensen praten.'

'Mag ik iets lekkers?' vroeg Finbar.

Conor keek op de klok aan de muur. Het was bijna zes uur. 'Vraag maar aan oma,' zei hij, maar Finbar luisterde niet. Hij pakte de koektrommel, stak zijn hand erin en hield met een triomfantelijke grijns naar Ellen een havermoutkoekje met chocola omhoog.

Ze liepen naar de salon, waar Daphne in de gemakkelijke stoel bij het vuur zat en Peg op de bank. Ida rende vooruit en vroeg haar oma of ze iets te eten wilde maken. Peg keek op haar horloge. 'Lieve hemel, is het al zo laat? De middag is omgevlogen! Ellen en ik moeten ervandoor.' Met een gegeneerde blos kwam ze overeind. 'Ik hoop dat we geen misbruik hebben gemaakt van je gastvrijheid.'

'Nee, natuurlijk niet!' zei Daphne, en ze meende het. Ze had nog nooit zo'n enthousiast gehoor gehad. 'Jullie moeten vaker komen. We kennen hier in het dorp bijna niemand en het is leuk om af en toe bezoek te krijgen. Ik ben hier eigenlijk altijd alleen met de kinderen en ik vond het een verademing om eens met een volwassene te praten.'

'Ach, je hebt net thee gezet,' zei Peg toen Conor met het blad in de deuropening verscheen.

'Nou, het zou toch zonde zijn om die weg te gooien?' Daphne liet zich weer in haar stoel zakken. 'Waarom blijven jullie niet nog een poosje? Dan maak ik daarna wel eten voor de kinderen. Ze vermaken zich nog wel even.'

Peg keek vragend naar haar nichtje. Bij het zien van Ellens blozende wangen kneep ze wantrouwend haar ogen tot spleetjes. 'Wat vind jij,

Ellen? Ik denk dat we niet langer beslag moeten leggen op hun tijd.'

'Waarom niet? Jullie zitten ons echt niet in de weg.' Conor zette het blad op tafel, en daarmee was de discussie gesloten.

Ellen ging op de bank zitten, naast Peg. Conor gooide een blok op het vuur, liet zich in de andere fauteuil vallen en strekte loom zijn lange benen. Daphne nestelde zich weer in het holletje van haar kussens. Zo dronken ze genietend van hun thee. Peg nam een paar koekjes van het bord dat Conor had neergezet, en het duurde niet lang of Finbar volgde haar voorbeeld. Toen ging hij op de grond liggen, om ze te delen met Magnum, die zich als een luie leeuw op het tapijt had uitgestrekt. Ida speelde zacht neuriënd met de glimmende bolletjes die Ellen op de kaarttafel had laten liggen.

Het was een knus tafereel, beschenen door goudgeel lamplicht. Het vuur knetterde vrolijk en was aangenaam warm, het brandende hout verspreidde een heerlijke geur. Daphne had de zachtgele gordijnen gesloten – dezelfde kleur geel als de muren – en een geurkaars aangestoken, die een zacht schijnsel verspreidde. Ze praatten en lachten als oude vrienden, en alleen Conor en Ellen waren zich bewust van de gevoelens die ze voor elkaar hadden opgevat. Gevoelens die steeds sterker werden. Ze keken elkaar veelbetekenend aan en door het geheim dat ze deelden, leek het alsof ze op een eiland zaten, waar hun afzondering hen steeds dichter tot elkaar bracht.

13

'Dat was een leuke middag,' zei Peg terwijl ze over de smalle landweggetjes naar huis reden. 'Ik moet je eerlijk zeggen dat ik er aanvankelijk bepaald niet gelukkig mee was vanwege alles wat ik weet over meneer Macausland, eh... Conor. Maar hij was erg aardig. En zijn moeder ook.'

Ellen keek uit het raampje. Terwijl ze dromerig met haar vingers over haar lippen ging, kon ze zijn zachte baard nog voelen. 'Dat had ik je kunnen voorspellen. Maar dat mag ik natuurlijk niet zeggen, dus dat doe ik dan ook maar niet...'

Peg lachte. 'Geef me eens een sigaret. Ik zag nergens een asbak staan. Blijkbaar roken ze niet. Wat denk jij?'

Ellen grabbelde in Pegs tas en haalde het pakje Rothmans tevoorschijn. 'Dat denk ik ook. En het ís ook eigenlijk een afschuwelijke gewoonte. Ik ga stoppen. Nu meteen.'

'Ik ook,' zei Peg. 'Ooit. Maar niet nu. Ga je echt stoppen?' vroeg ze verrast, terwijl Ellen een sigaret voor haar opstak met de aansteker van de auto. 'Zomaar? Van het ene op het andere moment? Je zei toch dat je nog op zoek was naar een goede reden?'

'Ja, en die heb ik nu. De frisse buitenlucht. Daar wil ik ten volle van kunnen genieten.' Ellen keek weer uit het raampje. Het was inmiddels donker en het enige wat ze zag was haar eigen spiegelbeeld, dat haar dromerig aanstaarde met een verliefde blik in de ogen.

'Daphne had zo veel interessants te vertellen,' zei Peg.

'Was ze erg indiscreet?'

'Ja, heel erg!'

'Vertel! Wat zei ze allemaal?'

Peg deed haar raampje open om de rook naar buiten te laten ontsnappen. 'Nou, onder andere dat Conor sinds Caitlins dood geen film meer heeft gemaakt. Hij heeft geen inspiratie, dat is het probleem. Het huwelijk is van meet af aan niet goed geweest en ze hadden vaak ruzie. Volgens Daphne stelde Caitlin hem steeds meer teleur. Hoe, dat vertelde ze er niet bij. Maar door de manier waarop ze haar wenkbrauwen optrok, begreep ik wel dat Caitlin behoorlijk verkeerd bezig was. Ik kon natuurlijk niet doorvragen, maar Conor was er blijkbaar kapot van. De buitenwereld beoordeelt hem helemaal verkeerd, zei Daphne. Omdat Caitlin zo mooi was, zag iedereen haar als een engel. Maar ze was erg afhankelijk en onzelfstandig en enorm veeleisend. Helemaal geen engel, dus. Mannen houden niet van afhankelijke vrouwen. Ja, misschien in het begin, als ze nog verliefd zijn. Maar uiteindelijk verliest dat zijn charme en wordt het irritant. Caitlin was jaloers op de hechte band tussen Daphne en haar zoon, ze was jaloers op zijn vrienden, ze heeft zelfs geprobeerd hem zover te krijgen dat hij zijn hond wegdeed. Dat kun je je toch bijna niet voorstellen? Dat iemand zo onzeker kan zijn?'

'Lieve hemel, Daphne heeft inderdaad geen blad voor de mond genomen, hè?'

'Volgens mij vond ze het heerlijk om haar hart te luchten. Het zat haar duidelijk hoog. En omdat ik geen deel uitmaak van haar kennissenkring, maakt het ook niet uit wat ze me vertelt, toch?'

'Ik weet zeker dat Conor het afschuwelijk zou vinden als hij het wist.'

'Vast wel, maar ze was niet te stuiten. Ik kwam er bijna niet tussen. Ik denk dat ze schoon genoeg heeft van het hele gedoe. Want ze weet natuurlijk wat er wordt gefluisterd. Dus ze greep de kans om het op te nemen voor haar zoon met beide handen aan.'

'Ze denkt vast dat jij het aan iedereen doorvertelt.'

'En daar heeft ze gelijk in. Hoewel dat bij Johnny en Joe en Ronan niet zal mogen baten. Er is heel wat meer voor nodig dan de verhalen van Daphne om ze ervan te overtuigen dat Caitlin niet de engel was die zij in haar zagen.'

'Wat weten we eigenlijk van Caitlin?' vroeg Ellen.

'Ze komt uit Galway, uit een keurig, doorsnee gezin. Maar ze is nooit een stadskind geweest. Het was haar droom om carrière te maken als actrice, ook al zou ze volgens Daphne nooit verder zijn gekomen dan

Dublin. Ze was te verlegen, te onzeker en te bang om de wereld te veroveren. Weet je dat ze in haar hele huwelijk niet één keer naar het buitenland is geweest? Dat is toch merkwaardig, in deze tijd? Met een man als Conor had ze overal naartoe kunnen gaan waar ze maar wilde. Hij verdiende geld als water met zijn films. Maar ze bleef het liefst hier, in Connemara. Conor is volgens mij veel te snel met haar getrouwd, toen hij nog smoorverliefd was. Pas later ontdekte hij hoe ze werkelijk was. Dat heeft Daphne niet met zoveel woorden gezegd, maar dat kon ik opmaken uit wat ze vertelde. Conor heeft heel erg zijn best gedaan om Caitlin gelukkig te maken, zei ze. Maar het was blijkbaar nooit genoeg. Volgens Daphne had ze altijd zo'n vage, verre blik in haar ogen, alsof ze niet helemaal spoorde, zal ik maar zeggen. Ze was vaag. Grillig. En ik moet zeggen, Conor ziet eruit alsof hij door een hel is gegaan, vind je niet? Echt verschrikkelijk!'

Ellen voelde zich geroepen het voor hem op te nemen. 'Ik vond juist dat hij er aantrekkelijk uitziet.'

'Hm. Als je van wilde, ruige mannen houdt.'

Ellen keek glimlachend uit het raampje om haar vurige blos te verbergen. 'Dat is juist romantisch.'

'Waar zijn jullie naartoe gewandeld?'

'Hij heeft me een heel mooi plekje laten zien. Een oude stenen brug over een riviertje. Vroeger leidde de weg eroverheen, maar die is inmiddels helemaal overwoekerd. Alleen de brug is er nog. Echt heel romantisch.'

'Denk erom dat je niet verliefd op hem wordt! Hij mag er dan leuk uitzien, maar hij is een gecompliceerde man, met een gecompliceerde geschiedenis. Als ik jou was, zou ik mijn handen er niet aan branden.'

Ellen kon het niet over haar hart verkrijgen om tegen haar tante te liegen. Dat had Peg niet aan haar verdiend. Dus zei ze verder niets over Conor. In plaats daarvan begon ze over de kinderen, en dat het zo'n leuk huis was. Ze waren het erover eens dat het merkwaardig was dat Conor het kasteel had afgesloten en alleen Caitlins portret had laten hangen. 'Misschien haalt hij het er ooit weg, als hij eindelijk zover is om het verleden achter zich te laten,' opperde Peg. 'Maar misschien komt hij wel nooit zover. Ik heb zo'n idee dat hij diep vanbinnen nog altijd van haar houdt en dat hij gebukt gaat onder schuldgevoel omdat hij niet méér voor haar heeft gedaan. Volgens mij is dat ook de reden dat hij in Bally-maldoon is blijven wonen. Om dicht bij haar te blijven. En misschien laat hij daarom het schilderij ook hangen. Zo raadselachtig is het alle-maal niet, denk ik. Eigenlijk is het heel eenvoudig. Hij wil bij haar in de buurt blijven. En dat begrijp ik heel goed.'

Ellen besefte dat haar tante het meer over zichzelf had dan over Conor. Ze wilde naar haar dochtertje vragen, maar Pegs gezicht stond zo strak dat ze dat niet durfde, uit angst opdringerig te lijken. Zou haar tante merken dat de votiefkaars op haar nachtkastje was uitge-gaan? Het liefst zou ze het haar hebben verteld, maar ze wilde niet toe-geven dat ze had lopen neuzen. Ze vouwde haar handen in haar schoot en keek naar de weg vóór hen, die werd verlicht door de kop-lampen van de auto.

Toen ze thuiskwamen stond Johnny's pick-up op het grind, naast die van Desmond. 'Kijk eens aan! We hebben publiek.' Peg parkeerde de Volvo.

'Ze willen natuurlijk weten hoe het ging.'

'Reken maar.' Peg zette de motor uit en werkte zich kreunend uit de auto. Ze klaagde nooit over haar pijnlijke botten, maar het was Ellen niet ontgaan dat ze een beetje scheef liep en dat ze vaak moeite had met overeind komen. 'Nou ja, zeg! Ze hebben zichzelf binnengelaten, dus we kunnen er niet onderuit. Maar ik vind het wel erg vrijpostig!' Haar vluchtige glimlach verried echter dat ze maar wat blij was met het be-zoek van haar broers.

Ellen wenste dat ze rechtstreeks kon doorlopen naar haar kamer, om languit op bed te gaan liggen en terug te denken aan het moment waar-op Conor haar voor het eerst had gekust. Ze had nog steeds vlinders in haar buik. Het zachte stemmetje van haar geweten was het zwijgen op-gelegd, want Conor had William volledig aan het oog onttrokken, als een grote, stralende maan die haar hele hemel vulde.

Zodra de keukendeur openging, vielen de gesprekken stil. Peg liep als eerste naar binnen. Joe en Johnny, Desmond en Alanna zaten met Oswald aan tafel. Omdat Peg zich bukte om Mr. Badger te begroeten, werd het gezelschap nog even in spanning gehouden. 'Hallo, ouwe jon-gen!' zei ze teder, terwijl de hond kwispelend zijn natte neus tegen haar aan drukte.

'Krijgen we het verhaal nog te horen, of hoe zit het?' vroeg Desmond nors, net op het moment dat Ellen binnenkwam.

Ze grijnsde naar Joe, die veelbetekenend zijn wenkbrauwen optrok. 'Misschien. Eerst een Jameson!' Peg liep naar de tafel en reikte naar een glas in de kast erboven. 'Ik hoop dat je jezelf een glas wijn hebt ingeschonken,' zei ze tegen Oswald.

'Maak je geen zorgen, Peg. Hij was perfect op temperatuur. Rechtstreeks van de Stanley,' antwoordde hij met een glimlach.

'En jullie doen alsof je thuis bent, zie ik.' Peg wierp een blik op de mokken thee en de schalen met koekjes en cake.

'We wilden je verrassen, Peggine,' zei Joe.

'Nee, dat wilden jullie helemaal niet.' Peg schonk zich een whisky in. 'Jullie waren benieuwd naar de roddels. Ik ken jullie!'

'Pa en ik hebben cake meegebracht,' voegde Joe eraan toe.

'Jack is dol op cake,' merkte Peg op.

'En, was de kleine Ida blij met haar nagels?' vroeg Alanna aan Ellen.

'Ze vond het helemaal geweldig.' Ellen stond nog altijd bij de deur, niet echt op haar gemak.

'Blijf daar nou niet staan. Ga zitten. We willen alles horen.' Joe klopte op de bank naast zich. 'Wees maar niet bang. We bijten niet.'

'O, daar ben ik ook niet bang voor,' plaagde Ellen hem terug. 'Meer voor je onweerstaanbare charmes!'

Joe begon te lachen, maar Johnny schudde zijn hoofd. 'Onweerstaanbare charmes!' schamperde hij. 'Doe me een lol. Hij heeft het al veel te goed met zichzelf getroffen.' Ellen werkte zich achter de tafel om naast Joe te gaan zitten.

'En, hoe is het huis?' vroeg Alanna.

'Jaysus, mens. Wat kan ons dat huis schelen!' zei Desmond. 'Peg, kom hier zitten met je borrel en verlos ons uit ons lijden.'

Peg kwam met haar glas en een kannetje water naar de tafel en ging op Jacks stoel zitten. De vogel verroerde zich niet, en er was niemand die aandacht aan hem schonk. Peg nam een slok whisky. 'Dat smaakt,' verzuchtte ze genietend. 'Ik zit tot de nok toe vol met thee.'

'Dus, Conor valt op Ellen, waar of niet?' vroeg Joe met een zelfgenoegzame grijns. 'Hij was zeker wel verbaasd toen je met Peggine kwam aanzetten?'

'Misschien.' Peg stak gewichtig haar kin naar voren. 'Maar dat had hij kunnen weten. Ik zou een slechte tante zijn als ik mijn nichtje helemaal alleen bij een vreemde kerel op bezoek liet gaan, of niet soms?'

'En, zat hij naar je te lonken? Over de tafel heen?' vroeg Joe uitdagend.

'Nee, Joe, hij lonkte niet,' diende Ellen hem van repliek.

'Zat jij tussen hen in, Peg? Net als tante Sheila, die bij het dansen altijd tussen ons in ging zitten, om te zorgen dat we elkaar niet aanraakten?' vroeg Johnny.

'Helemaal niet. Ik zat met Daphne bij de haard. Daphne is Conors moeder.'

'Ach, dus nu is het ineens "Conor"?' zei Joe plagend.

'Ja, daar lijkt het wel op.' Peg glimlachte onwillekeurig. Ze was altijd bereid het humoristische van een situatie te zien, ook als het haarzelf betrof. 'Ik kan moeilijk meneer Macausland blijven zeggen als ik zijn moeder Daphne noem.'

'Wat voor iemand is het? Zijn moeder, bedoel ik?' vroeg Alanna.

Peg glimlachte. 'Daphne is kostelijk. Ze praat honderduit, vertelt de ene roddel na de andere. We hebben ons echt prima vermaakt.'

'En waar hadden meneer Macausland en jij het over, terwijl Peg en zijn moeder elkaar de oren van het hoofd praatten?' vroeg Desmond aan Ellen. Anders dan zijn broer en zijn neef, kon Desmond de situatie volstrekt niet grappig vinden.

Ellen haalde haar schouders op. 'Ach, over van alles en nog wat. Ik heb de nagels van zijn dochter gelakt.'

'Terwijl hij over de tafel heen naar je zat te lonken,' zei Joe weer.

'Kappen, Joe,' zei zijn vader. 'Wat ik wil weten, is of hij je vaker wil zien.'

'O, Ellen! Pas toch op!' Alanna fronste bezorgd haar voorhoofd. 'Die man bezorgt je alleen maar narigheid.'

'Precies. Het zou heel onverstandig zijn om met hem op stap te gaan. Hij is niet te vertrouwen.' Desmond keek haar zo dreigend aan dat Ellen bijna ineenkromp.

'Hij is anders,' zei Alanna.

'Hoe bedoel je, hij is anders?' vroeg Ellen.

'Hij is geen Ier,' zei Desmond gedecideerd.

'Dat ben ik ook niet,' merkte Ellen op. 'Mijn vader is Engels. Of was je dat vergeten?'

'En dat is niets om je voor te schamen!' verklaarde Peg heftig. 'Als Ellen met Conor op stap wil, dan moet ze dat zelf weten. Ze is oud en wijs genoeg om voor zichzelf te zorgen.' Ellen was haar tante dankbaar dat ze haar te hulp kwam, maar ook een beetje verrast. Tenslotte had Peg haar net zo nadrukkelijk gewaarschuwd als de anderen.

Oswald deed ook een duit in het zakje aan de andere kant van de tafel, waar hij het geplaag en gepraat genietend had aangehoord. 'Met verbieden maak je iets alleen maar aantrekkelijker.'

Desmond staarde nijdig in zijn thee. 'Maar ze moet wel weten hoe wij erover denken,' zei hij.

'Soms kun je maar beter niks weten en je zelf een oordeel vormen,' vervolgde Oswald wijs. 'Voorkennis kan hinderlijk zijn.'

'Maar vertel, wat zei Daphne allemaal?' vroeg Alanna aan Peg. Ze trommelde ongeduldig met haar vingers op tafel.

Peg zuchtte, maar ging uiteindelijk overstag. 'Iedereen dacht dat ze een engel was,' besloot ze haar verhaal. 'Maar dat was ze niet.'

Johnny reageerde precies zoals Peg had verwacht. 'Onzin! Natuurlijk zegt Daphne dat! Ze is zijn moeder.'

'Onze moeder zou precies hetzelfde hebben gedaan. Die zou ons te vuur en te zwaard hebben verdedigd, zelfs als we een moord hadden gepleegd,' zei Desmond.

'Conor is geen moordenaar,' zei Peg vermoeid. 'Het was een ongeluk, meer valt er niet over te zeggen.'

'Maar wie was dan die man die van het eiland weg roeide?' vroeg Joe, met een beschuldigende klank in zijn stem.

'De dwergen in Dylans hoofd,' antwoordde Peg bijdehand. 'Je moet niet alles geloven wat hij zegt!'

'Heb je hem gezien, vandaag? In een jasje met een das!' Joe lachte.

'Ik begrijp niet wat hem ineens bezielt,' viel Alanna hem bij. 'Hij kwam bij me in de winkel, maar ik herkende hem amper. Hij had zijn haar naar achteren geborsteld, uit zijn gezicht.'

'Wat deed hij in godsnaam bij jou in de winkel? Heeft hij wat gekocht?' vroeg Desmond.

'Nee, alleen maar rondgekeken.'

'Hij zal wel dronken zijn geweest en gedacht hebben dat jij de pub was,' zei Joe grinnikend.

Alanna schudde haar hoofd. 'Nee, hij was niet dronken. Integendeel, hij zag er goed uit. Sterker nog, hij zag er knap uit. '

'Dat doet me deugd,' zei Peg. 'Dylan was vroeger een knappe kerel.'

'Misschien dat hij eindelijk heeft besloten om Martha ten huwelijk te vragen,' opperde Desmond.

'Arme Martha,' zei Alanna met een zucht. 'Ze is dol op hem. Als ik dacht dat het zin had, zou ik tegen haar zeggen dat ze haar tijd aan hem verspilt. Want ik denk niet dat Dylan ooit kiest voor een geregeld leven. Wat denk jij?'

'Ach, misschien wil ze helemaal niet trouwen,' antwoordde Peg. 'Misschien vindt ze het gewoon fijn om bij hem te zijn.'

'Dat kan ze ook als ze naar de pub gaat,' zei Desmond grinnikend.

'Mensen kunnen beter trouwen. Dan zijn ze beter af. Tenminste, zo denk ik erover,' zei Alanna. 'Volgens mij is de mens niet geschapen om alleen te zijn.' Het bleef even stil, en Ellen vroeg zich af wat Oswald en Peg van die stelling vonden. Toen begon Alanna weer met haar vingers op de tafel te trommelen. 'Zeg, Ellen. Kom je zondag na de kerk bij ons eten? Pastoor Michael wil je ook graag leren kennen. Je gaat toch naar de kerk?' vroeg ze, toen ze zag dat Ellen aarzelde. En Ellen wist intuïtief dat ze de uitnodiging niet kon weigeren.

'Natuurlijk. Gezellig. En met "eten" bedoel je lunchen, toch?'

'Onze stadse madam!' zei Joe grinnikend.

'Kappen, Joe,' mopperde zijn vader weer. 'Ze heeft groot gelijk dat ze het vraagt.'

Alanna straalde. 'Geweldig. Dan wordt het een echte familiebijeenkomst.'

Zo praatten ze verder. Peg en Alanna wisten nog wat koud vlees en aardappels tevoorschijn te toveren en ze bleven allemaal eten. Het was al laat toen Peg hen eindelijk de deur uit had gewerkt. Oswald slofte terug naar zijn eigen huis. Hij had iets dieper in het glaasje gekeken dan anders. En Peg nam Bertie en Mr. Badger mee naar buiten voor een rondje om het huis voor het slapengaan.

Ellen ruimde de tafel af. Terwijl ze de peper en het zout terugzette in de kast, was ze zich bewust van het hartverwarmende gevoel dat ze erbij hoorde. Pegs keuken was haar inmiddels zo vertrouwd. Omringd door familie had ze zich die avond niet langer een buitenstaander gevoeld. Het had haar goed gedaan te merken hoe bezorgd ze om haar waren nu Conor Macausland belangstelling voor haar bleek te hebben. Het was troostrijk te weten dat Desmond, Joe en Johnny de koppen bij elkaar hadden gestoken om haar in bescherming te nemen. Ze deden haar denken aan drie grizzlyberen, en met zulke beschermers was het bijna onmogelijk je niet veilig te voelen. Ze was echter vastberaden het contact met Conor voort te zetten, of zij het nu leuk vonden of niet. Maar ze zou wel voorzichtig moeten zijn en hun ontmoetingen geheim moeten houden.

Peg kwam weer binnen met Mr. Badger en Bertie en deed de deur achter zich op slot. Toen liepen ze de trap op naar boven, als oude, vertrouwde huisgenoten. Ellen was zich ervan bewust hoe ontspannen de relatie was met haar tante. Het was alsof ze hun hele leven al onder hetzelfde dak woonden.

'Ik hoop dat je lekker slaapt, Ellen.'

'Vast wel, tante Peg. Het was een heerlijke dag.'

'Wat ga je morgen doen?'

'Ik wilde wat rondkijken in de buurt.'

'Goed idee. Neem mijn auto maar mee, dan kun je Ierland een beetje beter leren kennen.' Op de overloop bleef ze nog even staan. 'Je bent toch niet eenzaam, hè, als je alleen op stap gaat?'

'Helemaal niet. Ik kan heel goed alleen zijn. Ik hou van de rust.'

'Dat komt doordat je een schrijver bent. Je hebt tijd nodig om alleen te zijn met je gedachten. Nou, tot morgen dan maar. Slaap lekker.' Ellen keek haar na terwijl ze door de gang naar haar kamer liep. Ze stelde zich voor dat haar tante voor de foto van haar dochtertje zou knielen om te bidden. Ze had een brok in haar keel bij de gedachte dat Peg haar verdriet helemaal alleen moest dragen, zonder het te kunnen delen met haar man. En opnieuw vroeg Ellen zich af of het Peg zou opvallen dat de votiefkaars was gedoofd.

Eenmaal in bed probeerde ze uit alle macht haar gedachten te ordenen. Ze wilde niet aan William denken, maar hij dook telkens weer op, als een koppige kurk op de wilde oceaan in haar hoofd. In zijn schitterende maatpak van Savile Row bood hij een verzorgde aanblik. Hij had zijn blonde haar uit zijn gezicht gestreken, en met zijn bruine ogen keek hij haar verontwaardigd en onderzoekend aan. Een frisse, jeugdige verschijning met een gladde huid. Hij hoefde zich nauwelijks te scheren, zijn handen waren zacht en verzorgd omdat hij altijd in de City had gewerkt. Zijn lach was luchtig, zorgeloos, want zorgen en tegenslag had hij nooit gekend. Het ergste wat hem was overkomen, was af en toe een uitnodiging voor een 'belangrijke' gebeurtenis met 'belangrijke' mensen die hij per abuis niet had gekregen, of een kledingstuk dat zoekraakte bij de stomerij. Hij leidde een comfortabel, geprivilegieerd bestaan. Anders dan bij Conor had zijn knappe uiterlijk iets oppervlakkigs en vanzelfsprekends.

Ze begreep maar al te goed waarom ze zich tot William aangetrokken had gevoeld. Hij was aardig en charmant, maar ze had onbewust ook geweten dat hij 'de juiste man' voor haar was in de ogen van haar ouders en haar vrienden. Ze pasten bij elkaar, als rashonden die zorgvuldig met elkaar werden gekruist. Het leven dat ze tegemoet gingen, zou zich langs dezelfde paden bewegen als het leven dat Ellen tot op dat moment had geleid. Een comfortabel bestaan, veilig, zonder verrassingen, als de eersteklascoupé van een goed geoliede trein. Maar dat wilde ze niet langer. Ze wist alleen niet hoe ze dat tegen William moest zeggen. Weglopen had zo veel gemakkelijker geleken dan de waarheid onder ogen zien. Maar als haar opstandige reactie nu eens een fase was, zoals haar moeder ongetwijfeld zou zeggen? Als het nu eens zenuwen voor de bruiloft waren? Als ze zich nu eens alleen maar tot Conor aangetrokken voelde omdat hij de volmaakte tegenpool was van William? Als dit avontuur nu eens als een nachtkaars zou uitgaan, waarop ze met hangende pootjes zou terugkeren naar Londen en de goed geoliede trein, een en al spijt en berouw? En als William nu eens iemand anders tegenkwam terwijl zij weg was, met als gevolg dat ze – net als Dylan – de rest van haar leven zou smachten naar haar verloren liefde?

Maar toen het bleke licht van de dageraad de volgende morgen door de gordijnen scheen, voelde ze alleen maar opwinding over de dag die voor haar lag. Ze ging voor het raam staan en keek naar de vuurtoren die oprees uit de mist, als een jonge loot die na de winter door de koude aarde brak. William was verdwenen, naar de achtergrond gedrongen. De enige aan wie ze kon denken, was Conor.

14

Ellen reed door de laan met de eeuwenoude eiken naar Reedmace House. Ze hoopte vurig dat Johnny en Joe haar niet zagen. De kans was groot dat ze op het kasteel aan het werk waren, en volgens haar leidde de enige weg naar Conors huis door het park. Ze reed dan ook enigszins gespannen langs het kasteel, waar Johnny's pick-up inderdaad op zijn vaste plek stond geparkeerd. Maar met hun werkgever in de buurt was er geen schijn van kans dat vader en zoon de kantjes eraf liepen, en Ellen had geluk. Ze waren nergens te bekennen en ze wist het kasteel onopgemerkt te passeren.

De mist was opgetrokken en de zon stond stralend aan een bleekblauwe hemel. Ze deed het raampje omlaag om het vrolijke gekwetter van de vogels te horen, met af en toe de roep van een specht tussen de bomen. Op de aarden wallen groeiden sneeuwklokjes en glinsterde het gras smaragdgroen. Het zou niet lang meer duren of alles stond in bloei en dan zou het landgoed veranderen in een wonderbaarlijke explosie van kleur. Ze haalde diep adem en rook de aardse geur van de lente.

Toen ze voor het huis stopte, bedacht ze hoe jammer het was dat ze haar jas en haar laarzen had geruïneerd. De kleren van Peg waren niet bepaald modieus. Gelukkig had ze wel haar eigen strakke spijkerbroek aan, met haar blauwe trui met de v-hals. Na een laatste blik in haar achteruitkijkspiegeltje stapte ze uit. Haar hart ging wild tekeer toen ze naar de deur liep. William had nooit zo'n koortsachtige opwinding veroorzaakt. Ze had geen tijd om te kloppen en tot rust te komen, want de deur vloog open, en daar stond Conor, met Magnum naast zich.

'Goedemorgen!' zei hij met een warme glimlach.

'Goedemorgen,' antwoordde ze verlegen, terwijl ze vergeefs probeerde haar zenuwen onder controle te krijgen. Hij deed een stap naar voren, sloeg zijn armen om haar middel en kuste haar direct op de mond, waarmee hij op slag elk gevoel van ongemakkelijkheid de kop indrukte. Ze lachte. 'Dat is beter,' zei hij. 'Wil je nog iets drinken voor we vertrekken?'

'Nee, ik heb net ontbeten.'

'Oké. Laten we dan maar meteen gaan.' Hij liet Magnum naar buiten en trok de deur achter zich dicht. Ze volgde hem naar de stallen achter het huis. Daar stond de Range Rover. Hij deed de achterklep open voor de hond. 'Magnum vindt het afschuwelijk als hij thuis moet blijven,' zei hij. 'En hij heeft er geen moeite mee om het vijfde wiel aan de wagen te zijn. Bovendien is hij ongelooflijk discreet.'

'Daar ben ik blij om. Want mijn hele familie heeft besloten zich ermee te bemoeien.'

'Dat verbaast me niks.' Hij hield het portier voor haar open. 'Wees blij dat je zo veel mensen om je heen hebt die om je geven.'

Ze vertrokken, maar deze keer sloeg Conor links af aan het eind van de oprit, een boerenpad op. Na ruim een kilometer kwam hij via een overwoekerde doorgang aan de voet van de heuvel op de weg uit. 'Gewoon, voor de zekerheid.' Hij grijnsde. 'Ik wil je reputatie niet bederven.'

'Ik weet niet of ik die wel heb.'

'Des te meer reden.' Hij trapte het gaspedaal iets dieper in. 'En, had je tante ons door?'

'Volgens mij heeft ze zo gezellig met je moeder zitten praten dat ze niets in de gaten had.'

'Mooi zo. Mijn moeder vindt het hier erg stil en ze heeft haar hart kunnen ophalen met Peg.'

'Wist je dat ik de familie van mijn moeder helemaal niet kende? Ik heb ze nu pas voor het eerst ontmoet.'

Hij was niet echt verrast. 'Ik had je naam ook nog nooit gehoord, terwijl ik toch de meeste mensen in Ballymaldoon wel ken.'

'Mijn moeder, de zus van Peg, is destijds op stel en sprong vertrokken om met mijn vader te trouwen. En ze is hier nooit meer terug geweest. Ik heb me hier verstopt omdat dit de enige plek is waar ze me niet zal zoeken.'

Hij trok zijn wenkbrauwen op. 'O? Dus je bent van huis weggelopen?'

'Nou, daar ben ik een beetje te oud voor. Maar ik heb inderdaad tegen niemand gezegd waar ik naartoe ging. Als je mijn moeder kende, zou je begrijpen waarom. Ik wilde gewoon even alleen zijn, zonder mijn ouders en mijn zussen die zich overal mee bemoeien. Trouwens, mijn ouders hebben elkaar leren kennen in jouw kasteel. Nou ja, toen het nog niet van jou was. Dat heeft mijn moeder me natuurlijk nooit verteld. Ik heb het van Peg gehoord. Volgens mij geneert mijn moeder zich voor haar eenvoudige afkomst. Ze is een verschrikkelijke snob.'

'Je hoeft je anders nergens voor te schamen. De Byrnes zijn een degelijke, fatsoenlijke familie.'

'Dat weet ik. Eerlijk gezegd voel ik me behoorlijk tekortgedaan. Al die jaren had ik hier een geweldige familie, en ik wist daar niets van.'

'Ze moet wel een goede reden hebben gehad om het contact te verbreken.'

'Is trouwen met een protestantse Engelsman goed genoeg?'

'Misschien. Als haar moeder streng katholiek was.'

Ellen trok haar neus op. 'Ik vind het allemaal wel erg drastisch, om je moeder en je zus en je broers achter te laten en nooit meer terug te komen. Alleen omdat je verliefd bent geworden op de verkeerde man.'

'Er zal nog wel meer achter zitten. Zo simpel is het doorgaans niet.' Hij schonk haar een glimlach. 'Vertel eens wat over je familie in Engeland.'

Ellens beschrijving van het oppervlakkige bestaan dat haar zussen leidden, gecombineerd met de meedogenloze manier waarop ze Leonora en Lavinia wist te imiteren, maakte dat hij het uitschaterde. 'Ze lijken op mijn vader,' vertelde ze. 'Blond, met een perfect perzikhuidje, grote blauwe ogen en lange benen. Ze lijken wel een tweeling. Ze zijn bijna niet uit elkaar te houden, ook al zit er twee jaar tussen. Ik ben het zwarte schaap van de familie. Donker en lastig. Maar hoe meer ik te weten kom over mijn moeder, hoe meer ik begin te beseffen dat ik waarschijnlijk op haar lijk. En het valt niet mee om dat toe te geven. Want ik vind mijn moeder echt verschrikkelijk!'

'Ik weet zeker dat je een stuk gelukkiger wordt als je gewoon jezelf bent en ophoudt je aan te passen. Zo te horen worstel je al je hele leven met de ambities van je moeder. Ze zou niet moeten proberen je naar

163

haar ideaal te kneden. Een mens moet zijn eigen weg kunnen gaan.'

'Ze wil dat ik een "goed huwelijk" sluit. Met op z'n minst een hertog.'

'Het lijkt Mrs. Bennet wel, uit *Pride and Prejudice*.'

'Ja. Maar dat is toch niet meer van deze tijd?'

'Ach, dat zou ik niet willen beweren. Je houdt altijd mensen die willen opklimmen langs de sociale ladder. Een goed huwelijk is een springplank naar de top. Volgens mij heeft je moeder zich geen moment afgevraagd wat voor man jíj wil. Trouwens, wat vindt je vader ervan?'

'O, die vindt het vooral belangrijk dat ik gelukkig ben. Dat weet ik zeker. Maar diep in zijn hart zou hij natuurlijk het liefst zien dat ik trouwde met een man zoals hij. Sportief, rijk, afgestudeerd aan Eton en met een groot netwerk met uitstekende connecties.' Ze zweeg even en dacht aan het huwelijk van haar ouders. Gezien hun volstrekt verschillende achtergrond was het een wonder dat ze het hadden gered samen.

'Weet je, ik denk dat mijn moeder zo haar best heeft gedaan om zich aan te passen aan de wereld van mijn vader, dat ze totaal uit het oog is verloren waar het in het leven werkelijk om draait. Het enige waar ze om gaf, was hoe ik eruitzag. Of ik de juiste kleren droeg en de juiste dingen zei, of ik voor de juiste feestjes werd uitgenodigd. Ik moest en zou naar al die debutantenbals, terwijl die toen al achterhaald waren, zonder de glamour van vroeger. Ze was tot alles bereid om de juiste man voor me te vinden. Maar die jongens daar waren stuk voor stuk onhandige stuntelaars zonder kin. Vooral als ze van adel waren! Allemaal inteelt, volgens mij.' Ze schudde zuchtend haar hoofd in gespeelde wanhoop. 'Wat beziélde haar? En ik lach er nou wel om, maar ze heeft de moed nog steeds niet opgegeven!' Ze begon aan een genadeloze imitatie van haar moeder. Dat was een van haar talenten. Ze kon mensen perfect nadoen.

'O, Ellen!' Hij had tranen in zijn ogen van het lachen. 'Je had actrice moeten worden.'

'Ja, ja, dat zeg je natuurlijk tegen alle meisjes,' reageerde ze cynisch.

'Nee, integendeel. Maar ik zou het je ook niet aanraden. Zelfs jou niet, ondanks je talent. Je bent beter af achter de camera. Met schrijven. Scripts. Verhalen.'

'Ik heb nooit actrice willen worden.'

'Altijd schrijver?'

'Ik ben dol op taal en ik vind het heerlijk om me op die manier te uiten. Maar ik ben er nog niet van overtuigd dat ik talent heb. Dus ben ik op zoek, ik probeer erachter te komen wat voor mij de beste manier is om mijn creativiteit te uiten.' Ze lachte. 'Tenminste, ik hoop dat ik mezelf niet voor de gek hou en dat ik inderdaad creatief ben. Althans, creatief genoeg om er iets mee te doen.'

'Natuurlijk ben je dat, anders zou je die ambitie niet hebben. En als je geen schrijver zou zijn, wat zou je dan willen worden?'

'Ik weet het niet. Op het gevaar af dat ik klink als een zelfhulpboek, ben ik er om te beginnen nog niet uit wíé ik wil zijn.' Ze keek uit het raampje naar de fluweelgroene velden, onderbroken door grijze muurtjes, en zei het eerste wat er in haar opkwam. 'Misschien zou ik dan wel tuinman willen worden.'

'Tuinman?' herhaalde hij verrast.

'Ja, en o, wat zou mijn moeder dat verschríkkelijk vinden! Ze zou het liefst zien dat ik een deftige dame werd die met haar vriendinnen gaat lunchen en die in van die comités voor goede doelen zit, net als zij. Maar het lijkt me heerlijk om dingen te planten en om te kijken hoe alles groeit en bloeit. Ik weet trouwens niets van tuinieren. Sterker nog, totdat ik hier kwam had ik geen idee dat ik zo veel van de natuur hield. Dus ja, ik denk dat tuinieren me erg gelukkig zou maken.' Ze keerde zich glimlachend naar hem toe. 'Denk je dat Connemara iets magisch heeft?'

'Absoluut.' Hij glimlachte terug. 'Maar alleen voor wie bereid is zich eraan over te geven.'

Na een korte rit stopte hij in een parkeerhaven op de top van een heuvel. 'Zo, tijd voor de expeditie kasteel-verkennen.' Hij zette de motor uit.

'Het verbaast me dat je dat leuk vindt. Je hebt zelf een kasteel!'

'O, maar dit is heel anders. Dit kasteel is helemaal tot een ruïne vervallen. Ik weet zeker dat je het geweldig vindt.' Ze stapten uit de auto, Conor liep naar de achterkant om Magnum eruit te laten. De hond wist van opwinding niet hoe snel hij buiten moest komen, en tilde zijn poot op tegen de achterband. Conor deed het hek open, pakte Ellen bij de hand en trok haar mee het veld in.

Op het klif, hoog boven de oceaan, stonden de overblijfselen van wat ooit een schitterend kasteel moest zijn geweest. Holle torens en afbrokkelende muren waren het enige wat restte van een machtige burcht die het land tegen een invasie vanuit zee had beschermd. De wind gierde door de lege ramen en floot rond de overbodig geworden wallen waar soldaten vroeger op wacht hadden gestaan en waar vrouwen in weelderige fluwelen gewaden hadden uitgekeken naar de komst van koopvaardijschepen die zijden stoffen en specerijen aanvoerden uit verre landen.

'Ierland staat vol met dit soort ruïnes,' zei Conor terwijl ze ernaartoe liepen.

Ellen wilde iets zeggen over de ruïne die haar het meest fascineerde en die haar elke morgen bij het wakker worden begroette, maar ze wist intuïtief dat het taboe was om over Caitlin te praten. 'Het is een erg romantisch land,' zei ze in plaats daarvan.

Hij keek glimlachend op haar neer en omklemde haar hand nog steviger. 'Ik vind je leuk, Ellen Byrne.'

'Ik heet Trawton.'

'Natuurlijk, je hebt gelijk. Maar hoe je ook heet, ik vind je leuk. Je straalt. Je verspreidt zonlicht om je heen.'

Ellen keek hem vragend aan. 'Wist je dat mijn naam "stralend licht" betekent in het Grieks?'

'Nee, dat wist ik niet. Grieks is nooit mijn beste vak geweest. Maar heb je *The age of innocence* gezien, met Daniel Day-Lewis en Michelle Pfeiffer? De verfilming van het boek van Edith Wharton?'

'Met de beruchte Ellen Olenska,' zei ze, zich herinnerend wat Dylan haar had verteld.

'Ja, echt een geweldige film.'

'Ik moet tot mijn schande bekennen dat ik de film niet heb gezien. En het boek heb ik ook niet gelezen.'

Hij keek blij verrast. 'Dan bestel ik de dvd. Dan kunnen we hem samen kijken. Ik weet zeker dat je de gravin, je naamgenoot, leuk vindt. Een boeiend personage. Mysterieus, nogal manipulatief, vind ik, maar fascinerend. Het is een prachtig, verdrietig verhaal.'

Ze waren bij de ruïne aangekomen. Magnum snoof aan de grond en volgde een spoor. Van een vos, vermoedde Ellen. Er was in de wijde omtrek in elk geval geen levende ziel te bekennen. Het kasteel was vanaf de weg niet te zien, en voor zover er mensen waren die wisten van het bestaan, namen ze niet de moeite naar een verzameling oude stenen te komen kijken. Ellen kreeg vlinders in haar buik bij de gedachte dat Conor haar opnieuw zou kussen. 'Dit was, volgens mij, de zitkamer.' Ze liet zijn hand los en sprong over een laag muurtje met daarachter een grote, vierkante ruimte met hoog gras en de overblijfselen van een schoorsteen tegen de buitenmuur.

'Denk je?' Hij volgde haar.

'Ja, ik zie het helemaal voor me, hoe ze hier zaten, met wijn in flonkerende bokalen.'

Hij lachte. 'Het kan ook de keuken zijn geweest. Waar een grote dikke kok varkens roosterde aan het spit. Denk je niet?'

'Nee, voor een keuken ziet het er te deftig uit.' Ze sprong over een volgend muurtje naar een kleiner vertrek met een groot boogvenster dat uitkeek op zee. 'Dit was misschien wel de bibliotheek.'

Hij zette zijn handen op zijn heupen en fronste. 'Of een studeerkamer.'

'Ja, dat kan ook. Of misschien een kleinere zitkamer. Voorname huizen hadden altijd diverse zitkamers.' Ze keek door de opening waar het raam had gezeten. 'Wie zou hier naar buiten hebben gekeken? Een jong meisje dat verliefd was op een zeeman? Smachtend naar zijn terugkeer?' Toen ze zich omdraaide stond Conor vlak achter haar.

'Probeer je me te ontwijken, Ellen Trawton?' Hij drukte haar tegen de muur.

Ze hield haar adem in. 'Nou, in dat geval heb je me toch te pakken gekregen, Conor Macausland,' zei ze met een zwaar aangezet Iers accent.

'Niet slecht voor een deftig Engels stadsmeisje!' Hij keek haar broeierig aan.

Ze lachte. 'Zo klink je net als mijn oom Johnny.'

Hij streek een lok haar achter haar oor. 'Maak je geen zorgen. Ik bijt niet.'

'Volgens mij komt het door de baard. Ik voel me net Roodkapje, en dan ben jij de grote boze wolf.'

Hij drukte lachend zijn lippen op de hare. 'Laten we dan maar hopen dat de jager een vrije dag heeft.'

Toen kuste hij haar hartstochtelijk, en ze was even volledig overweldigd. Ze voelde de hitte door zijn kleren heen en ze was zich scherp bewust van de groeiende seksuele spanning tussen hen. Hij rook fris, prikkelend, naar kruiden en citroen. Haar knieën knikten, begeerte maakte zich van haar meester toen ze zijn krachtige, mannelijke lichaam tegen het hare voelde. Ze gaf zich over en vergat al haar remmingen, zich alleen nog bewust van het zinnelijke genot dat bezit van haar nam. Hij begroef zijn gezicht in haar hals en kuste de welving van haar schouder. Haar ademhaling werd gejaagd onder de strelingen van zijn tong. Ze hijgde en wenste dat er een bed was waar ze zich in konden laten vallen.

Ten slotte liet hij haar los. 'Je maakt me gek, Ellen!' fluisterde hij buiten adem. Toen kuste hij haar opnieuw, deze keer teder, liefkozend.

'Hoe heet de geliefde van Ellen Olenska?' vroeg ze, in een poging haar wild bonzende hart te kalmeren.

'Newland Archer.'

'Loopt het goed af?'

'Dat vertel ik niet.'

'Dat is niet eerlijk!' protesteerde ze.

'Als ik vertel hoe het afloopt, is het niet spannend meer.'

'Ik wil weten hoe het zit met mijn naam. Brengt die geluk of ongeluk?'

Hij keek haar nadenkend aan. De frons op zijn voorhoofd suggereerde dat die vraag niet zo gemakkelijk te beantwoorden was. 'Daar kan ik niets over zeggen zonder de afloop te verraden. Maar jíj brengt geluk. Dat weet ik wel. Ongeacht je naam.'

Even later liepen ze hand in hand over de top van het klif. Magnum rende vooruit, ongeduldig en opgewonden door de wind. Boven hun hoofd klonk het naargeestige gekrijs van meeuwen, vogels kwetterden in de gaspeldoorns. In de diepte brak de oceaan bulderend en in explosies van schuim op de rotsen. De zon, die regelmatig tussen de wolken door gluurde, schonk vertrouwen.

'Je tante heeft je ongetwijfeld verteld over mijn vrouw,' zei hij zacht, met zijn vingers strak om de hare, alsof hij bang was dat ze zou weglopen als hij over zijn huwelijk begon.

'Ze heeft er iets over gezegd. Niet veel. Ik vind het heel verdrietig, voor jou én voor de kinderen. Het moet verschrikkelijk zijn geweest.'

Hij glimlachte verdrietig. 'Ja, dat was het ook.' Ze liepen zwijgend verder. Ellen vroeg zich af of hij nog meer over Caitlin zou zeggen of alleen zeker had willen weten dat ze op de hoogte was van zijn verleden. Om dezelfde reden als waarom zij hem over haar moeder had verteld. 'Je gelooft toch niet alles wat ze zeggen, hè?' Hij drukte vluchtig haar hand. Ze wist niet goed hoe ze moest reageren, want ze wilde niet laten merken hoeveel ze wist. 'De dood van mijn vrouw was een ongeluk. Wat de mensen ook zeggen.'

'Ja, dat heb ik begrepen,' zei ze haastig, want ze wilde niets liever dan de gekwelde uitdrukking van zijn gezicht verdrijven.

'Je tante is een goed mens. Maar er zijn ook mensen die het minder goed bedoelen. In een kleine plaats als Ballymaldoon wordt er veel geroddeld. Dat is altijd al zo geweest. En tot er weer iets dramatisch gebeurt, blijf ik het favoriete gespreksonderwerp. Daarom kom ik niet vaak in het dorp.'

'Je was laatst wel in de pub.'

Hij grijnsde en trok haar dichter naar zich toe. 'Omdat ik op zoek was naar jóú.'

'Je had het ook tegen Johnny of Joe kunnen zeggen, op hun werk.'

'Die waren al weg.'

'Of je had bij Peg langs kunnen gaan.'

Hij schudde zijn hoofd. 'Nee, dat was geen optie. Na wat er...' Hij aarzelde even, toen schudde hij nogmaals zijn hoofd. 'Ik wist zeker dat ik in de Pot of Gold wel een stelletje Byrnes zou aantreffen. En ik hoopte natuurlijk dat jij er ook was.'

'Volgens mij heb je ze de schrik van hun leven bezorgd door ineens binnen te stappen.'

'Dat geloof ik ook.' Hij grinnikte. 'Ik moet eerlijk zeggen dat ik het wel vermakelijk vond. De uitdrukking op die gezichten!'

Ze kwamen bij een vissersdorpje waar de tijd leek te hebben stilgestaan. Het lag veilig weggedoken aan een beschutte baai. Conor kende de pub. Het was er rustiger dan in de Pot of Gold en veel kleiner. Aan de bar zaten wat oude mannen, met hun pet nog op hun hoofd, aan een Guinness. Een groepje van vier vrouwen speelde kaart aan een tafeltje bij een van de ramen.

De baas begroette hen met typische Ierse hartelijkheid en tapte een biertje voor Conor. Ellen vroeg om een cola en vertelde Conor over die eerste keer in de pub, toen ze Guinness had genomen om indruk te maken op Johnny. En bijna de hele bar had onder gespuugd.

'Het was in elk geval dapper van je!' zei hij plagend. Hij nam hun glazen mee naar een tafeltje, zo ver mogelijk bij de kaartende vrouwen vandaan. 'Ik had je zo kunnen vertellen dat je geen Guinness-meisje bent. Dat kan ik zien.'

'Johnny ook, volgens mij. Hij moet wel gedacht hebben dat ik gek was toen ik een biertje bestelde.'

'Maar hij was vast en zeker ook onder de indruk van je lef.' Ze nam een slok cola. 'Dit smaakt beter.'

'Ik wil wedden dat het hele dorp over je roddelt. Misschien praten ze op dit moment wel net zo veel over jou als over mij.'

'Denk je?'

'Dat weet ik wel zeker. Want volgens mij hebben ze het ook nog altijd over je moeder die er ooit vandoor ging met haar geliefde uit Engeland.'

'De eerste ochtend dat ik hier was, kwam de halve familie bij Peg langs voor het ontbijt. Johnny en Joe en Craic en Desmond en Ryan.'

Conor lachte. 'O, dat kan ik me heel goed voorstellen! Moet je nagaan, ze hadden je moeder in geen… wat was het… dertig jaar niet gezien?'

'Vierendertig jaar.'

Hij nam haar onderzoekend op. 'En jij bent?'

'Ik ben drieëndertig.'

'Waarom heeft je moeder dan zo'n haast om je uit te huwelijken? Je bent nog hartstikke jong!'

'Volgens haar niet. Zij is op haar vijfentwintigste met mijn vader getrouwd, en nog datzelfde jaar kreeg ze mij.'

Hij vernauwde zijn ogen tot spleetjes. 'Nou, dan is het wel duidelijk waarom ze wegliep.'

'Zoals ik al zei, ze…'

'Ze was zwanger! Van jou. Ongehuwd zwanger, dat moet voor je oma wel een nagel aan haar doodskist zijn geweest.'

Ellen zette grote ogen op van ongeloof. 'Míjn moeder? Nee, dat bestaat niet!' Toen fronste ze haar wenkbrauwen. Want qua tijd klopte het.

'Denk je dat echt?' Ze wilde protesteren, maar struikelde over haar eigen woorden.

'Natuurlijk. Als goed katholiek heb je geen seks voor het huwelijk. En we hebben het hier over meer dan dertig jaar geleden. Toen leefden ze in Ierland nog in de middeleeuwen, en je oma was van een nóg oudere generatie.'

'O, god! En mijn moeder is zo ontzettend katholiek! Ze heeft altijd meteen haar oordeel klaar over anderen! Voor heel wat minder ernstige misdragingen!' Ze nam een grote slok cola. 'Zou mijn oma hebben geweten dat ze zwanger was?'

'Dat betwijfel ik. Je moeder wist dat haar moeder het als een doodzonde zou beschouwen. Als een meisje in die tijd ongehuwd zwanger werd, werd ze in een klooster gestopt en moest ze de baby afstaan. Dus ik weet bijna zeker dat je moeder er alles aan heeft gedaan om haar zwangerschap geheim te gehouden.'

'Met als gevolg dat mijn oma nooit heeft begrepen waarom haar dochter was weggelopen. En waarom ze nooit meer terug is gekomen.'

'Misschien.' Hij streek peinzend over zijn baard. 'Toch was er, volgens mij, iemand die alles wist.'

'Wie dan?'

'Pastoor Michael. Als je moeder echt belijdend katholiek was-'

'Dat is ze nog steeds! Tenminste, ze wil graag dat iedereen dat denkt.'

'Dan heeft ze vast en zeker gebiecht. Ik wil wedden dat de pastoor het hele verhaal kent.'

'Zou hij dat aan mij willen vertellen?'

Conor schudde zijn hoofd. 'Dat denk ik niet.'

'Zou hij het aan mijn oma hebben verteld? Hij was haar neef. Volgens Joe kwam pastoor Michael elke zondag bij haar lunchen. Wat denk je, hoe indiscreet zou hij zijn?' Ze grijnsde ondeugend. 'Hij stookt tenslotte zijn eigen gin.'

'En van prima kwaliteit! Misschien is hij wat minder discreet met een slok op. Maar eerlijk gezegd ken ik hem niet goed genoeg.'

Ellen nam een slok cola. 'Het wordt hoe langer hoe ingewikkelder. Volgens Johnny was mijn moeder een wilde en lag het voor de hand dat ze ooit iets stoms zou doen. Nou, zwanger worden is behoorlijk stom, zou ik zo zeggen.'

Er glinsterden pretlichtjes in Conors ogen. 'Ze was verliefd. En wanneer je verliefd bent, wil je vrijen. Daar is niks stoms aan.' Over de tafel heen legde hij zijn hand op de hare. 'Ik wil met je vrijen,' zei hij zacht. Ellen voelde dat ze bloosde. 'Nou, je bent wel erg direct.' Maar haar glimlach vertelde hem dat zij net zo naar hem verlangde.

Ze bestelden iets te eten en namen er de tijd voor, terwijl ze elkaar over zichzelf en hun leven vertelden. Ellen had het niet over William, Conor begon niet opnieuw over Caitlin. Op dat moment leek het er niet toe te doen dat ze allebei geheimen hadden voor de ander. Want waarom zouden die geheimen ook maar enige invloed hebben op wat er tussen hen opbloeide? Hun verliefdheid dwong hen in het hier en nu te leven, en daarin was geen plaats voor het verleden, noch voor de toekomst.

15

Ik sla hun geflirt gade met een mengeling van nieuwsgierigheid en woede. Ellen kijkt Conor in de ogen en denkt daar liefde in te lezen. Ik glimlach, want lust laat zich maar al te gemakkelijk verwarren met liefde. Conor is geen man die zijn hart zo snel geeft. Hij is sterk, wild, onafhankelijk en egocentrisch. Vóór mij zijn er heel wat vrouwen geweest die hebben geprobeerd zijn hart te veroveren. Tevergeefs. En na Ellen zullen er nog talloze volgen, die op hem stuk zullen lopen als golven die breken op de rotsen.

Hij wil met haar naar bed, maar zij ziet in zijn lust de fysieke uiting van zijn groeiende genegenheid. Als ik dat kon, zou ik zeggen dat ze de benen moet nemen en niet meer achterom moet kijken. Want ik weet zeker dat hij haar dromen vermorzelt en haar hart in duizend stukken breekt. Maar ik ben machteloos, en eerlijk gezegd geniet ik er ook wel van om te zien hoe het verhaal zich voor mijn ogen ontvouwt. Ik zit tenslotte al zo lang in dit voorgeborchte, dat ik vind dat ik recht heb op een beetje plezier.

Het blijft een feit dat geen vrouw ooit in mijn schaduw zal kunnen staan. Conor houdt alleen van mij, en dat zal altijd zo blijven. Alle Ellens in de wereld zullen nooit de plaats kunnen innemen van de enige vrouw van wie hij echt heeft gehouden. Ik weet dat we vaak ruzie hadden, dat we elkaar voortdurend naar de keel vlogen, en dat ik de verschrikkelijkste dingen heb gedaan om hem te dwingen me te bewijzen hoeveel hij van me hield. Maar ondanks alles, ondanks de spanningen en de ruzies, hadden we elkaar nodig. Zoals een bloem en een bij van elkaar afhankelijk zijn en elkaar over en weer nodig hebben.

Het begint al te schemeren wanneer ze terugkomen bij Reedmace House. Daphne is met de kinderen naar het strand geweest. Ze hebben zandkastelen gebouwd en gevliegerd met Ewan. Inmiddels staat ze aardappels voor hen te bakken. Wanneer Conor en Ellen de keuken binnenkomen, ontgaat het haar niet dat er een blos op hun wangen ligt en dat hun ogen stralen.

'Hebben jullie het gezellig gehad?' Ze snakt naar details, en ze neemt haar zoon onderzoekend op, in de hoop meer van zijn gezicht te kunnen aflezen dan hij kwijt wil.

'We hadden een heerlijke dag. Echt heerlijk.' Hij zet de ketel op.

Daphne geeft het niet op en keert zich naar Ellen. 'Wat zie je er goed uit, kindje. Dat staat je leuk, je haar zo wild. Jullie zijn blijkbaar lekker uitgewaaid.'

Ellen en Conor wisselen een blik, en hij verbijt een glimlach. 'Ja, het was erg winderig,' vertelt Ellen. 'We zijn bij een schitterende kasteel-ruïne geweest, boven op een klif. En daarna hebben we een eind gelopen en geluncht in een pub. Hoe beter ik Ierland leer kennen, hoe meer ik er verliefd op word.' Ze bukt zich en klopt Magnum op zijn rug, die langsloopt als een makke leeuw die vermoeid is na een dag jagen. Ellen is haar angst voor honden kwijt, besef ik. En het valt me ook op dat ze de hele dag niet heeft gerookt. Het is boeiend te zien waartoe vrouwen bereid zijn voor de liefde. Maar geen vrouw is zo ver gegaan als ik. Ook al zou Conor zeggen dat wat ik heb gedaan zo verschrikkelijk is, dat ik onmogelijk door liefde kan zijn gedreven. Ach, Conor. Je hebt geen idee hoezeer je je vergist. Bij alles wat ik deed, werd ik gedreven door mijn liefde voor jou. Zelfs toen.

Ellen heeft haar jas en haar laarzen uitgetrokken. Ze staat op haar sokken tegen het aanrecht geleund. Conor geeft haar een mok thee, en ze koesteren zich beiden in de warmte van de keuken terwijl Daphne om hen heen loopt, gespitst op aanwijzingen die haar vermoeden bevestigen dat haar zoon eindelijk weer verliefd is. Ze luistert naar hun gepraat en gelach, want ze zijn inmiddels zo vertrouwd met elkaar dat het is alsof ze elkaar al jaren kennen. De opwinding die ze bij elkaar opwekken is voelbaar, als hitte.

De kinderen komen de keuken binnen om te eten, en Ida laat Ellen haar nagels zien. Sommige zijn al afgebladderd door het wroeten in het zand, die middag. Ellen zal ze opnieuw lakken, belooft ze. Weer een excuus om terug te komen. Niet dat ze dat nodig heeft, want Conor wil haar maar al te graag weer ontmoeten. Sterker nog, hij is dronken van begeerte. Ik zie het in zijn ogen. Het is lang geleden dat een vrouw hem zo opwond. De duisternis die hij de laatste vijf jaar als een lijkwade van verdriet met zich mee heeft gedragen, begint te rafelen. Er schijnt licht door de gaten, en het duizelt hem van geluk. Hij kan nog niet bevatten dat deze vrouw in zijn leven is gekomen en het in zo'n korte tijd zo ingrijpend heeft veranderd. Blijkbaar merken de kinderen dat hij veranderd is, en ze worden aangestoken door zijn vrolijkheid. Aan de keukentafel wordt gelachen, de kinderen maken grapjes en vertellen over de avonturen die ze met Ewan en Daphne op het strand hebben beleefd. Conor lacht met ze mee, verrukt door hun verhalen.

Conor wil niet dat Ellen al naar huis gaat, maar het begint laat te worden, en ze is bang dat Peg zich afvraagt waar ze blijft. 'Kan ik je bellen?' vraagt hij in de hal, terwijl Ellen de jas van Peg aantrekt. Ze vertelt dat ze haar telefoon in zee heeft gegooid. 'Waarom in hemelsnaam?' vraagt hij.

'Omdat ik geen zin heb om mijn moeder aan de lijn te krijgen.'

'Je had haar telefoontjes toch gewoon kunnen negeren?'

'Nee, dat kon niet.'

Hij slaakt een zucht van frustratie. 'Ik zal zorgen dat je weer een telefoon krijgt.'

Ze lacht. 'Nee, dat hoeft niet.'

'Ik vlieg morgenavond naar Dublin. De kinderen moeten maandag weer naar school. Ik regel een telefoon voor je, en die stuur ik je op.'

Ze kijkt hem verschrikt aan. 'Maar je komt toch wel weer terug?'

Hij trekt haar mee de bijkeuken in en doet de deur achter zich dicht. 'Zolang jij hier bent, kom ik terug.' Hij kust haar. Ik zie dat hij haar een beetje bang maakt. Conor is wild en hartstochtelijk. Dat soort mannen is ze niet gewend. Mannen die er niet voor terugschrikken een echte man te zijn. 'Ik wil morgen nog een keer afspreken.'

'Ik moet naar de kerk, en daarna ga ik lunchen bij Desmond en Alanna.'

'Dan kom ik ook naar de kerk.'

'Weet je zeker dat je al het geroddel opnieuw wil trotseren?'

'Ik doe het voor jóú.' De vertederde glimlach waarmee hij haar aankijkt, verandert zijn gezicht dramatisch. Het lijkt ineens heel zacht. Zo heb ik hem alleen maar naar de kinderen zien kijken. Een kille, razende jaloezie neemt bezit van me. 'Ik wil met je alleen zijn, Ellen. Ik wil je kussen, overal.' De begeerte in zijn stem beneemt haar de adem. Ik kan bijna voelen dat haar hart onder haar dikke jas sneller gaat kloppen. Hij kust haar opnieuw – langdurig, hartstochtelijk – en ze leunt tegen hem aan, bijna bezwijkend onder het gewicht van zijn begeerte. Ze is als een lappenpop die door een wolf wordt verscheurd. Maar ze vindt het heerlijk. Ik vond het ook heerlijk. Even is het alsof ik het ben die daar staat tussen de jassen. Alsof ik weer leef en alsof Conor van me houdt zoals vroeger, voordat... Alsof hij van me houdt op de manier toen we elkaar pas kenden en toen ik nog alles was wat hij ooit had gewild. O, Ellen, Ellen, je denkt dat je alles bent wat hij wil, maar dat is niet zo. Ik was er eerst, en ik heb mijn stempel onuitwisbaar op zijn hart gedrukt.

Hij loopt met haar naar de auto en kijkt haar na. Dan blijft hij nog even staan, tot haar achterlichten uit het zicht zijn verdwenen. Ze heeft besloten langs het kasteel te rijden, want de andere route kent ze niet goed. Bovendien hoeft ze nu niet bang te zijn dat Johnny en Joe haar zullen zien. Die zitten waarschijnlijk allang in de pub, zoals elke avond, met hun familie en hun vrienden. Ik vond het altijd heerlijk in de pub. Het was eenzaam op het kasteel als Conor in Dublin zat. Ik hield van de drukte, van het geroezemoes, van de benauwde warmte van de haard en alle ramen dicht. En ik genoot van de aandacht. Want ik wist maar al te goed dat iedereen naar me keek, alsof ik een exotische vogel was tussen de kippen. En ze zijn alleen maar nieuwsgieriger naar me geworden. Morgen zien ze Conor in de kerk, en dat zal aanleiding zijn voor nog meer geroddel en gefluister dan zijn bezoekje aan de pub. Want de laatste keer dat Conor in de kerk is geweest, was bij mijn begrafenis.

Ellen rijdt terug naar het huis van Peg. Haar tante zit met Oswald in de zitkamer te kaarten. De haard brandt. Mr. Badger heeft zich op de bank opgerold, Bertie ligt in de keuken, bij het fornuis. Jack zit op de ladekast en slaat de kaarters vanaf zijn hoge uitkijkpost gade. Wanneer Peg de auto hoort, spitst ze haar oren en kijkt ze op van haar kaarten.

'Dat zal Ellen zijn,' zegt ze tegen Oswald. 'Ze is de hele dag op stap geweest.'

Oswald neemt een slok wijn. 'Waar is ze mee bezig?'

'Geen idee, maar volgens mij is ze verliefd.'

'Op Conor Macausland?'

'Op wie anders? Ik zie het in haar ogen.' Peg haalt hulpeloos haar schouders op. 'En ik kan er niets tegen doen.'

'Denk je dat ze het toegeeft?'

'Ik denk dat ze er in elk geval niet over zal liegen. Ze heeft al opgebiecht dat ze van huis is weggelopen. Zo'n vermoeden had ik trouwens al. Maar ik zeg niks tegen de jongens. Desmond wil niet dat ze met Conor omgaat, en je weet hij hoe hij is.'

'Ellen is een volwassen vrouw en het lijkt me dat ze zelf mag uitmaken met wie ze omgaat.'

'Zolang het maar niet Conor Macausland is. Niet dat ik iets op hem tegen heb. Integendeel, ik heb met hem te doen. Die arme man. Het is al erg genoeg om je vrouw te verliezen. Als ze dan ook nog denken dat jij haar hebt vermoord... Dat is ondraaglijk.'

Oswald kijkt haar aan. Ik ben verbaasd door de liefde in zijn ogen. Peg merkt het niet, omdat ze weer naar haar kaarten kijkt. Zonder ze te zien, overigens. Net zomin als ze ziet hoe vertederd en vol compassie hij naar haar kijkt. Hij denkt aan haar dochtertje. Net als zij. En ineens zie ik dat haar kleine meisje naast haar staat. Ongelooflijk! Peg is omgeven door het aura van liefde van haar kind, maar ze weet het niet.

De deur gaat open, en Ellen komt binnen, met rode wangen en stralende ogen. 'Hallo!' roept ze. 'Tante Peg?'

'We zijn hier!' roept haar tante. Mr. Badger spitst zijn oren, maar hij neemt niet de moeite van de warme bank af te komen. Jack kent Ellen al zo goed dat hij niet meer van haar schrikt. Hij beweegt alleen zijn kop heen en weer – met kleine rukjes, zoals vogels dat doen – alsof hij aandachtig luistert. Bertie is zo diep in slaap dat hij de deur niet hoort opengaan, net zomin als hij de vlaag koude wind voelt die ermee naar binnen komt.

'Hallo.' Ze komt met grote stappen de zitkamer in. Peg huivert door de kou die ze meebrengt. Ellen glimlacht, niet in staat haar opwinding te verbergen.

'Nee maar! Je ziet eruit als de kat die van de room heeft gesnoept!' zegt Peg.

177

'Wat heb jij uitgespookt?' Oswald kijkt haar aan als een schoolmeester, over de rand van zijn bril.

Ellen laat zich met een genietende zucht in een stoel vallen. Ze sluit haar ogen, en ik weet dat ze in de verleiding is te liegen. Ze worstelt even met haar geweten, maar dan krijgt haar eerlijkheid de overhand. 'O, Peg, hij is geweldig!' Ze kijkt haar aan met zo'n aanbiddelijke glimlach dat haar tante op slag niet meer boos kan zijn.

'Je hebt het toch niet over Conor Macausland, hè?' zegt ze met een zucht, niet in staat te delen in het enthousiasme van haar nichtje.

'Ik weet dat je me voor hem hebt gewaarschuwd. Wat heet, iederéén heeft me gewaarschuwd. Maar ik kan er niks aan doen.' Ellen heft in een machteloos gebaar haar handen. 'Hij is onweerstaanbaar.'

'Als je maar niks tegen de jongens zegt. Desmond wil het niet hebben.'

Ellen begint te lachen. 'Maar tante Peg, dat is toch belachelijk?' Ze kan zich niet voorstellen dat haar oom ook maar iets over haar te zeggen heeft als het om de liefde gaat.

'Dat vind jij misschien. Maar hier gelden andere regels.' Peg haalt diep adem en haar grote boezem neemt een nog groter deel van de tafel in beslag. 'Ik ben bang dat het niet wordt geaccepteerd, een Byrne met Conor Macausland.'

'Hoezo? Hij heeft zijn vrouw niet vermoord! Dat weet jij toch ook?' roept Ellen uit.

'Natuurlijk heeft hij zijn vrouw niet vermoord.'

'Het zijn de roddels,' zegt Oswald kalm. 'De Byrnes willen niet dat de naam van de familie door het slijk wordt gehaald.'

'Ik ben óók een Trawton,' zegt Ellen nijdig.

'Maar hier niet. Hier ben je een Byrne,' corrigeert Peg haar. Dan verzacht haar blik, en ze legt haar kaarten neer. 'Waar zijn jullie geweest?'

'Naar de ruïne van een kasteel, en daarna hebben we geluncht in een pub. Heel onschuldig allemaal.'

'O, daar twijfel ik niet aan.' Peg schenkt haar nichtje een glimlach. 'Wat ze ook van hem zeggen, niemand zal ontkennen dat Conor Macausland een gentleman is.'

Op dat moment loopt het kleine meisje naar de bank en gaat bij Mr. Badger op haar knietjes zitten. De hond doet zijn ogen open en trekt met zijn oren. Ze brengt haar gezicht zo dicht bij zijn snoet dat hun neuzen elkaar bijna raken. Mr. Badger slaat met zijn staart op het kussen. 'Wat heeft hij ineens?' vraagt Ellen, maar Peg en Oswald tonen zich nauwelijks verbaasd.

'Een elf,' zegt Oswald.

Peg schudt met een vertederde glimlach haar hoofd. 'Spelen we verder? Of zakken we af naar boers bijgeloof en fantasieverhalen?'

'Je bent keihard, Peg Byrne.' Oswald schudt zijn hoofd. Dan hervatten ze hun spel.

'Ik heb een beetje trek. Kan ik voor jullie ook iets halen?' Ellen staat op.

'Vergeet niet Londen te bellen,' helpt Peg haar herinneren. 'Dat hadden we afgesproken.'

'Ik zal het meteen doen.' Ellen klopt Mr. Badger in het voorbijgaan op zijn kop, maar hij heeft alleen oog voor het kleine meisje.

Ik ben al eerder in Pegs slaapkamer geweest, en ik heb haar zien bidden bij de foto van haar dochtertje en de votiefkaars. Maar ik heb ook gezien dat haar dochtertje naast haar knielde, als een beschermengel die de kamer vult met licht dat Peg niet kan zien. Ik blijf ook dicht bij mijn kinderen, maar op een andere manier dan deze gelukkige kleine geest. Ik ben rusteloos en gekweld, gefrustreerd en verdrietig. Zij is sereen, vredig, onaangetast door het verdriet van haar moeder. Het lijkt wel alsof ze beschikt over een diepgeworteld begrip, een begrip dat veel verder reikt dan de menselijke zintuigen. Alsof ze in staat is het grote, overkoepelende geheel te zien, iets wat ik niet kan en waarvan ik geen weet heb. Zorgen, verdriet, geluk, euforie, het zijn allemaal slechts rimpelingen op een uitgestrekt meer, die komen en gaan met de wind. Maar daaronder ligt iets anders, een diepgaand en tevreden weten. Wat zou ik graag willen dat ik dat kende en dat ik me dat eigen kon maken!

Ellen pakt iets te eten uit de koelkast en gaat dan bij de telefoon zitten. In gedachten verzonken staart ze ernaar. Ze kauwt, en slikt, en staart. Ten slotte pakt ze de telefoon en kiest ze een nummer. Na een paar keer overgaan wordt er opgenomen.

'Emily?'

'Ellie! Ben jij het?'

179

'Ja, ik ben het.'

'Ik probeer je al een week te pakken te krijgen!'

'Sorry.'

'Hoe gaat het daar in het donkere hart van Ierland?'

'Geweldig! Het is hier echt heerlijk!'

'O. Nou, fijn dat je het zo naar je zin hebt.' Want ik zit hier in de frontlinie, belaagd door je vijanden. Dus je wordt bedankt.'

'Sorry. Ik vind het echt heel vervelend. Maakt mijn moeder je het leven zuur?'

'Niet alleen je moeder. Maar die heeft inderdaad een keer of honderd gebeld, ja. Krijg je je sms'jes niet?'

'Ik heb mijn telefoon in zee gegooid.'

'O, nou snap ik het. Ik heb Leonora en Lavinia ook al aan de telefoon gehad. Ze willen weten waar je zit. Net als iedereen, trouwens. Maar wat belangrijker is, je moeder wil weten wat er aan de hand is met William en jou.'

'Ach, William.'

'Je verloofde, weet je nog?'

Ellen schrikt van het woord.

'Gezien zijn gedrag, krijg ik de indruk dat je het hebt uitgemaakt,' vervolgt Emily.

'Ik heb alleen gezegd dat ik wat ruimte nodig had.'

'O, Ellie! Wat een zielig cliché!'

'Ja, dat is het ook. Maar ik kon het gewoon niet over mijn hart verkrijgen om het uit te maken. Hij is zo'n aardige man. Ik wil hem niet kwetsen.' Ze slaakt een diepe zucht, waarna ze haar stem dempt. 'Bovendien weet ik nog niet helemaal zéker of ik over een tijdje misschien niet alsnog terug wil naar Londen om met hem te trouwen.'

'Maar vertel, hoe is het daar?' Emily klinkt ineens anders. Meelevender.

'Prachtig.'

'Ben je echt een boek aan het schrijven?'

'Nee.'

'Dat dacht ik wel. Wat spook je dan uit? Behalve je telefoon in zee gooien?'

'Ik hang wat in de pub, met het halve dorp.'

'God, Ellie…'

Ellen begint te lachen. 'De Pot of Gold. Zo heet de pub.'

'Je meent het! Wat aandoenlijk. En ze zingen elke avond "Molly Malone"?'

'Nou, dat valt wel mee.'

'Mis je de beschaving niet?'

'Het is hier erg beschaafd.'

'Nee maar, je verbaast me! Eerlijk gezegd had ik niet gedacht dat je kon functioneren zonder een Harvey Nichols om de hoek!'

'Dat dacht ik ook. Maar ik eh… ik ben verliefd… op Connemara. En op dit moment ben ik niet van plan ooit nog terug te komen.'

'Nou, je bent hier het gesprek van de dag. Het gonst van de geruchten. Waarom je je baan hebt opgezegd. Waar je zit. Of iemand je heeft gesproken. Of je ruzie hebt gehad met William. Is het uit? Is het aan? Wat vindt je moeder ervan?'

'Waar denken ze dat ik zit?'

'In Thailand.'

Ellen begint te lachen. 'Om wat te doen?'

'Sommige mensen denken dat je in retraite bent, ter voorbereiding op je huwelijk.'

'Dat méén je niet!'

'Tja, ongelooflijk oppervlakkig, inderdaad!' Emily produceert een rokerslach. 'Wat wil je dat ik tegen William zeg?'

'Hoe is hij eronder?'

'Bezorgd, en hij snapt er niks van. Hij kwam gisteravond langs voor een borrel.'

'Hoe ziet hij eruit? Verschrikkelijk zeker?'

'Integendeel. Het staat hem wel, een beetje tragiek.'

'Wat zei hij?'

'Als je dat nodig hebt, dan kun je wat hem betreft zo veel tijd krijgen als je wil. Maar hij is pissig omdat je hem dat niet gewoon rechtstreeks in zijn gezicht hebt gezegd. En omdat je niet wil zeggen waar je zit.'

Ellen krimpt ineen. 'Ik heb hem inderdaad afschuwelijk behandeld.'

'Hij is goed nijdig.'

'En daar heeft hij ook alle recht toe.'

'Bovendien bevalt het hem helemaal niet dat iedereen erover praat.'

Volgens mij heeft dat zijn ego een behoorlijke knauw gegeven. Waarom heb je niet gewoon een week vrij genomen? Waarom moest je zo nodig je baan opzeggen? Dat begrijp ik niet. Waarom moest het allemaal zo dramatisch? Heel Londen praat erover, en je bent nog niet eens een week weg. Belachelijk gewoon!'

'Er knapte iets in me. Ineens kon ik niet meer. Ik heb er verder niet over nagedacht, ik moest gewoon weg. Afijn, maakt hij zich geen zorgen over míj?'

'Volgens hem zijn het gewoon zenuwen. Voor de bruiloft. Het schijnt dat veel bruiden daar last van hebben. En natuurlijk maakt hij zich ook zorgen over jou.'

'Nou, zo klinkt het anders niet.'

'Moet ik zeggen dat ik je heb gesproken, en dat alles goed met je is? Kan het kwaad als ik hem vertel waar je zit?'

'Denk erom dat je dat niet doet!' roept Ellen, vervuld van afschuw. 'Dat mag je echt tegen niemand zeggen, Emily! Ik moet er niet aan denken dat ze nu al achter me aan komen. Ik ben nog niet eens een week weg. Je kunt tegen mama zeggen dat je me hebt gesproken, en dat alles goed met me is. Maar zeg in godsnaam niet dat ik in Ierland zit.'

'Oké, rustig maar. Ik hou mijn mond, maar je staat bij me in het krijt, Ellen! En niet zo zuinig ook. Ik voer hier een complete oorlog, en jij zit ondertussen "Danny Boy" te zingen in de Pot of Gold! Het valt niet mee om iedereen af te poeieren. Het was heel wat makkelijker geweest als je had gezegd dat je er even tussenuit ging, ergens ver weg, waar je mobiel geen bereik heeft. Dan had niemand zich zorgen gemaakt. En niemand had zich geroepen gevoeld mij te bellen om uit te vinden waar je zit!'

Ze praten nog even door, maar het gesprek interesseert me verder niet. Met de belofte contact te houden hangt Ellen ten slotte op. Ze blijft zitten en denkt na over wat Emily heeft gezegd. Tenminste, dat denk ik. Ze fronst, en alle vrolijkheid is uit haar gezicht verdwenen.

Dus Ellen is verloofd! En ervandoor gegaan. Wat een verrukkelijk nieuwtje! Ik ben er niet voortdurend bij wanneer Conor en zij samen zijn, maar ik weet vrij zeker dat ze hem dat niet heeft verteld. Hij wordt woest als hij erachter komt. Dan kan hij haar niet meer vertrouwen, en daarmee heb ik een machtig wapen in handen. Want vertrouwen is misschien wel de enige zwak plek in Conors pantser. Ik heb hem teleurgesteld, maar alleen omdat hij me daartoe dreef, doordat ik zo intens en wanhopig veel van hem hield. Dat wil hij niet nog eens doormaken. En dat wordt Ellens ondergang.

Ze wast haar bord af, zet het in de kast en loopt naar de bibliotheek. Haar blik gaat aandachtig langs de boeken, tot ze heeft gevonden wat ze zoekt. *De jaren van onschuld*, door Edith Wharton. Dat verbaast me niets. Ze pakt het uit de kast en ik zie de vreugde terugkeren op haar gezicht. Ik weet waarom ze het wil lezen. Ze wil wanhopig graag weten of het goed afloopt. Als ik dat kon, zou ik haar vertellen van niet.

16

Toen Ellen de volgende morgen wakker werd, kletterde de regen tegen de ramen. Veilig en warm onder de dekens luisterde ze in de half donkere kamer naar de wind. Er trok een huivering over haar huid bij de herinnering aan Conors armen om haar heen. Ze rekte zich uit en kronkelde van genot terwijl ze aan zijn strelende handen dacht die over haar lichaam gleden.

Ze liet het bad vollopen. Daarna poetste ze neuriënd haar tanden en haalde ze haar marineblauwe ribfluwelen broek uit de kast. Het was jaren geleden dat ze voor het laatst naar de kerk was geweest. Haar moeder had haar als kind elke zondag meegesleept, maar sinds ze was gaan studeren, had haar kerkgang zich beperkt tot huwelijks- en doopplechtigheden en de jaarlijkse religieuze feesten. Ze had niets tegen de Kerk. Die speelde alleen niet langer een rol van betekenis in haar leven. En wat het geloof betrof, ze twijfelde niet aan het bestaan van een hogere macht, maar ze stond er eigenlijk zelden bij stil. Dat ze vandaag naar de kerk ging, had niets met haar geloof te maken. Ze ging om haar familie een plezier te doen. En om Conor te zien.

Peg kwam binnen nadat ze de beesten had gevoerd en ze ontbeten samen. 'Nee maar, wat heb jij je mooi gemaakt voor de mis! Misschien moet je dat gekke berenvel maar weer aantrekken. Het is heel aardig opgedroogd.'

'O? Ik dacht dat het geruïneerd was.'

'Jammer genoeg niet. Afijn, het is beter dan een jack, en mijn nette jas vind je vast en zeker te ouwelijk.' Ze ging op Jacks stoel zitten en voerde hem een stuk brood. 'En, heb je Londen nog gebeld, gisteravond?'

'Ja, ik heb mijn vriendin gesproken. Emily. Alles is goed met mijn moeder. Ze maakt zich totaal geen zorgen.' Ellen kromp inwendig ineen bij de leugen. Ze sloeg haar ogen neer en keek naar haar pap. 'Mooi zo. Nou, dat viel dus best mee. Het is niet goed dat je moeder zich zorgen maakt, terwijl een simpel telefoontje genoeg is om haar gerust te stellen.' 'Ik zie Conor in de kerk,' vertelde Ellen, en ze probeerde nonchalant te klinken. Peg reageerde verbaasd. 'Gaat Conor naar de mis?' Ze fronste, zodat haar gegroefde gezicht op een walnoot leek. 'Ja, vind je dat raar?' 'Raar? Het is ongelooflijk. Waarom zou hij dat zichzelf opnieuw aandoen?' 'Wat?' 'De laatste keer dat hij naar de mis ging, was met Caitlins begrafenis. Niet in de kerk in het dorp, waar jij straks naartoe gaat, maar in een vervallen kapelletje op de heuvel. Bijna het hele dorp was er, en er werd dusdanig gefluisterd en geroddeld dat hij uiteindelijk vertrok zonder met iemand te hebben gesproken. Het was afschuwelijk. Ik ben er niet bij geweest, maar dat hebben Johnny en Joe me verteld. Het was zo erg, ze konden het gewoon niet aanzien, zeiden ze.' 'Maar we zijn inmiddels vijf jaar verder. Het zal nu toch wel meevallen?' 'Daar zou ik maar niet zo zeker van zijn. Ik weet niet wat ik ervan moet denken. Of het dapper is wat hij doet, of dwaas. Waarom gaat hij eigenlijk?' 'Dat weet ik niet. Misschien wil hij gewoon naar de kerk met zijn kinderen. Daar heeft hij toch het volste recht toe?' 'Natuurlijk, maar volgens mij gaat hij om jou te zien.' 'Daar hoeft hij niet voor naar de kerk. Hij hoeft alleen maar te vragen of ik langskom.' 'Dan begrijp ik het niet. Maar pas op dat je er geen vertoning van maakt. Want dat zullen de jongens niet leuk vinden. Ik verwacht van je dat je discreet bent, Ellen.' Peg schonk haar een lange doordringende blik, die Ellen uitdagend beantwoordde. 'Jaysus, soms lijk je zo op je moeder dat ik er bang van word.'

'Ik ook,' zei Ellen lachend. Ze wilde niet op haar moeder lijken, maar dankzij de foto's die ze had gezien, van Madeline Trawton als klein meisje, wist ze dat ze meer op haar leek dan ze had beseft. 'Ik zal voorzichtig zijn, tante Peg. Dat beloof ik.'

Om kwart voor tien kwam Joe voorrijden met de pick-up van zijn vader. In een schone broek, een net jasje en met zijn haar uit zijn gezicht gekamd zag hij er ineens heel anders uit. 'Nee maar, je bent, wat je noemt, op je paasbest. Mijn complimenten,' zei Ellen, terwijl ze haastig in de auto klom want het regende nog steeds.

'Het compliment is geheel wederzijds.' Hij startte de motor. 'En dat is maar goed ook, want reken maar dat de hele kerk naar je kijkt.'

'Zulke dingen moet je niet zeggen!'

'Waarom niet? Het is toch zo? Alle Byrnes zijn er, behalve Peg, natuurlijk. En iedereen is nieuwsgierig naar je.'

De zenuwen wierpen een schaduw over haar geluk. Ze wilde geen aandacht vestigen op Conor en haar. 'Ach, ze zijn gauw genoeg aan me gewend,' voegde ze er optimistisch aan toe.

'Dat denk je maar. Ze hebben het over niets anders.'

'Hou toch op met je geplaag!'

Hij keek haar ernstig aan. 'Ik plaag je niet. Het hele dorp heeft er de mond vol van.'

'Het is niet te geloven! Hebben jullie niks anders om over te praten?'

'Natuurlijk wel. Meer dan genoeg. Maar er wordt hier zo veel gepraat dat we twee keer zo veel stof nodig hebben dan andere mensen.' Hij begon te lachen. 'Rustig maar. Je hebt mij toch? Ik zal wel op je passen.'

Ze sloeg haar blik ten hemel. 'O, dat scheelt,' zei ze hatelijk. 'Ik voel me ineens een stuk geruster, Joe. Dank je wel!'

Joe reed het tuinpad af, de weg op. Het stortregende. De ruitenwissers bewogen luidruchtig en ritmisch over het glas en moesten hard werken om de ruit vrij te houden. Door de laaghangende bewolking bood het landschap een sombere aanblik. De grijze zee beukte onstuimig op het eiland, waar de vuurtoren de elementen tartte, als de laatste soldaat die zich nog staande wist te houden.

Toen ze het dorp binnenreden, zagen ze kerkgangers die schuilend onder grote paraplu's op weg waren naar de mis. Iedereen was in zijn zondagse kleren, dus Ellen was blij dat ze een geklede broek en nette schoenen bij zich had, ook al voelde ze zich wel een beetje misplaatst in haar jas van namaakbont. Onwillekeurig dacht ze aan haar moeder, die zich voor de kerk kleedde alsof ze naar een bruiloft ging, in een smetteloos, gedistingeerd mantelpak met een gepaste, eenvoudige hoed en haar onvermijdelijke pumps met hoge hakken, want ze was klein van postuur, dus ze wilde graag langer lijken. Die kledij gaf haar het gevoel dat ze belangrijk was, besefte Ellen, en onderstreepte haar positie in de hoogste Londense kringen. Wie zou ooit kunnen vermoeden dat ze uit dit kleine dorpje in het hart van Connemara kwam? En trouwens, wat deed dat ertoe? Ellen kon zich niet voorstellen dat ook maar iemand daar aanstoot aan zou nemen.

Ellen en Joe haastten zich de auto uit, de kerk in, want Joe had geen paraplu. Maar tegen de tijd dat ze binnen waren, was het kwaad al geschied. Ze waren drijfnat. Als Ellen haar bontjasje niet aan had gehad, zou ze tot op de huid doorweekt zijn geweest. Terwijl ze door het gangpad liep, liet ze haar blik zo onopvallend mogelijk over de gezichten gaan, op zoek naar Conor. De kerk zat vol en er heerste een levendig geroezemoes. Een sfeer van verwachting en opwinding vermengde zich met de klamme geur van natte jassen. Ellen was zich bewust van alle nieuwsgierige blikken, maar ze verdroeg ze manmoedig en ontleende steun aan de gedachte dat Conor ook ergens in een van de banken zat. Al rondkijkend ontdekte ze Dylan, in een zwart pak met dito hoed. Hij droeg zelfs een das. Toen ze naar hem glimlachte, straalde zijn gezicht van genegenheid. Maar waar was Conor?

Alle Byrnes zaten links van het gangpad en met hun vrouwen en kinderen namen ze ten minste zes rijen in beslag. Ellen schoof naast Alanna en begroette haar ooms op gedempte toon. Het ene na het andere familielid draaide zich om en stelde zich fluisterend voor, totdat de pastoor het schip van de kerk betrad en er een stilte neerdaalde over de gemeente.

Pastoor Michael was al oud, en met zijn stoppelige spitse gezicht deed hij denken aan een dikke das. Zijn haar begon dun te worden. Bij de bakkebaarden was het nog zwart, maar het weinige haar dat hij verder nog had, was grijs. Hij droeg het in een lage scheiding, zodat hij het over zijn kale schedel kon kammen. Maar als de wind er vat op kreeg, stond het als een dekseltje overeind en werd zijn glimmend roze, sproetige schedeldak zichtbaar. Hij had zijn paarse toga over zijn omvangrijke buik gedrapeerd, vanwaar het gewaad in royale plooien tot op de grond hing.

Terwijl hij zijn gemeente verwelkomde, dwaalde Ellens blik naar de andere kant van het gangpad en bleef rusten op het fijn getekende profiel van een man met een zwarte gleufhoed en een dikke zwarte jas, in het midden van een rij. Hij was opvallend knap, met een geprononceerde neus, een gladde huid en een wilskrachtige kaaklijn. Pas toen ze naast hem de twee kinderen en Daphne ontdekte, besefte ze wie hij was en kwam er een vurige blos op haar wangen. Conor had zijn baard afgeschoren en zijn haar geknipt.

Op dat moment keerde hij zich naar haar toe, alsof hij voelde dat ze naar hem keek. Hij mocht er zonder baard dan anders uitzien, zijn ogen hadden nog dezelfde saffierblauwe kleur. Toen hun blikken elkaar kruisten, verscheen er een vluchtige glimlach om zijn mond en glinsterden er pretlichtjes in zijn ogen. Het was duidelijk dat haar reactie op zijn onverwachte metamorfose hem plezier deed.

Ze richtte haar aandacht weer op haar kerkboek, vurig hopend dat het bonzen van haar hart en haar vurige blos niet de aandacht trokken. Hoewel ze haar uiterste best deed niet meer naar hem te kijken, werd het verlangen haar een paar keer toch te machtig. Dan gleed haar blik naar de andere kant van het gangpad, maar ze keek meteen weer voor zich, alsof ze zich aan zijn aanblik had gebrand. Tot haar verrassing zag hij er ineens veel jonger uit, zonder de gekwelde blik in zijn ogen. Het was alsof hij met zijn haar ook zijn boosheid had afgelegd. Ze had hem al waanzinnig aantrekkelijk gevonden, maar nu was er helemaal geen houden meer aan! Onder haar jas sloegen de vlammen haar uit en ze maakte de knopen los om af te koelen. Hoe veel weesgegroetjes zou ze moeten bidden om boete te doen voor de wellustige gedachten en de zondige beelden die haar overvielen?

Toen de gemeente overeind kwam om in de rij te gaan staan voor de Heilige Communie, stond Ellen ineens tegenover Conor, aan de andere kant van het gangpad. Ze keek verschrikt naar hem op, onzeker hoe ze moest reageren nu ze van alle kanten werd gadegeslagen. Maar Conor glimlachte beheerst en gebaarde haar vóór te gaan. Ze stapte uit de rij, en ineens stond ze bijna vlak voor hem, met Alanna tussen hen in, als een stuk hout met aan weerskanten een magneet. Ellen kon zich niet omdraaien, maar ze voelde zijn ogen in haar rug. Nerveus beet ze op de nagel van haar duim. Toen ze eindelijk bij het altaar waren, knielde Alanna rechts van haar, zodat de plek links van haar beschikbaar was voor Conor. Hij knielde ook, in afwachting van de hostie. Ze keken elkaar niet aan, want ze voelden allebei dat alle aandacht niet op pastoor Michael was gevestigd maar op hen. Hun armen raakten elkaar bijna, en Ellen kon Conor vanuit haar ooghoeken zien. Zijn gezicht bleef onbewogen, als het rimpelloze oppervlak van een meer, maar ze was zich bewust van zijn aantrekkingskracht, als een onderstroom in de smalle ruimte tussen hen in.

Pastoor Michael was al veel te snel bij hen, met het lichaam en het bloed van Christus. Toen ze van de beker had gedronken en hij de hostie op haar tong had gelegd, lukte het haar een vluchtige blik op Conor te werpen voordat ze zich oprichtte en terugliep naar haar plaats. Ze was gefascineerd door zijn nieuwe uiterlijk en vroeg zich af hoe het zou zijn om hem te kussen nu zijn gezicht helemaal glad was. Afwezig streek ze met een vinger over haar lippen. Net op dat moment keek hij naar haar, en ze zag de vrolijke glans in zijn ogen, alsof hij genoot van haar verbazing, maar zijn uiterste best deed dat niet te laten merken.

Toen ook hij terugliep naar zijn plaats, merkte Ellen hoe alle aandacht op hem was gericht. Een zacht geroezemoes, als het gezoem van een zwerm bijen, ging door de gemeente. Enkele oude dames met zwarte kanten sluier fluisterden besmuikt tegen elkaar, hun lippen getuit in een strakke o. Als Conor hun nauwelijks verholen nieuwsgierigheid al bemerkte, dan liet hij dat niet blijken. Hij zat met opgeheven hoofd, de blik recht vooruit. Zijn houding kon gemakkelijk voor arrogant worden aangezien. Hij keek niet eens naar Ellen, en na opnieuw een vluchtige blik keek ze ook weer voor zich. Eigenlijk was het belachelijk, dacht ze. Volwassen mensen die zich zo kinderachtig gedroegen. Ze leken wel een stel schoolkinderen dat hun ouders uitdaagde.

Toen de mis was afgelopen, stroomden de gelovigen naar buiten. Het regende niet meer, en even scheen de zon door het baldakijn van wolken, zodat de druppels op de uitbottende takken van de platanen flonkerden als diamanten. Ellen werd omstuwd door haar familie. Ze voelde zich als een kleine vis die werd belegerd door een school grotere vissen, die hoog boven haar uit torenden. Alanna stelde haar voor aan een aantal familieleden die ze nog niet had ontmoet. Terwijl ze hen glimlachend de hand schudde, werd de drang om weg te komen steeds sterker. Over de hoofden heen zag ze dat Conor en Daphne met Johnny stonden te praten, terwijl de kinderen het pad af liepen naar de auto, die op het gras langs de weg geparkeerd stond. Telkens wanneer ze probeerde om zich heen te kijken, eiste haar familie haar aandacht op. Ze was als gevangen in een net, niet in staat zich los te rukken.

'Ik ben zo blij dat je komt lunchen,' zei Alanna. 'Johnny en Emer zijn er ook, met Joe. Zo krijg je de kans de familie beter te leren kennen. Joe is niet de enige van jouw leeftijd.' Ellen luisterde maar half terwijl steeds meer familieleden verschenen die haar bestookten met vragen, zonder haar de tijd te geven te antwoorden. Ze vonden het allemaal reuze opwindend om de dochter van de beruchte Maddie Byrne te ontmoeten.

Ellen sloeg haar ogen op als een drenkeling die naar lucht hapt. Toen ontdekte ze Dylan. Hij stond een klein eindje verderop met zijn duistere, broeierige blik naar haar te kijken. Wat ze in zijn ogen las, was geen nieuwsgierigheid, zoals bij de anderen. Zijn blik was die van een man die werd verteerd door verlangen. Ellen wendde zich af, slecht op haar gemak door de smachtende uitdrukking in zijn ogen. Ze mocht dan op haar moeder lijken – in de tijd dat Dylan haar had gekend – maar ze wás haar moeder niet. En als hij Maddie zou weerzien, zou hij beseffen dat ook zíj niet meer dezelfde was als vroeger.

Eindelijk was Alanna even afgeleid, en Ellen greep haar kans. 'Ik ben zo terug,' mompelde ze, en ze baande zich een weg door de drukte. Haastig liep ze het pad af naar Ida en Finbar, die op de treden naar de weg speelden. Toen Ida haar zag, begon haar gezichtje te stralen. 'Hallo, Ida.' Ellen glimlachte. 'Ik wil best je nagels nog even lakken, voordat je teruggaat naar Dublin. Afgebladderde nagels zijn geen gezicht.'

'Volgens oma mag ik geen nagellak op als ik naar school ga.'

'O nee? Wanneer ga je terug?'

'Morgen.'

Ellen probeerde niet te laten merken hoe teleurgesteld ze was. 'Maar je komt toch gauw weer terug?'

'Misschien. Ik weet het niet.' Het kleine meisje haalde haar schouders op. 'Dat moet je aan papa vragen.' Ida keek op, en aan de liefdevolle uitdrukking in haar ogen zag Ellen dat Conor eraan kwam. Haar maag verkrampte van nervositeit.

Ze keerde zich naar hem toe. De glimlach waarmee hij haar aankeek, was uitdagend, zonder enige reserve. Hij wreef over zijn kin. 'Wat vind je ervan?'

'Ik herkende je eerst niet eens!' Ze glimlachte terug.

'Dat dacht ik al. Maar kan het ermee door?'

'Ik vind het geweldig. Het maakt je jonger.'

Hij knipoogde naar zijn dochter. 'Precies wat we willen horen, hè, Ida? Finbar, heb je honger?'

'Ja. Gaan we nou eindelijk naar huis?' vroeg hij nukkig.

Conor stopte zijn handen in zijn jaszakken en keek achterom, naar de kerkgangers. 'Volgens mij hebben we het hele dorp weer stof gegeven om over te praten.' Hij klonk volmaakt onbekommerd.

'Dat komt doordat je je baard hebt afgeschoren.'

'Was dat maar waar! Trouwens, de eerste helft van de mis had niemand in de gaten wie ik was.'

'Voelt het anders?'

Hij wreef opnieuw over zijn kin, met pretlichtjes in zijn ogen. 'Dat hoor ik graag van jou,' antwoordde hij zacht, zodat de kinderen het niet hoorden.

Ze kleurde, maar zijn veelbetekenende toon ontlokte haar weer een glimlach. 'Met alle plezier.' Ze sloeg haar armen over elkaar, want ze kon de verleiding bijna niet weerstaan hem aan te raken.

'Het is jammer dat je bij je familie moet lunchen. Meg heeft een lekker stuk vlees in de oven staan.'

'Pastoor Michael is er ook.'

'En je hebt een hoop vragen voor hem. Dat weet ik. Maar ik vraag me af of een lunch met de familie daarvoor het juiste moment is.'

'Misschien lukt het me hem even apart te nemen.'

'Vast wel. En na een paar glazen wijn wordt hij misschien wat loslippig.'

Daphne kwam bij hen staan, en het formele karakter van hun gesprek werd een kwelling. Omdat ze zich bewust waren van de dorpelingen die hen nog altijd nieuwsgierig gadesloegen en die zich afvroegen hoe ze elkaar kenden, hielden ze angstvallig afstand van elkaar. Conor stond met zijn handen diep in zijn jaszakken, Ellen met haar armen over elkaar geslagen. De kinderen begonnen ongeduldig te worden. 'Kom maar, lieverd.' Daphne pakte Ida's hand. 'We moesten maar eens gaan. Leuk je weer gezien te hebben, Ellen. Doe de groeten aan Peg.'

'Dat zal ik doen. Dank je wel,' antwoordde Ellen, terwijl Daphne en Ida naar de auto liepen.

Conor bleef nog even staan. 'Ik zou je zo graag willen kussen,' zei hij zacht. Hij keek haar strak aan.

'Dan stuurt mijn kersvers ontdekte familie me rechtstreeks terug naar Londen, vrees ik.' Ze begon te lachen, maar diep vanbinnen was ze plotseling de wanhoop nabij. Conor ging weg, en ze had geen idee wanneer ze hem weer zou zien. Zonder de dorpelingen, die als een trouwe kudde voor de kerk stonden, zou ze hem om de hals zijn gevallen en hem hebben gesmeekt niet weg te gaan. 'Ik zal geduld moeten hebben voordat ik weet hoe het voelt. Je nieuwe gezicht, bedoel ik.' Ze probeerde rustig en beheerst te klinken, om niet afhankelijk en onzelfstandig te lijken.

'De jager heeft gewonnen,' zei hij grijnzend.

Ze beantwoordde zijn glimlach, genietend van de herinnering. 'Ja, hij heeft de wolf verslagen.'

'We maken ons eigen sprookje, Ellen.' Even werd zijn gezicht ernstig. 'Kom mee, Finbar. Dan gaan we naar huis.' Hij pakte de hand van het kind, toen keerde hij zich met een veelbetekenende blik om naar Ellen. 'Ik kom terug.'

Ze keek hem na toen hij de treden af liep naar de Range Rover, waar Daphne en Ida al stonden te wachten. Finbar leek heel klein naast de rijzige figuur van zijn vader. Ellen wenste dat ze met hen mee kon gaan, maar ze had afgesproken dat ze bij Alanna en Desmond zou lunchen. Ze had geen andere keus dan Conor met zijn gezin na te kijken terwijl de auto wegreed. Ze twijfelde er niet aan of haar familie zou haar bestoken met vragen over hem. Maar ze nam zich voor niet te veel los te laten. Ze wilde Desmond niet nog wantrouwender maken dan hij al was.

De lunch werd een vrolijke aangelegenheid. Ashley, de zus van Joe, was er met haar man en haar twee jonge kinderen. Net als Alanna's broer, Patrick, met Clare, zijn vrouw. Pastoor Michael ging voor in gebed, waarna iedereen zich rond de lange tafel in de eetkamer schaarde, waar ze genoten van een stevige zondagse lunch. Ellen had bewust een plekje gekregen naast pastoor Michael, maar pas tegen het eind van de maaltijd, toen het gezelschap zich verplaatste naar de zitkamer, kwam het gesprek op haar moeder.

'Wat lijk je op je moeder, Ellen,' zei hij zacht, alsof hij haar een geheimpje vertelde.

'Dat kan ik zelf niet goed zien, maar misschien hebt u gelijk.' In Londen zei nooit iemand dat ze op haar moeder leek. Het werd haar steeds duidelijker dat Maddie Byrne als het ware een huid had afgelegd toen ze uit Ierland was vertrokken, dat ze een ander mens was geworden.

'Ja, ik zie het heel duidelijk,' vervolgde de pastoor met zijn melodieuze Ierse accent waarbij hij de klinkers lang aanhield. 'Ze had dezelfde vorm van gezicht als jij, dezelfde kin, dezelfde glimlach. Een erg lieve glimlach. Volgens mij heb je alleen niet haar ogen. Nee, de jouwe zijn groter, en de hare waren blauw. Maar in je blik vind ik wel weer iets van haar terug. Volgens mij ben je net zo onvoorspelbaar als zij.' Hij grinnikte aangeschoten, tevreden met zijn analyse. Omdat hij in de verleden tijd sprak, vroeg Ellen zich af of hij soms dacht dat haar moeder dood was.

'Ik denk dat u haar erg veranderd zou vinden,' zei ze om hem duidelijk te maken dat ze nog leefde.

'Ach, mensen worden volwassen. Je moeder was nog erg jong toen ze hier wegging.' Hij speelde met zijn lege gin-tonicglas en liet het kantelen als een boot die dreigde te kapseizen.

Ellen dempte haar stem ook, in de hoop pastoor Michael een ontboezeming te ontlokken door te doen alsof ze hem in vertrouwen nam. 'Weet u, ik wist niet eens dat mijn moeder hier familie had. De ontdekking dat ze broers had, kwam volledig als een verrassing. Ik wist alleen van het bestaan van Peg.'

Zijn wenkbrauwen kropen als harige witte rupsen naar elkaar toe. 'Dat heb ik begrepen, ja. Het is wreed dat je je oma nooit hebt gekend.'

'Ja, dat vind ik heel jammer,' zei Ellen verdrietig.

'Ze was een geweldige vrouw, je oma. Echt een geweldige vrouw.'

'Dat geloof ik graag. En sterk. Dat ze helemaal alleen zes kinderen heeft grootgebracht! En dan had ze ook nog de boerderij!'

'O, maar ze was nooit alleen, Ellen. Ze was enorm sociaal, en ze had een kring van mensen om zich heen, ook al was ze te trots om toe te geven dat ze hulp kreeg. Ze was in alle opzichten een erg trotse vrouw.'

'Het moet haar wel heel veel verdriet hebben gedaan toen mijn moeder van huis wegliep.'

Pastoor Michael drukte zijn kin in zijn hals, terwijl hij over zijn antwoord nadacht. Zijn wangen gloeiden van de whisky die hij voor de mis had gedronken, en van de twee gin-tonics daarna. Hij ademde in door zijn harige neusgaten. 'Dat was voor ons allemaal een schok,' zei hij ten slotte zacht. 'Je oma was een sterke vrouw, maar dat Maddie wegging... daar is ze nooit meer overheen gekomen.' Hij schudde zijn hoofd bij de herinnering.

Ellen besloot het erop te wagen. 'Was dat vanwege...vanwege mij?' Ze hield haar adem in toen hij haar met zijn oude, troebele ogen verbaasd aankeek. Na een haastige blik op de zitkamer boog hij zich dichter naar haar toe. 'Dus je wéét het?' vroeg hij zo zacht dat Ellen hem bijna niet kon verstaan.

'Ja, ik wéét het,' antwoordde ze met dezelfde nadruk.

'Heeft Maddie je dat verteld?'

'Nee, ik ben er zelf achter gekomen.'

Hij knikte ernstig. 'Natuurlijk. Je bent een slimme meid.' Hij klopte onvast op haar hand.

'Ik neem aan dat verder niemand het weet?'

'Alleen je oma. Peg heeft het haar verteld.' Ellen klemde haar kiezen op elkaar om te voorkomen dat haar mond openviel. Ze dacht koortsachtig na en vroeg zich af hoe haar moeder het verraad van haar zuster kon hebben ontdekt. Maar omdat ze tegen pastoor Michael had gezegd dat ze het wíst, kon ze niet laten merken hoe geschokt ze was, en moest ze haar vragen inslikken. Hij was zo aangeschoten dat hij haar verwarring niet opmerkte. Met een zweem van verbittering tuitte hij zijn lippen. 'En Maddie wist wat er gebeurde met meisjes die ongehuwd zwanger werden. Maar ze was dapper, onze Maddie Byrne. Dat is ze altijd geweest.' Hij slaakte een zucht. 'Ze zag haar kans, en die greep ze met beide handen aan.'

'Ik neem aan dat het de enige optie was.'

'In elk geval voor háár. Het is een verschrikkelijke keuze, voor iedere jonge vrouw. Maar voor Maddie was het extra wreed omdat ze zo veel moest achterlaten. Die arme Dylan Murphy gaat er tot op de dag van vandaag onder gebukt. Ik weet niet of hij haar heeft vergeven. Ik heb geprobeerd hem met zachte drang zover te krijgen, maar het is wel erg veel gevraagd van een man. En wat je oma betreft, die worstelde met haar geloof, maar ik vrees dat ze is gestorven zonder dat ze het met Maddie had bijgelegd. Ooit zullen ze elkaar weerzien, en ik hoop dat ze elkaar dan kunnen vergeven.'

Ellen keek pastoor Michael niet-begrijpend aan. 'Wat had mijn moeder mijn oma te vergeven?'

Pastoor Michael fronste zijn wenkbrauwen, alsof het hem verbaasde dat ze dat niet wist. 'Een heleboel, Ellen. Een heleboel.'

17

Conor heeft zijn baard afgeschoren en zijn moeder heeft zijn haar geknipt. Er is iets ingrijpends gaande en dat bevalt me helemaal niet. Terwijl ik zijn haar in plukken op de badkamervloer zag vallen, was het alsof ík met die schaar werd weggeknipt en met stoffer en blik werd opgeveegd. Na de metamorfose was hij weer jong en hij ziet eruit alsof hij gelukkig is. Alsof hij met zijn haar ook zijn verdriet heeft afgelegd. Ik voel dat hij vervuld is van nieuwe energie, van inspiratie, en dat heeft niets met mij te maken. In het besef dat zijn vreugde is ingegeven door een andere vrouw, volg ik hem door het huis en hoor ik hem tevreden neuriën.

Wat ziet hij in Ellen? Ze kan niet in mijn schaduw staan! Ik was hartstochtelijk, temperamentvol, prachtig! Een vuurvogel. Stralend, fascinerend, onvoorspelbaar. Conor genoot van mijn excentriciteit, mijn romantische aard. Ellen heeft niets excentrieks. Ze is niet beeldschoon, ze is niet opwindend, ze is heel gewoon.

Ik ben hem gevolgd naar de kerk. Onder zijn mooie zwarte jas en gleufhoed droeg hij een pak en een das. Hij zag er zo knap en voornaam uit, als een echte, ouderwetse gentleman. Maar ik zag aan hem dat hij nerveus was, want terwijl hij zijn armen langs zijn lichaam liet hangen, bewoog hij rusteloos met zijn vingers. Ida en Finbar waren verbijsterd door de transformatie, want ze kunnen zich hem niet herinneren zonder baard. Ze konden hun ogen niet van hem afhouden en waren ineens verlegen, alsof hij iemand anders was geworden. Daphne liep trots en met opgeheven hoofd het gangpad door, want de laatste keer dat ze haar zoon naar de kerk vergezelde, was tijdens mijn begrafenisdienst, in de

kleine kapel. En toen zag hij eruit als Edmond Dantès, na jarenlange op-
sluiting op Château d'If. Ze heeft het gevoel dat ze haar zoon terug
heeft, en misschien is dat ook wel zo, want ik ben er niet meer om hem
bij haar vandaan te houden.

Pas toen Ellen en Conor elkaar aankeken over het gangpad, besefte
ik hoe sterk hun gevoelens voor elkaar inmiddels al zijn. Hun blik hield
lang stand, en op de een of andere manier zeiden ze met hun ogen méér
dan ze dat ooit met woorden hadden gekund. In Conors blik las ik een
grote tederheid. Zijn ogen straalden en ik werd verteerd door jaloezie,
want die heldere gloed werd niet alleen veroorzaakt door begeerte. Ik
joeg woedend de kerk door, net als tijdens mijn begrafenis, maar ik bereikte er niets mee. Er was zelfs geen kaars die flakkerde, geen bladzijde
van een gebedenboek die ritselde. Er gebeurde helemaal niets. Ik ben
lichter dan lucht, maar door mijn aardse emoties ben ik voor mijn gevoel loodzwaar. Waarom kan Pegs dochtertje kaarsen uitblazen en honden aaien, terwijl ik niet verder kom dan vogels bang maken?

Eenmaal buiten, voor de kerk, kijkt hij haar lachend aan, met de
glimlach die ooit exclusief voor mij was. En die zo onweerstaanbaar is
dat hij zelfs het ijzigste hart zou doen smelten. Daar is hij zich niet van
bewust. Om hun sympathie en hun vertrouwen te winnen, zou hij alleen maar naar de Ballymaldooners hoeven te glimlachen. Maar dat
doet hij niet. Conor geeft er niets om hoe de mensen over hem denken.
Hij trekt volledig zijn eigen plan en wil van niemand afhankelijk zijn, in
geen enkel opzicht. Volgens mij geniet hij zelfs van alle nieuwsgierige
blikken.

Ellen heeft zijn zelfvertrouwen een nieuwe impuls gegeven en hem
uit het drijfzand van zijn verdriet getrokken. Maar in dat drijfzand was
hij wel van mij! Hij mocht dan ongelukkig zijn, hij was van niemand anders. Ik was zijn heden, zijn hier en nu, en dat gold omgekeerd net zo.
Maar nu ben ik zijn verleden. Ik ben opnieuw gestorven. En dat accep-
teer ik niet. Ik moet dit zien te stoppen voordat het opbloeit. Ik moet het
in de kiem smoren en dan is Conor weer alleen van mij. Even dacht ik
dat Ellen mijn redder zou kunnen zijn, maar ze is mijn vloek.

Hoe dan ook, Conor keert als een ander mens terug naar Dublin.
Zijn tred is veerkrachtig en hij glimlacht naar iedereen die hij tegen-
komt. De sombere sfeer op kantoor lost op als mist in de zomerzon. En

net als de zomerzon lijkt zijn geluk alles in een ander, vrolijker licht te hullen. Hij besteedt weer aandacht aan zijn uiterlijk en gebruikt zelfs de eau de toilette die jaren ongeopend in de badkamer heeft gestaan. Op kantoor zijn ze allemaal verbaasd door zijn metamorfose en door de geur van verbena die er om hem heen hangt. Zijn secretaresse lijkt ineens jaren jonger, bevrijd van de stress die een frons in haar voorhoofd heeft geëtst. Maar ze durft er nog niet in te geloven dat de verandering blijvend zal zijn, getraumatiseerd als ze is door zijn altijd smeulende woede, die de afgelopen vijf jaar regelmatig tot een uitbarsting kwam. Conor heeft haar slecht behandeld en hij is vastbesloten die schuld in te lossen. Net als zijn schuld aan Robert, zijn zakenpartner, en aan hun team van twintig kundige, creatieve medewerkers, die ook hebben geleden onder de hel waarin hij al die tijd heeft geleefd. Hij wil iedereen duidelijk maken dat die periode tot het verleden behoort, dat hij weer helemaal terug is.

Hij geeft zijn secretaresse opdracht een telefoon voor Ellen te regelen. Want hij wil haar kunnen bellen zonder dat hij Pegs nummer hoeft te gebruiken. Dat begrijp ik. Hij is tenslotte ook maar een mens en er zijn grenzen aan zijn vermogen tot vergeven. Maar zijn verlangen is sterker dan zijn reserve, en uiteindelijk belt hij haar. Gezeten aan zijn bureau, met uitzicht op de rivier die door de stad stroomt, kiest hij het nummer van Peg. Dat zit nog in zijn systeem uit de tijd dat Ronan, de zoon van Peg, voor ons werkte en mijn ideeën tot leven bracht in grenen- en eikenhout. Hij woonde destijds nog bij zijn moeder. Ik vond het heerlijk als hij aan het werk was, want hij aanbad me met de onvoorwaardelijke liefde van een jong hondje. En wat ik hem ook vroeg, hij was bereid alles voor me te doen.

'Hallo, Peg. Je spreekt met Conor.'

'Conor! Hallo!' Ze klinkt verrast. 'Je belt voor Ellen, neem ik aan?'

'Ja. Is ze thuis?'

'Wacht even. Dan zal ik haar roepen.'

Hij leunt achterover in zijn stoel en strijkt met een hand door zijn haar. Het is nog altijd dik en glanzend, ook al begint het aan de slapen te grijzen, bij de kraaienpootjes die als diepe groeven uitwaaieren vanaf zijn ooghoeken. Maar met het klimmen der jaren wordt hij alleen maar aantrekkelijker.

Ellen komt aan de telefoon, ademloos van opwinding. 'Hallo?'

'Mis je me?' Hij heeft een verleidelijke, diepe stem met een lichte heesheid. Als ze door de telefoon heen kon kijken, zou ze zien dat hij breed glimlacht en dat zijn ogen stralen.

'Een beetje,' plaagt ze.

'Dus je bent me niet vergeten?'

'Nog niet.'

'Hm, dan kan ik maar beter niet te lang wegblijven.'

'Nee, dat zou ik zeker niet doen. Met al die knappe jonge kerels hier...'

Ze lacht, want ze weten allebei dat ze Conor geen van allemaal naar de kroon kunnen steken.

'Ik moet hier nog het een en ander doen, en dan kom ik donderdag weer naar Ballymaldoon. Want ik wil je zien, geen tien paarden kunnen me tegenhouden! En ik laat de kinderen hier, bij mijn moeder.'

'Dat is goed,' antwoordt ze beheerst, maar dat is schijn. Misschien wil ze niet al te gretig lijken.

'En dan heb ik je helemaal voor mezelf,' zegt hij zacht. Hij pakt een pen en laat die tussen zijn vingers heen en weer schieten. 'Sinds ik hier ben, kan ik aan niets anders denken.'

Ze haalt diep adem. 'Ik hoop dat je ook nog wat werk gedaan krijgt.'

'Ik ben heel goed in multitasken. Trouwens Julia, mijn secretaresse, is de stad in om een telefoon voor je te regelen.'

'Wat is er mis met de vaste lijn?'

'Ik wil je altijd en overal kunnen bellen, zonder chaperonne.'

'O, aha...'

'Moet ik in het holst van de nacht onder je raam komen staan? Om je op mijn paard te ontvoeren?'

'Niet als je wilt dat ik er op mijn best uitzie.'

'O ja, je bent allergisch voor paarden. Dat was ik even vergeten. Dan zal ik met de auto moeten komen. Niet zo romantisch. En een stuk lawaaiiger.'

'O, je hoeft bij Peg niet op je tenen te lopen. Ze weet het van ons. Ik heb het eerlijk verteld. Het gaat vooral om de anderen. Met name Desmond. Daar moet ik voor oppassen.'

Hij grinnikt, want om Desmond Byrne kan hij zich niet druk maken. 'Onzin. Je hoeft aan niemand verantwoording af te leggen.'

199

'Dat weet ik wel, maar ik probeer rekening met ze te houden.'

'Trouwens, hoe was het met pastoor Michael? Ben je nog iets wijzer geworden?' vraagt hij.

Ze dempt haar stem. 'Je had gelijk. Mijn moeder was inderdaad zwanger toen ze hier wegging. Van mij.'

'Dus, je hebt hem even apart kunnen nemen?'

'Niet echt, maar hij wilde er graag over praten.'

'Ach, een pastoor is ook maar een mens. En het is een fascinerend verhaal.'

'Blijkbaar heeft mijn moeder Peg in vertrouwen genomen. Want die heeft het aan mijn oma verteld. Dat is nogal wat. Ik weet niet hoe mijn moeder daarachter is gekomen, maar misschien is dat de reden dat ze nooit meer contact heeft gezocht.'

'Waarom zou Peg zoiets doorvertellen?'

'Geen idee. Peg is een schat, dus ze moet er een goede reden voor hebben gehad. Maar het is natuurlijk wel verschrikkelijk wat ze heeft gedaan. Mijn oma was streng gelovig. Peg moet hebben geweten hoe ze zou reageren.'

'Diep geschokt dat haar dochter ongehuwd zwanger was. Dat is voor een goed katholiek een onvergeeflijke zonde.'

'Het klinkt nu wel erg bekrompen, vind je niet?'

'Ach, er lopen nog steeds een heleboel bekrompen mensen rond. Jij komt uit de grote stad. Daar zien ze dat soort dingen anders. De mensen zijn er toleranter. In Londen kan alles, daar kun je zijn wie je wilt. Hier niet. En al helemaal niet in een dorp als Ballymaldoon. Hier zijn ze nog erg traditioneel en ouderwets. Het verbaast me dan ook niet dat je moeder nooit meer terug is geweest. En misschien komt ze ook wel nooit meer terug.'

'De tijd heelt alle wonden,' verklaart Ellen filosofisch.

Conor glimlacht en slaakt een zucht. 'Dat is zo,' zegt hij, en ik weet dat hij aan mij denkt.

Ze praten nog even door, op die onnozele manier zoals geliefden dat doen. Ze flirten, ze plagen, ze willen geen van beiden als eerste ophangen en ze zouden allebei willen dat het al donderdag was. Maar uiteindelijk moet er toch een eind komen aan het gesprek. 'Dus zullen we afspreken dat ik je donderdagmiddag kom halen?'

'Ik kan niet wachten!' Vergeten is haar voornemen om niet te gretig te lijken.

'Ik ben bang dat de spanning me te veel wordt.'

Ze lacht. 'Dat zal wel meevallen. Je bent een geduldig mens, Conor Macausland.'

'Dat heb ik ook altijd gedacht. Afijn, wees jij nou maar een brave meid.'

'Ik ga proberen wat te schrijven.'

'Ja! Schrijf een goed verhaal waar ik een film van kan maken.'

'Als je me onder druk zet wordt het nooit wat.'

'En je had al zo veel inspiratie opgedaan, zei je?'

'Dat is ook zo.'

'Schrijf over die kasteelruïne waar we zijn geweest.'

'Je wil gewoon dat ik over jou schrijf.'

'Nou, ik ga er wel van uit dat ik je held ben!'

'Natuurlijk.'

'Oké, tot donderdag.'

'Tot donderdag.'

'Ik kus je! Overal!' zegt hij zacht.

Ze antwoordt niet, maar hij hoort haar lachen aan de andere kant van de lijn. Het klinkt als een zachte fluistering.

Glimlachend verbreekt hij de verbinding. Dan staart hij uit het raam, naar de rivier die op korte afstand langs het gebouw stroomt, en hij denkt aan de vrouw die totaal onverwacht op zijn pad is gekomen – letterlijk, die dag in de heuvels – en die zijn leven heeft veranderd. Hij is verbaasd over de omvang van die veranderingen, en dat die zich in zo'n korte tijd hebben voltrokken. Ik zou hem kunnen vertellen dat tijd er niet toe doet. Op aarde wordt tijd gemeten in minuten, uren, dagen, weken. In mijn huidige staat ben ik gaan inzien dat er alleen een eeuwig heden bestaat. Het maakt niet uit dat ze elkaar amper een paar dagen kennen, want de liefde behoort niet aan de aarde, maar aan het eeuwige, onmeetbare heden. En dat maakt de liefde tijdloos. Als ze oprecht van elkaar houden, beleven ze de liefde alsof ze elkaar al hun leven lang kennen.

Ik zou blij moeten zijn dat Conor eindelijk iemand heeft gevonden die hem gelukkig maakt. Maar ik ben niet blij. Ik word verteerd door jaloezie, die als een parasiet aan mijn ziel vreet en daardoor steeds sterker wordt. Ik voel me machteloos, niet in staat gebeurtenissen te beïnvloeden of mensen bewust te maken van mijn aanwezigheid. Alleen de vogels reageren op me. Maar ik ben vastbesloten te leren hoe ik mijn invloed kan uitbreiden. Want blijkbaar kunnen alle dieren Pegs dochtertje zien, alsof ze nog onder de levenden is. Als zij dat voor elkaar kan krijgen, moet ik het ook kunnen. Met dat voornemen ga ik naar Connemara, op zoek naar het kleine meisje.

Ik heb haar al snel gevonden, want ze is doorgaans niet ver bij haar moeder vandaan. Tot dusverre heb ik niets tegen haar gezegd. Ik ben zo gewend alleen te zijn in dit niemandsland tussen hemel en aarde, dat ik bang ben haar te benaderen. Ze ziet eruit als een engel en wanneer ik dichterbij kom, ervaar ik de stralende gloed die haar omringt als pijnlijk. Mijn ogen zijn anders dan toen ik nog leefde, dus het is niet de schrik die je voelt als je vanuit het donker plotseling recht in de zon kijkt. Het ongemak dat ik voel, is moeilijk uit te leggen aan wie nog nooit buiten zijn lichaam is getreden. Ik kan alleen maar zeggen dat het licht waarvan ze lijkt gemaakt, zo intens is dat ik het niet kan verdragen.

Maar ze glimlacht, en wanneer ze dat doet, strekt haar stralende gloed zich naar me uit. Ik zou me erin willen koesteren, maar dat kan niet. Daarvoor ben ik te duister, te broos. Ik zou door het licht worden verteerd, als een mot door de vlam van een kaars.

'Caitlin,' zegt ze.

'Je weet hoe ik heet?' Ik kijk haar verbaasd aan.

'Ik heet Ciara.'

'Je bent een engel.'

Ze lacht. 'Nee, dat ben ik niet. Een mensenziel kan geen engel worden.'

'Wat ben je dan?'

'Gewoon een ziel, net als jij.'

Als dat zo is, waarom wordt zij dan omringd door zo'n intens licht, en ik niet? 'Maar hoe kan het dan dat jij zo helder straalt?' vraag ik.

Ze haalt haar schouders op. 'Dat weet ik niet. Het is gewoon zo.'

Misschien is ze wel een engel maar weet ze het niet. 'Waarom blijf je hier?' wil ik weten.

'Omdat mijn moeder nog niet zover is dat ik haar kan achterlaten.'

'Weet ze dat je altijd bij haar bent?' Als Peg dat weet, dan kan Ciara me misschien vertellen hoe ik een boodschap aan mijn kinderen kan doorgeven.

'Nee.' Ze klinkt niet verdrietig. 'Maar toch kan ik haar helpen.'

'Hoe dan?'

'Met liefde.' Terwijl ze het zegt reikt haar licht nog verder. 'We bestaan allemaal uit liefde, alleen zijn we dat hier op aarde vergeten. En dat is jammer. We weten niet meer wie we werkelijk zijn.'

'Ben je eenzaam?' Een domme vraag, want dat is ze duidelijk niet.

Ze fronst haar wenkbrauwen. 'Eenzaam?'

'Ja. Ik voel me eenzaam. Erg eenzaam.' In mijn wanhoop kan ik me niet beheersen.

Ze schenkt me een blik vol compassie. 'Maar je bent niet alleen.' Ze is verrast door mijn gevoel van eenzaamheid. Haar blik gaat in het rond, alsof ze kijkt naar andere wezens die ik niet kan zien.

'Ja, dat ben ik wel,' verzucht ik. Door het hardop toe te geven voel ik me eenzamer, geïsoleerder dan ooit. 'Ik zag dat je de hond aaide. Hoe doe je dat? Van míj lijken alleen de vogels zich bewust te zijn.'

'Alle levende wezens zijn zich van je bewust. Maar mensen zijn het vermogen verloren om intuïtief waar te nemen wat ze met hun ogen niet kunnen zien.'

'Maar toen je de hond aanraakte, zag ik dat je zijn haar gladstreek. Dus je raakte hem echt aan! Alsof je echte handen hebt! Hoe doe je dat?'

Ze lacht. 'Dat kun jij ook. Het is een kwestie van concentratie. Je geest is oneindig veel sterker dan je handen ooit zijn geweest. Wat een mens met zijn handen kan, is beperkt. Maar het is verbijsterend wat je met je geest kunt bereiken als je je maar concentreert.'

'Waar heb je dat geleerd?' vraag ik verbaasd, want ze klinkt zo wijs, helemaal niet als een kind.

'Ergens waar jij dat ook leert, wanneer je besluit verder te gaan. En als je dat doet, besef je dat je thuis nooit hier op aarde was. Je thuis is waar je vandaan komt.'

'Maar ik durf mijn familie niet los te laten.'

'Die laat je niet los, Caitlin. Die laat je nooit los.'

'Zelfs al zou ik erheen willen, dan nog zou ik de weg naar dat thuis waar jij het over hebt, niet kunnen vinden.'

'Ja, die weet je wel. Liefde is de weg, Caitlin. Het gaat om de liefde. Dat is het enige wat telt.'

Ik laat haar achter in het huis van Peg en ga naar het veld met de schapen. Ciara heeft gelijk met wat ze zei over de geest. Zonder de last van het lichaam ben ik verbaasd door het gemak waarmee mijn geest me overal naartoe brengt. Denken is doen, en ik sta al tussen de schapen. Ik ben benieuwd of ze mijn aanwezigheid opmerken. Maar ze lopen dwars door me heen, en dat is logisch, want ik ben niet stoffelijk, net als het licht. In eerste instantie ben ik gefrustreerd. Dan denk ik aan wat Ciara zei, en concentreer ik me. Ik leg mijn hand op hun wollige rug, maar ik voel niets. Ze grazen onbekommerd door, zich niet van me bewust. Dan komt de gedachte bij me op dat ze zich misschien niet zozeer niét van me bewust zijn, maar dat ze me ervaren als de wind en de regen, als een onderdeel van de natuur. Zou dat het kunnen zijn?

Ik concentreer me volledig op de rug van een schaap en probeer me de structuur van haar wol voor te stellen. Ik doe echt mijn uiterste best. Dan laat ik me op mijn knieën zakken en kijk het schaap recht in de ogen, terwijl ik haar over haar lange snoet strijk. Zo blijf ik oefenen, zonder te weten hoe lang, want ik heb geen besef van tijd. Dan ineens ziet het schaap me en beweegt ze onverwacht haar kop. Ik ben geschokt. Het is zo lang geleden dat ik door een levend wezen ben opgemerkt. Bevend van opwinding probeer ik het nog eens. Eerst lukt het niet. Ik moet me opnieuw tot het uiterste concentreren, ik moet blijven oefenen. En geleidelijk aan krijg ik het onder de knie. Het is heel simpel. De geest is krachtiger dan de materie.

Als ik schapen kan aaien, dan moet dat met mijn kinderen zeker lukken. En als ik de levenden kan beïnvloeden, dan kan ik een einde maken aan de opbloeiende romance tussen Conor en Ellen. Puur door wilskracht kan ik hen uit elkaar drijven. Tegelijkertijd besef ik dat er grenzen moeten zijn aan wat ik kan bereiken. Want als het zo gemakkelijk was om vanwaar ik ben, de levenden te beïnvloeden, dan zouden jaloerse, boze, rancuneuze geesten een waar slagveld kunnen aanrichten. Ze zouden ongelimiteerd kunnen moorden en beschadigen. Nee, er moeten grenzen zijn aan mijn macht, maar ik zal tot het uiterste gaan. Het is niet veel wat ik vraag. Ik wil alleen wat van mij is.

18

Ellen staarde naar het lege scherm van haar computer, met een hand onder haar kin, en dacht aan Conor. Ze had nog niets geschreven, nog geen letter. Ze was veel te opgewonden om zich te kunnen concentreren. In gedachten zag ze zijn gulle gezicht, zijn brede, aanstekelijke glimlach, en ze betrapte zich erop dat ze grijnsde terwijl ze hun telefoongesprek woord voor woord in haar hoofd opnieuw afspeelde. Hoe ze het tot donderdag moest volhouden, wist ze niet.

Gefrustreerd door het gebrek aan inspiratie ging ze op zoek naar haar tante. Peg was bezig de schapen over te brengen naar het veld naast het huis, geholpen door Mr. Badger. 'Was jij niet van plan te gaan schrijven?' zei ze toen ze haar nichtje zag aankomen.

'Ik kan geen plot bedenken.'

'Dat komt doordat je veel te veel andere dingen aan je hoofd hebt,' zei Peg veelbetekenend. 'Waarom ga je niet een eind lopen, om lekker uit te waaien en meneer Macausland uit je hoofd te zetten?'

Ellen glimlachte. 'Dat kan ik niet, Peg.'

'Nou, achter je computer blijven zitten lost ook niks op. Als je een eind gaat lopen, krijg je tenminste wat frisse lucht.'

'Ik ben bang dat ik weer verdwaal.'

'Tja, en je redder in nood is er niet. Weet je wat, als je de kust blijft volgen kun je niet verdwalen.'

'Dat is een goed idee.'

'Blijf op het pad, met de zee in zicht, dan weet je altijd waar je bent.'

'Dat zal ik doen,' antwoordde Ellen blij. 'Tot straks.'

'Als je niet terugkomt, stuur ik Oswald eropuit om je te zoeken. En doe iets op je hoofd! Die wolken komen deze kant uit.'

Ellen beklom de heuvel achter het huis en kwam op een veelgebruikt pad dat als een oud litteken door het gras sneed. Het was vochtig. De wind voerde een lichte motregen aan, maar af en toe viel er een gat in de bewolking. Dan verscheen de zon, die een patroon van licht en donker op de zee toverde. Ellen luisterde naar de vogels, ze keek naar het lome scheren en zwenken van de meeuwen en ze koesterde zich in de serene stilte van de eenzaamheid. Hoe langer ze op het land was, hoe lichter ze zich voelde. Haar hart vulde zich met een bruisende vreugde zoals ze die in de betonnen jungle van Londen nooit had ervaren. Hier in de heuvels had ze oprecht het gevoel dat alles mogelijk was, zelfs haar boek, haar opbloeiende romance met Conor, haar kersverse geluk, haar onafhankelijkheid. Op de een of andere manier zou het allemaal goed komen.

Na een tijdje te hebben gelopen, zag ze een eindje voor zich uit een charmant, oud kapelletje op een heuveltop. Vanwaar ze stond, bood het een verlaten aanblik, omringd door grafzerken en een muur die de stenen beschermde tegen de wind uit zee. Een pad leidde de helling af, met aan de voet daarvan een kleine houten poort die was open gewaaid. Nieuwsgierig haastte ze zich ernaartoe.

Terwijl ze door de poort liep, zag ze wat merels die door het hoge gras rond de half weggezakte zerken hipten. De zon wierp zijn licht als een schijnwerper op de kapel en Ellen zag dat de deur op een kier stond. Ze liet haar blik over het schitterende uitzicht gaan, over de weidse oceaan, die tot het einde van de wereld leek te reiken, tot hij aan de horizon werd opgeslokt door de wolken. Het was een prachtige, stille plek, en Ellen vond het jammer dat de kapel zo verwaarloosd leek, net als de vele verlaten kastelen en huizen die als oude beenderen over de heuvels verspreid lagen.

Plotseling zag ze vanuit haar ooghoeken iets roods tussen het groene gras en de vergeelde hei. Het was een vaas met vuurrode rozen. Ellen was verrast dat hier, in deze vergeten uithoek van Ierland, onlangs iemand was begraven. De grafzerk met de rozen stond vlak bij de muur, de bloemen waren zo te zien al een paar dagen oud. De blaadjes hadden zich helemaal opengevouwen en begonnen uit te vallen, als tranen op de grond. Toen Ellen erheen liep, wachtte haar opnieuw een verrassing. CAITLIN MACAUSLAND stond er in de zerk gebeiteld. Ze bukte zich om het grafschrift te lezen. Dus dit was de kleine kapel waar haar begrafenis had plaatsgevonden en waar Conor door iedereen met de nek was aangekeken.

Een vertrouwde stem doorbrak de stilte. Ellen dacht dat haar hart stilstond. 'Dat is het graf van Caitlin Macausland.' Het was Dylan, die de helling af kwam lopen.

Ellen richtte zich op. 'Dylan! Hallo.' Ze legde een hand op haar hart. 'Je liet me schrikken.'

'Sorry, dat was niet de bedoeling.'

'Wat doe jij hier?'

Hij stopte zijn handen in zijn zakken en liet zijn blik over de zee gaan. 'Ik houd van de stilte. Er is hier niemand die me stoort. Dat vind ik inspirerend.' Hij keek haar glimlachend aan, met een warme gloed in zijn bruine ogen. 'De romantiek van ruïnes heeft me altijd aangesproken.'

'Mij ook,' zei ze. 'Het was puur toeval dat ik op de kapel stuitte.'

'Caitlin Macausland was ook dol op ruïnes. Ik kwam haar hier nog wel eens tegen. Dan ging ze in een van de kerkbanken zitten om na te denken over het leven.'

'Doe jij dat ook?'

'Zo zou je het kunnen noemen. En ik kom naar de kapel om te schrijven. Sommige van mijn beste gedichten zijn hier ontstaan, bij dit uitzicht. Ik denk dat het jou ook zou inspireren.'

'Dat weet ik wel zeker. En het kapelletje wordt niet meer gebruikt?'

'Nee, de laatste keer was bij Caitlins begrafenis, inmiddels vijf jaar geleden. En daarvoor was het volgens mij in geen honderd jaar gebruikt.'

'Wat verdrietig.'

'Alle ruïnes hebben iets verdrietigs. Het zijn lege hulzen, die nog maar weinig vertellen over het leven dat zich er ooit heeft afgespeeld. Daarom wekken ze onze nieuwsgierigheid. We willen meer weten.' Hij haalde een pakje sigaretten tevoorschijn en stak er een tussen zijn lippen. Afgeschermd tegen de wind knipte hij zijn aansteker aan. 'Wil je er ook een?' vroeg hij toen zijn sigaret brandde.

'Nee, dank je. Ik probeer te stoppen.'

'Goed van je.' Hij blies de rook de vochtige lucht in.

'Waarom ligt ze hier begraven en niet in het dorp?' vroeg Ellen.

'Omdat een romantische plek zoals deze bij haar past. Dat zou ze zelf ook hebben gewild. Ik heb haar ooit het verhaal verteld van de ontroostbare zeeman die het kapelletje liet bouwen voor zijn jonge vrouw, die kort na hun huwelijk overleed. Caitlin vond het een prachtig verhaal. Het is misschien helemaal niet waar, dat weet ik niet, maar het klinkt heel romantisch.' Hij haalde met een opgewekte grijns zijn schouders op. 'Dat was het soort verhalen waar ze van hield. Conor wist dat beter dan wie ook. De vrouw van de zeeman ligt daar begraven.' Hij wees naar een graf, helemaal aan het eind van het kleine kerkhof. 'De zeeman wilde dat ze over hem zou waken als hij op zee was.'

'Wat een lieve gedachte.'

'Dat vond Caitlin ook.'

'Heb je haar goed gekend?'

'Ik weet niet of iémand haar ooit goed heeft gekend. Misschien zelfs haar man niet. Caitlin Macausland had iets onpeilbaars. Maar ze was eenzaam op het kasteel als Conor in Dublin zat. Dan kwam ze hier, omdat ze wist dat ik hier ook vaak zat. En dan was ze blij dat ze met iemand kon praten.'

'Het is wel duidelijk dat hij van haar hield. Na vijf jaar legt hij nog altijd bloemen op haar graf.' Ellen probeerde haar teleurstelling te verbergen. Ze had het merkwaardige gevoel dat Dylan in haar ogen kon lezen wat ze dacht, dus ze keek weg.

'Het zou kunnen,' antwoordde Dylan. 'Maar het rare is dat er altijd rozen liggen.'

'Wat is daar zo raar aan?'

'Nou, Conor zit het grootste deel van het jaar in Dublin.'

'Misschien heeft hij geregeld dat iemand ze voor hem neerlegt als hij er niet is.'

'Dat kan. Maar volgens mij is er een andere verklaring,' zei hij geheimzinnig, met een ondeugende glinstering in zijn ogen.

Ellen glimlachte. 'Ben je een complottheoreticus, Dylan?'

'Nee hoor, gewoon een oude romanticus.'

'Denk je dat er nog iemand is die van haar hield?'

'Ja, dat denk ik.'

'Maar wie dan?'

Hij schudde zijn hoofd, nam een lange trek van zijn sigaret en blies een dikke rookwolk uit, als een oude draak. 'Daar doe ik geen uitspraak over. Ik wil de knuppel niet in het hoenderhok gooien,' antwoordde hij ten slotte.

Ellen herinnerde zich dat hij in de nacht dat Caitlin stierf iemand van de vuurtoren naar de kust had zien roeien. Ze wilde dolgraag weten wie dat was geweest. Maar ze besefte dat het ongepast zou zijn om zich als nieuwkomer zo nieuwsgierig te tonen. 'Het wordt steeds ingewikkelder,' zei ze alleen maar, en daarmee was het onderwerp afgedaan.

'Kom mee, dan zal ik je laten zien waar ik mee bezig was.' Hij trapte zijn sigaret uit en begon terug te lopen naar de kapel.

'Oké,' zei ze, ook al was ze daar niet echt benieuwd naar. Ze volgde hem naar binnen. Het was een klassieke kapel met een stenen vloer, houten banken, hoge ramen, dikke muren, een preekstoel met houtsnijwerk en een schildering van een bijbelse voorstelling rond het boogvenster achter het altaar. Het rook er kil en verschaald, net als in alle kerken.

Dylan pakte zijn gitaar van de voorste bank. 'Ik heb zitten componeren,' vertelde hij trots.

'Dus je was echt geïnspireerd?'

'Enorm.' Hij grijnsde breed, alsof hij een verrukkelijk geheim koesterde.

'Ga je wat voor me spelen?'

'Als je dat wilt.' Hij ging zitten, met de gitaar op zijn knie. Ellen liep naar de andere kant van het gangpad. Vanaf een van de kerkbanken sloeg ze hem gade terwijl hij een paar akkoorden aansloeg en zijn gitaar stemde. Het geluid echode door de kerk. 'Ik zal een van mijn oude nummers voor je spelen,' stelde hij voor.

'Waarom niet het nummer waar je net aan zat te werken?'

'Dat is nog niet klaar.'

'O. Oké. Dan maar een oudje.'

'Het heet "Lost to me".'

Ellen fronste haar wenkbrauwen. 'Ik ben nu al verdrietig, en je hebt nog geen noot gezongen.'

Tot haar verrassing bleek dat hij prachtig kon spelen. Ze had even gevreesd dat ze zich enigszins ongemakkelijk zou voelen en dat ze haar best zou moeten doen om enthousiast te lijken. Niet dat ze had getwijfeld aan zijn talent, maar door de manier waarop er over hem werd gesproken, had ze de indruk gekregen dat daar niet veel meer van over was. En ze had zeker niet verwacht dat hij zó prachtig zou spelen, ook al had Peg haar verteld dat hij vroeger erg succesvol was geweest en dat hij zelfs een aantal hits had gescoord in Ierland. Hij zong zelfverzekerd, alsof hij gewend was aan publiek. Zijn stem was warm en krachtig, met een weemoedige ondertoon die haar ontroerde.

Hij zong over zijn verloren liefde. Haar moeder, begreep Ellen onmiddellijk. De beelden die hij gebruikte waren zo schitterend, dat ze alleen uit een heel groot verdriet konden zijn voortgevloeid. Ze luisterde aandachtig, roerloos, en hing aan zijn lippen. Wat er ook van Dylan werd gezegd, hij bezat een groot, uniek talent.

En terwijl ze luisterde was het alsof ze deze man die door iedereen werd bespot als de plaatselijke dronkaard, met nieuwe ogen zag. Hij wás niet gek. Helemaal niet. Hij was een gebroken mens.

Dylan speelde de slotakkoorden en Ellen wachtte tot ook de laatste echo was verstomd, voordat ze begon te klappen. 'Dat was prachtig, Dylan! Ongelooflijk! Echt schitterend.' Ze keek hem stralend aan, want ze meende het oprecht.

'Dank je wel,' zei hij zacht. Toen sloeg hij zijn ogen neer, alsof hij zich plotseling schaamde voor de manier waarop hij zich had blootgegeven.

Ze keek hem aan en besefte dat ze hem steeds aardiger begon te vinden. 'Dat ging over mijn moeder, hè?'

'Ach, de mooiste dingen ontstaan vaak uit het diepste verdriet.'

'Volgens mij hou je nog steeds van haar.'

Hij staarde peinzend naar de grond, maar ten slotte sloeg hij zijn ogen weer op. 'Als je zo veel van iemand houdt, gaat het, volgens mij, nooit over.'

'Ook al is ze allang niet meer de vrouw die ze was?'

'Diep vanbinnen blijft ze altijd dezelfde Maddie.' Het klonk alsof hij het onverdraaglijk zou vinden zich haar anders voor te stellen.

'Ach, het leven kan je soms zo diep teleurstellen,' zei Ellen, om hem duidelijk te maken dat ze het begreep.

Maar zijn gezicht klaarde op. Sterker nog, hij grijnsde breed. 'En dan gebeurt er ineens iets waardoor je er weer vertrouwen in krijgt. Net als je denkt dat alles verloren is, wordt je een onverwacht geschenk in de schoot geworpen. Het kan soms een heel leven duren, maar je moet geduld hebben en blijven geloven dat achter de wolken de zon altijd schijnt.'

Ellen wist niet goed waar hij op bedoelde. Of hij het over zichzelf had, of over mensen in het algemeen. 'Ik hoop dat je gelijk hebt,' zei ze neutraal. 'Toen ik op de middelbare school zat, heb ik mezelf een beetje gitaar leren spelen,' vertelde ze.

'Wil je het eens proberen?' Hij tilde het instrument van zijn knie.

'Ik denk niet dat ik het nog kan.'

'Probeer het gewoon.'

'Ik mocht van mijn moeder niet op gitaarles. Ze was als de dood dat ik in een band zou gaan spelen en de familie te schande zou maken.'

'En dus heb je het jezelf geleerd?'

'En een band opgericht.' Ze grijnsde triomfantelijk. 'Niet dat het veel voorstelde. Maar ik vond het geweldig.'

'Wie schreef de nummers?'

'Ik. Tenminste, dat probeerde ik.' Ze begon te lachen en trok een gezicht. 'Ik vraag me af of ik er nog iets van weet. Het is allemaal al zo lang geleden.'

'Tokkel gewoon maar een beetje. Om te zien of het nog vertrouwd voelt.'

Ze nam de gitaar van hem over, waarna ze haar vingers op de snaren zette, en een beetje onzeker speelde ze een G-akkoord. Van G ging ze naar D, naar F, en haar zelfvertrouwen groeide toen alles weer naar boven kwam.

'Zie je nou wel? Je vingers weten het nog.'

'Eens even denken of ik me nog iets van mijn oude nummers kan herinneren.'

De woorden wist ze niet meer, maar ze kon nog wel de melodie neuriën van een van de nummers die ze op een schoolavond hadden gespeeld. Dylan begon al snel mee te neuriën, en voor Ellen wist wat haar overkwam, waren ze aan het jammen. Al zingend begon Dylan woorden te bedenken, en het duurde niet lang of ze hadden een pakkend refrein gecomponeerd. Ze zongen het keer op keer, waarbij Dylan met zijn vingers op de kerkbank trommelde en meebewoog op het ritme. Terwijl hun muziek de kapel vulde en met een bevredigende echo door de dikke muren werd weerkaatst, keken ze elkaar grijnzend aan, in wederzijdse bewondering.

Ze genoten zo dat ze de tijd vergaten. Pas toen Dylans maag ook begon mee te jammen, beseften ze dat ze nodig iets moesten eten. 'Kom mee! Dan trakteer ik je op een lunch in de pub,' stelde Dylan voor. 'Dat heb je wel verdiend nu je deze oude man zo'n heerlijke ochtend hebt bezorgd!'

'Kom op, Dylan! Je bent niet oud!' Ellen gaf hem lachend zijn gitaar terug. 'En je bent hartstikke goed.'

'Zo goed kun jij ook worden. Dat kan ik je leren.'

'Denk je dat echt? Ik geloof nooit dat ik zo zou kunnen componeren als jij.'

'Natuurlijk wel. En je hebt een prachtige stem.'

'Misschien moet ik wachten tot ik verdrietig ben. Misschien kun je alleen maar mooie dingen maken als je inspiratie kunt putten uit een diep verdriet.'

'Er zijn allerlei manieren om te componeren, en lang niet alle nummers zijn verdrietig. In mijn geval is het meeste wat ik heb gemaakt geïnspireerd door je moeder. Maar als wíj samen spelen, laat ik me misschien wel inspireren door een gevoel van geluk.'

Ze trokken hun jas aan en liepen naar buiten. Het motregende nog steeds. De wolken waren vanuit zee landinwaarts getrokken en hingen laag en donker boven de kust. 'Je wordt nat,' zei Dylan. 'Wil je mijn hoed lenen?'

'Nee, houd die maar lekker zelf op. Ik vind regen niet erg. Sterker nog, hier op het land geniet ik ervan. Het water is zo schoon. Dat is vast goed voor me.'

'Ja, schoon is het wel. En we hebben er meer dan genoeg van.' Ze zetten er flink de pas in en liepen het pad af, langs de pot met rozen en het graf van Caitlin Macausland, en de houten poort door. 'Hoe gaat het met je boek?' vroeg Dylan.

Ellen zuchtte. 'Ik heb nog niets geschreven.'

'Hoe komt dat?'

'Ik weet het niet. De omgeving hier is inspirerend genoeg, maar ik kan nog steeds geen plot bedenken.'

'Misschien helpt het als je mooie muziek opzet, je steekt een kaars aan, gewoon om een beetje sfeer te scheppen. Dan maak je je hoofd leeg, en je ziet wel wat er komt.'

'Doen alle schrijvers het zo? Of is dat alleen jouw manier van werken? Ik dacht dat je eerst een soort opzet moest bedenken.'

Hij grijnsde. 'Iedereen werkt anders. Maar waarom probeer je het niet gewoon? Om geïnspireerd te raken moet je je hoofd leegmaken, om nieuwe ideeën alle ruimte te geven.'

'Dus jij vindt dat ik er niet te veel over na moet denken?'

'Precies!' Hij keek haar peinzend aan. 'Je moet je door de muziek laten meevoeren.'

'Oké, ik zal Peg om wat inspirerende muziek vragen.'

'Heb je een iPod?'

'Ja.'

'Als je die aan mij geeft zal ik een mooie playlist voor je samenstellen.'

'Echt waar?' vroeg ze verrast.

'Ja, natuurlijk. Waarom niet?'

'Nou, het is erg veel werk.'

'Voor mij niet. Muziek is mijn leven. Ik heb het allemaal al in de computer staan. Dus het is zo gebeurd. Echt waar.'

'Nou, dat zou geweldig zijn! Dank je wel.'

'Je inspiratie moet van heel diep binnenin komen. Niet uit de oppervlakkige roerselen van je verstand. Als je je hersens voelt kraken en kreunen, krijgen je ideeën niet de ruimte om te stromen. Begrijp je dat?'

'Ik geloof het wel.'

'Probeer het gewoon, en kijk wat er gebeurt.'

'Dat doe ik. Ik neem vanavond mijn iPod mee naar de pub.'

'Geweldig.'

'Bedankt! Dat is echt ontzettend aardig van je.'

Hij grinnikte. 'Nou, dat is even geleden, dat iemand me voor "aardig" uitmaakte. Maar het voelt goed, Ellen Olenska.'

Toen ze de Pot of Gold binnenkwamen droop de regen uit Ellens haar, en haar jas zag er net zo haveloos uit als Pegs ezel wanneer hij nat was.

Uiteindelijk zou ze toch een nieuwe jas moeten kopen, maar ze verwachtte niet dat ze in Ballymaldoon iets naar haar smaak zou vinden. Binnen was het warm. Het vuur knetterde in de haard, aan een paar tafeltjes zaten mensen te lunchen, anderen genoten van een biertje aan de bar. Craic reageerde verrast toen hij Ellen samen met Dylan zag binnenkomen. Hij onderbrak zijn gesprek en nam hen verbaasd op. Ellen zag het wel, maar ze deed alsof ze niets in de gaten had. 'Hallo, Craic,' zei ze luchtig, en ze ging op een barkruk zitten.

'Jullie zien eruit als een stel verzopen katten.'

'We zijn de heuvels in geweest,' vertelde ze, alsof dat de normaalste zaak van de wereld was.

'Om wat te doen?'

Ze keek Dylan aan. 'Gewoon, om te wandelen,' zei ze met een samenzweerderige glimlach.

'Oké. Wat mag het zijn?'

'Een cola voor Ellen en voor mij ook iets zonder alcohol.' Dylan leunde tegen de bar, met zijn hoed in zijn hand. 'En we willen ook iets eten. Waar heb je trek in, Ellen Olenska?'

De manier waarop hij de naam uitsprak, bezorgde haar een warm gevoel. 'O, kies jij maar,' zei ze. 'Iets warms. Verder maakt het me niet zo veel uit.' Ze pakte haar cola en liep ermee naar een tafeltje bij de muur.

Het duurde niet lang of Dylan begon te vertellen over haar moeder. Ellens laatste reserves waren al als sneeuw voor de zon gesmolten door zijn prachtige muziek in de kapel. En voor Dylan gold dat hij Ellen inmiddels voldoende kende om zijn terughoudendheid te laten varen. Hun jamsessie had een band geschapen. En hun gedeelde belangstelling voor Madeline Byrne maakte dat ze nog meer naar elkaar toe trokken. 'Ik heb altijd een zwakke plek gehad voor je moeder,' zei hij, kauwend op een stuk worst. 'Ze was anders dan iedereen. En ze had de houding van een hertogin.'

'Toen al?' Ellen grinnikte.

'Toen al. Haar moeder verwende haar.'

'Ik dacht dat ze arm waren.'

'Dat waren ze ook, maar het kleine beetje geld dat je oma had, ging naar Maddie. Die arme Peg moest genoegen nemen met tweedehandsjes, maar dat was voor Maddie niet goed genoeg. Ze was het levende bewijs van de volkswijsheid dat het kind dat het hardst huilt, het eerst wordt gevoed. Maddie was het soort meisje voor wie iedereen zich het vuur de sloffen liep.'

'Jij ook?'

'Nou en of. Ik zou alles voor haar hebben gedaan.'

'Maar ze was toch ook rebels?'

'Van regels moest ze niets hebben. In Maddies ogen waren regels er om overtreden te worden. Of het nou ging om spijbelen, briefjes doorgeven in de kerk, weglopen of weigeren haar moeder te helpen: Maddie lapte alle regels aan haar laars.' Hij keek haar met grote, verdrietige ogen aan. 'En daarom noemde ik haar Ellen Olenska.'

Ellen reageerde geschokt. 'Je noemde haar Ellen Olenska?'

'Ja. Ik had het boek gelezen en ik heb het haar cadeau gedaan. We vonden het allebei prachtig.'

'En ze heeft míj Ellen genoemd. Naar het boek. En omdat jij haar zo noemde?' Hij knikte. Ellen voelde dat het bloed wegtrok uit haar gezicht. Ze nam een slok cola. 'Mijn god, Dylan! Ze hield nog steeds van je!'

'Dat neem ik aan.'

'Wist je dat dan niet?'

'Hoe had ik dat moeten weten? Ze liep weg. Met je vader. Daarna heb ik nooit meer iets van haar gehoord.'

Ellen werd overweldigd door emoties. 'Ze heeft me Ellen genoemd vanwege jou,' zei ze, volledig uit haar evenwicht gebracht. 'Het is niet te geloven!' Zoiets romantisch kon ze zich van haar moeder helemaal niet voorstellen.

Dylan legde zijn eeltige hand op de hare, die bruin en verweerd afstak tegen haar witte huid. 'Ze zat ernstig in de problemen, Ellen. En je vader heeft haar geholpen. Dus ik vergeef het haar, maar ik heb haar nooit kunnen vergeten.' Zijn ogen waren groot en blonken, en de pijn erin was zo rauw dat Ellen die nauwelijks kon verdragen. Tegelijkertijd werd ze erdoor aangetrokken, als iemand die op de top van een klif staat en de verleiding niet kan weerstaan om naar beneden te kijken. Dylan dempte zijn stem. 'Ze heeft de liefde voor me kapotgemaakt. Na haar heb ik nooit meer van een ander kunnen houden.'

Ze keken elkaar aan. Het moment leek eindeloos te duren. Dylan nam zijn hand niet weg, en ten slotte legde Ellen haar vrije hand erop en drukte de zijne bemoedigend, vol compassie. 'Maar je kunt je leven toch niet kapot laten maken door een liefde van zo lang geleden? Je moet toch een manier kunnen vinden om het verleden achter je te laten? Anders word je gek!'

Hij knipperde met zijn ogen, alsof hij heel ver weg was geweest met zijn gedachten. 'Mijn poëzie en mijn muziek zijn mijn manier om ermee in het reine te komen en er vorm aan te geven.'

'Maar je hebt toch een vriendin?'

'Dat klinkt alsof ik een schooljongen ben. Ik heb een minnares. Ze is weduwe. Haar man is al lang geleden gestorven. Ze is een lieve vrouw, maar ze is geen Maddie.' Hij trok zijn hand terug ging en verder met zijn lunch.

'Maar Maddie is ook Maddie niet meer. Je koestert je herinneringen, maar die hebben niets met het heden te maken. En zoals het was, wordt het nooit meer. Dat komt nooit meer terug.'

Tot haar verrassing glimlachte hij veelbetekenend. 'O nee? Nou, dat weet ik nog niet zo zeker. Misschien komt het wel degelijk terug, maar op een andere manier dan ik had verwacht.' Ellen keek hem niet-begrijpend aan, maar Dylan gaf geen uitleg. 'Wil je nog iets drinken?' vroeg hij in plaats daarvan.

'Nee, dank je.' Ze vroeg zich af of hij misschien toch aan een lichte vorm van waanzin leed.

'Volgens mij had mijn vader geen idee waarom ik Ellen moest heten. Mijn zussen heten Leonora en Lavinia! Dat zijn heel andere namen. En Ellen klinkt ook niet erg Engels, hè?' Dylan reageerde niet. 'Het is wel ironisch dat uitgerekend ik degene ben die het meest op haar lijkt. Leonora en Lavinia zijn sprekend mijn vader.' Ze grijnsde. 'Ze hebben zijn weke kin geërfd, dus ik neem aan dat ik dankbaar moet zijn!'

'Je hebt een moedig, wilskrachtig gezicht, Ellen... en...' Hij glimlachte, alsof hij ineens had besloten om op zijn eerdere besluit terug te komen en geen onthullingen meer te doen. 'En je glimlach doet me ook aan haar denken. Maar je bent geen kopie van je moeder. Je bent jezelf. En zo ben je geweldig!'

19

Die avond nam Ellen haar iPod mee naar de pub en gaf hem aan Dylan. Hij bleef bij de bar, waar hij stond te praten met Ronan, die haar somber groette, met een broeierige, verwijtende blik in zijn ogen, duidelijk niet gelukkig met de opbloeiende vriendschap tussen haar en Conor. Ellen schoof aan bij Alanna en Desmond, die samen met Johnny en Joe aan een tafeltje tegen de muur zaten. Vandaar sloeg ze het komen en gaan van de mensen uit het dorp gade. Ze waren duidelijk nog altijd nieuwsgierig naar haar. Dat zag ze aan de manier waarop ze haar blik ontweken wanneer ze hun kant uitkeek, aan hoe ze zich naar elkaar toe bogen om op gedempte toon iets te zeggen. Maar omringd door haar nieuwe familie voelde ze zich veilig. Met mannen als Johnny en Desmond wilde je geen ruzie. Ellen stelde zich voor hoe ze als getergde beren zouden reageren wanneer ze werden uitgedaagd. Het duurde niet lang of Ryan arriveerde met nog meer Byrnes, en vanaf dat moment domineerde het luidruchtige, vrolijke gepraat en gelach van haar familie de pub.

'Wat vond je van meneer Macausland zonder baard?' vroeg Alanna aan Ellen. 'Ik was vergeten hoe knap hij is. Hij lijkt wel een filmster, vind je ook niet?'

Ellen bloosde. 'Ik herkende hem eerst niet eens.'

'Nee, en volgens mij was je niet de enige. Het heeft tot halverwege de mis geduurd voordat we in de gaten hadden dat hij het was.'

'Ik vind hem zonder baard leuker.'

'Ik ook. Ik ben dol op baarden, maar voor zo'n knappe vent als Macausland is het bijna misdadig om je gezicht te verstoppen.'

'Hoe ziet Desmond eruit zonder baard?'

Alanna begon te lachen, en ze wierp een liefdevolle blik op haar man, die aan de andere kant van de tafel met Johnny zat te praten. 'Hij is dan wel niet zo'n filmster als Macausland, maar hij mag er ook best zijn. Volgens mij zou hij zonder baard jonger lijken, maar ik ben er zo aan gewend dat ik het vast en zeker zou missen. Zijn baard hoort bij hem.'

'Blijkbaar hebben ze hier iets met baarden.' Alanna liet haar blik over de gezichten gaan, waarop de drank en de hitte een blos hadden getoverd. 'Ja, daar kon je wel eens gelijk in hebben. Ik heb er eigenlijk nooit zo bij stilgestaan. Dragen de mannen in Londen geen baard?'

'Niet zo veel als hier. Of misschien lijkt dat zo. Misschien zitten alle baarden toevallig in de pub. Zijn Ierse vrouwen zo dol op baarden?'

Alanna giechelde. 'Het kriebelt zo lekker,' zei ze, en ze sloeg haar wodka in één teug achterover.

Ellen lachte ook en dacht met een huivering van genot aan het gevoel van Conors baard die langs haar gezicht streek, en haar hals. 'Ja, dat zal wel,' zei ze.

'Het is heerlijk,' beaamde Alanna nog eens. 'Ik denk dat ik het heel jammer zou vinden als Desmond zijn baard afschoor.'

Op dat moment hoorde Ellen het geluid van een accordeon dat door het geroezemoes brak. Geleidelijk aan vielen de gesprekken stil. Alanna gaf Ellen een por. 'Jaysus, het is Dylan!' fluisterde ze. 'Volgens mij gaat hij zingen!' Ellen rekte zich uit en zag dat Dylan op een kruk aan de bar zat, met de accordeon op zijn knie. Er lag een woeste grijns op zijn gezicht, hij zei niets, maar zijn vurige blik gleed uitdagend van de een naar de ander. Zo te zien genoot hij van de verrassing die hij op de gezichten las. Maar er glinsterde ook een zweem van bezetenheid in zijn ogen, vond Ellen. Even leek iedereen met stomheid geslagen, als een kudde verbijsterde koeien. Al snel gingen de akkoorden van mineur over op majeur, en hij zette een vrolijke melodie in die iedereen kende. Toen hij begon te zingen, was hij amper aan het eind van de eerste zin gekomen, of de hele pub zong mee, alsof iedereen dankbaar inhaakte op een oude, vertrouwde gewoonte die na jaren in ere werd hersteld.

Swing to the left, swinging to the right
The excise men will dance all night,
Drinkin'up the tay till the broad daylight
In the hills of Connemara.

Ellen glimlachte breed, stralend van trots, en ze klapte enthousiast mee, tot haar handen tintelden. Toen Dylan het volgende nummer inzette, hield ze het niet langer uit op haar stoel. Ze sprong overeind, gevolgd door Alanna, en hoewel ze de tekst niet kende, zong ze uitbundig mee. Om zich heen kijkend zag ze dat alleen de oudjes bleven zitten. De rest van de pub stond te stampen en uit volle borst te zingen, met het glas Guinness geheven.

Het was al laat toen ze opbraken. Dylan werd op de schouders geslagen alsof hij na een lange afwezigheid was thuisgekomen. 'Hoe ga jij naar huis?' vroeg hij aan Ellen toen ze afscheid kwam nemen.

'Johnny zet me af.' Ze keek hem aan met een warme gloed in haar ogen. 'Je was geweldig! Ze zongen allemaal mee.'

'Net als vroeger,' zei hij met nauw verholen trots.

'Het was fantastisch! Ik wist niet dat je ook accordeon speelt.'

'Ik kan alles spelen. Als je één instrument beheerst, beheers je ze allemaal.'

Ze legde haar hand op zijn arm. 'Ik heb een heerlijke dag gehad, Dylan. En nog bedankt voor de lunch.'

Hij keek haar stralend aan, als een kleine jongen die eindelijk een vriendje had gevonden om mee te spelen. 'Ja, Ellen Olenska, we hebben het leuk gehad, wat jij?'

'Ik heb het boek al klaarliggen. Peg had het in de kast staan. *De jaren van onschuld*. Ik ga er meteen aan beginnen.'

'Je vindt het prachtig. Dat weet ik zeker. Net als je moeder.'

'Dan moet ze het nóg maar eens lezen.' Ze schonk hem een veelbetekenende blik. Het werd tijd dat haar moeder haar verleden onder ogen zag.

De volgende morgen werd de mobiele telefoon bezorgd die Conor haar had beloofd, met een briefje waarin hij vroeg hem meteen te bellen.

'Wat heb je daar, pop?' vroeg Peg, verrast dat er een pakje voor Ellen werd bezorgd.

'Een telefoon. Van Conor.'

'Is er nog iemand die níét constant met zo'n akelig ding tegen zijn oor loopt? Hoe deden we dat vroeger in godsnaam?'

'Ik geef niemand het nummer. Ik heb mijn telefoon tenslotte niets voor niks in zee gegooid.'

Peg bukte zich om aan Berties ruggengraat te voelen. 'En, wanneer komt hij terug?'

'Morgen.'

'Aha.' Als Peg haar bedenkingen had, dan was ze zo verstandig die niet te uiten.

Ellen trok zich terug in de kleine zitkamer. Ze stak het vuur aan en nestelde zich in de gemakkelijke stoel, ongeduldig om aan *De jaren van onschuld* te beginnen. Maar eerst zou ze Conor bellen. Ze glimlachte toen ze zag dat hij zijn eigen nummer er al in had gezet.

'Dus je hebt hem gekregen.' Zijn stem klonk zacht en ontspannen, en ze voelde dat hij ook onderuitzakte in zijn stoel.

'Ik hoefde niet eens je nummer in te toetsen.'

'Ik lever eersteklas service.' De uitdagende manier waarop hij het zei, bezorgde haar een huivering van genot. 'Mis je me?'

Ze lachte. 'Misschien.'

'Volgens mij wel.'

'Misschien een beetje.'

'Hm, de beroemde Engelse gereserveerdheid. Daar zal ik iets aan moeten doen.'

'O? Hoe dan?'

'Met een flinke dosis Ierse charme.'

'Nou, na wat ik van je Ierse charme heb gezien, maak je een goede kans, denk ik.'

'En dat was nog mét baard!'

Haar huid begon te tintelen bij de gedachte hoe het zou zijn hem zónder baard te zoenen.

'Waar denk je aan?' vroeg hij, en ze hoorde dat hij de hoorn heel dicht tegen zijn mond hield.

'Aan dat ik je zoen.'

'Alléén zoenen?'

'Als ik aan nog meer denk, wordt de telefoon te heet. Dan brand ik mijn vingers eraan.'

'Ik wil je overal kussen.'

Ze keek naar de deur en hoopte dat Peg niet meeluisterde. 'Hmmm, dat klinkt goed. Jammer dat we tot morgen moeten wachten.'

'Ik heb vandaag allerlei afspraken. Ik had de boel nogal laten versloffen, dus ik heb een hoop in te halen.'

'Ach, wachten doet smachten,' zei ze dapper.

'Dat kun je wel zeggen! Jaysus, Ellen, ik weet niet wat je met me hebt gedaan, maar ik hou het niet meer!' Ze lachte, uitgelaten van opwinding. 'Ik wil je tegen me aan voelen,' fluisterde hij.

'Ik jou ook,' antwoordde ze met een hartstocht die haar Engelse gereserveerdheid logenstrafte.

Hij grinnikte. 'Ik maak nog wel een echte Ierse van je.'

Ze belden bijna een uur, waarin Ellen van pure rusteloosheid door de kamer begon te ijsberen. Ze liep naar het raam, en weer terug naar haar stoel, en even later stond ze toch weer op. Ze kon niet stil zitten, want Conor maakte gevoelens in haar los waar ze niet goed raad mee wist. Ten slotte beëindigden ze het gesprek, met de afspraak dat ze elkaar die avond opnieuw zouden bellen, voordat ze naar bed gingen. Ze legde de telefoon neer en zat er nog lang naar te staren, met een glimlach om haar mond en met zijn stem nog in haar hoofd.

Ten slotte sloeg ze het boek open. Op de eerste bladzijde was een opdracht geschreven. *Voor mijn eigen Ellen Olenska. Moge je altijd wild en nieuwsgierig blijven, maar vooral vrij! En moge je hart me voor altijd toebehoren. Dylan. Juli 1977.*

Ellen kreeg tranen in haar ogen, en ze besefte verbaasd dat dit het boek moest zijn dat Dylan aan haar moeder had gegeven. Behalve nieuwsgierigheid wekte het daardoor ook Ellens ontzag. Ze vroeg zich af of Peg zich bewust was van de betekenis. Het was wel duidelijk dat Dylan niet wist dat het bij haar tante in de kast stond. Toen ze had gezegd dat ze het ging lezen, had hij nooit kunnen denken dat het exemplaar in Pegs bibliotheek het boek was dat hij aan haar moeder had gegeven. Ze besloot het hem terug te geven wanneer ze het uit had.

Ze bladerde verder en werd onmiddellijk meegenomen naar New

York, aan het eind van de negentiende eeuw. Ze genoot. Het verhaal was prachtig, lyrisch geschreven met een wrange, intelligente humor. Pas toen de geheimzinnige gravin Olenska aan het eind van het eerste hoofdstuk in de loge van de opera verscheen, moest ze weer aan Dylan en haar moeder denken. Ze glimlachte terwijl ze zich voorstelde dat haar moeder ditzelfde verhaal had gelezen. Maar haar glimlach maakte al snel plaats voor een frons. Wat zou haar moeder zeggen als ze wist dat haar dochter – in het huis van haar zus – het boek zat te lezen dat Dylan haar had gegeven, een jaar voordat ze haar familie de rug toekeerde?

Ellen bleef de hele ochtend met het boek bij het vuur zitten. Tot de lunch, waarvoor Oswald zichzelf had uitgenodigd, omdat hij 'was uit- gekeken' op zijn eigen gezelschap, zoals hij het noemde. Na het eten stond Peg erop dat Ellen haar hielp met de ezel. Hij had een akelige schram opgelopen, net onder zijn linkeroog. Ellen vermoedde dat haar tante haar gewoon naar buiten wilde lokken om een frisse neus te halen. Ze behoorde tot de generatie nuchtere, praktische vrouwen die het on- natuurlijk vonden om de hele dag binnen te zitten. En dus hielp Ellen de ezel vast te zetten en zijn oog te spoelen met watten, gedrenkt in ont- smettingsmiddel. Ze aaide zijn hals, terwijl haar tante geruststellend te- gen hem praatte. 'Brave jongen. Zie je nou wel, het valt best mee. Je wordt weer helemaal beter. Peg maakt je weer beter. Let jij maar eens op.' Ellen vond het vermakelijk te horen hoe ze tegen haar beesten praatte alsof het mensen waren. Want zo praatte ze ook tegen Mr. Bad- ger en Bertie, en zelfs tegen Jack.

'Ik hoorde dat je gisteren bijna de hele dag met Dylan hebt opgetrok- ken,' zei Peg terwijl ze het oog van de ezel depte met een droge doek. 'Johnny en Joe kwamen vanmorgen langs, op weg naar hun werk. Je sliep nog, dus ik heb je maar niet wakker gemaakt. Je bent hem zeker bij het wandelen tegengekomen? Want volgens Craic kwamen jullie als een stel verzopen katten de pub binnen.'

Ellen verwonderde zich niet voor het eerst over de geruchtenmolen in Ballymaldoon. 'Ja, ik liep hem tegen het lijf bij de kleine kapel op de heuvel. Weet je welke ik bedoel?'

'Ja, dat is de kapel waar Caitlin Macausland begraven ligt.'

'Dylan speelde gitaar. Hij is geweldig, wist je dat? Echt heel erg goed.'

Peg lachte, maar het klonk niet schamper, zoals bij de anderen. Haar

lach klonk warm en vol genegenheid. 'Dus hij heeft voor je gezongen?'
'Ja. Een liedje dat hij voor mijn moeder had geschreven. Ik hoorde
het meteen.'
'Dat wil ik wel geloven.'
'Hij gaat me gitaarles geven. En gisteravond in de pub heeft hij op de
accordeon gespeeld. Het was geweldig. Iedereen zong mee.'
'Dat heb ik gehoord. Ik ben blij dat hij weer wat uit zijn schulp kruipt.
Dat komt door de drank, of liever gezegd, doordat hij daarmee is ge-
stopt. Volgens Craic raakt hij geen druppel meer aan.'
'Nou, gisterochtend, in de kapel, was hij in elk geval niet dronken. En
bij de lunch heeft hij ook niks genomen.'
'Dat is mooi. Zo, die ezel is ook weer in orde.' Ze wreef hem onder
zijn kin tot hij zijn bovenlip naar voren stak, een teken dat hij genoot.
'Het komt allemaal goed met je, hè? Ja! Het komt helemaal goed!'
'Hij heeft mijn iPod meegenomen om een nieuwe playlist voor me te
maken. Met muziek die helpt bij het schrijven.'
'Dus je bent nog niet begonnen?'
'Nee, nog steeds niet.'
'Wat denk je, komt het er ooit van?'
'Weet je, ik heb zo veel andere dingen aan mijn hoofd.'
'Je komt nooit aan schrijven toe als je niet aan dat bureau gaat zitten.
Schrijf iets, het maakt niet uit wat! Maar begin in hemelsnaam, anders
ben je oud en grijs voordat je dat boek eindelijk af hebt.'
Ellen grijnsde. 'Ik heb te veel afleiding.'
'Nou, ik vind het in elk geval geweldig dat Dylan en jij het zo goed
kunnen vinden samen. Ik weet niet wat je moeder ervan zou zeggen,
maar nogmaals, ík vind het geweldig. Dylan is een goed mens, met het
hart op de juiste plaats, en hij heeft duidelijk een zwak voor je.'
'Volgens mij vindt hij het leuk om dingen samen te doen, omdat ik de
verbindende schakel ben met zijn Maddie.'
'O, dat zal vast wel. Maar wat ook de reden mag zijn, het is duidelijk
dat je hem gelukkig maakt. Echt gelukkig. Volgens Craic was de óúde
Dylan gisteravond weer terug. Hij speelde, en iedereen zong mee, net
als vroeger.'
'Voordat mijn moeder vertrok.'
'Ja. Sindsdien is hij nooit meer dezelfde geweest.' Peg maakte de ezel

los en leidde hem terug naar het veld, waar ze hem een wortel gaf, en zijn vrijheid.

'Tante Peg, mag ik je iets vragen?'

'Natuurlijk.' Peg pakte de bak water met ontsmettingsmiddel en keek Ellen afwachtend aan.

'Dylan noemde mijn moeder Ellen Olenska.'

Peg keek haar niet-begrijpend aan. 'Ellen Olenska? Waarom?'

'Dat is de hoofdpersoon in het boek dat ik aan het lezen ben. *De jaren van onschuld*, door Edith Wharton.'

'O.' Het was duidelijk dat Peg nog nooit van het boek had gehoord.

'En mama heeft míj Ellen genoemd.'

Peg reageerde verrast. 'O?'

'Vind je dat niet romantisch? Dat ik Ellen heet omdat Dylan haar zo noemde?'

'Tja, dat is nogal verrassend, hè?' Peg keek een beetje verward.

'Dat betekent dat mama nog aan Dylan dacht toen ik werd geboren. Ze mag dan weg zijn gegaan, maar met haar hart was ze duidelijk nog hier, in Connemara.'

'Ja, dat zal wel.' Peg stak haar kin naar voren. 'Als ze dat had gewild, had ze terug kunnen komen,' voegde ze er uitdagend aan toe.

'Denk je dat?'

'Ja, natuurlijk. Toen ze eenmaal getrouwd was, had ze dat gewoon kunnen doen.' Peg liep met de bak naar binnen.

Ellen volgde haar. 'Misschien durfde ze niet. Omdat ze zichzelf niet vertrouwde.'

'Hoe bedoel je?' Peg gooide het water weg en zette de lege bak in de gootsteen.

'Vanwege Dylan. Misschien was ze bang dat ze weer naar hem zou gaan verlangen.'

'Onzin! Ze wist wat ze deed toen ze wegliep met haar Engelse lord.'

'Maar stel nou eens dat ze daar spijt van had?'

'Ellen, zoiets zég je niet over je eigen vader,' zei Peg streng.

'Ik wil niet suggereren dat ze nu niet gelukkig zijn. Ik vraag me alleen af of mama wegging omdat ze zwanger was, maar of ze later, toen ik eenmaal geboren was, misschien spijt heeft gekregen. Ze heeft me niet voor niets Ellen genoemd. Volgens mij hield ze nog steeds van Dylan.'

'Ik denk dat ze Ellen gewoon een mooie naam vond.' Peg haalde ongemakkelijk haar schouders op.

'Nee, volgens mij zit er meer achter. En ooit ga ik het haar vragen.' Peg schudde haar hoofd. 'Jij liever dan ik, pop. Als je het mij vraagt, kun je maar beter niks zeggen over je tijd hier.' Maar dat kon niet, en dat wisten ze allebei. Ellen had te veel losgewoeld, en ze was te innig verweven geraakt met iedereen in Ballymaldoon.

'Ik voel me Iers, tante Peg,' zei ze vol overtuiging. 'Het zit in mijn genen. En dat had mijn moeder niet voor me verborgen mogen houden.'

'Nee, daar zul je wel gelijk in hebben. Afijn, ik zet de ketel op. Tijd voor een kop thee!'

Die avond lag Ellen in bed met Conor te bellen. Hij klonk zo dichtbij dat ze, met haar ogen dicht, kon doen alsof hij naast haar lag. Verliefd als ze waren, praatten ze zo veel onzin, dat ze later niet eens meer wist waar ze het over hadden gehad. Wat bleef, was het gevoel van zijn lieve, zachte woorden als een warme streling op haar huid.

Toen ze het licht uitdeed, keek ze naar de zilveren maansikkel, net zichtbaar door de kier van de gordijnen, en ze dacht aan haar moeder. Ooit had zij deze zelfde nachtelijke geluiden gehoord, het gebulder van de zee, het huilen van de wind. Wat moest ze zijn veranderd sinds haar jeugd in Connemara! Wat had haar leven een ingrijpende wending genomen toen ze met Anthony Trawton trouwde en in Eaton Court, nummer 12 ging wonen. Had ze zich zo verbeten op haar metamorfose gestort dat ze zichzelf was kwijtgeraakt? Zat de wilde, speelse Maddie Byrne nog ergens diep binnen in haar, of had ze haar welbewust geen lucht gegund en verstikt?

20

Communiceren met schapen is één ding, maar met mensen werkt het toch heel anders, want die hebben niet eens in de gaten dat ik er ben. Dat voelen ze niet. Ieder levend wezen beschikt over een zesde zintuig, maar mensen zijn zo vervormd geraakt door hun materiële zorgen en behoeften, dat ze hun vermogen tot helderziendheid zijn kwijtgeraakt. Het is puur een kwestie van focussen. Als je je volledig op je linkerarm concentreert, ben je je al snel niet meer bewust van je rechterarm. Trouwens, ook niet van de rest van je lichaam. Sterker nog, als je je heel intensief concentreert, wórd je je arm. Mensen zijn zo gefocust op hun fysieke vorm dat ze niet meer weten wie ze werkelijk zijn. Dat zijn ze vergeten. Ik weet niet precies hoe ik dit soort dingen weet, ik weet ze gewoon. Misschien wel omdat ik alles in een ander perspectief ben gaan zien door de vreemde situatie waarin ik me bevind. Ik besef nu pas hoe broos en tijdelijk het menselijk lichaam is. En dat onze intelligentie ons lichaam overleeft. Ik vraag me af of dieren dat instinctief ook weten.

En dus ben ik vastbesloten Ida en Finbar duidelijk te maken dat ik er nog ben, dat ik hun ontwikkeling volg, dat ik hun triomfen met ze meevier en dat ik ze omhul met mijn liefde wanneer de dingen anders lopen dan ze zouden willen. Als goede moeder ben ik er altijd. Ik heb geoefend op de schapen. En nu ga ik proberen of ik de aandacht van mijn kinderen weet te vangen. Het kan me niet schelen hoe lang het duurt. Ik heb tenslotte toch niets anders te doen.

Ik weet dat ik in staat zou moeten zijn om met deurknoppen te rammelen en kaarsen uit te blazen. Andere geesten kunnen het ook. Maar hoe ik ook mijn best doe, hoe ik me ook concentreer, het lukt me niet het stoffelijke te beïnvloeden. Ik ben snel moe, maar door te oefenen weet ik zeker dat ik steeds sterker word. Bij het schaap is het me uiteindelijk ook gelukt.

Ik kijk naar mijn kleine Ida terwijl ze slaapt. Haar gezichtje lijkt wit in het maanlicht, haar huid doorzichtig, als de blaadjes van een lelie. Ik hoor haar zachte ademhaling, en aan haar trillende wimpers zie ik dat ze droomt. Ik strijk met mijn vingers over haar wang, net zoals ik dat bij de schapen heb gedaan, maar ik voel niets. Ik wil dat ze wakker wordt en dat ze me ziet in de bijna donkere kamer, net zoals Finbar me ooit heeft gezien. Maar Ida verroert zich niet. Dus probeer ik het bij Finbar. Maar ook hij verroert zich niet. Ze slapen allebei diep en ontspannen. Al zou maar één van hen de ogen openen, dan weet ik zeker dat ik met ze kan communiceren.

Ik geef het niet op. Als ik maar blijf oefenen, zal het me uiteindelijk lukken hen bewust te maken van mijn aanwezigheid. Daar ben ik van overtuigd. Ik kijk naar hun gezichten, ik vertel hun telkens en telkens weer dat ik bij hen ben, dat ik er altijd zal zijn. Ik ben hun moeder. Ze zijn een deel van me. Door mijn liefde ben ik met hen verbonden, en die liefde is onverwoestbaar.

Tegen de ochtend worden mijn frustratie en mijn wanhoop me bijna te veel. Nu ik weet dat het kan, is het mislukken van mijn pogingen om contact met hen te krijgen des te hartverscheurender. Ik voel me machteloos en ellendig.

Maar dan hoor ik Finbar aan het ontbijt vertellen dat hij van me heeft gedroomd! Conor is al naar Connemara vertrokken, en Daphne is met de kinderen alleen in Dublin. 'En was het een fijne droom?' vraagt ze.

'Mama zat naast mijn bed, en ze zei dat ze bij me is, en dat ze er altijd zal zijn.'

Bij het horen van zijn antwoord verschuift er iets in mijn bewustzijn, en ik ben plotseling vervuld van licht. Gewichtsloos, duizelig van vreugde.

'Dat is inderdaad een fijne droom,' zegt Daphne. 'Ik weet zeker dat je mama bij je is, lieverd.'

'Zo'n fijne droom wil ik ook.' Ida trekt een lang gezicht en kijkt verdrietig.

'Vroeger, toen je nog heel klein was, werd je op een nacht wakker, en toen zei je dat je je moeder had gezien. Ze zat op het voeteneind van je bed. Weet je dat nog?' vraagt Daphne aan Finbar. Hij schudt zijn hoofd en neemt een hap van zijn geroosterde boterham met jam. 'Ik denk dat je moeder nu een engel is, en dat ze over jullie waakt.' 'Dat denk ik ook,' zegt Ida. Maar daar is Finbar niet zo zeker van. 'Nee, ze is geen engel. Ze is gewoon mama,' zegt hij gedecideerd, en ik hou nóg meer van hem, omdat hij weet wat ik ben.

Geluk doortrilt mijn hele wezen. Ik dans de keuken rond, en het geeft niet dat ze me niet kunnen zien, want nu weet ik dat ik mijn zoon in zijn dromen kan bereiken. Als ik het blijf proberen, moet het met Ida ook lukken. En hoe zit het met Conor, vraag ik me af. Wordt hij zo in beslag genomen door Ellen, dat hij niet ontvankelijk is voor mijn subtiele pogingen tot communiceren?

Met die gedachte concentreer ik me op Ellen, waardoor ik weer in Pegs huis terechtkom. De nieuwe dag dompelt de heuvels in een bleek, helder licht, en op het eiland waar ik ben gestorven, verzamelen zich de meeuwen. Het is eb en er is in de getijdenpoeltjes en op de rotsen meer dan genoeg te eten achtergebleven. De vuurtoren steekt spookachtig uit de ochtendmist, als een schip dat – moeizaam, gehavend na een zware strijd met de zee – op weg is naar zijn thuishaven. In gedachten keer ik terug naar het moment waarop ik naar het topje van zijn mast klom en me op het dek wierp. Het moment waarop een ander bezit van me leek te hebben genomen, en ik werd verteerd door jaloezie en dronken was van liefde.

Vandaag is de dag dat Conor weer naar Ballymaldoon komt, dus het verbaast me niet dat Ellen opgewonden is. Mijn geluksgevoel verlaat me wanneer ik de jonge vrouw gadesla die eropuit is me het hart van mijn man af te nemen. Als ze denkt dat ze hem voor zich kan winnen, dan vergist ze zich. Want dat laat ik niet gebeuren. Ik zal doen wat ik kan om het te verhinderen. Daartoe ben ik tot alles bereid.

Terwijl mijn gedachten duister worden, verdwijnt het heldere, bruisende gevoel uit mijn ziel. In een oogwenk verandert mijn vibratie van snel naar langzaam, en tegelijkertijd voel ik dat de wereld om me heen wegzinkt in schaduwen. Maar ik kan alleen maar aan Conor en mijn kinderen denken, aan mijn wanhopige verlangen om de klok terug te draaien, zodat alles weer wordt zoals het was voor mijn dood. Want ik zou anders kunnen zijn, daar ben ik van overtuigd. Dankzij de kennis die ik inmiddels heb verworven, weet ik dat ik zou kunnen veranderen. En dan zou ik de fouten van toen nooit meer maken. Ach, kreeg ik maar een tweede kans! Kon ik hem maar vertellen dat ik hem niet in de steek heb gelaten, dat ik nog altijd bij hem ben, ook al kan hij me niet zien. En dat ik vanuit deze nieuwe dimensie nog altijd van hem hou. Hij heeft verder niemand nodig.

Ik volg Ellen als een donkere, zware schaduw. Terwijl het geluk haar tred lichter maakt, word ik door mijn zucht naar wraak zwaar en ondoordringbaar, als dichte mist. Ze zit bij het vuur in de zitkamer te lezen, Bertie ligt te dutten op het kleed aan haar voeten, zacht knorrend in zijn slaap. Ik zwerf door het huis van Peg en bezorg de kauw de schrik van zijn leven, zodat hij het raam uitvliegt en niet meer terugkomt. Verteerd door wrok en jaloezie concentreer ik me op de deurknop, en ik probeer uit alle macht hem te laten rammelen. Maar er gebeurt niets, en de zinloze, frustrerende inspanningen kosten me alleen maar energie.

Ik verwacht Ciara te zien, maar ze is er niet. Ze zal wel bij Peg zijn. Gelukkig maar, want ik zou me schamen als die lieve kleine geest me zou zien zoals ik nu ben, vervuld van haat.

Wanneer Conor het tuinpad op komt rijden, staat Ellen bij het keukenraam. Ze wacht al meer dan een uur. En daarvóór is ze ruim een uur bezig geweest met kleren passen. Niet dat ze veel kleren bij zich heeft. Voor vandaag heeft ze een gebloemde jurk gekozen. Een beetje hippieachtig. Tot op de knie. Ze heeft de bovenste knoopjes niet dichtgedaan, zodat de aanzet van haar borsten te zien is. Over de jurk draagt ze een geelbruin kasjmier vestje. Ze heeft lange, slanke benen met sierlijke enkels, die met die jurk volledig tot hun recht komen, ook al draagt ze een zwarte panty en paarse, fluwelen ballerina's, die ik haar zou hebben afgeraden als ik het goed met haar voor had gehad. Haar lange haar valt glanzend, golvend op haar schouders. Conor houdt van lang haar. Hij was ook altijd weg van het mijne. Hij vond het heerlijk om mijn vuurrode, zijdezachte lokken door zijn vingers te laten glijden. Maar ik betwijfel of hij daar nog aan denkt als hij met zijn handen door Ellens haar woelt.

Vervuld van weerzin kijk ik toe terwijl ze de deur opendoet en wacht tot de auto stilstaat. Haar gezicht straalt, maar ik zie dat ze beeft over haar hele lichaam, als een renpaard in de startbox. Haar wangen gloeien van opwinding, en ze haalt diep adem, in een poging haar zenuwen onder controle te houden. Door het autoraampje kan ik Conors witte tanden zien. Hij straalt ook. Nadat hij vijf jaar niet heeft gelachen, begint hij de schade in rap tempo in te halen. Hij doet het portier open en stapt uit. Aangemoedigd door de glimlach op zijn gezicht rent Ellen naar hem toe en valt hem om de hals. Hij trekt haar tegen zich aan en tilt haar van de grond. Haar voeten in die kleine paarse schoentjes trappelen in de lucht, als de kwispelende staart van een blije hond. Met zijn gezicht in haar hals zwaait hij haar in het rond. Dan zet hij haar weer neer en ze kussen elkaar. Het wordt een lange, hartstochtelijke kus, en deze keer is Ellen niet overweldigd door zijn vurigheid. Ze drukt zich tegen hem aan. Onder zijn jack slaat ze haar armen om zijn middel, en ze beantwoordt zijn hartstocht met dezelfde vurigheid, zich koesterend in zijn passie.

'Dus je hebt me wel degelijk gemist!' Lachend legt hij zijn handen langs haar gezicht, terwijl hij haar liefdevol in de ogen kijkt.

'Ja, ik heb je gemist.'

'Daar ben ik blij om. Ik jou ook. De dagen duurden eindeloos. Ik dacht dat het nooit donderdag zou worden. Dus laten we geen minuut verspillen! Stap in!'

Hand in hand rijden ze naar Reedmace House. Hij kan zijn ogen niet van haar afhouden en ze moet hem voortdurend waarschuwen dat hij naar de weg moet kijken. De lucht is geladen, het vonkt en zindert tussen hen. Ze lachen, ze beginnen allebei tegelijk te praten, en dan lachen ze weer. Blozend van begeerte en ongeduld kunnen ze zich nauwelijks beheersen. Bij het huis aangekomen springt Conor uit de auto en doet de voordeur open. Dan pakt hij haar bij de hand en trekt haar mee naar boven. Lachend om zijn enthousiasme volgt ze hem de trap op. Wanneer hij zijn mond op de hare drukt en haar begint uit te kleden, maakt haar glimlach plaats voor passie. Als de blaadjes van een bloem dwarrelen haar kleren op de grond.

Ik kan het niet langer aanzien. Het voelt als gluren en dat is beneden mijn waardigheid. Ik trek me terug in de tuin, waar ik tussen de appelbomen dwaal en de vogels wegjaag door met mijn armen te zwaaien. Ik wou dat ik met Ellen hetzelfde kon doen.

21

Zijn ruwe kaken die langs haar hals gleden voelden heel anders dan toen hij nog een baard had. Ze huiverde en slaakte een zucht van genot terwijl er een golf van warmte door haar heen spoelde. Met haar ogen dicht drukte ze haar wang tegen zijn haar en gaf ze zich aan hem over, terwijl hij haar als een welwillende leeuw begon te verslinden en terwijl ze helemaal slap werd onder zijn liefkozingen. 'Je smaakt heerlijk,' fluisterde hij. 'Ik wil je helemaal proeven. Elk stukje van je.' Hij keek grijnzend op haar neer, al bij voorbaat genietend. Haar vest viel op de grond. Toen begon hij loom haar jurk los te knopen, en ten slotte schoof hij hem van haar schouders, zodat hij losjes op haar heupen bleef hangen en ze in haar blote bovenlijf stond, met alleen haar sexy kanten beha. Zijn duimen volgden zijn blikken over de weelderige rondingen van haar borsten, naar de kloof net boven het kant, waar haar huid warm en vochtig was. Haar ademhaling werd hees, haar borst zwol. Verdwaasd van genot, vervuld van een opwinding die nieuw voor haar was, kon ze alleen maar haar instinct volgen. Niets had haar voorbereid op een ervaring als deze.

Hij drukte zijn lippen op het gevoelige plekje net onder haar oor, zijn vingers gleden over haar sleutelbeen, over haar schouders, naar haar rug, waar hij haar beha losmaakte. Toen hij haar borsten begon te strelen, sloot ze hijgend haar ogen. Ze was zich bewust van zijn oppervlakkige, hijgende ademhaling, van haar eigen bonzende hart dat het bloed naar haar slapen stuwde. Toen haakte hij zijn duimen onder haar jurk en haar slip, en met één vloeiende beweging verwijderde hij ook haar laatste kleren. Ze stond naakt voor hem, zonder schaamte, want het vuur van de hartstocht had ook haar laatste reserves doen smelten, als sneeuw voor de zon.

'Nu ben je helemaal van mij!' Hij nam haar lachend in zijn armen en droeg haar naar het bed.

Ze moest ook lachen. 'Met genoegen, Rhett Butler!' Ze hoopte dat ze niet te zwaar was.

'Het genoegen is geheel aan mijn kant, Scarlett.' Hij legde haar op het bed, knielde over haar heen en begon zijn overhemd los te knopen. Daaronder kwam het gespierde lichaam van een atleet tevoorschijn. Conor mocht de laatste vijf jaar zijn baard dan hebben laten staan en zijn haren hebben laten groeien, zijn lichaam had hij niet verwaarloosd. Hij gooide zijn overhemd op de grond en maakte de riem van zijn spijkerbroek los.

'Je bent prachtig, Conor Macausland!' Ellen liet haar blik over zijn platte buik gaan.

'Niet slecht voor een vent van tweeënveertig,' zei hij.

'Helemáál niet slecht. Kom eens hier, dan kan ik je beter bekijken.'

Hij deed alsof hij zich boven op haar liet vallen, maar zette net voordat hij haar zou vermorzelen, zijn handen op het bed. 'Nee, ik wil jóú beter bekijken!' Voordat ze iets kon zeggen, kuste hij haar opnieuw, met het vuur en de hartstocht waar ze aanvankelijk van was geschrokken.

Stukje bij beetje begon hij haar te verslinden. Tergend langzaam, tot ze een kreet slaakte van ongeduld en frustratie. 'Waarom zouden we ons haasten? We hebben de hele middag!' mompelde hij, terwijl hij met zijn mond haar buik liefkoosde, net onder haar navel.

'Omdat ik het niet langer uithou,' bracht ze hijgend uit, en er trok een huivering door haar heen.

'Maar ik begin net!' Ze voelde zijn warme adem langs haar huid strijken terwijl hij haar benen uit elkaar duwde en zijn tong langs de binnenkant van haar dij liet glijden. Toen hij verder naar boven bewoog, gooide ze haar hoofd naar achteren, ze strekte haar armen en gaf zich volledig en met intense verrukking over aan het zinnelijkste genot dat ze ooit had ervaren.

Veel later lagen ze in elkaars armen, uitgeput, verdwaasd, maar diep bevredigd, alsof de seks alles roze had gekleurd. Alsof ze alleen op de wereld waren, in het hart van het woeste heuvelland van Connemara. Alsof ze op een wolk hoog boven de zorgen en de problemen van alledag zweefden. Want niets leek er nog toe te doen, het enige wat telde was hun verlangen naar elkaar. Onder hun strelende vingers tintelde hun huid nog van het genot dat ze zich zo gretig hadden toegeëigend, en terwijl ze elkaar liefkoosden mompelden ze de zoete woordjes die minnaars fluisteren, dronken van liefde.

Voor Ellen was het de eerste kennismaking met de ervaren hand van een echte man, want vergeleken bij Conor was William nog bijna een kind. Alles aan haar Ierse minnaar was intens mannelijk, van zijn verweerde huid tot zijn machtige lichaam. En zijn ogen hadden iets duisters, iets onpeilbaars wat haar aantrok, zoals een kind het niet kan laten zijn handen nieuwsgierig uit te strekken naar het vuur. Want ook al wist ze dat hij van haar zou kunnen houden, ze wist ook dat ze hem nooit zou kunnen temmen. Hij was te oud om nog te veranderen, en bovendien had hij te lang in het wild geleefd.

Ze moest hem over William vertellen, maar ze maakte zichzelf wijs dat haar verloving – door een bekentenis – veel te belangrijk zou lijken. Vanaf het moment dat ze Conor leerde kennen, had ze diep vanbinnen geweten dat ze nooit meer terug kon naar William; zelfs als het met Conor op niets zou uitlopen. Daarvoor was de vergelijking te veel in Williams nadeel uitgevallen. Ze was tot het inzicht gekomen dat ze een onconventionele kant had die William nooit zou kunnen begrijpen, en die hem uiteindelijk zou gaan tegenstaan. Door haar gevoelens voor Conor had ze die kant in zichzelf herkend, want die herkende ze ook in hem. Conor had haar niet alleen ontdaan van haar kleren, maar ook van alle valse schijn. Dankzij hem wist ze wie ze was en wat ze wilde.

Ellen besloot William op korte termijn duidelijkheid te verschaffen. Vriendelijk, maar gedecideerd. De implicaties zouden enorm zijn, maar ze had Conor en de Byrnes, dus ze kon het aan. Zich oprichtend op een elleboog, streek ze met een vinger over Conors gezicht. Hij keerde zich naar haar toe. 'Waar denk je aan, Socrates?'

Ze zonk weg in zijn diepblauwe ogen. 'Aan jou,' zei ze met een tedere glimlach.

'En aan wat precies?'

'Aan hoe ik je heb gevonden, in de heuvels?'

'Pardon, ik heb jóú gevonden! En als ik dat niet had gedaan, liep je daar nog steeds.'

Ze lachte. 'Maar ík kruiste jóúw pad.'

'Ja, zodat ik bijna van mijn paard viel.'

'Welnee, daar ben je een veel te goede ruiter voor.'

Met een zucht streelde hij haar wang. 'Ik wist meteen dat je bijzonder was. Ook al zag je er niet úít!'

'Dat wist je helemaal niet.'

'Wel waar. Anders had ik je de weg gewezen en je verder aan je lot overgelaten.'

'Daar geloof ik niets van. Je mag dan een ruige beer zijn om te zien – zeker toen, met die baard – maar in je hart ben je een ouderwetse gentleman.'

Zijn blik verzachte. 'Je gezicht was rood aangelopen, er stonden tranen in je ogen, en je zag er zo verloren en angstig uit. Ik voelde meteen dat je met een reden op mijn pad was gekomen.'

'En wat mag die reden dan wel zijn?'

'Je bracht licht in mijn donkere wereld.'

Ze trok haar wenkbrauwen op. 'Dat klinkt wel erg dramatisch.'

'Toch is het zo.'

'Het is erg lief dat je dat zegt, maar ik ben geen engel.'

'Ach, engelen verschijnen in vele gedaanten.' Hij grijnsde kwaadaardig, zijn ogen glinsterden opnieuw wellustig. 'Maar ik doe mijn best je neer te halen naar mijn aardse niveau.'

Het was donker toen hij haar terugbracht. Ze hadden genoten van de ovenschotel met gehakt en puree die Meg in de koelkast had klaargezet. Conor had een fles wijn opengetrokken, en na het eten had hij Magnum uit de stallen gehaald. Robert had een eind met hem door de heuvels gelopen, en toen zijn baasje met zijn nieuwe vriendin opnieuw stoeiend tussen de lakens was gekropen, had de hond op de grond voor het bed gelegen. Conor had Ellen gevraagd om te blijven slapen, en ze had niets liever gewild. Maar ze wist dat Peg het zou afkeuren, en bovendien wilde ze niet het risico lopen dat haar ooms de volgende morgen onverwacht langskwamen en erachter kwamen dat ze niet thuis sliep.

Ze reden opnieuw hand in hand over de smalle weggetjes. 'Wat zal ik vannacht eenzaam zijn, helemaal alleen in bed.' Hij dimde zijn lichten toen er een tegenligger de bocht om kwam. En terwijl hij zich naar haar toe keerde, glinsterden zijn ogen in de tijdelijke gloed. Wat was hij prachtig, dacht Ellen, innig dankbaar dat ze hem had gevonden.

'Ik zou graag iets aan die eenzaamheid willen doen,' zei ze zacht. 'En ik zou niets liever willen dan samen wakker worden.'

'De uitnodiging staat. Ik kan nog steeds rechtsomkeert maken.'

'Nee, dat kan ik niet maken tegenover Peg.'

Hij grinnikte. 'Je bent een volwassen vrouw, Ellen.'

'Dat weet ik wel. Maar ik logeer bij mijn tante.'

'Oké, ik zal erover ophouden. Maar morgen kom ik je halen. Dan hebben we de hele dag samen.'

'Heerlijk.'

'Heb je *De jaren van onschuld* al uit?'

'Nee, nog niet.'

'Dan wacht ik tot je het gelezen hebt, voordat we samen de film zien.'

'Het is een prachtig boek. Ik voel me meegenomen naar een andere wereld. Een fascinerende wereld!' Ze drukte zijn hand. 'Dat boek is ooit van mijn moeder geweest. Dylan heeft er een opdracht in geschreven. *Voor mijn eigen Ellen Olenska. Moge je altijd wild en nieuwsgierig blijven, maar vooral vrij! En moge je hart me voor altijd toebehoren. Dylan. Juli 1977.*'

Conor trok zijn wenkbrauwen op. 'Dus hij noemde haar Ellen Olenska. Boeiend.'

'Dylan en ik...' Ze wilde hem vertellen over haar wandeling naar de kleine kapel, maar hield zich bijtijds in. Tenslotte lag zijn vrouw daar begraven. 'We kwamen elkaar tegen in de pub, en toen hebben we samen geluncht. Hij vertelde dat hij mijn moeder het boek had gegeven. Maar ik had nooit gedacht dat het bij Peg in de kast zou staan. En ik was verbaasd toen bleek dat ze mij Ellen had genoemd omdat Dylan háár destijds ook zo noemde. Ellen Olenska.'

Conor keek haar peinzend aan, waarna hij zijn blik weer op de weg richtte. 'En wat betekent dat?'

'Dat betekent dat ze nog van hem hield toen ik werd geboren.'

Hij knikte. 'Ja, maar denk je niet-'

Ellen onderbrak hem door hardop te denken. 'Zou ze spijt hebben gehad dat ze er met mijn vader vandoor is gegaan? Zou Dylan haar grote liefde zijn gebleven?'

'Als dat niet zo was, had ze je wel Elizabeth genoemd, of Alexandra.'

'Misschien wilde ze wel helemaal niet weg, maar zag ze geen andere mogelijkheid. Misschien is ze wel altijd van Dylan blijven houden en heeft ze haar jeugd in Ierland dáárom verzwegen. Omdat ze het niet kon verdragen ooit nog terug te gaan, zelfs niet in gesprekken. Omdat ze dat te pijnlijk vond.'

Conor glimlachte toegeeflijk. 'Je bent erg romantisch, hè Ellen?'

'Ja, maar het ís ook romantisch als je het zo bekijkt. En dan te bedenken dat mijn moeder eigenlijk helemaal niet romantisch is. Eerder het tegenovergestelde. Tenminste, dat heb ik altijd gedacht. Maar ik raak er steeds meer van overtuigd dat ik haar eigenlijk helemaal niet ken. Ze was nog heel jong toen ze hier wegging. Misschien is ze hard geworden door het leven waarvoor ze heeft gekozen. Want in de vrouw die Dylan beschreef, herkende ik niets van mijn moeder.'

'Dat zul je haar allemaal moeten vragen.'

'O, nee. Dat zou ik niet kunnen! Echt niet.' Ze schudde haar hoofd en keek uit het raam.

'Dan zul je het nooit weten.'

'Nee, maar misschien kunnen we sommige dingen maar beter met rust laten,' zei ze zacht. Een plotseling kilte bekroop haar. Conor had gelijk. Het lag allemaal veel gecompliceerder dan ze had gedacht.

Hij drukte haar hand, zich bewust van haar ongemak. 'Je hebt gelijk. Sommige dingen kun je maar beter niet weten.'

Toen ze bij het huis van Peg kwamen, stond er een vreemde auto op het pad. Hij was niet van een van haar ooms, wist Ellen. 'Misschien is het Ronan,' zei ze.

Er verscheen een harde uitdrukking op Conors gezicht. 'Dan ga ik meteen terug.' Hij stopte naast de onbekende auto.

Ze beet op haar onderlip. 'Wat moet ik zeggen?'

'Dat je het grootste deel van de dag met mij in bed hebt gelegen.' Hij grijnsde ondeugend.

'Slechterik! Ze vermoorden me als ik dat zeg.'

'Je hoeft niks te zeggen. Ze kunnen het zien aan je gezicht.'

'Wat is er met mijn gezicht?' Ze voelde aan haar wangen. 'Heb ik rode vlekken van je gekregen?'

'Zeg, ik ben geen paard!'

Ze lachte. 'Nee, maar je hebt wel een stoppelige huid.'

'Ik heb het over je stralende blos. De wellust is van je gezicht af te lezen.'

Ze sloeg hem speels op zijn hand. 'Dat zeg je alleen om me te plagen!'

'Niet helemaal. En je reactie is goud waard.'

'Dus ik heb geen rode vlekken?'

'Ik zie niks. Maar het is donker, dus dat zegt niet alles. Goed, wat heeft je voorkeur? Wel of geen baard?' Het was duidelijk dat hij haar nog zo lang mogelijk bij zich wilde houden.

'Eerlijk gezegd, vind ik het allebei leuk. Maar als ik moest kiezen, zou ik zeggen geen baard. Dan zie ik meer van je gezicht. Je bent een knappe man, dus waarom zou je je verstoppen?'

Hij glimlachte, waarbij zijn tanden stralend oplichtten in het donker. 'Oké, ik kom je morgenochtend halen.' Hij legde zijn hand in haar nek en boog zich naar haar toe om haar te kussen. Zijn zachte, volle lippen waren licht uiteen geweken. Ze sloot haar ogen om van zijn kus te genieten en vergat haar ongemak over het licht dat uit het huis naar buiten scheen, alsof ze toneelspelers waren op een podium. Toen hij haar losliet, keek hij haar diep in de ogen. En ten slotte glimlachte hij ongelovig, alsof ook hij verbaasd en dankbaar was dat ze elkaar hadden gevonden. 'Slaap lekker, Ellen.'

'Reken maar. Je hebt me behoorlijk uitgeput.' Ze lachte verlegen en bloosde onder zijn intense blik.

Hij legde een hand onder haar kin en kuste haar nogmaals. 'Voor verlegenheid is het te laat.'

'Zeg dat wel, je hebt me volledig van mijn zedigheid beroofd.'

'Gelukkig maar. Stel je voor dat ik een stukje had overgeslagen.'

'Nee, volgens mij ben je buitengewoon grondig geweest.' Ze begonnen allebei te lachen. Hij kuste haar opnieuw, en ten slotte raapte Ellen al haar wilskracht bij elkaar en stapte uit.

Ze keek de auto na, en toen de achterlichten door de duisternis waren opgeslokt keerde ze zich naar de zee, waar de vuurtoren als een spookachtig silhouet afstak tegen de avondhemel. Het water glinsterde alsof er gevallen sterren op de golven dansten en de sikkel van de maan straalde door een aura van mist. Zouden de vragen rond Caitlins dood ooit worden beantwoord, vroeg ze zich af. Of zou Conor de hele episode simpelweg uit zijn leven wissen en er nooit meer over praten? Waarschijnlijk bestond er voor hem geen mysterie, alleen een tragisch ongeluk waarvan de plaatselijke bevolking een duister raadsel had gemaakt, bij gebrek aan andere onderwerpen om over te roddelen. Door de duisternis in Conors ogen wist Ellen dat ze er nooit naar zou kunnen vragen. Ze stelde zich voor dat hij erg driftig kon worden. En ze twijfelde er niet aan of zijn gulle lach kon razendsnel omslaan in een grimmige frons van woede. Maar haar nieuwsgierigheid was er niet minder om. Ze hoopte dat hij haar uiteindelijk in vertrouwen zou nemen.

Toen ze binnenkwam, liep Peg rusteloos in de keuken op en neer. Ronan en Oswald zaten aan de tafel en praatten bemoedigend op haar in. Ze keken alle drie naar Ellen, die onmiddellijk besefte dat Peg de wanhoop nabij was. Haar gezicht was rood aangelopen, haar ogen glinsterden vochtig. 'Wat is er gebeurd?' vroeg Ellen, zonder acht te slaan op Mr. Badger die aan haar benen snuffelde, ongetwijfeld omdat hij Magnum rook.

'Jack is verdwenen,' zei Oswald somber.

Ellen keek geschokt naar de stoel van de kauw. 'Is hij weggevlogen?'

'Dat weten we niet,' antwoordde Ronan. 'Hij vliegt wel vaker weg...'

'Maar hij komt altijd terug,' zei Peg verdrietig. 'Ik begrijp er niks van.'

'Zou hij door een roofvogel zijn gegrepen?' opperde Ellen. Het was er nog niet uit of ze kon haar tong wel afbijten.

Peg verbleekte. Ze bette haar ogen. 'Jaysus, Ellen! Zulke dingen moet je niet zeggen!'

'Sorry, ik wou je niet van streek maken.'

'Dat weet ik, pop. We kunnen alleen maar hopen en bidden dat hij morgen terugkomt.'

'Is hij wel eens eerder een hele nacht weggebleven?'

'Nee, nog nooit. Daarom ben ik ook zo ongerust. Ik doe geen oog dicht, vannacht.'

Ellen zag dat ze aan de borrel zaten en ze vermoedde dat Peg snakte naar een sigaret. Gezien de omstandigheden zou Oswald daar vast geen bezwaar tegen hebben. Zelf taalde ze er niet meer naar sinds ze Conor had leren kennen. Waarschijnlijk verdrong de adrenaline die voortdurend door haar lichaam joeg de behoefte aan nicotine.

'Waarom ga je niet naar bed, mam?' stelde Ronan bezorgd voor. 'Wil je dat ik hier blijf vannacht?'

'Nee, ik red me wel. Ellen is er ook. Dus maak je geen zorgen.'

'En ik ben hiernaast, mocht je behoefte hebben aan gezelschap,' voegde Oswald eraan toe. 'Ik ben een verschrikkelijk slechte slaper. Dat weet je. Dus aarzel niet bij me aan te kloppen. Ik ben altijd in voor een nachtelijke schranspartij of een spelletje schaak.'

'Het heeft waarschijnlijk geen zin om op te blijven. Vannacht komt hij toch niet meer terug. Ik hoop dat hij ergens een warm plekje heeft gevonden.' De tranen liepen over haar bleke wangen. Ze droogde ze met een zakdoek. 'Ik lijk wel gek om zo sentimenteel te doen over een vogel.'

Oswald keek haar medelevend aan. 'Natuurlijk is dat niet gek.' Hij zei het zo lief, zo teder dat Ellen er kippenvel van kreeg. Ze verwachtte dat hij ging zeggen dat haar dieren ook een beetje haar kinderen waren. De woorden hingen onuitgesproken in de lucht. Maar hij zei ze niet hardop. En dat was ook niet nodig. Ze waren zich er allemaal van bewust, ook Peg, want dat was de reden dat ze huilde.

'Ik heb mijn dochtertje verloren, Ellen,' zei ze plotseling, en ze keek verrast in het rond, alsof niet zij dat had gezegd, maar iemand anders. Oswald en Ronan keken haar aan, verbouwereerd, niet goed wetend hoe ze moesten reageren. Het voelde alsof er plotseling een muur was ingestort. De muur die haar jarenlang had beschermd tegen haar verdriet. Ze haalde diep adem, maar het klonk als de jammerkreet van een gewond dier. 'O!' verzuchtte ze wanhopig, haar kin trilde onbeheerst. 'Ik... ik... Ik weet het niet... Mijn kleine meisje... Mijn kleine Ciara...' Ellen sloeg een hand voor haar mond en er welden tranen op in haar ogen bij het zien van de radeloosheid en het verdriet van haar tante.

Toen schoot Oswald overeind, hij sloeg zijn armen om Peg heen en trok haar dicht tegen zich aan, om een eind te maken aan het beven. 'Stil maar, meisje,' zei hij sussend. 'Wees maar niet bang. Het is goed wat er gebeurt. Echt waar. Het is goed dat je het er eindelijk uitgooit.'

Ronan stond ook op, aarzelend, onzeker. Hij wilde zijn moeder troosten, besefte Ellen, maar hij wist niet hoe. Zelf was ze net zo machteloos. Even kruisten hun blikken elkaar, en in dat korte moment vormde zich een band met de enige van de familie die haar steeds op een af stand was blijven houden. Ze glimlachte vluchtig, meelevend. Zuchtend liet hij zijn schouders hangen.

'Toe maar, Peg. Huil maar, lieverd. Gooi je verdriet er maar uit,' zei Oswald toen het beven minder werd, het snikken iets minder onbeheerst. Oswald had gelijk. Het was goed om het eruit te gooien. Ronan schonk Ellen een flauwe glimlach.

Uiteindelijk werd Peg door Oswald naar een stoel geholpen. Ze nam een grote slok Jameson en veegde met trillende vingers over haar ogen. Iedereen ging zitten en wachtte tot ze iets zou zeggen. Het bleef geruime tijd stil, maar ten slotte begon ze aan een lange, hartverscheurende monoloog.

Ze lieten haar praten, er was niemand die haar onderbrak. Het enige geluid in de keuken was het gesnurk van Bertie, op zijn mat voor het fornuis. Peg vertelde het hele verhaal, vanaf het moment dat ze besefte dat Ciara was verdwenen, tot het moment waarop ze werd gevonden, voorover in het water drijvend. Erover praten leidde tot een catharsis, en dat werkte reinigend, maar het was ook ongelooflijk emotioneel. Peg scheurde zonder het te weten haar zakdoekje aan flarden, totdat Oswald zijn hand op de hare legde, en ze met een diepe, bevrijdende zucht haar schouders liet hangen.

'Ik bid elke avond voor haar,' vervolgde ze, iets kalmer. 'Dan steek ik een kaars aan en kniel ik naast mijn bed om te bidden dat de engelen voor haar zorgen. Ik bid dat ze vrede heeft gevonden waar ze nu is. En dat ze me nooit alleen laat, want dat zou ik niet kunnen verdragen.' Haar ogen stonden rusteloos, koortsachtig, en er welden opnieuw tranen in op. 'Je bent niet gek, Oswald, maar het zijn geen elfen en dwergen die kaarsen uitblazen en dingen verplaatsen.'

Oswald glimlachte liefdevol. 'Dat weet ik.'

'Echt waar?'

'Natuurlijk weet ik dat, lieve Peg.'

Ze zuchtte beverig. 'Ik wil zo graag dat zij het is, en dat verlangen doet zo veel pijn... ik voel het in mijn hele lichaam. Soms denk ik dat ik gek word, dat ik dingen hoor die er niet zijn.'

'Ze is nog steeds bij je, Peg,' zei Oswald, en de overtuiging in zijn stem was als een koesterende deken die haar omhulde en verwarmde.

'Denk je dat, Oswald? Denk je dat echt?'

'Ik weet het zeker,' antwoordde hij met overtuigende oprechtheid.

Ellen besloot dat dit een goed moment was om het voorval met de kaars op te biechten. Peg reageerde verbaasd. 'Dus ik ben niet de enige die het overkomt?' zei ze met een zweem van een glimlach. 'Ik dacht al dat ik mijn verstand begon te verliezen.'

'Denk je dat ze probeert je te vertellen dat ze nog dicht bij je is?' vroeg Ellen.

'Ik weet het niet.' Peg keek vragend naar Oswald.

'Natuurlijk!' zei die. 'En ze blijft bij je tot jij er klaar voor bent om haar te laten gaan.'

'Hoe wéét je dat?' vroeg Peg gretig.

'Gewoon. Dat heb ik altijd geweten.'

'Altijd?'

'Ja, ik heb altijd een sterk ontwikkeld zesde zintuig gehad,' zei hij nonchalant.

'Kun je dingen zíén?'

'O, als kind wel. Nu niet meer. Maar ik voel dingen.' Hij glimlachte naar haar. 'Dwergen en elfen.'

Peg beantwoordde zijn glimlach. 'Maar het zijn geen dwergen en elfen, hè?'

Hij schonk haar een liefdevolle blik, alsof ze een kind was dat net een groots mysterie had ontrafeld. 'Nee, meisje, dat zijn het niet.'

Ze zuchtte en keerde zich naar Ronan, die zwijgend en aandachtig had geluisterd. 'Ik ben blij dat jij er ook bent, Ronan. Ik had met jullie over je zusje moeten praten. Ik had haar met jullie moeten delen. Want ze hoorde ook bij jullie.'

Hij knikte, zijn gezicht verkrampt van de inspanning om zijn emoties onder controle te houden. 'Soms denk ik nog aan haar,' vertelde hij zacht. 'In mijn herinnering was ze een vrolijk klein ding.'

'Ja, dat was ze,' zei Peg. 'Ze had de lichte, gelukkige ziel van een engel.'

Ze praatten door tot in de kleine uurtjes. Toen Pegs oogleden zwaar werden van vermoeidheid, wensten Oswald en Ronan haar welterusten, en ze verzekerden haar dat ze zouden bidden voor Jacks veilige terugkeer.

Toen Ellen haar tante mee naar boven wilde nemen, bleef Peg in de deuropening staan. Ze legde een hand op Ellens arm. 'Laten we nog even een sigaretje roken voordat we naar bed gaan. De jongens zijn nu toch weg.'

'Weet je zeker dat je niet te moe bent?'

'Nee, pop, ik ben niet te moe. En ik snak de hele avond al naar een sigaret.'

'Dan hou ik je gezelschap.' Ellen liep de keuken in om Pegs tas te pakken. Door alle commotie rond Jacks verdwijning en door Pegs onverwachte ontlading had niemand eraan gedacht haar te vragen waar ze was geweest. En daar was ze dankbaar voor.

'Weet je dat ik geen sigaret meer heb gerookt sinds ik Conor heb ontmoet?' Ellen ging zitten en maakte het pakje open.

'Dan moet je het nu ook niet doen,' zei Peg.

'Ach, eentje kan geen kwaad.'

Peg nam het pakje uit haar hand. 'Nee, dat wil ik niet. Je bent zo sterk geweest. Ik wil niet dat je door mij weer door de knieën gaat.'

'Oké, je hebt gelijk. Ik hou vol.'

'Maar ik...'

'Jij hebt na vanavond recht op net zo veel sigaretten als je wilt.'

Peg stak een sigaret op, inhaleerde diep en blies lang en genietend uit, terwijl ze met een zucht van opluchting haar schouders liet hangen. 'Het spijt me dat ik je nooit over Ciara heb verteld,' zei ze zacht.

'Dat geeft niet. Ik wist het al. Van Alanna.'

'Dáárom ga ik nooit naar de pub.'

'Maar daar wordt nu toch niet meer over gepraat?'

'Ik ben er te lang niet geweest. Als ik nu weer zou komen, weet ik zeker dat ze er allemaal over beginnen. En dat wil ik niet. Na Ciara's dood heb ik ruzie gekregen met pastoor Michael. Ik zag haar... mijn kleine meid... op de avond nadat ze was verdronken. Ze stond in mijn slaapkamer. Ik zag haar heel duidelijk, alsof het klaarlichte dag was. En ze keek me aan met een kalme, wijze glimlach. Ik was zo dom om het aan pastoor Michael te vertellen. Het was mijn fantasie die me parten speelde, zei hij. Omdat ik verdrietig was, had ik me ingebeeld dat ik haar zag. Die sukkel gelooft niet in dat soort dingen. De opgeblazen idioot! Maar ik heb haar gezien, dat weet ik heel zeker! Sindsdien ga ik niet meer naar de kerk. En ook niet naar de pub. Ik kom nergens meer. Als ik me nu ineens weer laat zien, vragen ze zich allemaal af wat er aan de hand is.' Ze schudde haar hoofd. 'Nee, daar heb ik geen zin in.'

Ze klonk ineens zo afwerend dat Ellen zich afvroeg waar ze bang voor was. Voor het geroddel? Of was ze bang dat mensen zouden laten merken dat ze met haar meeleefden?

Terwijl Peg haar sigaret uitmaakte schonk ze haar nichtje een glimlach. 'Het is leuk om weer een meisje in huis te hebben,' zei ze zacht. 'Want ook al ben je al een groot meisje, je bent familie. Dus ik vind het fijn dat je er bent.'

Ellen legde een hand op haar arm. 'Daar ben ik blij om, tante Peg. Ik vind het ook fijn om hier te zijn.'

'Zo, zullen we dan nu maar naar bed gaan?'

'Dat lijkt me hoog tijd worden.'

Haar tante grijnsde. 'En denk maar niet dat die vurige blos op je wangen me is ontgaan.'

Ellen legde geschrokken een hand langs haar gezicht. 'Wat bedoel je?'

Haar tante schudde haar hoofd. 'Kindje toch! Je dacht toch niet dat je mij voor de gek kon houden?'

Ellen moest lachen. 'Blijkbaar niet, nee.'

'Dus je had een leuke middag?'

Ze knikte. 'Ja.'

'Mooi zo.' Peg kwam moeizaam overeind. 'Zo, en nu naar bed. Wil jij ook voor Jack bidden? Hoe meer mensen een goed woordje voor hem doen, hoe beter het is.'

'Natuurlijk. Dat doe ik.'

'Dank je wel, lieverd.'

Ellen volgde haar tante naar boven. Op de overloop wensten ze elkaar welterusten. 'Hij komt vast weer terug, tante Peg,' zei Ellen, ook al geloofde ze dat niet echt. Peg knikte met een verdrietige glimlach en trok daarna de deur van haar slaapkamer achter zich dicht. Ellen stelde zich voor hoe ze bij de kleine votiefkaars knielde. Ze vroeg zich af of Ciara er inderdaad nog was. Was het Ciara die de kaars uitblies, om haar moeder te laten weten dat ze nog altijd dicht bij haar was?

22

Conor is verliefd, en dat kan ik niet uitstaan. Ik zie hem lichter worden, alle zwaarte valt van hem af, hij raakt steeds verder van me verwijderd, en ik sta machteloos. Hij loopt te fluiten alsof er niets is wat op hem drukt, alsof hij niet vijf jaar geleden zijn vrouw heeft verloren bij een gruwelijke brand. Zijn tred is veerkrachtig en er speelt permanent een zweem van een glimlach om zijn mond, alsof zijn hart overloopt van geluk. Ik voel dat mijn woede groeit en me omhult als een grijze, steeds dichtere mist. Er moet toch iets zijn wat ik kan doen om ervoor te zorgen dat hij zich weer op zijn verlies concentreert. Het was beter toen hij zijn baard nog liet staan en toen hij, op zijn paard over het strand jagend, het lot vervloekte omdat het hem zijn vrouw had afgenomen en hij eenzaam en verloren was achtergebleven. Het was beter toen hij nog ongelukkig was.

Ik haat Ellen omdat ze mijn plek heeft ingenomen, omdat ze zich door hem laat omhelzen, omdat ze zich door hem laat beminnen zoals hij mij eens beminde. Het geflirt en de lieve woordjes die ik ten onrechte aanzag voor lust, waren de aanloop naar ware liefde, besef ik nu. Ik zie het aan de manier waarop hij naar haar kijkt. Het staat in zijn ogen te lezen, en ik kan het niet langer ontkennen. Hij begint van haar te houden. Als ik nog leefde, zou ik het niet over mijn lippen kunnen krijgen. En dus ga ik naar het huis van Peg om me op Ellen te wreken. Ik weet niet hoe ik dat moet aanpakken, maar als ik mijn zoon in zijn slaap iets kan influisteren, dan lukt het bij haar misschien ook.

De dag breekt aan en boven de zee hangt een doorzichtige sluier van licht. De vuurtoren biedt een verloren aanblik, als een oud scheepswrak, geteisterd door de golven. Ik verdring mijn herinneringen, want ze zijn nog te pijnlijk. Peg is al buiten. Gehuld in haar dikke overjas kijkt ze ongerust naar alle kanten om zich heen. Wat zoekt ze? Haar hond staat naast haar, met zijn oren gespitst, in afwachting van haar commando, maar dat komt niet. Ze staat daar maar en laat haar blik zoekend langs de hemel gaan. Natuurlijk! Ze is op zoek naar haar vogel! Het beest dat ik heb weggejaagd.

Pas wanneer ik de vertrouwde gouden gloed van Ciara zie, word ik overvallen door schaamte. Want naast haar, gehuld in haar licht van liefde, ontdek ik de vogel. Peg slaakt een kreet van vreugde als hij naar haar toe vliegt. Ze opent haar armen, er verschijnt een brede glimlach op haar gezicht, en er stromen tranen van blijdschap over haar wangen. 'Jack!' roept ze. Boven haar hoofd gaat een raam open en buigt Ellen zich slaperig naar buiten. 'Ellen! Hij is terug! Onze gebeden zijn verhoord. Hij is teruggekomen!'

Ciara's gezichtje straalt als ze ziet hoe de vogel neerstrijkt op de schouder van haar moeder. Peg haast zich naar binnen, gevolgd door de hond, en doet de deur achter zich dicht. Ellen trekt zich terug en sluit het raam. Er heerst straks ongetwijfeld een feeststemming in de keuken. Ik kijk naar Ciara en weet dat ze mijn schaamte kan zien. Maar ze glimlacht naar me, net zo liefdevol als ze dat zojuist naar haar moeder deed. Ik begrijp het niet. Misschien is ze zelfs in staat mijn haatdragendheid te zien, mijn wrok jegens Conor en Ellen. Als dat zo is, laat ze het niet merken. Ze kijkt me alleen maar aan, en de alwetende, alles begrijpende liefde die ik in haar ogen zie, maakt dat ik me nog dieper schaam.

Dan komt er ineens een idee bij me op. Als ik mezelf overal naartoe kan denken, kan ik dan ook naar Londen? Naar Ellens familie en haar ouderlijk huis? Zou het echt zo simpel zijn? Waarom heb ik daar niet eerder aan gedacht? Hier kan ik weinig doen, maar ik voel intuïtief dat ik in Londen wel degelijk iets kan bereiken.

Ik ben er nog nooit geweest, maar ik denk mezelf naar de grote stad, naar Ellens huis, met dezelfde geconcentreerdheid als waarmee ik mezelf naar Dublin denk. Het gaat heel gemakkelijk en het voelt merkwaardig natuurlijk, alsof ik al sinds het begin der tijden op deze manier reis. Nu ben ik in de hal van een huis in de stad. De inrichting is opzichtig, praalziek, en er staat een hond tegen me te keffen. Hij lijkt op een rat en is ongeveer net zo groot. Klein, maar fel. Hij heeft zijn bovenlip opgetrokken, en ik zie dat hij vlijmscherpe, puntige tanden heeft. Wanneer ik met mijn armen wapper, net als bij de vogel, draait hij zich om en rent weg, met de staart tussen de poten. Zijn nagels tikken op de marmeren vloer.

'Waffle, hou op met dat idiote geblaf!' roept een erg Engels klinkende stem uit een aangrenzende kamer. 'Is er iemand aan de deur?'

Er komt een blonde jonge vrouw, gekleed in een elegant mantelpakje, de hal in lopen. Ze kijkt door het gaatje in de voordeur. 'Er is niemand.' Geërgerd keert ze zich naar de hond. 'Je bent niet goed bij je hoofd, Waffle!' Ik volg de jonge vrouw door een stel grote dubbele deuren naar een ruime, lichte eetkamer met een motief van vogels en takken op het fraaie behang. In de studeerkamer daarachter is limoengroen de overheersende kleur. De inrichting is pompeus, met een groen fluwelen bank, een grote fauteuil en een lage tafel die zucht onder het gewicht van stapels glimmende catalogi van Christie's.

'Wat is er aan de hand?' vraagt de vrouw die achter het bureau zit. Haar donkere haar, dat tot op haar schouders valt, is zorgvuldig gestyled. Ze draagt een marineblauw mantelpak, met een zijden sjaal om haar hals. Haar nagels zijn bloedrood gelakt en om haar pols glinstert een gouden armband, ingelegd met diamanten. Wanneer ze zich omdraait, besef ik dat het Madeline Byrne is, de moeder van Ellen. De gelijkenis is onmiskenbaar. Ze hebben hetzelfde haar, dezelfde kaaklijn, dezelfde mond, maar haar ogen zijn anders. Ze heeft blauwe ogen, net als Peg. Die van Ellen zijn bruin. En als ik nog wat beter kijk, zie ik dat de ogen van Ellens moeder roodomrand zijn, met een zorgelijke blik.

'Ik weet het niet.' Het meisje gaat op de stoel naast haar werkgeefster zitten.

'Hij klonk behoorlijk boos. Waar is hij nu?'

'Moet ik hem roepen, Lady Trawton?'

'Ja, ga hem maar halen, Janey.' Ze slaakt een zucht en schudt vermoeid haar hoofd. 'We zijn allemaal van slag door Ellens verdwijning.'

Janey loopt de gang in en fluit de hond. Madeline wijdt zich weer aan haar lijst. Ik werp een blik over haar schouder en zie dat ze een etentje voorbereidt. Maar haar pen blijft boven het papier hangen. Ze is in gedachten verzonken, en ik heb het vermoeden dat ze aan Ellen denkt. Even later komt het meisje terug, met de hond onder haar arm. 'Hij had zich in de serre verstopt.'

'Waffle, wat deed je daar?' Madelines gezicht klaart op. Maar Waffle kijkt naar mij en begint te grommen. Zijn vrouwtje begrijpt er niets van. 'Lieve hemel, gekke hond! Wat bezielt je vandaag?' Ik heb er genoeg van om beesten bang te maken, dus ik negeer hem. Na een tijdje kalmeert hij en laat hij zich door Madeline op schoot nemen, als een harig soort servet. 'Afijn, waar waren we gebleven?' Ze kijkt weer naar haar lijst.

Dan gaat de telefoon. Madeline kijkt er bijna angstig naar. Janey schuifelt nerveus op haar stoel heen en weer en het is duidelijk dat ze zich slecht op haar gemak voelt. Ten slotte neemt Madeline op. 'Hallo?' Ze luistert even. 'William! Hallo!' Teleurgesteld laat ze haar schouders hangen en met haar gemanicuurde handen gebaart ze Janey haar alleen te laten.

'Is er nog nieuws?' vraagt hij.

'Nee, ik heb niets gehoord,' antwoordt ze. 'Helemaal niets.'

'Het is krankzinnig.' William zucht. 'Hoe lang denk je dat ze weg-blijft?'

'Ik weet het niet. God mag weten wat haar bezielt. Het ene moment staat ze nog dolgezellig op de cocktailparty van de Herringtons, met Emily, die dwaze vriendin van haar, en het volgende moment ligt er een briefje in de hal. Dus wat er ook aan de hand mag zijn, ik weet het net zomin als jij.' Niets in haar stem verraadt dat ze Ierse is, constateer ik verbaasd. Er klinkt alleen een zekere scherpte in door, als van een kille, noordelijke wind.

'Volgens mij weet Emily waar ze zit,' zegt William. 'Maar ze wil het niet vertellen.'

'Dat denk ik ook. Ik heb het haar gevraagd. Diverse keren. Maar ze weigert ook maar iets te zeggen. Als Ellen bij me was gekomen, als ze had gezegd dat ze er even uit moest, dat ze zich nerveus maakte over het huwelijk, dan had ik dat volledig begrepen. Dan zou ik meteen een tic-ket voor haar hebben gekocht, het maakt niet uit waarheen. Het is ab-surd om op deze manier de benen te nemen. Wat denkt ze wel? Begrijpt ze dan niet dat we ons zorgen maken? Het is verschrikkelijk onnaden-kend van haar.'

'Ik heb haar een hele rits e-mails en sms'jes gestuurd. En eerlijk gezegd begin ik me ook zórgen te maken, Madeline.'

'Natuurlijk maak je je zorgen. Maar ze komt wel weer terug. Ik denk dat het zenuwen zijn, voor het huwelijk. Als kind was ze erg opstandig. Ik heb mijn best gedaan om haar in het gareel te krijgen, en ik dacht dat me dat was gelukt. Maar ik ben bang dat die opstandigheid er alsnog uit komt. Nou ja, als ze eenmaal getrouwd is, zal het wel beter gaan.'

'Áls we ooit trouwen,' zegt William chagrijnig.

'Natuurlijk gaan jullie trouwen! Maak je geen zorgen. Dat is nergens voor nodig. Voor je het weet is ze terug, met hangende pootjes. En dan is alles vergeven en vergeten.'

'Ze heeft haar baan opgezegd. Dat doe je niet als je van plan bent weer terug te komen.'

'Ze wil schrijver worden, of zoiets. Onzin, natuurlijk. Dat komt doordat ze nog geen bevredigende invulling voor haar leven heeft gevonden. Dat gaat wel over als ze eenmaal een man heeft om voor te zorgen, en – zo God het wil – kinderen. Geduld, William. Straks lachen we erom.'

'Ik weet niet of ik erom kan lachen, Madeline. Ik vind het erg egoïstisch. Het is bovendien helemaal niets voor haar! Ze belde minstens twee keer per dag. Altijd! En ze was al min of meer bij me ingetrokken. Om dan zomaar ineens te vertrekken... zonder ook maar iets te laten horen... dat... dat kán toch niet?'

Madeline zucht geërgerd. 'Wat denk jij dan dat er aan de hand is?'

'Geen idee. Ik heb me suf gepiekerd over de laatste dagen voordat ze verdween. Maar ik kan niks bedenken waaruit zou blijken dat ze niet gelukkig was met onze verloving.'

'Nou, dan is er niets om je zorgen over te maken.'

'Zou ze er met een ander vandoor zijn?' Williams stem klinkt ineens hard, onverzoenlijk. 'Dat vergeef ik haar nooit.'

'Nee, natuurlijk niet!' zegt Madeline haastig, vervuld van afschuw. 'Dat zou ze je nooit aandoen. Bovendien, ze houdt van je.'

'Waarom reageert ze dan niet op mijn telefoontjes? Ze zou toch op z'n minst kunnen laten weten dat alles goed met haar is? Ik begin onderhand mijn geduld te verliezen.'

Madeline verstijft, maar laat niets merken. 'Geef haar nog even de tijd, William,' zegt ze op vleiende toon. 'We zien er allemaal zo naar uit om één grote, gelukkige familie te worden. Ellen ook, dat weet ik zeker. Ze is gewoon een beetje bang. Vlak voordat ze verdween vond ik haar al wat nerveus. Ik denk dat ze gewoon wat tijd alleen nodig had. Om haar gedachten en haar gevoelens te ordenen. Trouwen is een grote stap, en ze is altijd bang geweest om zich te binden. Sterker nog, ze heeft nooit echt een serieuze relatie gehad voordat ze jou leerde kennen. Jij hebt haar getemd, en dat is een hele prestatie.'

'Nou, het is nog maar de vraag of ik daarin geslaagd ben.'

'Ik ga Emily gewoon wéér bellen. Ze móét me vertellen waar Ellen zit. Daar heb ik recht op. Ellen is mijn dochter! En zodra ik weet waar ze uithangt, ga ik haar hoogstpersoonlijk terughalen.'

'Dan ga ik met je mee! Want ze heeft een hoop uit te leggen.'

'Ik weet zeker dat ze met een volstrekt redelijke verklaring komt. William... Je houdt toch van haar?'

'Natuurlijk hou ik van haar! En ik weet nog steeds niet beter of we gaan trouwen.'

'Mooi. Dit is gewoon even een kink in de kabel. Maar daar zetten we ons moedig overheen. Laat dat maar aan mij over. Ik ga Emily meteen bellen.'

'Nou, ik hoop dat jij meer geluk hebt dan ik.'

'Daar zorg ik wel voor. Ik moet de waarheid weten. Met minder neem ik geen genoegen. Ik vertrouw erop dat Emily dat begrijpt.'

'Bedankt, Madeline.'

'Nee, jíj bedankt. Voor je geduld. Ellen mag haar handen dichtknijpen met een aanstaande echtgenoot zoals jij!'

Wanneer Madeline de telefoon heeft neergelegd, kijkt ze nadenkend voor zich uit, met haar duim en haar wijsvinger over haar neus wrijvend. Ondanks mijn aanwezigheid ligt Waffle nog altijd roerloos op haar schoot. Even later komt Janey weer binnen. 'Wat de uitnodigingen betreft, die zijn klaar,' zegt Madeline. 'Ik wil dat ze vanmiddag de deur uit gaan. Het thema bespreken we wel een andere keer. O, en ik moet nog even bellen voordat ik straks naar de vergadering ga. Waarschuw me maar als de auto voorstaat. Heb je de notulen geprint?'

'Die zitten al in uw tas, Lady Trawton.'

'Mooi. Wil jij Waffle straks uitlaten?'

'Natuurlijk.' Janey roept de hond en loopt de kamer uit. Waffle springt van Madelines schoot, en na een laatste blik op mij rent hij achter haar aan, met een vaart alsof zijn staart in brand staat. Madeline pakt opnieuw de telefoon. Ik neem aan dat ze Emily belt, maar ze krijgt een antwoordapparaat. Met een zucht van frustratie hangt ze op. Weer kijkt ze peinzend voor zich uit, terwijl ze met haar pen speelt en zich afvraagt wat haar te doen staat. Dan kijkt ze op haar horloge, ze legt haar pen neer en staat op. Ik volg haar de trap op, naar haar slaapkamer.

Het is een ruim, licht vertrek. De grote schuiframen kijken uit op een straat met bomen en witgepleisterde huizen. Ze loopt naar de marmeren badkamer om haar make-up bij te werken, maar dan kijkt ze naar haar spiegelbeeld, alsof ze oog in oog staat met een vreemde. Zo blijft ze lange tijd staan. Wat zou ze denken? Ik zou het dolgraag willen weten. Maar ik kan geen gedachten lezen. Ze heeft mooie blauwe ogen, stralend als turkoois, maar ik zie dat ze plotseling donker worden van verdriet.

Plotseling krijgt ze een ingeving. Ze loopt terug naar de slaapkamer, pakt haar tas en vist haar telefoon eruit. Dan gaat ze bij het raam staan, kiest een nummer, en wanneer ze een antwoordapparaat krijgt, begint ze een boodschap in te spreken. 'Emily, je spreekt met Madeline. Ellen is nu bijna twee weken weg. Ik wil weten waar ze is. Ik ben haar moeder. Dus ik eis dat je het me vertelt. Als je dat niet doet, laat je me geen keus en kom ik naar je toe. Ik zit tot de lunch in een vergadering, maar ik zet mijn telefoon op trillen. Dus je kunt me bereiken.'

Ze verbreekt de verbinding en gooit de telefoon in haar tas. Dan klopt Janey op de deur. 'De auto staat voor, Lady Trawton.'

'Ik kom eraan.' Met een zucht laat ze zich op het bed vallen. Het is duidelijk dat ze zich zorgen maakt. Madeline Trawton is een afstandelijke vrouw, maar zoals ze daar zit, lijkt ze ineens zachter, minder kil. Alsof ze alleen maar hier, in de afzondering van haar slaapkamer, zichzelf kan zijn.

Ik zie dat er foto's staan van haar gezin. Haar twee blonde dochters op hun trouwdag, de kleinkinderen, Ellen met haar verloofde – tenminste, dat neem ik aan. Stralend alsof hij alles vertegenwoordigt wat ze zich ooit heeft gewenst. Ik bekijk hem aandachtig. Hij is blond, jongensachtig, met heldere ogen en een lichte huid. Een keurige jongen, van uitstekende komaf, nog niet getekend door het leven. Geen wonder dat Ellen voor Conor is gevallen. Ze heeft een jongen ingeruild voor een man. Een man met een rijkdom aan ervaring in zijn blik. Ruig, verweerd, met een getekend gelaat en donkere, broeierige ogen. Niet te vergelijken met deze geprivilegieerde jongen wiens oppervlakkige schoonheid een gebrek aan karakter verraadt, aan gretigheid. Deze William hongert niet naar het leven.

Madeline kijkt me recht aan. Opwinding maakt zich van me meester, maar dat duurt niet lang. Want ze kijkt door me heen, besef ik, naar de foto van Ellen. Ze staat op, pakt het lijstje en kijkt naar de dochter die ze is kwijtgeraakt. Haar blik verzacht. Waarom, lijkt ze zich af te vragen. En ze schudt nauwelijks merkbaar haar hoofd.

Ze moet naar een vergadering, dus ze pakt haar tas van het bed en loopt de kamer uit. Ik kijk haar na, niet van plan haar te volgen. Ik moet wachten tot ze slaapt om haar iets in te fluisteren. Want alleen dan staat ze er voor open, dan wordt ze niet afgeleid door gedachten. Dan biedt ze geen weerstand. De kans dat ze me hoort is klein, besef ik. Maar ik geef niet op. Het moet stoppen wat er tussen Conor en Ellen gebeurt, en daar kunnen alleen Madeline en William voor zorgen.

Dus ik blijf daar en wacht tot het nacht wordt. Ik heb geen behoefte aan Conor en Ellen en hun ontluikende liefde, en ik wil niet dat Ciara me ziet. Zij bestaat uit licht, maar mijn wereld wordt steeds donkerder. En daar schaam ik me voor. Want dat is niet goed, weet ik. Iedereen kent het verschil tussen een lichte ziel en een donkere. Ik merk de laatste tijd dat ik ook steeds zwaarder wordt, alsof ik uit dichte mist besta, die me naar beneden drukt. Ik voel me gebonden aan de aarde. De hemel voelt zo ver weg. Zal ik hem ooit bereiken, of ben ik gedoemd eeuwig in dit voorgeborchte te blijven, zoekend en tastend in de schaduwen? Het antwoord is verbluffend simpel, maar omdat ik volledig in beslag word genomen door mijn kwade bedoelingen, ben ik niet in staat het te zien.

23

Ellen schoot een trui en een spijkerbroek aan en rende de trap af. In de keuken had Jack zich alweer op zijn vaste plekje geïnstalleerd. 'Het is een wonder!' zei ze tegen haar tante, die bij de kraan stond om de ketel te vullen. Ellen keek verbaasd naar de vogel. Hij had zo te zien niet geleden onder een nacht buiten.

Peg glimlachte, haar ogen straalden. 'Kijk nou eens!' zei ze grinnikend, met een blik uit het raam. 'We hebben bezoek!' Opgewonden kwam Ellen naast haar staan, in de verwachting dat het Conor was. Maar in plaats van de glimmende Range Rover zag ze Johnny's roestige pick-up en de zwarte Peugeot van Desmond. Ze verstijfde en was op slag in paniek.

Conor zou haar die ochtend komen halen. Hoe moest dat als de halve familie Byrne rond de keukentafel zat? Zou er ruzie van komen? Zou Desmond haar verwijten maken? Ze moest Conor bellen en de afspraak veranderen, maar voordat ze naar haar kamer kon vluchten, stonden er vijf potige mannen in de hal: Johnny, Joe, Ronan, Desmond en Craic. 'Hij is terug!' zei Ellen, haar angst maskerend met een triomfantelijke glimlach.

'Echt waar?' Johnny liep langs haar heen de keuken in. 'Peg? Vertel!'

'Het is een wonder! Kom gauw zitten, allemaal. Ik maak ontbijt!'

'Jaysus, daar is hij!' zei Desmond verbaasd. 'Ik dacht echt dat hij het loodje had gelegd.'

'Ik ook!' Joe wreef genietend in zijn handen bij het vooruitzicht van een ontbijt. 'Dus we hebben wat te vieren! Wat krijgen we van je, Peggine?'

'We hebben zeker wat te vieren. Ga zitten en zeg maar wat je wilt. Tante Peggine trakteert!'

'Geweldig, Peg.' Craic legde een ruwe hand op haar schouder. 'Volgens mij heb je vannacht geen oog dichtgedaan.'

'Nee, niet echt. Maar dat doet er niet toe. Ik ben zo blij dat hij terug is!'

'We kwamen helpen met zoeken,' vertelde Craic.

'Dat snap ik. En dat is erg lief van jullie.'

'Ik ben blij dat hij terug is.' Craic keek naar de kauw, die over de tafel liep en naar het vogelzaad pikte dat Peg voor hem had gestrooid. 'God heeft het zo gewild,' voegde hij er ernstig aan toe.

'Inderdaad. God heeft het zo gewild.' Peg liep met de ketel naar het fornuis. 'Ronan, ga jij Oswald even halen, alsjeblieft? Want die wil het goede nieuws natuurlijk ook horen.'

'Wanneer is hij teruggekomen, ma?' vroeg Ronan.

'Vanmorgen vroeg. Hij kwam gewoon aanvliegen. God mag weten waar hij is geweest, maar zo te zien heeft een nachtje buiten hem geen kwaad gedaan.'

'Integendeel! Hij ziet er geweldig uit,' zei Ronan, en hij liep de keuken uit om Oswald het heuglijke nieuws te vertellen.

De anderen gingen aan de keukentafel zitten, en Ellen hielp Peg met tafeldekken. 'Alanna heeft iemand nodig voor in de winkel,' zei Desmond, 'maar Mary zit nog in Waterford. Dus als je dat leuk vindt, dacht Alanna dat je haar misschien zou kunnen helpen. Tegen betaling, natuurlijk.'

De gedachte om wat te verdienen, sprak Ellen wel aan. Bovendien wist ze dat Conor die zondag weer terugging naar Dublin. 'Dat lijkt me enig!' zei ze dan ook. 'Peg? Wat vind jij?'

'Ik vind het een geweldig idee. Want het schrijven lukt nog niet erg, hè?'

Ellen liep naar de kast om borden te pakken. 'Nee, niet echt,' was alles wat ze zei, want ze wilde het er verder niet over hebben.

'Nogmaals, ik vind het een geweldig idee. En je verdient er ook nog wat mee. Dat is altijd meegenomen.'

'Wanneer wil ze dat ik begin?'

'Morgen?' stelde Desmond voor.

'Morgen is het zaterdag,' zei Ellen aarzelend.

'Of anders maandag. Het is ook wel erg kort dag.'

'Maandag komt beter uit,' zei ze. 'Tenminste, als Alanna dat geen bezwaar vindt. Ik ben... ik heb nog het een en ander te doen dit weekend.' Ze bracht de borden naar het aanrecht naast het fornuis, waar Peg eieren in de koekenpan brak.

'De kippen leggen als gekken,' zei ze. 'Ik weet niet wat die beesten bezielt, maar ik ben blij dat ik er afnemers voor heb.' Algauw sputterden ze in de pan en vulde de geur van gebakken bacon de keuken.

Even later kwam Ronan terug met Oswald, die met zijn armen gespreid de keuken binnenliep. 'Laat me het wonder aanschouwen! Allemachtig! Het is echt waar! Dat is inderdaad onze goede Jack, teruggekeerd in de schoot van zijn familie. Dankbaarheid stemt me nederig.'

Peg schonk hem een liefdevolle grijns. 'O, Oswald! Hou toch op me te plagen!'

Hij sloeg een arm om haar schouders en trok haar dicht tegen zich aan. 'Als ik je plaag dan doe ik dat vanuit de diepste genegenheid, dat kan ik je verzekeren,' zei hij zacht.

'Dat weet ik, Oswald. Dat weet ik.' Er verscheen een lichte blos op haar wangen. 'En, wat wil jij als ontbijt?'

'Ik heb al gegeten. Maar een kop thee zou er wel in gaan.'

Peg keek hem verrast aan. 'Maar je lust helemaal geen thee!'

'Niet als ik ook een glas wijn kan krijgen. Maar daar is het nog wat te vroeg voor, dus een kop thee lijkt me heerlijk. Zo, en dan nu onze vriend. Hoe ziet hij eruit?' Hij liep naar de tafel en bestudeerde de vogel. 'Hm, ik zou zeggen dat zijn avontuur hem goed is bekomen. Moet je hem nou toch eens zien! Hij kijkt alsof hij enorm met zichzelf is ingenomen!'

'Je hebt een geweldige avond gemist in de pub,' zei Joe tegen Ellen toen ze een bord met eieren, worst en bacon voor hem neerzette. 'Dylan heeft zijn accordeon weer tevoorschijn gehaald. Ik weet niet wat die man bezielt tegenwoordig, maar het dak ging eraf! Iedereen zong mee.'

'Hij is een groot talent,' zei Ellen met een gevoel van trots, alsof Dylan van háár was. 'Hij gaat me leren gitaarspelen.'

'Jullie hebben elkaar wel gevonden, hè?' zei Desmond.

Ellen haalde haar schouders op. 'Ik mag hem gewoon graag. Dylan is een wijs mens. Een diepe denker.'

Johnny lachte. 'Ja, ja, als hij diep in het glaasje kijkt, zeker!' Desmond en Joe lachten mee.

'Ik heb hem nooit dronken meegemaakt.' Ellen nam het voor hem op. 'Integendeel, hij is altijd broodnuchter als ik hem tegenkom.'

Craic knikte. 'Dat klopt. Ik heb hem al een tijd niet meer in de olie gezien.'

'Dat lijkt me goed teken, toch?' merkte Peg op.

'Blijkbaar heeft hij zijn leven gebeterd.' Ronan nam een hap van zijn toast. 'En volgens mij komt dat door jou, Ellen.'

'Door mij?'

'Nou en of. Hij was vroeger heel anders. Voordat jij kwam.'

Desmond keek Johnny aan, en ze leken allebei niet helemaal op hun gemak, vond Ellen.

Peg bemoeide zich er weer mee. 'Als ze Dylan helpt om het verleden achter zich te laten, dan moeten we daar alleen maar blij mee zijn. Zo, wie wil er nog een kop thee?'

'Heel graag, meisje!' Oswald hield haar zijn mok voor. Ondertussen glimlachte hij veelbetekenend naar Ellen. 'Dylan heeft in jou iets gevonden wat hij lang geleden is kwijtgeraakt.' Desmond en Johnny wisselden opnieuw een blik en leken plotseling nog slechter op hun gemak.

'Wat dan?' vroeg Joe.

'Een reden om te leven,' zei Oswald wijs.

Het was Ellen niet helemaal duidelijk hoe ze Dylan een reden kon hebben gegeven om te leven, anders dan door hem te herinneren aan zijn grote liefde. Ze haalde haar schouders op en nam een slok thee. 'Volgens mij leeft hij voor zijn muziek.'

'Daar heeft Ellen gelijk in,' viel Johnny haar bij. 'Als je hem gisteravond had gehoord... Jaysus, hij legde er zijn hele ziel en zaligheid in!'

Het duurde niet lang of de borden waren schoon geschraapt en de mokken leeggedronken. 'Dan moesten we maar eens gaan.' Johnny schoof zijn stoel naar achteren. 'Ik zag de auto van meneer Macausland gisteren voor de deur staan. Dus hij mag niet denken dat we de kantjes ervan af lopen.'

'Zit hij achter je aan, Ellen?' vroeg Joe.

Haar wangen begonnen te gloeien. 'Ik...'

'Ellen weet wel beter!' viel Desmond hem nors in de rede. 'Ze is gewaarschuwd.'

'Je zou jezelf eens moeten horen, Desmond Byrne!' Peg zette haar handen op haar stevige heupen. 'Ellen is oud en wijs genoeg om zelf te bepalen wat ze doet. Trouwens, wat heb jij daarmee te maken?'

Desmonds gezicht betrok nog verder. 'Ze is een Byrne.'

'Alleen maar voor de helft,' merkte Oswald op.

'Ik wil niet dat iemand van onze familie zich met die man afgeeft.' Hij richtte zijn donkere ogen op Ellen.

'Je weet hoe het met Caitlin is afgelopen,' deed Ronan een duit in het zakje.

'Hou daar toch eens over op,' zei Peg geërgerd. 'En laat die arme man met rust.'

'Met die man hoef je echt geen medelijden te hebben, ma!' Ronan bloosde van verontwaardiging. 'Híj leeft nog! Híj ligt niet onder de groene zoden!'

Peg sloeg haar blik ten hemel en liep naar de tafel om Jack te aaien. Voor haar was de discussie gesloten.

'Het is niet zijn schuld dat ze daar ligt, Ronan. Ik wil niet dat je zulke dingen zegt,' zei Desmond, op een toon die er geen twijfel over liet bestaan dat híj het hoofd was van de familie, en dat hij geen tegenspraak duldde.

'Dat ben ik met Desmond eens,' zei Joe. 'Meneer Macausland is geen moordenaar.'

Desmond rechtte zijn rug en knikte Ellen gebiedend toe. 'Blijf bij hem uit de buurt. Hij denkt dat hij het overal voor het zeggen heeft, maar dan is hij bij ons aan het verkeerde adres.'

'Ik ben bang dat je daar een beetje te laat mee komt.' Peg draaide zich om en keek naar buiten. Iedereen zweeg bij het geluid van een auto die stilhield voor het huis.

'Aha!' zei Oswald. 'Hij weet het wel te timen!'

Ellens hart klopte in haar keel. Ze zette haar mok neer. 'Hij is anders dan je denkt, Desmond,' zei ze zacht. 'Ik respecteer je mening, maar ik ben het niet met je eens. Conor en ik zijn vrienden, dus ik blijf met hem omgaan.' Iedereen keek haar na terwijl ze naar de hal liep om haar jas aan te trekken. Even later stonden ze allemaal voor het raam, verbouwereerd toe te kijken terwijl ze in de wachtende auto stapte.

'Daar kan niks goeds van komen,' zei Desmond onheilspellend.

'Geef ze een kans,' adviseerde Oswald.

'Ik vond hem ondanks mezelf erg charmant,' gaf Peg toe.

Desmond wreef over zijn baard. 'Dat is nou precies wat me zorgen baart. Dat hij zo charmant is! Nu ja, ik hoop maar dat ze weet wat ze doet.'

'Niet zoenen!' zei Ellen toen ze in de Range Rover klom. 'Rijden! Ze staan allemaal voor het raam.'

'Dat is erg veel gevraagd voor een hartstochtelijke man zoals ik,' antwoordde hij grijnzend, maar hij deed wat ze zei en reed het pad af.

Een beetje gekalmeerd door zijn reactie, begon ze te lachen. 'God, ik had net een confrontatie met Desmond! Maar volgens mij heb ik gewonnen.'

Over de versnellingsbak heen pakte hij haar hand, en hij begon haar met zijn duim te strelen. 'Wat zei hij?'

'Hij wil niet dat een Byrne zich met jou afgeeft.'

Conor trok een wenkbrauw op. 'Die durft!'

'Hoe bedoel je?'

Hij antwoordde niet direct. 'Ik zou het ook kunnen omdraaien.'

'Waarom? Wat heeft mijn familie gedaan?'

Hij schudde zijn hoofd. 'Laat maar. Ieder mens staat op zichzelf. Je moet mensen op hun eigen daden beoordelen, niet op wat hun familie heeft gedaan.' Met een zucht keek hij haar met zijn diep indigoblauwe ogen aan. 'Ik vind je leuk, Ellen. Ik vind het heerlijk om bij je te zijn. Dat heb ik op deze manier nooit eerder gevoeld. Het kan me niet schelen waar je vandaan komt. Of wie je familie is. Het gaat om jou, en om niemand anders.'

Ze wilde nogmaals vragen of haar familie hem iets had misdaan, maar ze voelde dat hij er niet over wilde praten. Ze drukte zijn hand. 'Het doet er niet toe of Desmond het wel of niet goedvindt. Ik ben altijd al opstandig geweest.' Ze grijnsde verlegen. 'Ik vind het ook heerlijk om bij jou te zijn, Conor.'

Toen ze later die ochtend naakt naast elkaar in bed lagen, besloot Conor plotseling om haar het verhaal van Caitlin te vertellen. Ellen lag met haar hoofd op zijn borst, en hij speelde met haar haar, nog nagloeiend van de seks.

'Ik moet je wat vertellen,' begon hij. Ellen durfde zich nauwelijks te bewegen. Onder haar oor hoorde ze zijn diepe stem doortrillen in zijn borst. Hij hield op haar haar door zijn vingers te laten glijden en legde zijn hand op haar hoofd. 'Ik hield niet van mijn vrouw,' zei hij eenvoudig.

Het was zo schokkend eerlijk, en zo onverwacht, dat ze zich op een elleboog oprichtte en ongelovig op hem neerkeek. 'Je hield niet van Caitlin?'

Hij schudde zijn hoofd. 'Eerst wel, maar later niet meer.'

'Wat is gebeurd?'

'Ze sloot me buiten, ze dreef me bij zich vandaan.'

'Hoe dan?'

Hij zuchtte, alsof hij het moeilijk vond haar de waarheid over zijn vrouw te vertellen. 'Ze was ziek, Ellen. Geestelijk ziek. Dat had ik niet in de gaten. Ik besefte pas dat ze psychische problemen had toen we al getrouwd waren. Er zal wel een naam voor zijn, maar die weet ik niet, want ze weigerde hulp te zoeken.'

'Wat had ze voor problemen?'

'Ze leed aan stemmingswisselingen. Echt heel erg. En ze was jaloers. Op het obsessieve af. Van lief en aanhankelijk kon ze ineens veranderen in een furie. Dan verweet ze me dat ik haar ontrouw was. Ze was onevenwichtig, verschrikkelijk onzeker en erg onzelfstandig, erg afhankelijk. Dat dreef ons uit elkaar.'

'Maar je hebt ooit wel van haar gehouden?'

'Natuurlijk. In het begin wel. Maar ze was me voortdurend aan het uittesten en uiteindelijk was ik leeg. Het was op. Ze had een hekel aan de stad, dus ik zat zo veel mogelijk in Dublin of ik ging op reis. Zij bleef hier, op het kasteel. Daar voelde ze zich het prettigst. Ze wilde nergens anders naartoe. Alles wat ze niet kende, maakte haar angstig. Ze had behoefte aan een vertrouwde omgeving, met haar eigen spullen om zich heen.'

Ellen kuste hem op zijn slaap. 'Wat vreselijk voor je. Wat moet je daaronder hebben geleden. Waarom heb je er geen streep onder gezet?'

'Dat durfde ik niet. Ik was als de dood dat ze zichzelf iets zou aandoen. Want ik voelde me nog steeds verantwoordelijk voor haar. Bovendien was ze de moeder van mijn kinderen. Ida en Finbar hielden zielsveel van haar en die kon ik een scheiding niet aandoen, hoe erg het ook werd.' Hij keek haar schuldbewust aan. 'Ik ben niet trots op mezelf, Ellen. Het gebeurde regelmatig dat ik mijn geduld verloor. Ik heb haar nooit geslagen, maar ik heb wel eens op het punt gestaan. Het werd zo erg dat ik een hekel aan mezelf kreeg. Aan mijn rol in dat huwelijk. Ze dreef me tot waanzin.'

'In het dorp denken ze dat ze een engel was.'

'Laat ze dat maar denken, alleen al voor Finbar en Ida. Ik wil niet dat ze er ooit achter komen hoe hun moeder in werkelijkheid was.'

'Ze was beeldschoon.'

'Ja, dat was ze. Betoverend mooi.'

'Ik moet je wat bekennen. Ik heb het portret van haar gezien, in de hal van het kasteel. Johnny en Joe hebben me binnengelaten.' Ze dacht even dat hij boos zou worden, want zijn gezicht werd grimmig. Hij nam haar onderzoekend op, alsof hij zich afvroeg of hij haar kon vertrouwen. Toen wendde hij met een zucht zijn blik af. 'Dan weet je waarom iedereen verliefd op haar werd. Tenminste, iedereen die alleen de buitenkant zag. Maar de mensen die haar kenden, wisten wat ik met haar te verduren had.'

'Waarom wilde ze geen hulp?'

'Omdat ze zelf absoluut niet vond dat ze problemen had.'

'Er waren vast en zeker medicijnen voor geweest. Bijna alles is op te lossen met medicijnen.'

'Natuurlijk. Maar die zou ze niet hebben geslikt. Ze was erg kinderlijk, en hoe ouder ze werd, hoe meer ze in haar verbeelding leefde. Uiteindelijk durfde ik haar niet meer alleen te laten met de kinderen en heb ik mijn moeder gevraagd om bij ons te komen wonen. Maar Caitlin had het gevoel dat ze werd bespioneerd. Bovendien wist ze dat mijn moeder immuun was voor haar charme. Afijn, ze heeft haar het leven dermate zuur gemaakt, dat mijn moeder het niet volhield en terugging naar Dublin. Toen heb ik een kindermeisje aangenomen. Daar had Caitlin geen moeite mee, want het kindermeisje aanbad haar. En zolang ze werd aanbeden, was er geen vuiltje aan de lucht.'

'Dus toen ze stierf...' Ellen aarzelde.

'Haar dood was een opluchting voor me.' Hij ging rechtop zitten, sloeg zijn handen voor zijn gezicht en wreef over zijn voorhoofd. 'Ik schaam me om het te zeggen. Het was verschrikkelijk, intens tragisch, maar ik was vooral opgelucht. Ik verafschuwde mezelf. Ik wilde verdrietig kunnen zijn, ik wilde kunnen rouwen. Maar ik kon het niet. Want ik haatte haar om haar roekeloosheid. Daardoor brak ze het hart van mijn kinderen, en dat heb ik haar nooit kunnen vergeven. Het is haar schuld dat mijn kinderen geen moeder meer hebben.'

Ellen ging op haar knieën zitten. Ze sloeg haar armen om hem heen en wenste dat ze zijn verdriet kon wegnemen. 'Je moet jezelf geen verwijten maken. Je bent ook maar een mens. En je hebt je best gedaan.'

'Ik wilde niet dat ze naar die vuurtoren roeide! Dat deed ze om me te treiteren. Ze wilde dat ik achter haar aan kwam, om haar te redden. Het was de zoveelste roep om aandacht, de zoveelste manier om mijn liefde op de proef te stellen. Het is gewoon absurd, hoe vaak ik in de boot ben gestapt om haar terug te halen. Maar die avond ging ze te ver. We kregen ruzie, het liep verschrikkelijk uit de hand, en ze vertrok naar de vuurtoren. Daar had ze de hele trap vol gezet met kaarsjes.' Hij wreef opnieuw over zijn voorhoofd, als om de beelden uit te wissen die voor zijn geestesoog opdoemden. 'Ze verweet me dat ik niet meer van haar hield. En daar had ze gelijk in. Ik hield inderdaad niet meer van haar. Ik wilde haar nooit meer zien. Ik wilde dat het voorbij was. En toen was het ineens voorbij! Blijkbaar heeft ze met haar jurk de vlam van een kaars geraakt, want eenmaal boven aan de trap stond ze in brand. En ik kon niets doen! Tegen de tijd dat ik boven kwam, had ze zich op de rotsen geworpen.'

'En voelde jij je vrij,' zei Ellen zacht.

'Ja. Ik voelde me eindelijk vrij. Wat ik voelde, was een combinatie van afschuw en opluchting.' Hij keek haar aan, geschokt door zijn eigen bekentenis. 'Er wordt gefluisterd dat ik haar heb vermoord.'

'Ach, mensen die dat zeggen weten niet waar ze het over hebben.'

'Maar het komt er wel op neer. Ik had haar net zo goed kunnen vermoorden.'

'Maar dat heb je niet gedaan.'

Hij keek haar verdrietig aan. 'Nee, maar ik heb haar wel dood gewenst.'

Hij sloeg zijn armen om haar heen en kuste haar hartstochtelijk. 'Dankzij jou heb ik het van me af kunnen zetten.' Hij liet zijn hoofd iets naar achteren zakken en keek haar doordringend aan. 'Jij hebt me geholpen mijn leven weer op te pakken. Ik had niet gedacht dat ik nog tot liefde in staat was. Wat het is, weet ik niet, maar bij jou voel ik me lichter.'

'Maar ik ben…' begon ze, want ze had ineens de moed gevat om hem over haar verloving te vertellen. Maar voordat ze nog iets kon zeggen, drukte hij zijn lippen weer op de hare en nam hij opnieuw vurig bezit van haar.

24

Conor en Ellen hadden het hele weekend samen, want Daphne was met de kinderen in Dublin gebleven. Ze liepen met Magnum door de heuvels, ze vrijden tot ze uitgeput waren, en ze keken films tot in de kleine uurtjes. Ze genoten zo van elkaars gezelschap dat ze niets anders nodig hadden. Ze hadden genoeg aan elkaar en aan alles wat ze op hun gezamenlijke ontdekkingsreis ontdekten.

Ellen besefte dat het moment om Conor over William te vertellen, was gepasseerd. Als ze dat nu nog deed, zou hij zich afvragen waarom ze dat niet eerder had gedaan, toen hij haar alles over Caitlin had verteld. Ze zou haar verloving gewoon zo snel mogelijk moeten verbreken, in de hoop dat Conor er nooit achter kwam. Maar ze vond het niet eerlijk om dat telefonisch te doen. Dat had William niet aan haar verdiend, dus ze zou terug moeten naar Londen, om de relatie op een fatsoenlijke manier te beëindigen, ook al was ze niet van plan op korte termijn uit Ierland te vertrekken. Ze zou het zo lang mogelijk uitstellen, zo lang als ze durfde. Maar uiteindelijk zou het ervan moeten komen. Niet alleen de confrontatie met William, maar ook die met haar moeder. En vooral dat laatste zag ze met angst en beven tegemoet. Hier in Connemara, bij Conor, kon ze haar moeder en William vergeten. Zolang ze zich schuilhield, was ze veilig en onbereikbaar. Conor zou het nooit weten, en bovendien, wat deed het er toe? Ze hield niet van William, hij hoorde bij het verleden. Het enige wat telde, was het heden. En het heden, dat was Conor!

Peg was zo blij met de terugkeer van Jack, dat ze de ontluikende relatie van haar nichtje verrukt en enthousiast verwelkomde. Ze had genoeg ervaring met het leven en de dood om te weten dat het uiteindelijk alleen de liefde was die ertoe deed. In haar ogen verdiende Conor het om gelukkig te zijn, en ze had geen begrip voor de reserves van haar broer. Desmond mocht dan het hoofd van de familie zijn, hij was niet Ellens vader. Sterker nog, hij kende haar nauwelijks. En hij had niet het recht te bepalen met wie ze omging. Maar de familie kwam voor hem op nummer een. Daar hoorde Ellen bij, en niets leek zijn mening te kunnen veranderen over de man die door velen werd beschuldigd van de moord op zijn vrouw.

Op zondagmorgen gingen Conor en Ellen niet naar de mis. In plaats daarvan brachten ze de ochtend in bed door. Dat de tijd begon te dringen en het afscheid naderde, maakte het vrijen nóg heerlijker, hun gevoelens voor elkaar nóg intenser.

Conor ging op zondagmiddag terug naar Dublin. Hij moest werken en keek ernaar uit om zich op een nieuw project te storten. Na vijf lange, onvruchtbare jaren had hij zijn leven eindelijk weer opgepakt. Hij zat boordevol ideeën en bruiste van energie om ermee aan de slag te gaan. Aan het begin van de middag bracht hij Ellen naar huis. Daar legde hij zijn grote handen langs haar gezicht en hij kuste haar vurig. Ze genoot van zijn geur, van zijn lippen op de hare, en toen ze de auto nakeek voelde ze een overweldigend verlies. Het was alsof mét die auto haar hele wereld verdween, en ze kon wel huilen van ellende.

Die avond las ze *De jaren van onschuld* uit. Het slot van het boek was prachtig, maar ook erg verdrietig en ze liet haar tranen de vrije loop. De parallel ontging haar niet. Gravin Olenska en Archer Newland konden niet samen zijn omdat May, Archers vrouw, een kind verwachtte. De relatie tussen Dylan en Madeline was ook gedoemd geweest vanwege een baby. En die baby, dat was zij. Haar moeder was ongehuwd zwanger geraakt en met Anthony, Ellens vader, naar Engeland vertrokken. Maar als ze nou nog steeds van Dylan had gehouden? Dat moest wel. Daarom had ze de baby Ellen genoemd, de geheime naam die alleen voor Dylan en haar iets betekende. Ellen probeerde zich te herinneren of Dylan verrast had gekeken toen ze zich voorstelde. Ze wist het niet meer. Bij die eerste ontmoeting had hij een vreemde indruk gemaakt, in alle opzichten. Misschien had hij het van meet af aan geweten. Misschien was dat geheime teken van eeuwigdurende liefde de reden dat hij altijd naar zijn Maddie was blijven smachten.

Maar de vraag die haar vooral bezighield, was of haar moeder ooit van haar vader had gehouden. Ze dacht aan zijn vriendelijke gezicht en zijn eindeloze geduld en haar hart ging naar hem uit. Anders dan haar moeder, had hij haar nooit veroordeeld of het gevoel gegeven dat ze tekortschoot wanneer ze niet aan hun hoge verwachtingen voldeed. Haar vader die altijd toegeeflijk had geglimlacht, alsof hij haar capriolen wel vermakelijk vond. Ze klapte het boek dicht en hoopte dat haar moeder van beide mannen had gehouden.

Ellen sprak erover met Conor toen hij om middernacht belde. Hij stelde haar voor het aan Dylan te vragen. Die had tenslotte vrijuit, zonder terughoudendheid, met haar over haar moeder gesproken. De volgende dag haastte Ellen zich tijdens de lunchpauze naar buiten en liep van Alanna's winkel naar de Pot of Gold. Zoals ze had verwacht stond Dylan aan de bar, in een zwarte duffelse jas en een zwarte wollen pet zonder klep. Hij dronk een sodawater met een schijfje limoen en kletste met Craic. Zodra hij haar zag, verscheen er een brede glimlach op zijn gezicht, en zijn grote, bruine ogen begonnen te stralen.

'Ellen!' Hij legde een hand op haar schouder. 'Ik hoor dat je een nuttig lid van de gemeenschap bent geworden. Je hebt een baan!'

'Dat klopt,' antwoordde ze trots.

'Dus je blijft?'

'Daar wordt aan gewerkt.' Ze wenste dat ze met een toverstokje kon zwaaien om al haar problemen te doen verdwijnen, zodat ze voorgoed in Ballymaldoon kon blijven.

'Zo mag ik het horen,' zei hij vrolijk. 'Wil je iets drinken?'

'Lekker.'

'Heb je lunchpauze?' Craic pakte een glas voor haar.

'Ik heb boterhammen van thuis meegenomen. Vind je het erg als ik die hier opeet?'

'Nee, natuurlijk niet.'

'Ik hou je gezelschap,' zei Dylan. 'Doe mij maar een pastei met rundvlees en niertjes.' Hij wreef grijnzend over zijn maag. 'Ik moet er nog van groeien.'

Ze gingen aan een tafeltje in de hoek zitten. Dylan deed zijn jas uit, hing hem over de rugleuning van zijn stoel en zette zijn pet af. Zijn haar stond in pieken overeind, maar hij nam niet de moeite het glad te strijken. 'En, hoe ging je eerste ochtend?'

'Het was erg rustig. Ik heb niet de indruk dat ze buiten het seizoen veel verkoopt.'

'O, maar in de zomer is het hier een gekkenhuis,' stelde hij haar gerust. 'Dan kun je over de hoofden van de toeristen lopen!'

'Maar daar verdient het dorp goed aan.'

'Absoluut.'

Terwijl ze naar zijn stralende gezicht keek, besloot ze niet over haar moeder te beginnen. Het voelde niet goed. Hij zou kunnen denken dat ze alleen maar dáárom zijn gezelschap zocht, om het mysterie van haar moeders verleden te ontsluieren. En dat was niet zo. Integendeel. Ze genoot van zijn gezelschap en ze wilde hem niet de indruk geven dat ze, behalve zijn vriendschap, nog iets anders van hem verwachtte. 'Weet je nog dat je zei dat je me zou leren gitaarspelen?'

'Natuurlijk weet ik dat nog. En ik meende het. Wanneer wil je beginnen?'

'Vanavond?'

Hij grijnsde. 'Akkoord. Kom maar langs, dan zet ik een schaal piepers in de oven.'

'Welnee, doe geen moeite. Dat hoeft niet.'

Hij moest lachen. 'Het is absoluut geen moeite. Dat maak ik voor mezelf ook als Martha er niet is om voor me te koken.'

'Is ze een goede kok?' vroeg Ellen.

'Een prima kok, en dat niet alleen. Ze verdient beter dan een man zoals ik.'

'Volgens mij mag ze haar handen dichtknijpen met je.'

'Nou, er zijn er niet veel die je dat nazeggen, Ellen.'

'Ik zou het leuk vinden haar te leren kennen.'

'Dat gebeurt vast wel een keer als je hier blijft.'

'Wonen jullie niet samen?'

Dylan schudde zijn hoofd, alsof het idee alleen al absurd was. 'Martha is een welopgevoed katholiek meisje.'

'Tjonge, ik hoor het al. De Kerk is hier nog springlevend.'

'Godsdienst is belangrijk. "Wie een waarom heeft waarvoor hij leeft, kan bijna elk hoe verdragen," zei Nietzsche. Of zoiets.'

'Volgens mij was Nietzsche niet katholiek.'

'Nee, dat klopt. Eigenlijk was hij helemaal niks. Hij was alleen filosoof. Maar het zijn wijze woorden. De mens moet weten dat zijn lijden een doel heeft, anders is het ondraaglijk.'

'Ben jij belijdend katholiek?'

'Ik ga graag naar de mis. Ik hou van de rituelen, waarschijnlijk omdat ze zo vertrouwd zijn. Mijn moeder was diepgelovig. In zware tijden ontleen ik troost aan het geloof. We zijn hier om te leren, om te groeien, en wanneer we deze aarde verlaten, gaan we terug naar waar we vandaan kwamen.'

Ellen dacht aan haar eigen, intense gevoelens, die eerste ochtend op het strand. 'Ik had er eigenlijk nooit echt over nagedacht,' zei ze. 'Tot ik hier kwam. Door de rust en de stilte op het land ben ik vragen gaan stellen en me gaan verdiepen in de zin van het leven.'

Dylan glimlachte wijs. 'Dat komt doordat je in de natuur het stille, eeuwige deel van jezelf herkent.'

'Is dat het? En is dat stille, eeuwige deel mijn ziel?'

'Precies.'

'Dat klinkt niet erg katholiek!'

'Een godsdienst is een soort club, Ellen. Om er lid van te zijn moet je je aan bepaalde regels houden. Maar die regels hebben niets met God te maken en alles met de mens. Het is die clubmentaliteit die ervoor zorgt dat godsdiensten tegenover elkaar komen te staan. Jouw club heeft het bij het rechte eind, en dat betekent dat alle anderen het mis hebben. En wie verzint die regels? De mens. Ik ben het met veel van die regels niet eens en die leg ik dus naast me neer. Maar God is altijd bij me. Jezus wilde de mensen niet tegen elkaar opzetten, hij wilde ze juist bij elkaar brengen. Hij wilde ons allemaal verenigen in de liefde. Maar zoals gebruikelijk wordt de boodschap verdraaid om politieke doelen te dienen. Als Jezus nu op aarde kwam, zou hij zich beter thuis voelen in een synagoge dan in een kerk. Dat mag ik natuurlijk niet zeggen, maar het is wel zo.'

'Mijn moeder is ook heel gelovig. Ze gaat elke dag naar de mis,' zei Ellen.

'Dat deed haar moeder ook. Megan was strikt in de leer en gezagsgetrouw.'

Uit de manier waarop hij het zei, begreep Ellen dat Dylan weinig waardering had gehad voor haar oma.

'Hoe was ze?'

'Spijkerhard en onverzettelijk.'

'Nou, dat klinkt gezellig.' Ellen grinnikte.

'Ze was afschuwelijk dogmatisch. Je hebt van die gelovigen die het dogma boven het gezonde verstand verheffen.'

'Heb je het nu over jullie? Stelde ze zich ook zo op met betrekking tot jou en mijn moeder?'

Hij knikte. 'Precies. Zonder Megan zou het allemaal heel anders zijn gelopen. Tenminste, dat denk ik. Maar ik zal het natuurlijk nooit zeker weten.'

'Dus als mijn oma niet zo streng gelovig was geweest, dan zouden mijn moeder en jij misschien een toekomst hebben gehad? Is dat wat je wil zeggen?' Ze fronste haar wenkbrauwen. 'Dat begrijp ik niet.'

Zijn ogen leken peilloos diepe bronnen. Met een zucht legde hij zijn ruwe hand op de hare. 'Tijd voor je boterham. Je zult wel trek hebben.' Hij leunde naar achteren toen de serveerster hem zijn lunch kwam brengen. 'Dat ziet er goed uit.'

'Ik zal de mosterd nog even halen.' De serveerster liep weer weg.

'Wat zit erop?' vroeg hij toen ze haar sandwich uit een bruine papieren zak haalde.

'Kipsalade. Dylan… Wist jij al dat ik Ellen heette voordat we elkaar leerden kennen?'

Hij keek haar peinzend aan. Ten slotte legde hij zijn mes en vork neer. 'Ja, dat wist ik.'

'Sinds wanneer?'

Ze zag aan zijn gezicht dat hij zich niet op zijn gemak voelde en dat hij met zijn antwoord meer had prijsgegeven dan hij had gewild. 'Je moeder heeft me geschreven toen je geboren was.'

'Echt waar? Wat stond er in die brief?'

'Dat ze je Ellen had genoemd.' Hij prikte een hap aan zijn vork en stak die in zijn mond.

'Is dat alles?'

Hij knikte.

'Dat was vast niet het enige wat er in die brief stond.'

Hij dacht even na terwijl hij zijn mond leegat. Toen nam hij een slok van zijn sodawater. Even deed hij haar denken aan een in het nauw gedreven dier.

'Ik beloof je dat het tussen ons blijft,' zei ze. 'Daar kun je van op aan.'

Hij keek haar weifelend aan en dempte toen zijn stem. 'Je moeder verdween met haar Engelse lord, zwanger van jou. Ze wilde een ander leven, een leven dat ik haar niet kon bieden. Dus greep ze haar kans en trouwde met een man van wie ze dacht dat die haar kon geven wat ze wilde. Maar toen jij eenmaal was geboren, besefte ze dat ze het materieel weliswaar goed had, maar dat er nog meer is wat het leven de moeite waard maakt. Ze vroeg of ik haar kwam halen.'

Ellens hart sloeg een slag over en begon toen wild te kloppen. 'Maar dat heb je niet gedaan.'

Hij knikte. 'Dat heb ik wel gedaan.'

'En toen?'

'Ik ben naar Londen gegaan. Daar ben ik voor haar huis gaan staan. En toen zag ik haar naar buiten komen, met haar man. Het was niet alleen haar lach die ik niet herkende, het gold voor alles. Ze leek een ander mens.'

'En wat heb je toen gedaan?'

'Toen ben ik weer naar huis gegaan.'

'Wist ze...'

'Nee, ze heeft het nooit geweten.'

'Dus ze dacht dat je niet op haar brief had gereageerd?'

'Waarschijnlijk.'

'O, Dylan! Wat verschrikkelijk.'

Hij klopte op haar hand. 'Het is allemaal al zo lang geleden.'

Plotseling begon Ellens hart nog sneller te slaan. 'Dylan... was ik een vergissing?' Ze zag dat er een zwakke blos op zijn wangen verscheen. 'Of tenminste... ik wéét dat ik een vergissing was, dat is wel duidelijk. Wat ik wil weten is... Ik eh... ik weet dat ik niet gepland was. En ongehuwd zwanger worden is een verschrikkelijke zonde als je goed katholiek bent. Maar was ik de reden dat mijn moeder en jij niet bij elkaar konden blijven? Ik bedoel, als ze niet zwanger was geworden, zou ze misschien nooit met mijn vader zijn getrouwd. Dan was het misschien bij een zomerverliefdheid gebleven en was ze met jou getrouwd.'

Dylan kromp zichtbaar ineen, alsof de gemiste kans hem nog altijd pijn deed. Ellen voelde zich ellendig, en ze haastte zich om iets troostends te zeggen. 'Ze moet heel van je hebben gehouden dat ze me Ellen heeft genoemd,' zei ze zacht.

Toen voelde ze diep vanbinnen plotseling iets stekeligs, iets ongemakkelijks. Ze keek hem aan, en terwijl ze zag dat de blos op zijn wangen vuriger werd, merkte ze dat haar gezicht ook begon te gloeien. Ondertussen probeerde ze het gevoel diep vanbinnen te negeren, of althans de gedachte te verdringen waardoor die onwelkome emotie in haar was gewekt.

'Tja, wie zal het zeggen?' zei hij ten slotte. 'Nogmaals, het is allemaal al zo lang geleden.' Het was wel duidelijk dat hij er verder niet over wilde praten.

'Het is dat ik je zo goed ken, want anders zou ik er een boek over schrijven!' zei ze bij wijze van grap, in een poging het gesprek een andere wending te geven. Waarom voelde ze zich ineens afgeschrikt, vroeg ze zich af. Terwijl ze even daarvoor nog razend nieuwsgierig was geweest?

Dylan herstelde zich en begon zijn eten te snijden. 'Waarom niet? Ik heb er nummers over geschreven.'

'Die wil ik dolgraag horen.'

'Als je goed je best doet, zal ik er vanavond een paar voor je spelen.'

'Dan kunnen we weer samen zingen,' zei ze enthousiast.

'Ja. Volgens mij klinken we helemaal niet verkeerd.' Hij schonk haar een liefdevolle grijns, en Ellen merkte dat het stekelige gevoel begon weg te ebben.

Na de lunch ging ze terug naar de winkel. Alanna moest lachen toen Ellen haar vertelde dat ze met Dylan had gegeten. 'Het wordt nog wat tussen jullie,' zei ze plagend.

'Alanna! Echt niet! Hoe kom je daar nou bij?'

'Stil maar. Ik plaagde je. Want ik weet wie je grote liefde is.'

'Ja, daar zal Desmond wel het nodige over hebben gezegd.'

Alanna haalde haar schouders. 'Desmond heeft over de meeste dingen een hoop te zeggen. Gewoon geen aandacht aan schenken. En trouwens, het gaat hem niets aan.'

'Conor is een goed mens,' zei Ellen gedecideerd. 'En hij is zeker geen moordenaar.'

'Ik twijfel er niet aan dat je weet wat je doet.'

'Absoluut.'

'Mooi zo. Zou jij wat spullen willen prijzen? Terwijl je weg was, is er een bestelling binnengekomen.'

'Natuurlijk! Je zegt het maar.'

'Zo mag ik het horen.' Alanna schoof een doos naar het midden van de winkel. 'Ik ben echt erg blij met je hulp, Ellen.'

'En ik ben blij dat ik wat verdien. Ik kan niet eeuwig op de zak van tante Peg teren en wil graag meebetalen.'

'O, maar dat vindt ze helemaal niet erg.'

'Dat weet ik wel. Maar daarom wil ik júíst geen misbruik maken van haar gastvrijheid.' Ze keek toe terwijl Alanna een mes over de bovenkant van de doos haalde. 'Oswald betaalt haar in schilderijen als hij niet genoeg geld heeft voor de huur. Ik zou haar ook graag iets willen geven.'

'Als je boek uitkomt, kun je de royalty's met haar delen.'

Ellen dacht aan het lege scherm van haar laptop. 'Ik weet niet of ze dat nog meemaakt.' Ze begon te lachen. 'Sterker nog, ik weet niet eens of dat ik dat zelf nog ga meemaken.'

'Heb je al wat geschreven?'

Ellen glimlachte schuldbewust. 'Nog geen woord.'

'O. Nou ja, dat zal vast niet lang meer duren.'

'Ik hoop het.'

'Als je op inspiratie gaat zitten wachten, lukt het misschien nooit. Waarom begin je niet gewoon?' Het klonk zo simpel. Alanna had geen idee hoe moeilijk het was om 'gewoon te beginnen'.

'Je hebt gelijk. Dat zal ik doen. Wat zit er in die doos?'

Oswald, Peg, Ronan en Joe zaten die avond in de zitkamer te bridgen toen Ellen in Pegs auto naar Dylan vertrok. Ze had duidelijke instructies om langs de kade te rijden. Dylans huis was lichtblauw, en het lag op een steenworp van de Pot of Gold, met links een lichtgeel en rechts een amandelkleurig huis. Het was een wonder dat hij nooit ladderzat van de kade was gevallen en verdronken, had Joe hatelijk gezegd. Ellen had haar blik geërgerd ten hemel geslagen. Ze was erg op Dylan gesteld geraakt, dus ze kon de grappen van haar neef niet waarderen.

Ze reed Ballymaldoon binnen en het duurde niet lang of ze parkeerde langs de kade, voor een leuk, lichtblauw huis. Kleine boten deinden op het water, dat glinsterde in het licht van de wassende maan. Een zwarte kat liep dicht langs de kademuur. Zijn ogen blonken als gele vlammetjes in de duisternis. Ellen ademde de frisse zeelucht in. Ze zuchtte genietend bij de aanblik van de marineblauwe hemel met hier en daar een twinkelende ster en bij het geluid van de golfjes die tegen de kade klotsten. De vuurtoren was nog net zichtbaar. Hij had iets droefgeestigs, als een nachtwaker die dacht aan de lange uren tot de dageraad, en die, uitkijkend over het water, nadacht over alles in zijn leven waar hij spijt van had. Het was bijna niet voor te stellen, dat Caitlin daar haar dood tegemoet was gesprongen, en dat Conor haar gebroken lichaam op de rotsen had gevonden. In zijn schoonheid had de toren niets kwaadaardigs. Integendeel. Maar schoonheid verzachtte alles, zelfs haar angsten.

Ze miste Londen niet – het verkeerslawaai en de oranje gloed van een stad waar het nooit donker werd. De rust en de stilte van Ballymaldoon voelden weldadig. Ze had nog nooit zulke heldere sterren gezien, zo'n weidse oceaan. Dat Conor deel uitmaakte van deze romantische plek, maakte het allemaal nóg dierbaarder. Ze glimlachte terwijl ze aan hem dacht. In de loop van de dag hadden ze elkaar diverse malen gesproken. Eén keer had hij haar zelfs alleen maar gebeld om haar stem even te horen. En hij had na een minuut alweer opgehangen omdat hij naar een vergadering moest. Ze had de telefoon tegen haar borst gedrukt, alsof ze hém daarmee tegen zich aan drukte. Wanneer ze niet aan de telefoon zaten, sms'ten ze. Conors sms'jes waren zowel teder als erotisch, en ze kon niet wachten tot het weekend was en ze weer samen zouden zijn.

Met die gelukkige gedachte drukte ze bij Dylan op de bel. Hij deed bijna onmiddellijk open. Een lichtbruine straathond glipte tussen zijn benen door en begon opgewonden aan haar te snuffelen. 'Volgens mij ruikt hij Mr. Badger,' zei Dylan.

'Ik wist niet dat je een hond had.'

'Dat is Finch. Een braaf beest. Martha en ik maken ruzie om hem, en meestal wint zij.'

'Maar hij woont bij jou.'

'Nee, hij woont bij ons allebei.'

'Dat klinkt als een kind van gescheiden ouders.'

Hij grinnikte. 'Ja, daar lijkt het wel op. Het is een bastaard. En hij is overal gelukkig, zolang hij zijn natje en zijn droogje maar krijgt.' Dylan deed een stap opzij. 'Vooruit, Finch! Aan de kant. Kom binnen. Ik heb speciaal cola voor je in huis gehaald.'

'Wat lief. En hoe is het met de piepers?'

'Prima.' Hij volgde haar naar binnen.

De zitkamer bood een erg mannelijke aanblik, met een grote, versleten bank en dito stoelen in diverse tinten bruin. Het knapperende haardvuur verspreidde een heerlijke geur. Op een van de tafels bij de bank stond een volle asbak, de planken van de kasten zakten door onder het gewicht van een enorme verzameling boeken. Tegen een van de muren stond een piano, met toetsen die waren vergeeld van ouderdom. Overal lagen tijdschriften en vellen bladmuziek. Ondanks het gebrek aan orde was het een heerlijke, gezellige kamer.

'Dus hier zit je te schrijven en te componeren?' vroeg Ellen met een blik op de gitaar tegen een van de fauteuils.

'Hoe weet je dat?' Hij krabde grijnzend aan zijn stoppelige kin. 'Waar zie je dat aan?'

'Het is een heerlijke kamer, Dylan. En helemaal jouw sfeer. Die arme Martha mag vast en zeker nergens aankomen.'

'Hoe raad je het zo? Sterker nog, Martha mag hier meestal helemaal niet komen. Dus ik zou me maar vereerd voelen als ik jou was. Zo, ik ga even iets te drinken halen en dan beginnen we. Heb je honger?'

'Nog niet echt.'

'Mooi. Dan laat ik de piepers nog even in de oven staan.' Hij liep de kamer uit.

Ellen liep wat rond. Ze had foto's verwacht van zijn geliefde Maddie, maar die zag ze nergens. Zou hij ze hebben weggeborgen? Uit respect voor Martha? Glimlachend hoorde ze hem neuriën in de keuken. Ze vond het leuk dat hij haar wilde ontvangen en ze verheugde zich erop om na tien jaar weer met de gitaar aan de slag te gaan. Haar moeder had er alles aan gedaan om te voorkomen dat ze in een band ging zingen, maar het kon raar lopen in het leven. Want nu stond ze op het punt te gaan jammen met een echte muzikant, die bovendien ook nog eens de oude vlam van haar moeder was. De ironie van de situatie maakte het allemaal nog fascinerender.

Op een ladekast onder het raam lag een vel bladmuziek met handgeschreven noten. *Connemara Sky* stond erboven. Onder het blad lag een ordeloze stapel losse cd's. Ze pakte er een. Al Pacino, dacht ze bij het zien van de foto, maar toen ze beter keek besefte ze dat het een aanzienlijk jongere Dylan was. Peg had gelijk. Hij was erg knap vroeger, op een duistere, broeierige manier.

Toen ze hem hoorde terugkomen legde ze het vel papier haastig terug, want ze wilde niet dat hij haar betrapte. Hij gaf haar het glas cola. 'Ik ben klaar met je iPod,' zei hij terwijl hij zijn gitaar pakte. 'Je hebt een geweldige playlist om je te helpen bij het schrijven. Vergeet niet om hem straks mee te nemen.'

'Mag ik ook een paar oude cd's van je lenen? Om naar te luisteren?'

Even keek hij haar weifelend aan, duidelijk slecht op zijn gemak. 'Misschien heb ik er ergens nog wel een paar liggen,' zei hij toen vaag.

'Maar...' Ze wilde al protesteren en zeggen dat er een hele stapel op de ladekast lag. Er was echter iets in zijn houding wat duidde op verzet. Blijkbaar wilde hij niet dat ze naar zijn oude opnamen luisterde, en dat maakte haar alleen maar nieuwsgieriger. 'Als je er een paar kunt missen zou ik dat geweldig vinden.'

'Ze zullen wel dik onder het stof zitten.'

'Zo lang is het toch nog niet geleden?'

'Goed, laten we gaan zitten. Begin maar met het G-akkoord.'

Terwijl ze onder Dylans geduldige leiding toonladders oefende, kwam het allemaal weer boven, net als in de kapel. Ineens kreeg het zwarte notenschrift op de bladmuziek weer betekenis. Haar vingers vonden de vertrouwde, bijna vergeten akkoorden. Terwijl ze een nummer van de Beatles speelde, ging Dylan aan de piano zitten en begeleidde haar improviserend. Later ontdekte ze dat hij helemaal geen bladmuziek nodig had. Wanneer hij een melodie hoorde, kon hij die naspelen, op elk willekeurig instrument. Muziek was een taal die hij vloeiend sprak. En toen hij na het eten een paar van zijn eigen nummers voor haar zong, begreep ze dat muziek voor hem ook het middel was om zich te kunnen uiten.

Ze zongen samen. Hun stemmen combineerden prachtig, heel natuurlijk, tot een rijke, ontroerende tweeklank. Al zingend keken ze elkaar stralend aan, genietend van de magie die ze creëerden. Ze konden er geen genoeg van krijgen en speelden het ene nummer na het andere, tot ze uiteindelijk zelfs samen aan het componeren sloegen. Ideeën vlogen heen en weer, als in een snel, koortsachtig balspel, waarbij de spelers er maar net in slagen het tempo bij te houden. Ellen voelde zich opgetild, vervuld van een intens geluksgevoel, net als die ochtend op het strand, toen ze haar telefoon in zee had gegooid. Eindelijk had ze een manier gevonden om uiting te geven aan haar opgekropte, verstikte creativiteit.

Het was al laat – ver na middernacht – toen ze aanstalten maakte om te vertrekken. Ze wist dat haar tante met gespitste oren zou wachten tot ze de auto hoorde. Het liefst zou ze de hele nacht zijn doorgegaan. Maar ze moest aan Peg denken, en bovendien zou het dorp weer wat te roddelen hebben als ze nog langer bleef. Het was al erg genoeg dat ze met Conor omging. Ze wilde niet dat het dorp dacht dat ze ook iets met Dylan had!

Voordat ze vertrok, liep Dylan naar boven om haar iPod te halen. Vliegensvlug pakte Ellen een cd van de ladekast. Hij had er genoeg, dus ze voelde zich niet echt schuldig. Zijn aarzeling weet ze aan gêne. Waarschijnlijk schaamde hij zich een beetje dat hij zo veel nummers over haar moeder had geschreven. Misschien gaf hij zich daarin meer bloot dan hij wilde. Maar ze zou zijn muziek beluisteren en de cd daarna weer terugleggen. Hij hoefde het nooit te weten. Ze was benieuwd of ze net zo veel plezier zou ontlenen aan de muziek die hij op haar iPod had gezet, als aan hun jamsessie van die avond.

Nog altijd vervuld van een gevoel van lichtheid, kwam ze thuis. Haar tante liet zich niet zien, maar Ellen wist zeker dat ze nog niet sliep. Dat ze als een moeder lag te luisteren tot haar dochter weer veilig thuis was. Toen ze eindelijk in bed lag belde ze Conor. 'Dag, lief,' zei hij slaperig. 'Waar wás je?'

25

Lord Anthony Trawton is heel anders dan ik had verwacht. Een lange, slanke man met grijzend blond haar. Zijn bleekblauwe ogen hebben de kleur van de Engelse hemel bij dageraad. Hij heeft een lange, rechte neus, maar zijn smalle lippen en terugwijkende kin doen afbreuk aan zijn aristocratische uiterlijk, ook al is dat laatste waarschijnlijk wat de jonge Maddie Byrne in hem aantrok. Zijn rug is licht gebogen, zijn blik zachtmoedig, bijna verontschuldigend, en ik vraag me af of hij door zijn huwelijk met een ambitieuze, harde vrouw als Madeline aan persoonlijkheid heeft ingeboet. Als ik ze met elkaar vergelijk, zou ik hem vlak en plat willen noemen, als een boon, terwijl zij meer een welgedane, robuuste pruim is.

Lady Trawton is een opvallende verschijning. Ze heeft lang zwart haar tot op haar schouders, dat ze laat föhnen tot een glanzende helm, en haar sprekende kattenogen worden omlijst door volle, zwarte wimpers. Haar vuurrode mond contrasteert met haar lichte huid, maar ondanks die uitbundige kleur lippenstift maakt ze een koele, intimiderende, hautaine indruk. Ze is duidelijk een vrouw die weet dat ze mooi is. Dat herken ik, want ik was ook mooi, en ik wist hoe ik daar mijn voordeel mee kon doen.

Madeline is gewend de controle te hebben over haar bestaan, haar omgeving. Haar huis ziet er ondanks de weelderige inrichting eerder uit als een museum. Geforceerd, gekunsteld, alsof ze alles wat erin staat heeft uitgezocht om indruk te maken, en niet om een thuis te creëren. De zijden banken zijn schitterend, maar te log en te pompeus om lekker te zitten. Op de tafels liggen de prachtigste snuisterijen en kunstvoorwerpen, maar ze zeggen niets over de vrouw die ze heeft uitgezocht. Zelfs de vazen met orchideeën bieden een steriele aanblik; ze doen denken aan de exotische tropische bloemen in de lobby van chique hotels, die ik in tijdschriften heb gezien en die wel van plastic lijken. Alles in de royale vertrekken is duur en imposant, maar kunstmatig. Er is slechts één boekenkast, gevuld met glanzende, gebonden boeken over kunst, in het groot ingekocht en ongelezen. Conor en ik lieten ons bij alles wat we kochten leiden door wat ons aansprak, ongeacht de stijl of het thema. Zo ontstond er geleidelijk aan een verrukkelijke combinatie van kleuren en materialen, maar het resultaat was warm en harmonieus. Ons kasteel was een echt thuis, want elk voorwerp, elk schilderij, elk meubelstuk was gekozen omdat we het mooi vonden, elk boek in de bibliotheek was door Conor gelezen. Dit huis heeft de oppervlakkigheid van een mooie fontein, waarvan het water koud is.

Lavinia en Leonora zijn rijzige, slanke meisjes, hoog op de benen, met lang blond haar en de grote blauwe ogen van hun vader. Ze zijn van jongs af aan rijk en bevoorrecht geweest. Ze weten niet beter en ze zien hun privileges als iets vanzelfsprekends, iets waar ze recht op hebben. Het zijn zelfverzekerde, languissante vrouwen, tot in de puntjes verzorgd. Hun leven bestaat uit chique lunches en cocktailparty's waar ze, fleurig en welriekend als lelies, alleen maar wellevend en charmant hoeven te zijn. Ellen mag dan hun klassieke schoonheid en voorname uitstraling missen, maar ze heeft karakter. Ze heeft lef, ze bruist als een echte Ierse. Ze is intelligent, geestig, scherpzinnig, en ze heeft humor. Haar zussen zijn met al hun lieftalligheid net zo levenloos als etalagepoppen. Het is bijna niet te geloven dat ze alle drie uit hetzelfde nest komen.

Met haar verdwijning heeft Ellen hen in een permanente staat van nervositeit en onrust gestort. Madeline kan de situatie niet goed aan. Ze is als een poppenspeler die gewend is aan de touwtjes te trekken. En nu een van haar marionetten is weggelopen, weet ze zich geen raad. Ze is rusteloos, bang en boos. Anthony blijft aanzienlijk kalmer. Hun dochter is pas een paar weken weg, zegt hij tegen zijn vrouw. Ze komt vanzelf tot inkeer, dus geef haar de ruimte. Maar Madeline voelt dat er meer aan de hand is, ze is zich bewust van de slangenkuil die altijd verborgen is gebleven, maar die met het toenemen van Ellens onvrede een steeds dreigender gevaar vormde.

En zo komt het dat Madeline alleen is met haar angsten en haar zorgen, want haar man heeft geen weet van wat zijn dochter er werkelijk toe heeft gedreven om van huis weg te lopen. Hij denkt dat Ellen gewoon nerveus is voor het huwelijk. Maar voor Madeline is het alsof de geschiedenis zich na drieëndertig jaar herhaalt. Met haar verdwijning woelt Ellen het slib los op de bodem van de rimpelloze vijver van Madelines bestaan. Daardoor raakt het water vertroebeld met oude herinneringen die haar moeder voorgoed had willen wegduwen.

Het zaad van het wantrouwen is door Madeline zelf al geplant, en dat maakt het voor mij alleen maar gemakkelijker om 's nachts in haar slaap tot haar door te dringen. Ze is met haar gedachten in Ierland, en 's nachts droomt ze ervan, want ze ligt te woelen en te praten in haar slaap. Ik voel intuïtief dat ze wordt achtervolgd door taferelen uit het verleden, die als wederopgestane doden uit hun graf komen. Op mijn beurt achtervolg ik haar ook. Ik fluister de woorden die haar diepste pijn vertegenwoordigen: Dylan, Ellen Olenska, Dylan, Ellen Olenska. Telkens en telkens weer. Ik zei het al, tijd bestaat voor mij niet. Ik kan desnoods nachtenlang in haar oor fluisteren zonder moe te worden, zonder verveeld te raken. En dat doe ik dan ook. Druppel voor druppel bevloei ik het zaad, en ik zie het groeien, tot de eerste groene scheut de grond uit schiet.

'Ierland!' brengt ze op een ochtend hijgend uit. Ze schiet overeind en schuift haar oogmasker omhoog. 'Ierland!' Ze geeft haar man een por. Hij slaapt nog. Het begint net licht te worden, buiten klinkt het geraas van het vroege verkeer, als het verre gebulder van de zee. 'Anthony! Word eens wakker. Ik weet waar ze is.' Ze doet het licht aan op haar nachtkastje.

Anthony rolt op zijn rug en doet kreunend zijn ogen open. 'Je weet waar ze is?' mompelt hij geduldig, met een blik op zijn horloge. 'Hoe weet je dat dan?'

'Ik voel het. En ik begrijp niet dat ik daar niet eerder aan heb gedacht.'

'Maar schat, wat moet ze in Ierland? Daar kent ze toch niemand?'

'Nee, maar ze weet dat ik haar daar nooit zal zoeken.'

Anthony legt een hand op haar arm. Het is het eerste liefdevolle gebaar dat ik hem zie maken. 'Madeline, je drijft jezelf tot wanhoop als je zo doorgaat. Je moet ophouden je zorgen te maken. Ellen is geen kind meer. Ze komt vanzelf terug.'

'En toch weet ik zeker dat ik gelijk heb.'

'Heb je van Ierland gedroomd?'

'Ja.' Ze hijgt, alsof hij een open wond heeft geraakt.

'Kom, dan gaan we ontbijten.'

Ze staat op en loopt haastig naar de badkamer. 'Die rare Emily kan het bevestigen. Ze heeft me nooit teruggebeld, dus ik ga bij haar langs. Als Mohammed niet naar de berg komt…'

'Als dat is wat je wilt, lieverd.' Hij klinkt vermoeid.

'Ja, ik krijg het wel uit haar! Dit moet afgelopen zijn. Ik heb er schoon genoeg van.' Ze kijkt naar zichzelf in de spiegel, even verslagen door haar eeuwige vijand, de tijd, die 's ochtends vroeg het hardst toeslaat. 'Hoe kan Ellen zo egoïstisch zijn! Al die spanningen zijn een aanslag op mijn schoonheid!'

Die avond volg ik haar naar een witgepleisterd gebouw in Pimlico. Het is donker en winderig, het natte asfalt glinstert. Ze zit op de achterbank van haar Bentley met chauffeur en kijkt uit het raampje, als een dief die wacht op het moment om toe te slaan. Het is koud. De uitlaatgassen van de auto lossen als mist op in de ijzige lucht en rond de straatlantaarns hangt een heiig waas. Mijn ziel voelt zwaar en duister, alsof de nacht bezit neemt van mijn wezen en me nog dieper het voorgeborchte in sleurt, weg van het licht waarvan ik weet dat het ergens moet zijn, maar dat ik niet meer kan zien.

Dan doemt er een jonge vrouw op uit de schaduwen. Ze draagt een wollen muts en een jas met een ceintuur. Gejaagd beklimt ze de treden naar de voordeur. Ze voelt in haar zak naar haar sleutel. Madeline wacht niet tot ze naar binnen is verdwenen. Ze stapt uit, al voordat de portier het portier voor haar heeft kunnen openen, en haast zich de treden op.

'Emily!'

Het meisje draait zich om terwijl haar gezicht wit wegtrekt onder haar zwarte hoed. 'Lady Trawton!' Ze is totaal overdonderd en kijkt alsof ze spoken ziet. Als ze míj zag, zou ze niet angstiger kunnen kijken.

'Je hebt nog steeds niet teruggebeld, dus vandaar.'

'Ik…'

'Zullen we naar binnen gaan? Het is te koud om op de stoep te blijven staan.'

Emily maakt met trillende vingers de deur open. Ze betreden de hal. Haar appartement ligt op de eerste verdieping, en er wordt geen woord gesproken terwijl ze de smalle trap op lopen. Boven kijkt Madeline in het kleine appartement om zich heen. Afstandelijk, ongeïnteresseerd. Maar dit huis heeft oneindig veel meer charme dan Eaton Court, nummer 12. Emily doet haar jas uit. Ze draagt een modieuze rok tot op de knie en mooie leren laarzen. Nu ze in het licht staat, kan ik zien dat ze erg knap is, met lichtbruin haar, hoge jukbeenderen en diepliggende bruine ogen. Ze is alleen te mager, maar dat is een kwaal van deze tijd. Als ik haar moeder was, zou ik wat extra piepers voor haar bakken om wat spek op haar botten te kweken. Madeline blijft midden in de zitkamer staan, zonder haar jas uit te doen, want ze is niet van plan lang te blijven. Ze wil alleen maar weten of het klopt wat ze denkt. Emily heeft geen schijn van kans tegen Madeline Trawton, dat weet ik nu al. Er is niemand die tegen Madeline op kan.

'Je weet waarom ik hier ben,' begint ze voortvarend.

Emily heeft zichzelf inmiddels weer in de hand. Ze loopt naar de aangrenzende keuken en haalt een fles chardonnay uit de koelkast. 'Ik heb een lange dag achter de rug, dus ik lust wel een glas wijn. Kan ik u ook iets inschenken, Lady Trawton?'

'Ik weet waar ze is, Emily.'

Het meisje schenkt gehaast haar glas vol. Zodra ze de fles heeft neergezet, neemt ze een slok.

'Ze is in Ierland.' Madeline presenteert het als een voldongen feit. 'Kijk maar niet zo verrast. Het was onvermijdelijk dat ik erachter zou komen. Ik ben niet gek.'

'Van wie weet u het?' Emily doet zelfs geen poging het te ontkennen.

'Dat is mijn zaak.'

Emily neemt nog een grote slok wijn en slikt hoorbaar.

'Ik wil dat je haar belt, om te zeggen dat ze thuis moet komen.'

'Dat zal niet gaan. Ik heb haar nummer niet.'

'Je hebt haar mobiele nummer toch? Als jij belt neemt ze wel op.'

'Ze heeft haar mobiel in zee gegooid.'

'Wat is dat voor iets idioots?' Madeline klinkt gefrustreerd. 'Wat bezielt dat kind toch?'

Emily kijkt haar nerveus aan. Dan flapt ze het eruit. 'Ze wil niet met William trouwen.'

Madeline is geschokt. 'Natuurlijk wel,' snauwt ze.

'Nee, ze wil het echt niet.' Emily laat verslagen en schuldbewust haar schouders hangen, alsof ze beseft dat ze haar vriendin heeft verraden.

'Ze heeft gewoon koudwatervrees.'

'Nee, dat is het niet. Ze houdt niet van hem.'

'Ach, ze weet gewoon niet wat ze wil.'

Emily drinkt haar glas leeg en schenkt nog eens in. Dan leunt ze naar achteren tegen de bar. 'Ze is verliefd geworden op Connemara, vertelde ze. En ze komt nooit meer terug.'

Madeline loopt rood aan. Emily herstelt zich, als een atleet die na te zijn gestruikeld terug is in de race.

'Hoezo, verliefd op Connemara? Ze is er pas twee weken.'

Emily haalt haar schouders op. 'Geen idee. Maar ze zei het een week geleden al. Dat ze het er geweldig vindt. De pub heet de Pot of Gold, en ze zingen er "Danny Boy"...'

Madeline lijkt even te wankelen. Haar stem wordt zacht. 'En ze zei dat ze nooit meer terugkomt?'

'Ja.'

'Dat is belachelijk.' Maar het venijn is uit haar stem verdwenen. Ze klinkt verslagen.

'Toch is het zo. Echt waar. Ze laat zich met geen tien paarden meer naar het altaar slepen.'

'Nou, dat zal ook niet nodig zijn als ik eenmaal met haar heb gesproken. Ik ga erheen. Om haar te halen.'

'Maar als ze nou niet met William wil trouwen? Het is toch háár leven...'

Even verschijnt er een barst in Madelines zorgvuldig geconstrueerde façade, alsof ze een porseleinen pop is die uit elkaar dreigt te vallen. Ze verbleekt. Haar huid wordt spierwit, waardoor haar lippen bloedrood lijken. Er ontsnapt een zucht aan haar keel. Ze laat haar schouders hangen. Ineens is er niets meer over van de harde, onbuigzame vrouw en ziet ze eruit als een verdwaald kind. Ik vraag me af of Emily dat ook in de gaten heeft. Madeline probeert krampachtig haar gedachten te verwoorden, maar dat lukt niet. Emily neemt nog een slok, ogenschijnlijk blind voor de rauwe pijn in Madelines wanhopige blik. Haar gekwelde ziel schreeuwt het uit, maar ik ben de enige die het kan horen. Emily staat roerloos, met een triomfantelijke blik in haar ogen. Want ze is er eindelijk in geslaagd tot Ellens moeder door te dringen. En hoe!

Zonder nog een woord te zeggen, loopt Madeline de deur. Het is een vlucht. Ze kan Emily niet uitleggen wat ze voelt. En ik denk dat ze dat niemand duidelijk kan maken. Maar ze is diep geschokt. Gejaagd daalt ze de treden weer af. Ze stuurt de chauffeur naar huis, want ze wil lopen, zegt ze. Hij krijgt niet de kans om te protesteren, want ze wendt zich af en loopt weg. Het is een koude avond, er staat een harde wind, maar dat kan Madeline niet schelen. Ik voel haar behoefte om alleen te zijn met de wind. De auto rijdt weg. Heel langzaam, voor het geval dat ze zich bedenkt. Maar dat doet ze niet, en uiteindelijk verdwijnt de Bentley in het verkeer.

Madeline begint te huilen, tegelijk met de eerste regendruppels die vallen. Ze loopt langzaam de straat uit, met haar handen in haar zakken, haar schouders opgetrokken. Haar haar zakt in en plakt tegen haar gezicht. Als een geslagen dier dat de afzondering zoekt om zijn wonden te likken, verlaat ze de grote weg en zoekt ze haar toevlucht in donkere stegen en smalle straten, tot ze uiteindelijk een bank ziet staan. Hij is nat, maar dat kan haar niet schelen. Ze gaat zitten en slaat haar handen voor haar gezicht. Haar schouders schokken. Wat denkt ze? Als ik me heel sterk concentreer, vermoed ik dat ik haar gedachten kan oppikken.

Ik zou met haar te doen moeten hebben. Maar mijn enige emotie is triomf. Het is me gelukt! Ze gaat naar Ierland om Ellen mee naar huis te nemen. Weg van Conor. Dan is hij weer van mij. Ik kan me niet voorstellen dat Ellen zich tegen haar moeder zal verzetten. Tenslotte heb ik gezien hoe intimiderend Madeline kan zijn. Ze laat niet met zich spotten. Ellen gaat met William trouwen, daar zal Madeline wel voor zorgen. Hij is de juiste man voor haar dochter. En Ierland zal uiteindelijk niet meer zijn dan een bitterzoete herinnering. Dacht Ellen nou echt dat ze daar zou kunnen wennen? Dat ze geaccepteerd zou worden?

Ik kijk naar Madeline. Ze raakt hoe langer hoe meer doorweekt. Uiteindelijk neemt het snikken af en trekt er nog slechts af en toe een huivering door haar heen. Ze blijft heel lang op de bank zitten en staart door de motregen voor zich uit, alsof ze naar de film van haar verleden kijkt. Ze is heel ver weg met haar gedachten, en ik probeer te zien wat zij ziet. Het merkwaardige is dat ze op Ellen lijkt, zoals ze daar zit. Doorweekt, met uitgelopen make-up. Achter het onberispelijke uiterlijk van Lady Trawton gaat een jonge vrouw schuil wier geestkracht is gebroken. Zo zal Ellen eruitzien als Conor zich van haar afkeert en ze in een afgrond van verdriet wordt gestort, net als alle andere ongelukkigen van wie hij zich heeft afgekeerd.

Merkwaardig genoeg voel ik me ineens ziek, diep vanbinnen in mijn ziel. Het gevoel overvalt me en stemt me neerslachtig. Het is compassie, weet ik, en ik veracht mezelf om mijn zwakheid. Met compassie bereik ik niets. Integendeel. Door compassie zal ik alles verliezen wat me dierbaar is. Ik concentreer me op mijn doel, en uiteindelijk voel ik dat de vertrouwde duisternis me weer omhult, terwijl mijn compassie wordt verdreven door mijn intense afkeer van Ellen.

Plotseling komt er een Bentley de hoek om. Het licht van de koplampen beschijnt de eenzame, verregende vrouw op de bank. De auto stopt. Madeline ontwaakt uit haar trance en slaakt een diepe zucht. Er verschijnt een verraste uitdrukking op haar gezicht wanneer ze de auto herkent. Het portier gaat open, en Anthony stapt uit. Hij draagt een dikke jas, handschoenen en een hoed. Nadat hij een deken om haar schouders heeft gelegd, helpt hij haar overeind. Ze verzet zich niet. Ik kijk toe terwijl ze in de auto stapt. Ze ziet eruit als een kind, met zorg omringd door een geduldige vader die heel wat met haar te stellen heeft.

Wanneer de chauffeur naar Eaton Court rijdt, legt ze haar hoofd op zijn schouder. Er wordt niet gesproken. Daar op die bank was ze weer even in Ierland. Maar inmiddels is ze teruggekeerd naar het leven waar ze drieëndertig jaar geleden voor heeft gekozen, in de armen van de man aan wie ze de voorkeur gaf boven Dylan. Ze heeft in de afgrond gekeken die haar verleden is. Maar ik weet dat haar vastberadenheid daardoor alleen maar groter is geworden.

26

Het leek wel alsof ze al haar hele leven bij tante Peg in Ballymaldoon woonde, vond Ellen. Ook al was ze er pas een paar weken, het voelde als thuis. Iedereen in het dorp kende haar. Wanneer ze boodschappen deed voor haar tante en wanneer ze met Johnny en Joe, of met Dylan, in de Pot of Gold zat, werd ze niet langer aangestaard. Ze was een Byrne, ze hoorde erbij. Daar hadden haar ooms voor gezorgd, door als één man om haar heen te gaan staan en de niet mis verstane boodschap af te geven dat ze een van hen was.

Ze vond het heerlijk om Alanna te helpen in de winkel. Er kwamen niet veel klanten, maar vrienden en familie wipten regelmatig even binnen voor een praatje en ze verveelde zich geen moment. Bovendien had ze het erg gezellig met Alanna. Haar tante was ongecompliceerd, ze had een droge humor en een gul hart, en ze was een bron van roddels en geruchten die ze maar al te graag met Ellen deelde. Dus ze kletsten uren en dronken sloten thee.

Wanneer ze 's avonds niet ging jammen met Dylan, schaakte ze met Oswald of was ze de vierde man bij het bridgen met Oswald, Peg en Joe. Verder was ze regelmatig in de Pot of Gold te vinden, waar ze altijd wel een of meer ooms en andere familie trof en waar Dylan op haar wachtte met een idee voor een nieuw nummer.

Naarmate de vrijdag naderde, werd haar verlangen naar Conor bijna ondraaglijk. Ze belden en sms'ten voortdurend, maar ze miste zijn fysieke aanwezigheid verschrikkelijk. Haar getob over William en haar moeder had ze ver weggestopt. Conor beheerste al haar gedachten, naast hem was er geen ruimte voor anderen.

Toen hij haar die vrijdagmiddag bij Peg kwam ophalen, reed hij niet door naar Reedmace House, maar stopte bij het kasteel.

'Wat gaan we doen?' vroeg ze, opgewonden bij het vooruitzicht dat ze het eindelijk vanbinnen zou zien, want ze had gedacht dat het verboden terrein was.

'Ik heb mijn moeder en de kinderen bij me. Maar jij bent mijn meisje en dit is mijn huis. Het is zo goed als leeg, maar dat lijkt me geen reden om er geen gebruik van te maken.' Hij legde zijn hand achter haar hoofd, onder haar haar. 'En hier hebben we totale privacy.'

Ellen wilde zeggen dat ze dacht dat het er spookte, maar ze hield zich in. Hij keek haar aan, zijn ogen lachten en om zijn mond speelde een grijns die zijn wellustige gedachten verried. En Ellen was op slag afgeleid van de geest van zijn vrouw die in het kasteel zou rondwaren. 'Ik neem je mee naar boven, want ik wil met je vrijen!' Hij boog zich naar haar toe en streek met zijn lippen langs de hare. Zijn vurige kus werd steeds hartstochtelijker en even vergaten ze het kasteel en het bed dat boven wachtte. Ellen sloot haar ogen, ze ademde gretig zijn vertrouwde geur in, als een verslaafde die snakt naar zijn shot, en gaf zich over aan het moment.

Met tegenzin liet hij haar los. 'Laten we naar binnen gaan. Voordat ik me niet meer kan beheersen en we Johnny en Joe trakteren op een voorstelling die ze nog lang zal heugen!' Ellen stapte lachend uit en haastte zich achter hem aan. Hij stak de sleutel in het slot, de grote deur zwaaide soepel open en ze betraden de hal. Conor sloot de deur achter zich en schoof de grendel ervoor. Binnen was het schemerig. Het portret van Caitlin leek het weinige licht op te vangen dat door de ramen viel en glansde spookachtig. Conor bleef niet staan. Hij pakte Ellen bij de hand en trok haar mee de brede trap op. Niet voor het eerst vroeg ze zich af waarom hij het schilderij had laten hangen. Als zijn huwelijk met Caitlin zo'n beproeving was geweest, waarom gaf hij haar dan nog steeds de kans hem te kwellen?

Ze werd echter al snel afgeleid door de betovering van het prachtige oude gebouw. Het meubilair en de rest van de schilderijen waren weggehaald, maar het dieprode tapijt lag er nog, en de lambrisering en de kroonlijsten waren nog in de originele staat van vijfhonderd jaar geleden. Het kasteel had prachtige botten, als een lieftallige vrouw die weinig opsmuk nodig heeft om haar natuurlijke schoonheid tot haar recht te doen komen. Ellen kon zich voorstellen hoe schitterend het kasteel eruit moest hebben gezien toen het werd bewoond.

Conor haastte zich een lange gang door, via een overloop naar een volgende gang met rood tapijt, naar een kleine houten deur aan het eind daarvan. De deur was zo laag dat Conor moest bukken. Daarachter bevond zich een smalle, steile trap. De houten treden waren in het midden uitgesleten door de ontelbare voeten die er in de loop der eeuwen overheen waren gelopen.

'Waar gaan we naartoe?' vroeg ze verwonderd en betoverd.

'Naar de toren. Daar zet ik je gevangen, zodat ik alles met je kan doen wat mijn verdorven geest me ingeeft!'

'O, heer! Ik smacht en popel!' riep ze lachend, terwijl ze achter hem aan de trap op klom. Eenmaal boven stonden ze op een kleine overloop, waar daglicht naar binnen viel door een klein raampje met houten spijlen.

Conor deed opnieuw een deur open. 'Dit is je gevangenis, mijn prinses!'

Ellen betrad een ronde slaapkamer die hij had ingericht met zijn eigen spullen. Het hemelbed had gordijnen van geborduurde blauwe zijde met rode franje. Op de houten vloer lagen Perzische tapijten. Er stond een bureau met daarop stapels boeken en kranten, en een klerenkast, die zo was gemaakt dat hij perfect aansloot op de welving van de muur, waarop een paar schilderijen hingen. Het vertrek had twee ramen in diepe nissen, met gelambriseerde banken om bij natuurlijk licht te kunnen lezen. De zware zijden gordijnen waren bedoeld om de kou buiten te sluiten. Ernaast bevond zich een fraaie, kleine badkamer. Het zag eruit alsof Conor er altijd had gewoond, in deze geheime toren.

Hij nam haar in zijn armen. 'En, wat vind je ervan?'

'Ik vind het prachtig. Hoe vaak kom je hier?'

'Als ik alleen wil zijn.' Hij drukte een kus op haar slaap. 'Jij bent de enige vrouw die ik hier ooit mee naartoe heb genomen. Dit is privé, mijn diepste binnenwereld, en die wil ik met jou delen.'

'O, Conor... ik weet niet wat ik moet zeggen.'

'Zeg dan maar niets.' Hij legde een vinger onder haar kin en dwong haar hem aan te kijken. 'Laat me alleen maar van je genieten. Hier heb ik de hele week naar verlangd.'

Vrijen in de toren van het vergrendelde kasteel was romantischer dan in Reedmace House. Hier kon niemand hen storen en ze waren volmaakt alleen. Het was alsof ze onder zijn huid was gekropen, alsof ze toegang had gekregen tot zijn ziel. De torenkamer was vervuld van emoties. Verdriet, woede, geluk, liefde... Ellen stelde zich voor dat Conor hierheen was gevlucht wanneer zijn gevoelens hem te machtig werden.

Ze namen de tijd. Er was geen enkele reden om zich te haasten. Het leek alsof ze hoog op een wolk troonden, waar de tijd geen vat op hen had. Ze verkenden elkaars lichaam alsof het hun eerste keer was en ze genoten intens van elk moment. De chemie tussen hen was zo volmaakt, dat elke streling, elke liefkozing een nieuwe laag gevoel en beleving leek bloot te leggen, en dat leidde weer tot een nog intenser vertrouwen in elkaar. Toen ze in zijn ogen keek, zag Ellen daar geen schaduwen meer, alleen het stralende blauw van een zomerhemel.

Later, na het vrijen, lagen ze te praten. Hij vertelde over een nieuw project waarmee hij een begin had gemaakt. Een film, gebaseerd op een avonturenroman die hij als kind schitterend had gevonden. Hij klonk enthousiast, opgewonden. Op haar beurt vertelde Ellen over Dylan en dat ze samen muziek maakten. 'Wanneer we samen zingen, gebeurt er iets bijzonders met onze stemmen.'

'Net als bij Abba,' zei hij plagend, met een liefdevolle glimlach.

'Nog magischer! Wist je dat hij ooit, in zijn hoogtijdagen, heel erg beroemd was?'

'Ja. Volgens mij heb ik zelfs een paar cd's van hem.'

'O, ik heb er een van hem gestolen. Nou ja, gestolen... geléénd. Hij krijgt hem terug.'

'Waarom heb je het niet gewoon gevraagd?'

'Dat heb ik gedaan. Maar toen deed hij nogal moeilijk. Het was duidelijk dat hij me liever geen oude cd meegaf. Ik weet niet waarom. Maar ik had al een hele stapel zien liggen toen hij in de keuken was.'

'En wat vond je ervan?'

'Ik heb hem nog niet beluisterd.'

'Heb je hem bij je?'

'Ja, hij zit nog in mijn tas.'

'Zullen we hem opzetten?'

'Ja, prima. Het is goede muziek, dat kan niet anders. Hij heeft een prachtige stem.'

Ellen viste haar handtas onder de kleren vandaan die ze op de vloer had gegooid, en haalde de cd eruit. 'Hij heet *Voice of Silence*. Het zijn vast droevige nummers.'

'Daar is niks mis mee. Het is waarschijnlijk muziek die hij voor je moeder heeft geschreven.'

'En zij weet van niets.' Ze gaf hem de cd, met een zucht van ongeduld bij de gedachte aan haar moeder.

Hij liet zijn blik waarderend over haar blote lichaam gaan. 'Je bent een prachtige vrouw, Ellen.'

'Dank je, Conor.' Ze wiebelde speels met haar billen toen ze terugliep naar het bed.

Hij deed de cd in het apparaat en dook boven op haar. 'Zo met je billen wiebelen werkt als een rode lap op een stier.'

'En die stier, dat ben jij?' Ze lachte hees. 'Is dat niet wat te veel eer?'

Hij legde haar met een kus het zwijgen op toen de lieflijke klanken van Dylans gitaar uit de luidsprekers klonken. En terwijl hij zong over liefde en verlies, verloren ze zichzelf in elkaar, zonder naar de tekst te luisteren. De melodieën waren pakkend, zijn stem had een diepe, sonore klank, maar Ellen en Conor hadden het te druk met elkaar om zich bewust te zijn van het thema dat als een rode draad door alle nummers liep. Pas toen ze weer tot rust kwamen en in elkaars armen lagen, luisterden ze naar de woorden die Dylan zong.

Plotseling hield Conor op met strelen, en Ellen, die ontspannen en warm tegen hem aan lag, verstijfde. Ze zeiden niets, ze luisterden alleen maar. En met elk woord werden ze zich meer bewust van de essentie van Dylans verdriet. Uiteindelijk ging Ellen rechtop zitten. Ze keek Conor aan. Haar gezicht was lijkbleek. 'Hij zingt over mij.'

'Ja,' zei hij zacht.

Ze sloeg een hand voor haar mond. 'Ik heb al een tijdje zo'n raar gevoel, maar ik wist nooit goed wat het was, waar het vandaan kwam. Ik had het kunnen weten.'

'Hoe dan?'

'Jíj wist het. Dat zie ik aan je gezicht. Je was er uit jezelf al achter gekomen. Waar of niet?'

'Lieverd, waarom zou je moeder je anders Ellen hebben genoemd? Als je níét Dylans dochter was, zou ze dat toch nooit hebben gedaan?'

'O god, ik ben Dylans dochter. Niet van papa.' Haar gezicht betrok. 'Maar dat wil ik niet! Ik wil niet het kind zijn van iemand anders.' Er welde een golf van emotie in haar op die zijn ontlading vond in een wanhopige snik. 'Ik wil gewoon papa's dochter zijn!'

Conor ging ook rechtop zitten, sloeg zijn arm om haar heen en kuste haar teder op haar hoofd. 'Ik vroeg me af of je er ooit achter zou komen.'

'Zou je het me hebben verteld?'

'Nee, natuurlijk niet. Sommige dingen kun je beter níét weten.'

'Ja, maar daar is het nu te laat voor. Ik kan niet doen alsof ik het niet weet. Hierdoor wordt alles anders.'

'Wat ga je nu doen?'

'Ik weet het niet. Echt niet. Ik ben diep geschokt.' Ze snikte en werd overspoeld door een nieuwe golf van wanhoop. 'Ik lijk inderdaad totaal niet op mijn vader, hè? Op Anthony, bedoel ik...'

Nu was het Conors beurt om geschokt te reageren. 'Ellen, hij blijft je vader, of hij je nu heeft verwekt of niet,' zei hij op besliste toon.

'Dat weet ik. Alleen klinkt het ineens zo raar.'

'Het klinkt helemaal niet raar. Het is gewoon een biologische kwestie. Je vader heeft je al die jaren omringd met liefde en toewijding.'

'Denk je dat mijn moeder tegen hem ook heeft gelogen? Denk je dat hij het weet? Vast niet. Ik heb nooit ook maar iets gehoord of gezien waaruit ik had kunnen opmaken dat ik niet zijn dochter ben. Echt nooit!' Ze schudde haar hoofd. 'Het bestaat niet dat hij het weet.'

'Als dat zo is, dan heeft je moeder het allemaal wel heel snel voor elkaar weten te krijgen.'

'Waarom is ze niet met Dylan getrouwd? Als ze van hem in verwachting was, waarom is ze dan niet met hem getrouwd?'

'Dat zul je aan haar moeten vragen.'

'Dat kan niet! Als je mijn moeder kende, zou je dat begrijpen. Ik kan er onmogelijk over beginnen. Ze blíjft erin!'

'Welnee. En dan weet je eindelijk de waarheid. Het wordt tijd dat iemand iets aan de communicatie doet bij jou in de familie.'

Ze keerde zich naar hem toe. 'Blijkbaar was ze zwanger van Dylan en heeft ze gedaan alsof papa de vader was. Dáárom zijn ze zo snel getrouwd.'

'Ik vraag me af hoe Dylan weet dat je zijn dochter bent.'

'Mijn moeder heeft hem geschreven. Na mijn geboorte. Met de vraag of hij haar kwam halen. Ik neem aan dat ze het hem toen heeft verteld.'

'En? Wat heeft hij gedaan?'

'Hij is naar Londen gegaan. Maar toen hij haar zag, was ze zo anders dan het meisje dat hij kende, dat hij meteen weer rechtsomkeert heeft gemaakt.'

'En de daaropvolgende drieëndertig jaar is hij aan haar blijven denken zoals ze ooit was.'

'Precies.'

Ze keek hem aan, met grote, betraande ogen. 'Zie jij Dylan terug in mijn gezicht? Eerlijk zeggen.'

Hij nam haar aandachtig op. 'Je bent donker, net als hij. En volgens mij heb je ook zijn ogen.' Hij grijnsde welwillend. 'Maar de jouwe zijn mooier.'

'God, wat een puinhoop!'

Hij kuste haar weer. 'Je moeder is er goed in geslaagd het al die jaren voor je geheim te houden. Als je niet naar Ierland was gekomen, had je het misschien nooit geweten.'

'Daarom wilde ze niet dat ik hierheen ging. Arme Dylan. Hij raakte ook zijn kind kwijt.'

Conor schudde zijn hoofd. 'Het is een verdomd hard gelag. Ik ben zelf vader. Als mijn vrouw met mijn kind was weggelopen... Ik denk dat ik gek zou zijn geworden.'

'Voor zover ik heb begrepen, geldt dat ook voor Dylan. Niet echt gek, maar wel een beetje.'

'Hij heeft zijn hart in zijn muziek, in zijn teksten gelegd.'

'En ze zijn prachtig,' zei ze met een verdrietige zucht.

'Ze zijn prachtig en ze gaan over jóú, Ellen. Ik denk eigenlijk dat hij meer naar jou smachtte dan naar je moeder.'

'Geen wonder dat ik in een band wilde. Dat zit in mijn genen.' Haar gezicht werd levendiger. 'Geen wonder dat mijn moeder heeft geprobeerd me tegen te houden. Ze ontmoedigde me bij alles waardoor de buitenwereld zou kunnen vermoeden dat ik er niet echt bij hoorde. Ze probeerde me te kneden zodat ik net zo werd als mijn zussen. Nu weet ik waarom dat niet werkte. Ik ben Ellen Murphy, Leonora en Lavinia zijn níét mijn zussen. Diep vanbinnen ben ik niet deftig en aristocratisch maar doodgewoon Ellen Murphy!'

'Ik heb liever Ellen Murphy dan Ellen Trawton,' zei Conor. 'Een belachelijke naam trouwens, als je het mij vraagt.'

Ze sloeg haar armen om zijn hals en drukte zich dicht tegen hem aan. 'O, Conor! Ik ben zo blij met je!'

Hij drukte zijn lippen op de tere huid van haar hals. 'En ik ben blij met jóú, Ellen Murphy.'

Even later kleedden ze zich aan en daalden de smalle trap af naar de gangen met het dieprode tapijt. Op de overloop bleef hij staan. Hij nam haar hand in de zijne. 'Ik vind het afschuwelijk om je vannacht alleen te laten, Ellen. Red je het wel?'

'Ik moet naar Dylan. Ga je mee?'

'Natuurlijk ga ik mee. Wanneer wou je dat doen? Nu meteen?'

'Ja, ik vind niet dat ik ermee kan wachten.'

'Oké, dan gaan we.' Hij trok haar mee. 'Samen komen we er wel uit.'

Terwijl ze over de laan reden, besefte Ellen dat Ierland haar onherroepelijk had veranderd. Ze kon niet meer terug. Als een slang had ze haar huid afgeworpen en was als een ander mens tevoorschijn gekomen. Ellen Trawton bestond niet meer. Londen leek ineens een toneel, terwijl Connemara haar echte leven was. De werkelijkheid was er altijd geweest en had hier geduldig liggen wachten, in het besef dat de diepe stromingen van het leven haar uiteindelijk naar huis zouden voeren. En zo was het ook gegaan. Hier was ze echt zichzelf. En ze zou nergens liever willen zijn.

Conor pakte haar hand en gaf die een geruststellend kneepje. 'Het komt allemaal goed, Ellen.'

'Is dit geen moment van "geween en geknars der tanden"? Ik voel me merkwaardig kalm.'

'Je bent in shock.'

'Misschien. Maar Dylan heeft wel de vraag beantwoord waar ik al mijn hele leven mee worstel: waarom voel ik me zo anders?'

'Je voelt je anders, omdat je moeder je probeerde te kneden tot iemand die je niet bent. Daardoor werd je anders-zijn voortdurend benadrukt. Als ze je de kans had gegeven om gewoon jezelf te zijn, had je je nooit een buitenstaander gevoeld.'

'Dat is zo. Ik moest echt alles op alles te zetten om niet uit de toon te vallen. En ik heb altijd het gevoel gehad dat ik een rol speelde.'

'Misschien ben je meer een Murphy dan een Byrne.'

'O god, Conor! Ik ben honderd procent Iers.'

'Dat is vijftig procent meer dan ik.'

'Ik hoop dat Dylan niet kwaad is dat ik die cd heb gestolen.'

'Natuurlijk niet! Je bent zijn dochter.' Hij schudde zijn hoofd. 'Hier heeft hij meer dan dertig jaar op gewacht.'

Conor zette de auto op het parkeerterrein achter de Pot of Gold. Pas toen Ellen uitstapte, werd ze zich bewust van haar knikkende knieën. Haar hart bonsde tegen haar ribben, haar keel werd dichtgesnoerd door emotie. Conor pakte haar hand. 'Weet je zeker dat je dit nu wil doen?'

'Ja, absoluut zeker.'

'Het is druk binnen.'

'Dat weet ik. We vragen gewoon of hij mee naar buiten gaat. En dan vertel ik het hem.'

'Zal ik hem voor je gaan halen?'

'Nee, ik ga mee,' zei ze koppig.

'Oké.' Hij liep naar de deur. 'Dan doen we het samen.'

Conor duwde de deur open. Binnen heerste de gebruikelijke drukte. Als Ellen alleen was geweest, had niemand raar opgekeken. Maar omdat ze met Conor binnenkwam, stokten de gesprekken en werden alle ogen op hen gericht. Conor negeerde de nieuwsgierige blikken en keek de pub rond, op zoek naar Dylan. Die zat op de hoek van een tafel tegen de muur, naast Johnny en Joe. Zonder Ellens hand los te laten trok Conor haar mee door de drukte.

Dylan ging gespannen rechtop zitten en er gleed een schaduw van bezorgdheid over zijn gezicht. Even lag er zijn ogen weer de opgejaagde blik die Ellen daarin bij hun eerste ontmoeting had gezien. Haar hart liep over van compassie. Hij stond op. Ze was van plan geweest hem te vragen mee naar buiten te gaan, maar plotseling werd ze zo door haar emoties overweldigd dat ze zich niet kon inhouden. Dit was de man die haar het leven had geschonken, maar die haar nooit had gekend. Hoe had haar moeder hem dat kunnen aandoen? Hoe had ze het háár kunnen aandoen? Ze moest vechten tegen haar tranen, want ze wilde niet huilen voor het oog van de hele pub. Maar haar borst verkrampte van pijn, zo veel moeite kostte het haar zich in de hand te houden. 'Ellen?' Dylan nam haar onderzoekend op. Hij keek zo bezorgd dat ze haar armen om hem heen sloeg. 'Is alles goed met je?' vroeg hij.

'Ik wéét het,' fluisterde ze, met haar armen nog altijd stijf om hem heen. Het duurde even voordat het tot hem doordrong wat ze bedoelde. Toen voelde ze dat hij ontspande, hij sloeg zijn armen om haar heen, en terwijl ze begon te beven over haar hele lichaam, trok hij haar tegen zich aan.

'O, Ellen,' kreunde hij. Zijn stem leek van heel diep te komen.

'Ik heb een van je cd's meegepikt, maar daar heb ik geen spijt van.' Ze maakte zich van hem los en keek hem aan. Het was alsof ze hem voor het eerst zag. Conor had gelijk. Ze had zijn ogen. 'Ik had het al veel eerder moeten beseffen, hè?'

Dylan verstijfde toen er een geroezemoes door de pub ging. Hij keerde zich naar Conor. 'Laten we wat gaan eten. Ik rammel van de honger.'

Joe sloeg het tafereel nieuwsgierig gade. 'Jaysus, wat is er allemaal aan de hand? Mis ik iets?' Zijn vader, wiens gezicht somber en ernstig stond, wierp hem zo'n dreigende blik toe dat hij verder zijn mond hield en peinzend toekeek, terwijl Conor, Dylan en Ellen de deur uit liepen, de donkere avond in.

27

Buiten pakte Conor haar hand. 'Zal ik weggaan? Ik wil me niet opdringen.'

'Nee, ik wil dat je meegaat. Dat vind je toch niet erg, Dylan?'

'Nee hoor. Kom mee dan. Ik kan wel een whisky gebruiken. En jij, Conor? Voor onze kleine dievegge heb ik nog wel een glaasje prik. Dat heb je niet van mij, Ellen, die lange vingers.'

'Ik wilde je oude nummers zo graag horen,' legde ze uit, terwijl ze achter hem aan liep naar zijn huis. Ze hield Conors hand nog altijd stevig omklemd, want ze had het rare gevoel dat haar benen haar in de steek dreigden te laten.

'Jaysus, ik durf er niet aan te denken wat je moeder zal zeggen!' Dylan stopte kreunend zijn handen in zijn zakken.

'Ik ga het haar niet vertellen.'

'Dat denk je nu. Maar uiteindelijk komt altijd alles toch uit.'

'Ik heb er recht op te weten wie mijn vader is.'

'Maar ze zal het bepaald niet leuk vinden,' waarschuwde Dylan.

Ellen wist nog wel een paar onthullingen te bedenken die haar moeder bepaald niet leuk zou vinden. 'Ik zit met zo veel vragen,' begon ze.

'Geef die man de kans om eerst een slok whisky te nemen!' zei Conor.

'Wijs gesproken.' Ze waren bij Dylans voordeur gekomen, en hij bleef staan.

'Voor een gemeenschap die leeft van roddels en geruchten, weet je je geheimen goed te bewaren,' zei Ellen.

Toen ze binnenkwamen sprong Finch tegen Conor op. Hij rook Magnum en begon wild te kwispelstaarten. 'Finch! Af!' commandeerde

Dylan. Hij trok zijn jas uit, zette zijn muts af en hing ze aan de haak in de gang. Conor zorgde voor Ellens jas en de zijne, waarna hij haar naar de zitkamer loodste, waar Dylan al twee grote glazen whisky stond in te schenken. Hij nam een flinke slok en gaf het andere glas aan Conor.

'Ik pak mijn eigen cola wel.' Ellen liep naar de keuken. Uit de zitkamer kwamen de stemmen van de mannen, maar ze kon niet verstaan wat ze zeiden. Ze deed de koelkast open. Behalve wat flessen frisdrank en blikjes cola stond er niet veel in. Ze pakte een glas uit de kast boven het dressoir en trok haar blikje open. Terwijl ze om zich heen keek, dacht ze aan de man die haar vader bleek te zijn. Ze kon het nog nauwelijks bevatten, maar het leek zo logisch. Bovendien beantwoordde het veel vragen waar ze mee worstelde. Maar wat betekende dat voor haar band met thuis? Met haar familie waarin ze zich altijd een vreemde had gevoeld? Met haar vader? Daaraan veranderde niets nu ze het wist. En tegelijkertijd veranderde daardoor alles. Ze kon de afgelopen drieëndertig jaar niet terugdraaien of uitwissen, maar haar kijk op hen was verschoven. Ze zag die jaren nu in een ander licht, en dus was er voor haar wel degelijk iets veranderd. De tintelingen in haar lichaam bewezen dat ze in shock was, maar ze vroeg zich af waarom ze niet reageerde zoals je dat zou verwachten. Waarom ging ze niet wanhopig tekeer? Waarom beschuldigde ze haar moeder niet van bedrog? Waarom riep ze niet dat haar hele leven tot op dat moment één grote leugen was geweest? Dylan en zij hadden alle reden om woedend tekeer te gaan.

Toen ze terugkwam in de zitkamer, zat Dylan in de grote fauteuil een sigaret te roken en zat Conor op de bank. Hun glazen waren al halfleeg. De goudgele whisky glansde in het zachte lamplicht. Ellen ging tussen hen in zitten, op het hoekje van de bank, en bedacht hoe bijzonder het allemaal was. Ze had deze twee mannen nog maar pas leren kennen, maar inmiddels behoorden ze tot de belangrijkste mannen in haar leven. Een paar weken geleden had ze nog niet van hun bestaan geweten. Wat was haar leven toen veel armer geweest!

Dylan schonk haar een liefdevolle glimlach. Een vaderlijke glimlach, wist Ellen inmiddels. 'Dus nou weet je het,' zei hij eenvoudig.

'Ja.' Ze was ineens verlegen. 'Je liedjes zijn prachtig.'

'Dank je wel. Ik had inspiratie te over.'

'Maar als je zong over het kind dat je verloor... dan moet iedereen die jou en mijn moeder kende, toch hebben geweten dat jij de vader was van haar kind?'

'Niemand wist dat ze zwanger was.'

'Wist jíj het?' vroeg Conor.

'Op dat moment niet.' Dylan nam nog een slok. Zijn adamsappel ging zichtbaar op en neer toen hij slikte. 'Het stond in de brief.'

'De brief die ze stuurde toen ik was geboren?'

'Ja.'

'Heb je die brief nog?' vroeg Conor.

Dylan knikte. 'Ja, die heb ik nog. Ik ben een sentimentele ouwe dwaas. Ellen, pak die kartonnen doos eens voor me.' Hij wees naar de bovenkant van het hoge bureau. 'Je zult op de stoel moeten klimmen.' Ellen kon de doos net zien staan, achter de sierrand.

'Laat mij het maar doen.' Conor zette zijn glas neer. 'Ik ben langer.' Ellen keek toe terwijl hij op de stoel ging staan en de doos van de kast tilde. Dylan pakte hem aan, zette hem op zijn schoot en tilde het deksel eraf. Ellen was nieuwsgierig naar de inhoud.

Dylan rommelde even, tot hij de brief had gevonden. Hij stak zijn sigaret tussen zijn lippen en haalde het dubbelgevouwen velletje papier eruit. Ellen herkende het lichtblauwe briefpapier van haar moeder, met het familiewapen in goud op de flap. Ook het briefhoofd – het adres aan Eaton Court – was in goud uitgevoerd. Dylan keek er even naar, toen gaf hij de brief aan Ellen. Ze las hem samen met Conor.

Mijn lieve Dylan,

Ik weet niet wat ik moet zeggen, anders dan dat het me spijt dat ik ben vertrokken zonder afscheid te nemen. Je zult me wel haten omdat ik ben weggelopen, en dat kan ik je niet kwalijk nemen. Ik haat mezelf ook. Ik wou dat ik kon zeggen dat ik geen keus had, maar we hebben altijd een keus. Ik heb gewoon een verkeerde beslissing genomen, en daar heb ik nu heel erg veel spijt van. Wanneer je leest wat ik te vertellen heb, hoop ik dat je me begrijpt. Hou je vast!
Ik heb een baby. Ze heeft jouw ogen, Dylan. Ik heb haar Ellen genoemd, ook al gaf Anthony de voorkeur aan Leonora of Lavinia,

naar zijn moeder of zijn grootmoeder. Deftige Engelse families doen erg krampachtig over namen! Maar ik heb gevochten voor mijn keuze, en ik heb gewonnen.

Weet je nog, onze laatste zomer, toen ik vaak zo misselijk was, en toen jij dat gekke liedje schreef, 'Zo ziek als een hond', om me op te vrolijken? Het hielp niet tegen de misselijkheid, maar ik moest er wel om lachen. Kort daarna besefte ik dat ik zwanger was. Anthony maakte me hevig het hof. Jij was gek van jaloezie, maar ik voelde me gevleid. Het was slecht van me om hem aan te moedigen, zonder rekening te houden met jouw gevoelens. Het spijt me, Dylan. Ik dacht alleen maar aan mezelf. Dat besef ik nu maar al te goed. Maar ik was bang en ik wist me geen raad, dus ik vertelde het aan Peg. Kun je je Emer Callaghan nog herinneren? We vroegen ons destijds allemaal af waar ze was gebleven, en volgens Johnny zat ze in de gevangenis wegens winkeldiefstal. Maar dat was niet zo. Peg vertelde dat ze naar een klooster was gestuurd omdat ze zwanger was. Toen ze terugkwam, was ze gebroken. Niet door de gevangenis, maar omdat ze haar kindje had moeten afstaan. Dat wilde ik niet. En mijn moeder zou nooit goed hebben gevonden dat ik het hield. Want ze zou het kind als een bastaard hebben beschouwd. Ik durf er nauwelijks aan te denken wat ze zou hebben gedaan. Alleen God kon me mijn prachtige kleine meisje afnemen. Waarschijnlijk ben ik tot in alle eeuwigheid vervloekt vanwege mijn zonden, maar dat is het waard. Ik zag geen andere mogelijkheid dan weglopen. Jij was zo arm als een kerkrat, maar Anthony was schatrijk. En dus koos ik voor hem. Ik had het je moeten vertellen, maar ik wist dat je zou proberen me tegen te houden. En ik was bang dat ik dan niet sterk genoeg in mijn schoenen zou staan.

O, Dylan, er gaat geen dag voorbij of ik mis je. Ik heb alles wat ik nodig heb, maar behalve de kleine Ellen, heb ik niets wat ik wil. Ik droom van een leven met jou, en dan stel ik me voor hoe het zou zijn om samen ergens opnieuw te beginnen, ver van Ballymaldoon en de Byrnes, en om daar ons kleine meisje te zien opgroeien. Ik mis Ierland. Ik mis de Ieren. De Britten zijn zo koud als vissen. Anthony en ik lachen niet zoals wíj konden lachen.

Als ik hier nog lang blijf, ben ik bang dat ik straks niet eens meer kán lachen. Dat ik ben vergeten hoe dat moet!
Alsjeblieft, Dylan, kom me halen! Ooit hield je van me en ik hoop zo dat je dat nog steeds doet. Ik hou van je, en ik ben altijd van je blijven houden. Sterker nog, ik hou nu nog meer van je, omdat ik weet hoe ongelukkig ik ben zonder jou.
Kom me halen en neem me mee naar huis. Alsjeblieft.

Altijd de jouwe,
Ellen Olenska

'Is dit het antwoord dat je zoekt?' vroeg Dylan toen Ellen de brief had gelezen.

'Ja,' antwoordde ze zacht. 'Maar het klinkt helemaal niet alsof mijn moeder dit heeft geschreven.'

Bij het zien van haar verhitte gezicht pakte Conor haar hand. 'Waarom heb je haar niet mee naar huis genomen?' vroeg hij aan Dylan.

Die blies een rookwolk uit. 'Ik had geen geld. Wat kon ik haar bieden? Wat kon ik jóú bieden?' zei hij tegen Ellen.

'Volgens mij gaf ze daar niet om,' bracht zij daartegen in.

'Misschien niet toen ze die brief schreef. Maar ik kende je moeder.'

'De Ellen Olenska van Edith Wharton gaf niet om geld,' merkte Conor op.

'Deze wel,' zei Dylan. 'Bovendien was ze getrouwd. Ze was inmiddels Lady Trawton. Ik heb er heel lang over nagedacht. Anthony dacht dat je zijn dochter was. Denk eens aan het schandaal als ik daar was komen binnenstormen en had aangekondigd dat het kind van mij was. Dat kon ik Maddie niet aandoen. Ze had haar besluit genomen. Ik ben niet gelovig, maar ik was niet bereid een gezin kapot te maken.'

'Dus je bent weggegaan?' zei Conor.

'Ja, ik ben weggegaan. Ze heeft nooit geweten dat ik er was, dat ik haar heb gezien.'

'En nu ben ik hier,' zei Ellen verlegen.

Dylan glimlachte ongelovig. 'Ja, je bent hier. Zomaar ineens, uit het niets.'

'Wie weten het nog meer?' vroeg Conor.

'Je oma wist dat je moeder zwanger was toen ze hier wegging, want Peg had het haar had verteld. En dus weet pastoor Michael het ook, want die weet altijd alles.'

'Ja, en pastoor Michael weet dat ze zwanger was van Dylan!' Ellen dacht aan hun gesprek bij Desmond en Alanna thuis. 'Toen ik naast hem zat, bij die lunch, dacht hij dat ik er zelf al achter was gekomen. Hij heeft niet met zo veel worden gezegd dat ik je dochter ben, maar nu pas begrijp ik dat hij dacht dat ik dat wist. En hij zei ook iets wat ik niet begrijp. Hij suggereerde dat mijn moeder háár moeder moest vergeven. En daarbij keek hij me veelbetekenend aan. Wat bedoelde hij daarmee? Wat moest mijn moeder háár moeder vergeven?'

Dylan keek haar niet-begrijpend aan. 'Dat weet ik niet.'

'Je zou het aan Peg kunnen vragen,' opperde Conor.

'Ja, natuurlijk. Peg moet het weten,' zei Ellen.

'Maar je bent er.' Dylans grote, gevoelige ogen schitterden van emotie. 'Ik hoopte dat we elkaar ooit zouden ontmoeten, en nu zit je hier bij me op de bank. Nu maak je deel uit van mijn leven. Ik kan het nog bijna niet geloven.' Zijn kin trilde en er verscheen een aarzelende glimlach om zijn lippen. 'Nog maar kort geleden had ik alleen mijn herinneringen, en nu heb ik een dochter. Een dochter met de stem van een engel.'

Even later was het eten klaar en gingen ze aan de kleine keukentafel zitten. Behalve aardappels uit de oven had Dylan nog wat koud vlees en kaas tevoorschijn getoverd. Hij vroeg Conor naar zijn nieuwe project, en de twee mannen hadden het over componisten die misschien geschikt zouden zijn om muziek te schrijven bij de film. Ellen luisterde tevreden terwijl ze de grote namen bespraken en de films waarvoor ze muziek hadden geschreven. 'Je weet natuurlijk dat Elmer Bernstein de soundtrack voor zijn rekening heeft genomen van *The Age of Innocence*, de verfilming van Whartons boek,' zei Dylan.

'Volgens mij was hij genomineerd voor een Academy Award voor de beste oorspronkelijke muziek,' antwoordde Conor. 'Maar de Oscar ging dat jaar naar...'

'*Schindler's List*,' vulde Dylan aan. 'Hoe dan ook, *The Age of Innocence* is een geweldige film, een film die het boek recht doet. En dat vind ik maar zelden.'

'Dat ben ik helemaal met je eens,' stemde Conor in. 'Het is een van mijn favoriete films. Ellen heeft hem nog niet gezien.'

'Heb je het boek gelezen?' vroeg Dylan.

'Ik heb het net uit,' antwoordde ze. 'Het loopt wel erg tragisch af.' Ze keerde zich naar Conor. 'Dus de naam Ellen brengt geen geluk.'

Hij drukte haar hand. 'Je bent meer dan een personage uit een boek.'

'Je naam staat voor hoop en liefde,' zei Dylan. 'En hoezo, geen geluk? Hoe ben je anders in mijn leven terechtgekomen?'

'En in het mijne,' viel Conor hem bij.

Dylan hief zijn glas. 'Ik zou graag een toost uitbrengen.'

'Ga je gang,' zei Conor.

'Op Ellen, omdat ze als een lentebries van optimisme en vertrouwen in mijn leven is gekomen. Dankzij jou ziet de toekomst er stralend uit.' Zijn ogen werden vochtig, en hij probeerde verlegen zijn tranen terug te dringen. 'Ik had nooit gedacht dat ik dat nog eens zou zeggen.'

Ook Conor hief zijn glas. 'Op Ellen,' zei hij met een dankbare glimlach. 'Ik sluit me volledig bij de vorige spreker aan!'

Het was al na middernacht toen ze afscheid namen. Een lichte motregen was vanuit zee landinwaarts gedreven, de sterren waren verdwenen, de hemel was donker. Ellen omhelsde Dylan. Ze hielden elkaar stijf vast en bevestigden zwijgend hun besluit om elkaar nooit meer uit het oog te verliezen. Vanuit de deuropening keek Dylan hen na toen ze hand in hand wegliepen. Hij ging pas weer naar binnen, nadat ze om de hoek uit het zicht waren verdwenen.

Conor bracht Ellen terug naar Peg. 'Bedankt dat je mee bent gegaan,' zei ze toen hij voor het huis stopte.

'Ik ben blij dat ik erbij was. Je hebt Dylan erg gelukkig gemaakt. Maar hoe voel jíj je?'

'Eigenlijk prima. Ik zou kapot moeten zijn, maar dat ben ik niet.'

'Je bent nog in shock. Dus je moet niet raar opkijken als je morgenochtend het gevoel hebt dat er een vrachtwagen over je heen is gereden.'

'Oké.'

'En bel me als je ligt te piekeren. Desnoods midden in de nacht.'

Ze boog zich naar hem toe en sloeg haar armen om hem heen. 'Dank je wel.'

'Ik kom je morgenochtend halen.' Hij begroef zijn gezicht in haar hals. 'Ik wou dat ik je mee naar huis kon nemen. Want ik vind het maar niks dat je vannacht alleen bent.'

'Maak je geen zorgen. Ik red me wel.'

'Ga mee naar Dublin,' stelde hij impulsief voor.

'Wanneer?'

'Volgende week. Dan stop ik je in een mooi hotel…'

'Maar Alanna rekent op me.'

'Dan zeg je dat af.'

'Nee, dat kan niet. Dat is niet netjes. Ik kom naar Dublin zodra het meisje dat haar helpt, terug is.'

'Waar is ze naartoe?'

'Dat weet ik niet. Maar ze komt weer terug.'

'Dat mag ik hopen! Dan kan ik je mijn stad laten zien.'

'Ik ben hier om een boek te schrijven,' protesteerde ze, eigenlijk maar al te graag bereid zich te laten overhalen.

Hij schonk haar een verliefde glimlach. 'Je bent mijn meisje, en dus moet je bij me zijn.'

'Oké, ik kom naar Dublin.' Ze glimlachte.

'Beloofd?'

'Beloofd.'

Hij kuste haar. 'Dan zie ik je morgen.'

'Gewone tijd?'

'Gewone tijd. Je begint een gewoonte te worden.'

Ze schonk hem een brede grijns. 'Mooi zo. Ik hoop dat je een type bent dat geneigd is tot verslaving.'

Hij kuste haar nogmaals. 'O, dat ben ik. En jij bezit alles om ervoor te zorgen dat ik totaal verslaafd aan je raak!'

Ze zwaaide hem na, waarna ze zich door de motregen naar de deur haastte. Er brandde nog licht in de keuken. Net toen ze het uit wilde doen, klonk er een stem vanaf de tafel. Daar zat Peg. Op de stoel van Jack. Met een mok thee.

'Tante Peg, je bent toch niet voor mij opgebleven?' vroeg ze bij het zien van Pegs ongeruste gezicht.

'Ga zitten, pop,' zei ze zacht. Ellen zou het liefst naar bed zijn gegaan. Ze wist dat ze Peg moest vertellen wat ze had ontdekt, maar ze was ineens uitgeput, alsof de emoties haar eindelijk in volle hevigheid raakten. Ze deed echter wat haar tante zei. Peg slaakte een diepe zucht, en Ellen begreep dat haar tante een serieuze reden had gehad om wakker te blijven. 'Wil je een kop thee?' vroeg Peg.

'Nee, dank je. Het is al laat.' Ellen keek in de vermoeide ogen van haar tante, zich afvragend wat ze op haar hart had.

'Johnny was hier vanavond. Hij had je in de pub gezien, met Conor.'

'Ja, die kwam met me mee. Want ik moest Dylan spreken.' Ellen kneep haar ogen tot spleetjes. 'Gaat het over Conor? Want ik ben niet van plan om stiekem te gaan doen, als de eerste de beste puber. Het kan me niet schelen wat Desmond vindt.'

'Nee, het gaat niet over Conor. Het gaat over Dylan.'

'O.' Ellens hart begon sneller te slaan.

Peg aarzelde en er verscheen een gekwelde blik in haar ogen. 'Ik wilde zeker weten dat alles goed met je was.'

'Met mij is alles prima,' zei Ellen nonchalant, maar ze wist dat haar tante zich niet voor de gek liet houden.

'Nou, eh… volgens Johnny gedroeg je je… een beetje vréémd.'

'We zijn met Dylan meegegaan om iets te eten.'

'O.'

'Kaas en wat koud vlees. En piepers uit de oven. Ik geloof niet dat hij iets anders kan maken.'

'Nee, dat zou best eens kunnen. Martha kan geweldig koken. Hij zou eindelijk met haar moeten trouwen.' Peg keek Ellen aan en fronste haar wenkbrauwen. 'Ik heb nagedacht over wat je zei. Dat Maddie je Ellen heeft genoemd omdat Dylans háár zo noemde.'

'O?' Ellen klonk vragend, maar ze wist wat er kwam.

'Volgens mij weet je wat ik wil zeggen.'

'Dat Dylan mijn vader is!' Ellen liet zich op een stoel vallen.

Hoewel Peg dat inmiddels ook al had beseft, reageerde ze geschokt. Ze hield haar adem in en nam toen een slok thee om tijd te rekken. Ten slotte zette ze haar mok neer. 'Dus het is echt waar. Het is nooit bij me opgekomen! Geen moment! In al die jaren niet. Tot vanavond. Wat Johnny zei, zette me aan het denken.'

'En? Weet hij het nu ook?'

'Ja. We bedachten het allebei op hetzelfde moment. Of liever gezegd,

Desmond en hij hadden al zo'n vermoeden, maar dat werd pas van-avond bevestigd. Je lijkt inderdaad op hem.'

'Het klopt ook wel, als je nagaat wat er is gebeurd,' zei Ellen met een zucht. Ze had zich nog nooit zo uitgeput gevoeld.

'Ik denk niet dat je vader het weet.'

'En ik ga het hem ook niet vertellen. Dat zou ik niet kunnen!' Ze beet op haar lip. De gedachte dat ze haar vader verdriet zou doen, bezorgde haar een steek van pijn. 'Ik hou van papa.'

'Het is misschien ook maar beter om niets tegen hem te zeggen. Maar dat is dus de reden dat Maddie nooit meer is teruggekomen! Dat heb ik me altijd afgevraagd.'

'Waarom? Omdat ze er dan alsnog met Dylan vandoor zou zijn ge-gaan?'

'Wie zal het zeggen? Onze moeder zou zich in haar graf omdraaien als ze het wist. Ze vond het al erg genoeg dat Maddie zwanger was, maar het was een troost toen ze trouwde met de vader van het kind. Als ze had geweten dat Dylan de vader was... Ze zou er kapot van zijn ge-weest.'

'Tante Peg, als mama jullie moeder had verteld dat ze zwanger was, zou die haar dan naar een klooster hebben gestuurd en haar hebben ge-dwongen mij af te staan?'

Pegs gezicht vertrok van verdriet en afschuw. 'Ik ben bang van wel, liever. Ik had graag gewild dat het anders was, maar als het ging om haar geloof en haar principes, accepteerde je grootmoeder niet dat er van het rechte pad werd afgeweken. Daar was ze keihard in. Als een meisje ongehuwd een kind kreeg, was dat zondig. En een schande. Maddie had gelijk dat ze wegliep.' Peg legde haar hand op die van Ellen. 'Ze deed het voor haar kindje. Ze deed het voor jou, Ellen. Ik zou het-zelfde hebben gedaan. Maar uiteindelijk heb ik onze moeder verteld dat Maddie zwanger was toen ze hier wegging. Want ze begreep maar niet hoe het kon dat ze haar lievelingsdochter was kwijtgeraakt.'

'Dat was ze vast niet. Haar lievelingsdochter,' zei Ellen zacht.

'Ja, dat was ze wel. Iedereen wist het. Mijn moeder ging er bijna aan onderdoor toen Maddie van huis was weggelopen. Ik moest haar uit haar lijden helpen. Helaas werd het ene verdriet ingeruild voor het an-dere. Toen mijn moeder wist wat er aan de hand was, raakte ze verbitterd en Maddies naam mocht hier in huis niet meer genoemd worden. Ze is verbitterd gestorven. En ze heeft het Maddie nooit vergeven.'

'Wat ontzettend verdrietig.'

'Ja, dat is het. Ik heb mijn kleine meid verloren. Dat plaatst alles in perspectief. Bij mij was het verlies onherroepelijk. Maar Maddie en mijn moeder hadden het weer goed kunnen maken, en dat hadden ze ook moeten doen. Dat heb ik nooit begrepen. Het leek wel alsof Maddie was gestorven. Maar als ze had gewild, had mijn moeder haar dochter terug kunnen krijgen. Ik niet. Mijn Ciara komt nooit meer terug. Waarom wilde mijn moeder het niet proberen? Waarom had ze haar dochter bij wijze van spreken al begraven terwijl ze nog leefde?' Peg schudde haar hoofd, geschokt en verdrietig door herinneringen die ze zo lang, zo diep weg had gestopt. 'De weg van God is liefde. Jezus heeft ons geleerd te vergeven. Maar het is verbijsterend hoeveel christenen die twee fundamentele beginselen verwerpen... Maar vertel, hoe ben je er uiteindelijk achter gekomen dat Dylan je biologische vader is?'

'Ik had een van zijn cd's gepikt. Toen ik naar zijn oude nummers luisterde, werd het me ineens duidelijk.'

'Dat moet een verschrikkelijke schok voor je zijn geweest.'

'Volgens mij voelde ik het al heel lang. Al sinds ik ontdekte dat mijn moeder me Ellen heeft genoemd omdat Dylan haar zo noemde. Maar ik was bang. Ik durfde de waarheid niet onder ogen te zien.' Ze lachte verdrietig. 'Ik probeerde mezelf wijs te maken dat ze dat deed omdat ze nog steeds van hem hield. En dat lukte. Tot ik de muziek op die cd hoorde. Toen kon ik er niet meer omheen.' Ze geeuwde, haar ogen traanden.

'Je ziet zo wit als een doek. Het is een schande dat ik je nog langer op heb gehouden. Ik wilde alleen maar zeker weten dat alles goed met je was.'

'Dank je wel. Maar eerlijk gezegd weet ik niet eens of alles goed met me is. Ik voel me verdoofd, lamgeslagen.'

'En dat is heel begrijpelijk. Kom, we gaan naar bed. Morgenochtend voel je je beter.' Peg deed het licht uit en trok de keukendeur achter hen dicht. 'Ik vind het ontroerend dat Dylan voor jou de drank heeft laten staan. Hij wil dat je trots op hem bent.'

'Hij is een goed mens. Ik ben erg dol op hem.' Ellen liep de trap op. 'Het is vreemd hoe de wetenschap dat hij mijn vader is, plotseling een band tussen ons heeft geschapen. Het is tenslotte niets concreets, alleen maar een besef. En toch heeft dat besef mijn gevoelens voor hem veranderd. En mijn gevoelens voor Ballymaldoon.'

'Hoe dan, pop?'

Ellen stond in de deuropening van haar slaapkamer. 'Ik wil hier blijven,' zei ze vastberaden.

'Als je dat echt wilt, is er geen enkele reden waarom je het niet zou doen.' Peg glimlachte. 'Ik zou het heerlijk vinden als je bleef.'

'Ik moet nog wel het een en ander regelen in Londen.'

'Natuurlijk.'

'Maar daarna kom ik terug.'

'Ja.'

'Dat betekent dat ik mama zal moeten vertellen waar ik ben. En daar zie ik als een berg tegen op. Zeker nu ik de waarheid weet...'

'Daar moet je nu nog niet aan denken, pop. Het is laat. Ga lekker slapen. Morgenochtend ziet alles er weer anders uit.'

Met een zucht van uitputting kroop Ellen in bed en legde haar hoofd op het kussen. Dylan, haar ouders en Conor vochten om haar aandacht, maar toen ze geen reactie kregen, trokken ze zich terug. Ellen was zelfs te moe om te dromen.

28

Ellen was de volgende morgen al heel vroeg wakker. Buiten was het donker, en doodstil, de haan had nog niet gekraaid. Verbijsterd door de vreemde kilte diep vanbinnen en door het gevoel van eenzaamheid dat bezit van haar had genomen, staarde ze voor zich uit. Geleidelijk aan kwamen de onthullingen van de vorige avond weer naar boven. Ze was niet de dochter van haar vader. Ze was de dochter van Dylan.

In paniek schoot ze overeind en tastte in het donker naar het knopje van de lamp. Toen de kamer van het ene op het andere moment in het licht baadde, wreef ze in haar ogen. De vorige dag had ze tamelijk beheerst gereageerd, zonder heftige emoties, maar nu voelde ze zich verloren, verdrietig. Nog altijd voor zich uitstarend probeerde ze te achterhalen waar dat gevoel vandaan kwam. Ze had zich haar hele leven een buitenstaander gevoeld, en na lang nadenken begreep ze dat de ontdekking dat ze inderdaad een buitenstaander wás, haar deed beseffen hoe graag ze erbij had willen horen. Het was de ironie ten top. Ze had haar moeder vervloekt omdat die probeerde haar tot een echte Trawton te kneden, maar diep vanbinnen had ze niets liever willen zijn dan dat.

Er welden tranen in haar ogen op toen ze aan haar vader dacht. Wist hij het? Hij had haar nooit, in geen enkel opzicht, het gevoel gegeven dat ze anders was dan Leonora en Lavinia. Hij had haar ook niet meer aandacht gegeven, als compensatie voor het feit dat ze niet zijn dochter was. Of juist minder, vanwege een natuurlijke, intuïtieve voorkeur voor zijn eigen dochters. Hij was altijd eerlijk en redelijk geweest, een liefhebbende vader, oprecht in zijn gevoelens. Het feit dat ze totaal niet op hem leek, was nooit een punt geweest. Er waren zo veel kinderen die niet op hun ouders leken. Ze had er nooit iets achter gezocht. Kinderen letten niet op dat soort dingen. Het zijn de volwassenen die commentaar leveren op het raadsel van de verdeling van de genen, en die waren het er altijd over eens geweest dat zij de hare van haar moeder had geërfd.

Had haar moeder haar geheim dus niet alleen voor haar dochter verzwegen, maar ook voor haar man? En zo ja, hoe was ze daar dan in geslaagd? Ellen betwijfelde of ze ooit de moed zou hebben ernaar te vragen. Het verleden van haar moeder was altijd een taboe geweest. Maar nu begreep ze waarom Ierland uit de familiegeschiedenis was gewist. Hier in Connemara was Dylan het levende bewijs van haar bedrog. Maar kon zíj de waarheid nog langer verzwijgen nu ze die eenmaal kende, vroeg Ellen zich af.

Ze keek op haar horloge. Het was zes uur. Ze had totaal geen slaap meer. Integendeel, ze was nerveus, zoals vroeger op school, op de ochtend voor een examen. Het was nog altijd donker buiten, maar ze wilde naar het strand. Daar zou ze zich beter voelen. Ze trok een trui en een spijkerbroek aan en sloop naar beneden. De keuken meed ze, uit angst om Bertie wakker te maken en door het verschrikte varken te worden aangevlogen. Ze schoot een jas aan van Peg, een wollen muts en rubberlaarzen, en vertrok.

Het was verschrikkelijk koud en ze hield er stevig de pas in. Het motregende en er stond een ijzige wind uit zee. Ze stopte haar handen diep in de zakken van Pegs jas en trok haar schouders op tegen de storm. Hoe moest een schaap zich voelen, dag en nacht blootgesteld aan de elementen? Nu begreep ze waarom Peg ze elke morgen telde. Ze wilde zeker weten dat er niet een was weggeblazen.

In het oosten begon te hemel lichter te kleuren en schemerde het winterse landschap in een bleke gloed. Ze kon net genoeg zien om het pad te volgen, van de weg af naar het strand. Genietend luisterde ze naar het gebulder van de oceaan, naar de wind die grillig, in wilde vlagen op de heuvels beukte. Het natuurgeweld had een rustgevende uitwerking op haar ziel, haar zenuwen, alsof de storm buiten maakte dat de storm diep vanbinnen minder hevig leek.

Ze liep langs de branding, waar de golven kwamen aanrollen en over haar laarzen spoelden. Ten slotte bleef ze staan en staarde het duister in, alsof ze op de drempel stond van een nieuw bestaan. Het zicht was niet helder, ze wist nog niet wat er ging komen, maar ze wist wel dat de veranderingen in het heden zouden doorwerken in de toekomst. Hoe, dat zou nog moeten blijken.

Ze bleef op het strand tot de zon opkwam achter de heuvels, en het zilveren silhouet van de vuurtoren oprees uit de wolken, dat gedachten opriep aan Conor. Terwijl ze toekeek werd hij steeds duidelijker zichtbaar, alsof de toekomst haar in symbolen werd onthuld – Caitlins tragische verlies dat haar geluk had ingeluid. Want haar toekomst lag hier, bij Conor.

Geleidelijk aan ging de wind liggen en brak er een nieuwe dag aan. Toen ze terugliep over het strand voelde ze zich inderdaad een stuk beter. Haar hoofd was helder en haar hart voelde minder zwaar. Ze besloot haar situatie positief te bekijken. Er waren tenslotte niet veel vrouwen die konden zeggen dat ze twéé vaders hadden.

Toen ze thuiskwam was Peg op het veld bezig extra voer neer te zetten voor de ooien, als voorbereiding op het lammeren. 'Wat ben je vroeg op!' zei ze verrast.

'Ik had behoefte aan een eind lopen.'

'Dan zul je wel honger hebben. Je durfde zeker niet naar de keuken, uit angst om Bertie wakker te maken?'

'Nee. Daar waag ik me niet na dat verhaal dat hij Oswald te lijf ging.'

'Kom dan maar mee. Dan gaan we ontbijten.' Ze liep met haar nichtje naar binnen. 'Hoe voel je je nu?'

Ellen zuchtte. 'Eerlijk gezegd een beetje ongemakkelijk over de hele situatie. Het is tenslotte niet niks. Maar ik ben een stuk opgeknapt op het strand.'

'Werd je daar niet weggeblazen?'

'Nou, het had niet veel gescheeld.'

Ze hingen hun jas aan de kapstok en deden hun muts af, waarna Peg de ketel op het fornuis zette. Ellen was tot op het bot verkleumd. Ze ging bij Mr. Badger op zijn kussen liggen en begroef haar handen in zijn vacht.

'Het zou me niet verbazen als Johnny straks langskomt op weg naar zijn werk,' zei Peg terwijl ze twee mokken uit de kast pakte.

'Waarschijnlijk weet bijna heel Ballymaldoon inmiddels dat Dylan mijn vader is.'

Peg stelde haar gerust. 'Nee, Johnny heeft het aan niemand verteld. Dat weet ik zeker. Over zulke dingen houdt hij zijn mond.'

'Ik had verwacht dat de verleiding te groot was.'

'Nee, niet als de goede naam van de familie in het geding is,' zei Peg op besliste toon. 'Het was al erg genoeg dat Maddie ervandoor ging met een Engelsman, maar dat ze ook nog eens zwanger was van Dylans kind...' Ze slaakte een diepe zucht. 'Jaysus, mijn moeder zou zich omdraaien in haar graf. Het is maar goed dat ze dit niet meer heeft hoeven meemaken. Dus nee, Johnny vertelt het aan niemand. Dat kan ik je garanderen.' Ze keek uit het raam. 'Maar hij komt wel langs. Daar kun je gif op innemen.'

Ze ontbeten met thee en een bord pap en al pratend kwamen ze telkens weer op dezelfde vragen uit. Vragen die alleen Madeline kon beantwoorden. Uiteindelijk hoorden ze het geluid van een auto die voor het huis stopte.

'Ik zei het toch?' Peg stond op om uit het raam te kijken. Tot haar verbazing stond de Range Rover van Conor op het grind. 'Het is je vent!' Ze zag het gezicht van haar nichtje oplichten. 'Waarom vraag je hem niet binnen voor een kop thee?'

Ellen haastte zich naar buiten. Ze stapte niet in, maar liep naar zijn kant en boog zich naar binnen om hem te kussen. Bij het zien van haar verwaaide haren en rode wangen glimlachte hij waarderend. 'Waar ben je geweest?' vroeg hij.

'Op het strand.'

'Zo vroeg al?'

'Ik voelde me ellendig toen ik wakker werd. Maar de wind heeft al mijn zorgen weggeblazen.'

Hij nam haar bezorgd op. 'Waarom heb je me niet gebeld?'

'Het was nog donker.'

'Nou en? Magnum had een vroege wandeling heerlijk gevonden.'

'Ik heb Peg. Ze weet het, van Dylan. We hebben het er gisteravond nog over gehad. Waarom kom je niet binnen voor een kop thee? Dat zou ze geweldig vinden.' Hij leek even niet op zijn gemak. 'Maak je geen zorgen, er zijn verder geen Byrnes in de keuken.'

Maar voordat hij kon antwoorden, kwam er een glimmend zwarte auto het tuinpad op rijden.

'Wie is dat?' vroeg Conor.

'Nou, Johnny is het in elk geval niet,' antwoordde Ellen.

Peg, die voor het raam had gestaan, kwam naar buiten. 'Allemachtig, wat een prachtige auto! Die is vast verdwaald. Verwacht jij soms bezoek, Conor?'

'Niet dat ik weet.'

De auto minderde vaart toen hij het huis naderde. Door de raampjes konden ze de chauffeur achter het stuur zien zitten en op de achterbank zat een vrouw in een dikke jas, met handschoenen en een hoed.

Ellen hield geschokt haar adem in. Ze werd spierwit. 'Het is mijn moeder,' bracht ze uit, voordat de chauffeur uitstapte en om de auto heen liep om het portier voor Lady Anthony Trawton te openen.

Stomverbaasd en ongelovig keek Peg naar de vreemde vrouw die voor haar stond. Ze zag er prachtig uit in haar voorname kleren, maar ook onzeker. Het bleef heel lang stil terwijl ze elkaar wantrouwend opnamen, als cowboys in een oude western, in afwachting van het moment waarop een van hen als eerste zijn pistool trok.

Na wat een eeuwigheid leek te hebben geduurd, verbrak Madeline de stilte. 'Peg.'

'Maddie?' Peg keek haar aan alsof ze in haar gezicht het meisje van vroeger probeerde terug te vinden. 'Ben je het echt?'

'Ik kom mijn dochter halen,' zei Madeline met vaste stem. Ze richtte haar kille blauwe ogen op Ellen. 'Dat briefje van je kan ik niet accepteren. Het moet afgelopen zijn met deze onzin! Je gaat mee naar huis en je trouwt met William.'

Nu was het de beurt aan Conor om verrast te kijken. Hij keerde zich naar Ellen. 'Ga je trouwen?'

'Ik wilde het je vertellen...' begon ze.

'Ja, ze gaat trouwen!' viel haar moeder haar in de rede. Met een verbeten trek om haar mond keerde ze zich naar de knappe man in de Range Rover. 'En u bent?'

'Conor Macausland,' antwoordde hij kil, zonder zijn hand uit te steken en zonder uit te stappen.

De uitdrukking op het gezicht van haar dochter vertelde Madeline maar al te duidelijk wat er aan de hand was. 'Ze is verloofd met William Sackville. Heeft ze u dat niet verteld?'

Er verscheen een blos op Conors wangen, zijn gezicht stond grimmig en even sloot hij zijn ogen, terwijl hij langzaam inademde door zijn neus.

'Daarom ben ik van huis weggelopen,' zei Ellen. 'Omdat ik niet met hem wilde trouwen.'

Toen hij zijn ogen weer opende, lag er een dreigende blik in. Het waren de ogen van een vreemde. Ellen had het gevoel dat haar wereld instortte.

'Je had het me moeten vertellen,' zei hij zacht.

'Dat wilde ik ook.'

Hij omklemde het stuur. 'O ja?' Hij draaide de sleutel om, de motor brulde en Ellen deed een stap naar achteren. 'Jullie zoeken het maar uit.'

'Ik was van plan het je te vertellen! Echt waar!' riep ze wanhopig.

'Wanneer? Vandaag? Morgen?' Toen ze niet reageerde, schudde Conor zijn hoofd en verscheen er een wrange, teleurgestelde trek om zijn mond. 'Ik vertrouwde je.'

Ze wist niet wat ze moest zeggen. Tenslotte had ze alle gelegenheid gehad het hem te vertellen, maar ze had het niet gedaan. Omdat ze dacht dat het er niet toe deed. Nu besefte ze dat het er alles toe deed. Meer dan wat ook.

'Conor, ga alsjeblieft niet weg!' riep ze gesmoord. Maar hij gaf gas, scheurde het tuinpad af, de hoek om, en mét de auto verdween haar toekomst uit het zicht.

Ellen keerde zich naar haar moeder. 'Hoe durf je?' riep ze woedend. 'Ik wil niet met William trouwen! Ik hou niet van hem. Ik hou van Conor. Ik ben van huis weggelopen omdat ik geen zin heb in het leven dat jij voor me hebt uitgestippeld!'

Peg kwam haastig tussenbeide. 'Laten we naar binnen gaan. Daar kunnen we in alle rust praten,' sprak ze bezwerend.

Maar Madeline hield voet bij stuk. 'Ga je spullen pakken. Ik wacht in de auto,' commandeerde ze.

'Ik ben geen klein kind meer! Denk je nou echt dat ik braaf naar boven ga om mijn koffer te pakken? Ik ben drieëndertig! Ik maak zelf uit wat ik doe!'

'Ellen, wees nou verstandig. Wat bezielt je?'

'Kom alsjeblieft binnen,' drong Peg aan. Ze keek naar de chauffeur die meeluisterde, ook al deed hij nadrukkelijk alsof hij niets hoorde.

'Nee, Peg. Ik ga niet mee naar binnen,' antwoordde Madeline uit de hoogte. 'Ik kom Ellen halen. Dat is alles.'

'Ga je Dylan niet eens even gedag zeggen?' vroeg Ellen uitdagend.

Peg verstijfde. 'Jaysus, willen jullie nou alsjeblieft naar me luisteren! Naar binnen! Vooruit!'

Madeline vertrok haar mond bij het noemen van de naam van Dylan, en ze bewoog nerveus haar vingers. Met tegenzin volgde ze Peg en Ellen uiteindelijk naar binnen.

Peg liep naar de Stanley en ging theezetten. Madeline bleef wat ongemakkelijk midden in de keuken staan. Ze trok haar handschoenen uit en zette haar hoed af. Ondertussen keek ze nieuwsgierig in Pegs huis om zich heen. Ellen zou het liefst in de auto willen springen en achter Conor aan rijden, maar ze wist dat ze eerst de problemen met haar moeder moest oplossen. Ze was misselijk van ellende. Hoe had haar moeder haar gevonden?

'Zo, en laten we nou allemaal proberen te kalmeren.' Peg zette met bevende handen de ketel op. 'Doe je jas uit, Maddie. Anders krijg je het hier veel te warm.'

Madeline aarzelde even, maar knoopte toen langzaam haar mantel los. Daaronder droeg ze een grijze blouse van zijde, een grijze flanellen broek en lakleren pumps. Ze leek volmaakt misplaatst in Pegs keuken, als een porseleinen pop op een hooizolder. Ellen ging op Jacks stoel zitten, en toen Bertie zijn natte snuit tegen haar benen drukte, aaide ze hem liefkozend over zijn ruwe haar.

'Ik weet het van Dylan,' zei Ellen zacht.

Het was de genadeslag. Haar moeder liet verslagen haar schouders hangen, als een cowboy die zijn wapen laat vallen wanneer hij beseft dat zijn tegenstander beter bewapend is dan hij.

'Ik weet waarom je me Ellen hebt genoemd.' Ze keek toe terwijl haar moeder op de stoel aan het andere eind van de tafel ging zitten. 'Dylan is mijn vader, toch?' Madelines blik ging naar Peg, die even stopte met thee opschenken en haar zus angstig aankeek. 'Je kunt de waarheid niet langer verborgen houden, mam. Ik wéét het.'

Er lag een gekwelde blik in Madelines ogen. 'Ja,' zei ze ten slotte. 'Hij is je biologische vader.'

Peg zette de ketel neer en zocht steun bij het dressoir. Ook al wist ze het al, het was een schok om te horen dat haar zus het toegaf. 'Jaysus, Maddie,' zei ze kreunend.

Toen Madeline reageerde, was de kilte uit haar stem verdwenen. 'Het spijt me.'

'Weet papa het?' vroeg Ellen. In de lange stilte voordat haar moeder antwoordde, vroeg ze zich af wat ze wilde horen. Ja of nee. Ze kwam tot de conclusie dat het allebei even erg zou zijn.

Madeline sloeg haar ogen neer en keek naar haar handen. 'Ik weet het niet,' zei ze ten slotte.

Ellen kreeg tranen in haar ogen en haar mond viel open. Peg zette een mok thee voor haar neer, en voor haar zus, waarna ze tussen hen in ging zitten. 'Hoe heb je ons gevonden?' vroeg ze.

'Ik ben hier gisteren naartoe gevlogen, en vannacht heb ik in een hotel geslapen om me mentaal voor te bereiden. Toen ik het dorp in reed, moest ik vragen waar je woonde. Een vrouw die haar hond uitliet heeft me de weg gewezen.' Ze keek om zich heen. 'Je woont hier leuk, Peg.'

'Dank je. Ik ben heel blij met mijn huis.'

'Is Bill thuis?' vroeg Madeline.

'Bill is al heel lang niet meer thuis,' antwoordde Peg afgemeten. 'We zijn gescheiden.'

'Ach, dat spijt me. Ik kan me je jongens nog zo goed herinneren. Declan en Dermot. Dat zijn inmiddels grote kerels, neem ik aan.'

'Dat klopt. En ik ben oma. Ronan heb je nooit ontmoet. Dat is de jongste, maar die is ook al volwassen,' zei Peg zacht. Er viel een ongemakkelijke stilte terwijl ze van hun thee dronken. Mr. Badger slaakte op zijn kussen een diepe zucht en sloot zijn ogen. 'Herken je alles nog?' vroeg Peg.

'Ballymaldoon, bedoel je? Ja, er is niets veranderd.'

'Heb je het gemist, Maddie?'

Madeline nam een slok thee. Haar lippen trilden even. 'Eerst wel, maar het wende algauw.'

'Je klinkt erg Engels.'

'Ja, dat zal wel.'

'Er is geen spoortje Ierland meer in je te bekennen.'

Weer verscheen er een verbeten uitdrukking op Madelines gezicht, en haar blik was hard als staal. 'Ik heb een keuze gemaakt, Peg, en daar moest ik mee leren leven. Dat betekende dat ik mijn verleden achter me moest laten en dat ik een nieuwe start moest maken. Ik moest Ierland volledig uit mijn bestaan verbannen. Dat kon niet anders.'

Ze keek naar haar dochter en haar gezicht werd zachter. 'Ik kon Anthony niet vertellen dat je niet van hem was. Dan was hij niet met me getrouwd, en dat kon ik me niet veroorloven. Dankzij hem kon ik hier weg. Dus hij móést met me trouwen. Hij was mijn enige kans.'

'Hield je van hem?' vroeg Ellen geschrokken, en ze wenste vurig – voor haar vader – dat het antwoord ja zou zijn.

'Niet zoals ik van Dylan hield. Maar Anthony was smoorverliefd op me, en nogmaals, hij was voor mij de enige mogelijkheid om hier weg te komen.'

'Waarom ben je niet met Dylan weggelopen? Die zou meteen met je zijn getrouwd.'

'En waar hadden we dan van moeten leven? Hij had geen geld. Ik had geen geld. Mijn moeder zou me hebben verstoten. Ze was streng gelovig en dogmatisch. We zouden straatarm zijn geweest. Dat wilde ik niet, ook niet voor mijn kind. Anthony was rijk, hij kon me een veilige toekomst bieden, ver weg van Ballymaldoon. Hij wist dat ik zwanger was en hij smeekte me om met hem te trouwen. Ik zou gek zijn geweest als ik het niet had gedaan.'

'En Dylan dan?' vroeg Ellen. 'Ik was zíjn kind.'

Madeline lachte cynisch. 'Dylan had zijn verantwoordelijkheden als vader nooit aangekund.'

'Toch heb je hem geschreven en heb je hem gevraagd je te komen ophalen,' zei Ellen.

Madeline was geschokt dat haar dochter zo veel wist. Ze vernauwde haar ogen tot spleetjes en stak haar kin naar voren. 'Ja, ik heb even een moment van spijt gehad. Maar dat ging voorbij.' Ze klemde haar vingers om het oor van haar mok.

'Dylan is je gaan halen.'

'Niet waar. Als hij dat zegt, dan liegt hij,' reageerde Madeline gejaagd, met een harde, rancuneuze klank in haar stem.

'Hij liegt niet. Hij is je gaan halen nadat je hem had geschreven dat hij een dochter had. Maar toen hij zag waar je woonde, en dat je gelukkig was, besefte hij dat hij je zo'n leven nooit zou kunnen geven. En hij wilde je gezin niet kapotmaken, ook al was ik zijn kind.'

'Heeft hij je dat verteld?' vroeg Madeline zacht.

'Ja.'

'Dus hij is toch gekomen?'

'Ja, mam. Terwijl jij hem gewoon hebt laten barsten. Hij heeft er jaren onder geleden.'

Madeline was duidelijk niet van plan zich nog verder door haar dochter in het nauw te laten drijven. 'Wat had je dan gewild?' snauwde ze. 'Dat ik je vader in de steek liet en er met Dylan vandoor ging? Ik heb ervoor gezorgd dat je een goed leven had, Ellen. Je hebt geen idee van de prijs die ik daarvoor heb betaald.'

Peg raapte eindelijk al haar moed bijeen. 'Waarom ben je nooit meer teruggekomen? Moeder was er kapot van dat je wegging.'

'Omdat jij haar hebt verteld waaróm ik wegging!'

'Hoe weet je dat ik haar dat heb verteld?' Peg bloosde schuldbewust.

'Ik had je gevraagd het geheim te houden.' Madeline zuchtte. 'Maar je hebt het haar toch verteld, en dat neem ik je niet kwalijk. Het was zo'n groot geheim. Het was niet eerlijk om te verwachten dat je daarover zweeg. Tegen moeder nog wel.'

'Ik moest het haar vertellen,' legde Peg uit. 'Ze was wanhopig van verdriet. Maar ze is gestorven zonder dat ze ooit de kans heeft gehad je te vergeven.'

Madelines gezicht verstrakte. 'Ze wílde me niet vergeven, Peg! Denk je nou echt dat ik niet heb geprobeerd terug te komen?'

'Dus dat wilde je wél?' Peg keek haar verbijsterd aan.

'Natuurlijk wilde ik dat! Ik verlangde zo naar huis! Maar moeder vond het niet goed.'

'Maar toen was je allang getrouwd. Een respectabele echtgenote en moeder. Waarom vond ze het dan niet goed dat je naar huis kwam?'

'Omdat ik haar de waarheid heb verteld.'

'Heb je gezegd dat Ellen van Dylan was?' Peg zette grote ogen op toen Madeline knikte. 'Dus ze wíst het? Ze wist dat Ellen de dochter was van Dylan?'

'En ze verbood me om ooit nog een voet in Ballymaldoon te zetten. Ze heeft me verstoten, Peg.' Er glinsterden tranen in Madelines ogen en haar lippen trilden terwijl ze probeerde haar emoties in bedwang te houden. 'Ik wilde naar huis komen, maar dat kon niet. Moeder wilde het niet hebben.'

Pegs gezicht vertrok van verdriet. 'O, Maddie, dat heb ik nooit geweten. We dachten allemaal… We dachten dat je ons niet meer wilde zien! We waren boos op je. Maar je kon er niets aan doen. O, Maddie! Ik schaam me zo!'

'Hoe had je dat moeten weten?'

'We kenden je toch? We hadden niet zo slecht over je mogen denken! O, Maddie, het spijt me zo. Het spijt me echt heel erg.'

Voor het eerst verscheen er een glimlach op Madelines gezicht. 'Dank je wel, Peg. Je hebt geen idee hoeveel dat voor me betekent.'

Toen Ellen een auto hoorde aankomen, maakte haar hart een sprongetje. Ze hoopte dat het Conor zou zijn, die terugkwam om te zeggen dat het hem speet. Mr. Badger werd wakker en stormde naar de deur. Bertie draafde knorrend achter hem aan. Peg keek Madeline verschrikt aan. Die hield op haar beurt haar adem in. Ze rekenden op hun broers.

Niet op Dylan.

29

Mijn wereld is donker en wordt steeds donkerder. Ik dwaal door een permanente duisternis, ook al weet ik dat de hemel blauw is en dat de dag helder is. En ik ben ook zo zwaar, alsof ik ben gemaakt van de kille mist die 's winters blijft hangen in de dalen en weigert op te trekken. Het plezier dat ik beleefde aan de natuur is vervangen door het perverse genoegen dat mijn onzalige missie me schenkt. Ik zie het vlechtwerk van eikentakken boven de laan niet meer, ik heb niet langer oog voor het meer, glad als een spiegel, voor de stralend gele brem op de hellingen. Ik ben me alleen maar bewust van het doel dat ik me heb gesteld, en dat bezig is werkelijkheid te worden, precies zoals ik me dat had voorgesteld.

Conor weet inmiddels dat Ellen verloofd is. Het doet er nauwelijks toe dat ze niet van William houdt en niet van plan is met hem te trouwen. Conor weet heel goed dat ze van hém houdt. Waar het om gaat, is dat ze het hem nooit heeft verteld. Dat weegt heel zwaar voor hem. Sterker nog, vertrouwen is voor Conor het allerbelangrijkste, en Ellen heeft hem daarin teleurgesteld.

Hij rijdt niet terug naar Reedmace House, want daar is Daphne met de kinderen. Waarschijnlijk zou hij het liefst zijn paard zadelen en de heuvels in rijden, als uitlaatklep voor zijn woede. In plaats daarvan rijdt hij naar het kasteel. Daar gaat hij voor mijn portret staan. Ik kijk op hem neer door de ogen van het schilderij en zie de weerzin in zijn ogen. Weerzin jegens mij! Dat verbaast me niet. Haat en liefde zijn twee kanten van dezelfde munt. En ík heb hem óók teleurgesteld. Maar dat ga ik nu goedmaken.

Hij blijft heel lang naar me staren, zonder te beseffen dat ik een visioen ben, dat hij me echt zou kunnen zien als hij maar door de verf heen zou kijken. Dan gaat hij op de trap zitten en slaat zijn handen voor zijn ogen. Ik ga naast hem zitten. Want ik ben altijd bij hem en ik zal er altijd voor hem zijn. Hij heeft niemand anders nodig.

Terwijl Conor overmand door verdriet op de trap zit, word ik teruggetrokken naar het huis van Peg, naar het drama dat zich in haar keuken ontvouwt. Dylan is er en ziet de vrouw die hij heeft liefgehad en verloren. Hij staat in de deuropening, met zijn hoed in de hand. In zijn dikke jas lijkt hij groter dan hij is. Madeline Trawton is zo overdonderd dat ze niet weet wat ze moet doen. Ze maakt een harde indruk, een vrouw met een indrukwekkend kapsel en veel make-up, maar wanneer ze opstaat en naar hem toe loopt, zie ik dat haar knieën knikken. Haar blauwe kijken in zijn zachte bruine ogen en daarin herkent ze ongetwijfeld de jongen die hij eens was.

'Maddie, je bent het echt,' fluistert hij.

Ze kan geen woord uitbrengen. Haar gezicht wordt zachter. 'Je bent me komen halen,' zegt ze ten slotte, en in de manier waarop ze het uitspreekt klinkt een verre echo van haar Ierse afkomst door.

'Dus Ellen heeft het je verteld.'

'Ja.'

'Natuurlijk ben ik je komen halen, Maddie.' Hij glimlacht verdrietig.

'Dat heb ik nooit geweten.'

'Nee, en dat was ook de bedoeling.'

'Ik dacht dat je me niet wilde. Dat je Ellen niet wilde.'

Zijn blik gaat naar zijn dochter, op de stoel van de kauw. Ze zit doodstil, alsof ze met de stoel is versmolten. 'Jaysus, Maddie, hoe kón je dat denken? Ik hield van je, en ik zal altijd van je houden.'

Ze lijkt geschokt door zijn onverwachte liefdesverklaring, en terwijl hij haar aankijkt met zijn grote, gevoelige ogen, weet ze zich geen houding te geven.

'Hoe wist je dat ik hier was?'

'Als een vrouw in een deftige auto de weg naar Peg vraagt, kan dat maar één ding betekenen.' Ze kijkt hem niet-begrijpend aan. 'Dat was mijn Martha, aan wie je de weg vroeg. Ze vertelde het bij thuiskomst.'

'O.' Madeline herinnert zich de vrouw met de hond. 'Aha.'

Het blijft ongemakkelijk stil terwijl ze elkaar aankijken over de diepe kloof die de tijd tussen hen heeft geslagen. Ze zijn zo dicht bij elkaar, maar er had net zo goed een oceaan tussen hen in kunnen liggen. Ze weten geen van beiden hoe ze de kloof moeten overbruggen, noch hoe ze de pijn moeten verzachten die deze heeft veroorzaakt. Misschien zit die pijn te diep om ooit nog verzacht te kunnen worden.

Dan stapt Dylan in de kloof. Hij loopt er dwars doorheen, doelbewust en vastberaden. Madeline kijkt angstig, als een verwende poedel die wordt belaagd door een wilde hond. Dylan trekt zich er niets van aan, want hij is een intuïtief, impulsief mens. Hij overbrugt de kloof van jaren met zijn onwrikbare geloof in het verleden en slaat zijn sterke armen om haar heen. Ze verstijft van schrik, maar hij laat zich niet ontmoedigen en omhelst haar nog steviger. Ellen en Peg kijken geroerd toe. Als ik niet zo hard was geworden, zou ik ook ontroerd zijn. Maar het enige wat me interesseert is of Ellen met haar moeder mee teruggaat naar Londen.

Madeline Trawton geeft haar verzet eindelijk op. Ze slaat haar armen om Dylan heen en beantwoordt zijn omhelzing. Pegs blik zoekt die van Ellen en ze lopen de keuken uit, naar de zitkamer, waar Ellen nog altijd niet aan haar boek is begonnen. Zodra ze weg zijn begint Madeline te huilen. Ze omhelst hem hartstochtelijk en hij dénkt er niet over haar los te laten. 'Stil maar, Ellen Olenska. Ik ben bij je,' zegt hij, en ik vraag me of hij in de vrouw die ze nu is, nog altijd het meisje van vroeger herkent. Volgens mij zijn het de tranen van Maddie Byrne en is Lady Anthony Trawton verdwenen nu ze in Dylans armen ligt.

Dan laat ze hem los en ze kijkt met een verlegen glimlach naar hem op. Haar mascara is uitgelopen en heeft lelijke, zwarte strepen over haar wangen getrokken. 'Je bent nog steeds mijn Dylan, hè?' Haar stem klinkt zacht, liefdevol.

'Dat ben ik altijd gebleven.' Zijn grote bruine ogen glinsteren van emotie.

'Ik ben nooit meer terug geweest. Omdat ik niet durfde. Ellen was het excuus dat ik nodig had, want diep in mijn hart heb ik altijd terug willen gaan naar het verleden.'

'Ellen is een prachtig meisje, net als haar moeder.'

Er wellen opnieuw tranen in Madelines ogen op. 'O, Dylan! Het spijt me zo. Ik heb me laten leiden door grootheidswaan, want ik wilde iets beters dan het leven dat jij en ik samen hadden kunnen opbouwen.'

'Val jezelf niet te hard…' begint hij, maar ze kapt hem af.

'Nee, ik zeg gewoon waar het op staat, Dylan. Geef me tenminste de kans om eerlijk tegen je te zijn. Ik wist dat je met me zou trouwen als ik het je vroeg. Dat je bereid zou samen een nieuw leven op te bouwen, ver van Ballymaldoon. En daarom heb ik het je niet gevraagd. Daarom koos ik voor Anthony. Omdat ik dacht dat hij me een betere toekomst kon bieden.' Haar lippen beven en er ligt een blos van schaamte op haar wangen. 'Maar al snel na Ellens geboorte besefte ik dat ik helemaal niet thuishoorde in mijn nieuwe leven. Ik snakte naar jou, naar Ierland. Ik voelde me gevangen in de stad, ik miste de heuvels, de zee. Ik had spijt van mijn keuze, en het bedrog vrat aan me, met als gevolg dat ik een hekel aan Anthony begon te krijgen, elke keer dat hij Ellen knuffelde. Puur door mijn eigen oneerlijkheid. Hij was niet Ellens vader, maar dat kon ik hem niet vertellen. Daarvoor was te laat. En dus heb ik je geschreven. Ik wilde dat je me kwam halen. Om samen een nieuwe start te maken. Toen je niet kwam, heb ik mijn moeder gebeld en haar de waarheid verteld.'

'Jaysus, Maddie. Daar was moed voor nodig!'

'Ze wilde niks meer met me te maken hebben.'

'Nee, ik had niet anders verwacht.'

'Dus ik kon niet meer naar huis. Nooit meer.'

Hij neemt haar handen in de zijne, want ze ziet er nu echt wanhopig uit. 'Je dacht dat we je allemaal in de steek hadden gelaten. Maar het tegendeel was het geval.'

'Ja, maar dat wist ik niet. Dus ik heb het opgegeven en me volledig op mijn nieuwe leven gestort. Ik besloot Ierland dood te zwijgen. En ik heb geprobeerd jou uit mijn geheugen te wissen. Maar dan gaat Ellen hierheen en neemt ze als een koekoek bezit van mijn oude nest. Zij kan dat doen! Ik niet! Zij hoort hier in Ballymaldoon, zoals ik hier ooit hoorde. Je hebt geen idee hoeveel pijn dat doet. Door Ellen komt alles weer terug.'

'En jij ook!'

'Dat is waar.'

'En dat is goed.'

'Ik weet het niet.'

'Ja, dat is goed,' zegt hij vastbesloten. 'Jullie zijn allebei thuisgekomen.'

Ze gaan aan tafel zitten. Madeline droogt haar tranen met de zakdoek die Dylan haar geeft, en die onder de zwarte vegen komt te zitten. 'Wat ben je nu met Ellen van plan?' vraagt hij zacht. 'Want ze wíl niet trouwen. Echt niet. Je kunt hoog en laag springen, maar ze doet het niet.'

Madeline laat opnieuw verslagen haar schouders hangen. 'Ik weet het.'

'Dus laat haar nou maar. Waarom zou je haar dwingen tot iets wat ze simpelweg niet in zich heeft?' Hij grijnst. 'Ze lijkt meer op jou dan je weet.'

Ze trekt nerveus aan een punt van de zakdoek. 'Ik was zo bang dat Anthony erachter zou komen, dat hij zou beseffen dat Ellen niet van hem is. Daarom heb ik alles geprobeerd om ervoor te zorgen dat ze net zo werd als hij. Maar het was zinloos, ze liet zich niet kneden. En als ze weer eens opstandig was, zag ik jou in haar bruine ogen. Jou en je koppigheid. Dan voelde ik me schuldig en was ik bang.'

'Laat haar dan zelf kiezen waar ze wil wonen. Het was verkeerd van je moeder om je te verbieden weer thuis te komen. Maak niet dezelfde fout.'

Madeline knikt. Dan slaakt ze een zucht van berusting. 'Wat is hij voor iemand?'

'Conor Macausland? Een goed mens.'

'Ik ben bang dat ik het voor haar heb bedorven.'

'Hoezo?'

'Hij reed woedend weg toen ik vertelde dat Ellen een verloofde in Engeland had. Hij verweet haar dat ze tegen hem had gelogen.'

Dylan schudt zijn hoofd. 'Ach, wat jammer.'

'Wat kan ik doen om het weer goed te maken?'

'Niks. Ze zal naar hem toe moeten gaan om het uit te leggen.'

'Denk je dat hij haar vergeeft?'

'Conor is een gecompliceerde man, met een gecompliceerd verleden. Dus ik weet het niet, Maddie. Maar Ellen moet onmiddellijk met hem gaan praten.'

Ze gaan samen naar de zitkamer, waar Peg en Ellen wat ongemakkelijk zitten te wachten. Ze staan vol verwachting op wanneer Dylan en Madeline binnenkomen. 'Zal ik nog een pot thee zetten?' stelt Peg voor, die duidelijk troost ontleent aan haar veilige routine.

Madeline ziet er anders uit. De harde trekken zijn uit haar gezicht verdwenen. De uitgelopen mascara op haar wangen en onder haar ogen is opgedroogd. Haar kapsel is ingezakt, en haar haar krult door het vocht in de lucht. Ze lijkt kwetsbaar en jonger. 'Ellen, ik denk dat je Conor moet uitleggen hoe het zit,' begint ze.

'Ik ga niet mee naar huis,' valt Ellen haar uitdagend in de rede.

'Dat weet ik en het is goed zo. Ik hoop dat ik geen onherstelbare schade heb aangericht. Conor is een goed mens, zegt Dylan.'

Ellen is verrast. Ze had niet verwacht dat haar moeder zo snel van gedachten zou veranderen. 'Ja, dat is hij,' is alles wat ze zegt.

'Neem mijn auto maar, pop. Vraag of hij mee hiernaartoe komt,' zegt Peg.

Wanneer Ellen naar de deur loopt, begint Mr. Badger te blaffen en te kwispelen. 'Jaysus, Maria en de heilige Jozef!' roept Peg. 'Is het nou nooit eens afgelopen?' Ze doet de keukendeur open, en de hond stormt naar buiten om Desmond, Johnny, Craic en Ryan te begroeten. Zoals gebruikelijk heeft het nieuws zich als een lopend vuurtje door het dorp verspreid, en ze zijn allemaal nieuwsgierig naar hun zus.

Peg is zo nerveus dat ze rechtstreeks naar het fornuis loopt om de thee op te schenken. Haar handen beven terwijl ze de mokken uit de kast pakt. Madeline en Dylan kijken elkaar lang en doordringend aan. Volgens mij weten ze allebei dat ze de mannen de waarheid moeten vertellen.

Ellen haast zich langs hen heen naar buiten en klimt in Pegs auto. Het is druk op het tuinpad maar Ellen heeft nog genoeg ruimte om weg te rijden. Ze ziet haar ooms naar binnen gaan. Het tafereel doet haar denken aan Goudlokje en de drie beren. Maar in dit verhaal zijn er vier beren, en is Goudlokje teruggekomen.

Wanneer ze het kasteel nadert ziet Ellen Conors auto staan. Ze zet de Volvo ernaast en stapt uit. Haar bleke gezicht vormt een scherp contrast met haar donkere haar. Er staat angst op te lezen. En terecht. Conor heeft een opvliegende aard en niets maakt hem zo woedend als wanneer mensen niet eerlijk tegen hem zijn. Hij vertrouwde Ellen en zij heeft zijn vertrouwen misbruikt. Ik denk niet dat hij het haar ooit zal vergeven. Sterker nog, dat weet ik wel zeker.

Ik zie haar naar de voordeur lopen. Ze voelt aan de knop. De deur zit niet op slot en ze duwt hem langzaam open, alsof ze bang is voor wat ze daarachter zal aantreffen. Conor zit nog steeds op de trap. Wanneer hij haar ziet binnenkomen, staat hij op. Hij stopt zijn handen in zijn zakken en tot mijn vreugde heeft hij zich verschanst achter de muur die me maar al te vertrouwd is. Die onzichtbare, maar onneembare muur waarmee hij anderen buitensluit. Ellen beseft dat en ik voel haar wanhoop. Conor is een vreemde voor haar geworden. Hij is niet langer haar minnaar. Ze is hem kwijt, alleen weet ze dat nog niet. Ze denkt dat er nog hoop is. Maar wanneer hij die muur eenmaal heeft opgetrokken, is er meer nodig dan uitleg en smeekbedes om hem weer neer te halen.

'Ik dacht dat het niet belangrijk was,' begint ze kleintjes. De blik in zijn koude ogen blijft onbewogen, hij zegt niets. En dus praat ze maar door. Machteloos. 'Ik hou niet van hem! Daarom ben ik van huis weggelopen. Ik was op de vlucht voor hem en mijn moeder toen ik hiernaartoe kwam. Ik wilde de verloving niet per telefoon uitmaken, maar ik wilde ook niet terug naar Londen. Dus ik heb hem uit mijn hoofd gebannen en dacht alleen maar aan jou. William is helemaal niet belangrijk! Begrijp dat toch, alsjeblieft. De enige die belangrijk voor me is, ben jij!'

Hij ademt diep in door zijn neus. 'Je had het me moeten vertellen.'

'Dat weet ik. En dat spijt me.'

'Ik vertrouwde je onvoorwaardelijk. Ik heb me volledig blootgegeven, en wat krijg ik ervoor terug? Een klap in mijn gezicht!'

'Nee! Dat zie je verkeerd! William bestond niet meer voor me. Voor mijn gevoel was ik allang niet meer verloofd. Ik werd verliefd op jou, en toen heb ik al het andere op slag losgelaten.'

'Het deugt niet om een man op die manier te laten vallen. Je had eerlijk tegen hem moeten zijn, in plaats van hem aan het lijntje te houden. Die arme kerel! Heb je daar ook maar één moment aan gedacht?'

'Nee, want ik dacht alleen aan jou.'

'Nou, je kunt nu terug naar Londen om het hem te vertellen.'

'Dat zal ik ook doen.'

'Tenzij je natuurlijk al je opties open wilde houden. Misschien is dat het. Misschien wilde je eerst zeker weten of ik wel de moeite waard was.'

'Dat heb ik altijd zeker geweten. Vanaf het eerste moment.'

'Jammer, want dat doet er niet meer toe. Het is uit tussen ons.'

Ze wordt zo mogelijk nog bleker. 'Conor! Alsjeblieft!'

'Ik wil geen vrouw die ik niet kan vertrouwen. Daarvoor ben ik in mijn leven net iets te vaak teleurgesteld. Eerlijkheid is belangrijk voor me.'

'Ik zal nooit meer oneerlijk tegen je zijn.' Ze klampt zich vast aan de puinhopen van hun stukgelopen relatie, als een zeeman die schipbreuk lijdt. 'Alsjeblieft! Je moet me vergeven!'

Hij lacht hol. 'O, Ellen. Ik dacht dat jij anders was. Ik dacht oprecht dat wij voor elkaar bestemd waren.' Ze begint te huilen, maar hij is hardvochtig, en ik concentreer al mijn wilskracht op hem, zodat hij sterk blijft en niet door de knieën gaat. De tranen van een vrouw zijn een machtig wapen, en hij moet zich blijven concentreren op wat hij écht wil. Hij mag zich niet door haar tranen laten vermurwen. Ik kijk neer vanuit mijn portret; hij slaat zijn ogen naar me op, en onze blikken vinden elkaar. Wanneer ik de vastberadenheid in zijn ogen zie, weet ik dat ik heb gewonnen.

Hij loodst haar naar buiten en trekt de deur achter zich dicht. 'Dus dat was het?' vraagt ze verbaasd. 'Je laat me vallen omdat ik je niet heb verteld dat ik verloofd was? Terwijl ik nooit van plan ben geweest met William te trouwen?'

'Nee, omdat je niet de vrouw bent die ik dacht dat je was.'

Het kost haar de grootste moeite nog iets uit te brengen, door haar tranen heen. 'Dan ben jij niet de man die ik dacht dat je was!' Ze stapte in de auto en rijdt weg zonder nog één keer achterom te kijken. Conor blijft nog lang voor het kasteel staan en kijkt haar na tot de auto uit het zicht is verdwenen. Zijn blik blijft op de eikenlaan gericht, alsof hij verwacht dat ze misschien terugkomt. Wanneer dat niet het geval is stapt hij ten slotte in zijn Range Rover en scheurt weg in de tegenovergestelde richting. Ik kan wel juichen. Ondanks de steeds dichtere mist die me omhult, voel ik me de winnaar. Conor is weer van mij. Van nu af aan zal ik hem zorgvuldiger bewaken.

In de drukkende atmosfeer van mijn verduisterende wereld ontdek ik dat ik niet alleen ben. Ik zie gezichten achter de ramen van mijn kasteel. Ze kijken naar me. Het zijn de gezichten van andere ongelukkige zielen. Opgesloten in hun eigen duistere voorgeborchte kijken ze naar buiten, als gevangenen van achter de tralies van hun cel. Ik weet nu waarom ik hen eerder niet kon zien. Dat kwam doordat ik bestond uit hogere vibraties. Inmiddels ben ik een van hen, ik ben diep gezonken en naar hun niveau afgedaald. Maar ik heb geen spijt. Verblind door vastberadenheid en bezitsdrang voel ik me uitgelaten na de strijd die ik heb gewonnen. Ik heb mijn familie beschermd tegen een indringer. Dat is mijn plicht als echtgenote en moeder. Daarvoor ben ik bereid mijn ziel te offeren. En dus berust ik in dit bestaansniveau. De hemel is nu zo ver weg dat ik de weg erheen nooit zal kunnen vinden, zelfs niet als ik dat zou willen. Maar ik wil hier blijven. Bij Conor en Ida en Finbar. En zolang zij hier zijn, blijf ik bij hen. Wanneer hun tijd gekomen is, hoop ik dat ze een manier zullen vinden om me mee te nemen. Want ik laat hen niet alleen. Zolang ik besta, laat ik hen niet alleen.

30

Ellen stopte op een parkeerhaven. Snikkend liet ze haar hoofd op het stuur zakken. Het was dezelfde parkeerhaven waar ze nog maar een paar weken eerder ook was gestopt, na haar eerste ontmoeting met Conor. Ze had nooit kunnen denken dat ze hier nu weer zou staan, snikkend alsof haar hart was gebroken.

Ze had hem over William moeten vertellen. En ze had in haar briefje eerlijk moeten zijn tegenover William, of ze had het hem persoonlijk moeten zeggen. Dat was minder wreed geweest. Ze had er een puinhoop van gemaakt en als ze de klok kon terugzetten, zou ze het allemaal anders doen. Conor was bedrogen en teleurgesteld door zijn vrouw, en nu had zíj hem ook teleurgesteld! Ze zou er alles voor over hebben om dat ongedaan te kunnen maken. Ze begreep zijn woede, maar ze begreep niet dat hij haar de rug had toegekeerd. Hij was zo verliefd geweest, zo vol liefde. Hoe was het mogelijk dat hij zijn gevoelens zo onherroepelijk, van het ene op het andere moment, kon uitschakelen? Had hun relatie zo weinig voor hem betekend dat hij er voor één kleine misstap een streep onder zette?

Ze dacht aan haar moeder en Dylan in het huis van Peg, met haar ooms. Daar ging ze niet naartoe. Ze reed door en parkeerde aan de voet van de heuvel vanwaar Caitlins kleine kapel uitkeek over zee. Ze wist dat ze daar troost zou vinden.

Met haar jas dicht om zich heen getrokken liep ze het pad op door de hei en het hoge gras. De wind droogde haar tranen, de schoonheid om haar heen vulde de holle leegte van het verlies diep vanbinnen. Bij het hek gekomen duwde ze het open. Aan haar linkerhand was het graf van

Caitlin met de marmeren zerk en de gebruikelijke vaas met rode rozen. Het mysterie van degene die de bloemen daar neerlegde leidde haar even af van haar verdriet. Ze dacht aan Caitlin en aan de geheimen die ze mee het graf in had genomen. Misschien was degene die nog altijd bloemen bij haar steen legde wel de reden dat ze Conor had teleurgesteld. Misschien was ze verliefd geworden op een ander en hadden ze daarom ruzie gehad, die nacht waarin ze omkwam bij de brand.

Ellen liep het pad op naar de kapel. Binnen was het kil en vochtig, maar beschut. Ze liep het gangpad door en ging op de voorste bank zitten, met haar gezicht naar het altaar. Door de ramen, bedekt met vochtaanslag, viel een zwak, groezelig licht, en de schemering versterkte het verloren gevoel dat op haar drukte. Ze ademde de muffe lucht in. Had ze nu maar sigaretten bij zich! Als ze ooit behoefte had gehad aan een sigaret, dan was het nu wel. Ze gaf zich over aan zelfbeklag, en terwijl ze haar verdriet de vrije loop liet, begon ze weer te huilen. Kon ze zonder Conor in Connemara blijven? Had ze genoeg aan haar familie? Waarom gaf het lot met de ene hand, en nam het je vervolgens met de andere weer iets af? Waarom werd elke positieve ervaring altijd weer te niet gedaan door een negatieve gebeurtenis?

Ze bleef heel lang in de kapel. De vredige rust en de stilte kalmeerden haar, zodat ze in staat was haar situatie rustiger onder ogen te zien. Net toen het verdriet haar opnieuw dreigde te overmannen, dacht ze aan Dylan, aan die keer dat ze hier samen muziek hadden gemaakt. En bij de herinnering aan hun stemmen, weerkaatst door de eeuwenoude muren, lachte ze door haar tranen heen.

Toen haar maag begon te rommelen, besloot ze terug te gaan naar Peg. Langzaam liep ze de heuvel af. Ze had geen haast, er was niemand die op haar wachtte. Het motregende nog steeds. Zware grijze wolken joegen langs de hemel, landinwaarts gedreven door een ijzige, harde wind. Ze ontleende troost aan het schitterende uitzicht op de zee. De vuurtoren hield uitdagend stand in het geweld van de wind en de golven, als een ridder in een witte tuniek die weigert zich over te geven, ook al is hij doorzeefd met kogels en ook al steken zijn botten door zijn huid. Ellen bleef even staan en keek naar de zwenkende witte meeuwen. Ze deden haar denken aan engelen die wachtten om de ziel van de vuurtoren mee te voeren naar haar eeuwige thuis. Maar de toren stond pal,

alsof hij zijn tanden op elkaar zetten, en weigerde toe te geven, alsof hij
zich uit alle macht vastklampte aan het leven. Ineens kwam er een idee
voor een liedtekst bij haar op. *O, moegestreden toren, lichtend baken in
de zee, je strijd is gestreden, het leed is geleden, de engelen voeren je mee.*
Ze bleef staan en terwijl ze de melodie neuriede, viel er een sprankje
licht in het duister van haar gebroken hart. Hoofdschuddend zette ze
haar handen op haar heupen. Wat een ironie dat ze inspiratie kreeg op
het moment dat ze had besloten te vertrekken.

Toen ze thuiskwam stonden Johnny's pick-up en de auto van Desmond
nog naast die van Dylan, en de chauffeur van haar moeders huurauto
zat de krant te lezen in zijn glimmend zwarte wagen. Ellen haalde diep
adem en sprak zichzelf moed in. Haar hoofd stond helemaal niet naar
gezelschap, wie het ook was. Het liefst zou ze onder de dekens zijn gekropen om haar wonden te likken. Maar op het moment dat ze uit de
auto stapte, kwam Oswald vanuit zijn huis aanlopen.

'Lieve hemel, wat is er aan de hand?' vroeg hij met een verbijsterde
blik op de vele auto's.

'Mijn moeder is er,' antwoordde Ellen.

'Goeie genade. Is alles goed met Peg?'

'Ja, ze is geschrokken. Maar verder is alles goed met haar.'

Hij keek naar haar betraande gezicht, haar verdrietige ogen. 'Maar
met jou niet, hè?' zei hij met een meelevende glimlach.

'Nee, niet echt.' Ze haalde hulpeloos haar schouders op. 'Het is allemaal afschuwelijk misgelopen, Oswald. Ik heb tegen iedereen gelogen,
en daar word ik nu zwaar voor gestraft.'

'Als je niet eerlijk bent geweest, dan had je daar vast een goede reden
voor.'

'Dat dacht ik ook, maar Conor wil me nooit meer zien.'

Hij keek naar Pegs keukendeur. 'Wil je naar binnen?'

'Nee, niet echt.'

'Ga dan met mij mee, dan kun je me alles vertellen. Ik ben een wijze,
oude man. En ik heb meer ervaring met de liefde dan je misschien
denkt.'

Ze volgde hem naar een onberispelijke zitkamer. In de haard brandde een knapperend vuur. Voor het raam stond een schildersezel en op een ronde houten tafel ernaast had hij zijn verf en zijn kwasten keurig uitgestald.

'Wat ben je netjes voor een kunstenaar,' zei ze, terwijl ze erheen liep om te zien waar hij aan werkte. Ze hield haar adem in toen haar tante haar aankeek vanaf het doek. 'Lieve hemel, dat is Peg!'

'Niks zeggen, hoor.' Oswald glimlachte geheimzinnig. 'Het is een cadeautje.'

'Ze zal niet weten wat ze ziet. Het is echt goed! Ik bedoel... niet dat je andere werk niet goed is, maar dit... ze is het helemaal!'

Oswald toonde zich niet gekwetst. Hij liep door de kleine hal en verdween in de keuken. Ellen ging nog dichter bij het doek staan en herkende de bescheidenheid van Pegs glimlach, de warmte in haar ogen, waarin zowel haar vreugde als haar verdriet te lezen stond. Oswald had haar niet alleen uiterlijk perfect weergegeven, hij had haar ook geschilderd zoals hij haar zag wanneer ze hem aankeek. En dat was een andere Peg dan de Peg die de rest van de wereld te zien kreeg. Het was alsof Oswald haar geest, haar persoonlijkheid in de verf had weten te vangen, en dat gaf haar een tere schoonheid die Ellen niet eerder had opgemerkt. Op dat moment besefte ze dat Oswald van haar tante hield en dat besef maakte haar zo gelukkig dat ze glimlachte. Zou Peg het ook beseffen, wanneer hij haar het schilderij gaf?

Even later kwam Oswald terug met twee mokken koffie, een kannetje melk en een kom suiker. 'Peg schenkt veel te veel thee.' Hij zette zijn blad op de kleine tafel voor het vuur. 'Je lijkt me meer een koffiedrinker.'

'Wat heerlijk! Ik heb geen koffie meer gedronken sinds ik hier ben. En ik heb echt iets nodig om weer warm te worden.'

'En weer vrolijk. Vertel! Waar heb je over gejokt?'

Ze ging zitten en deed suiker in haar koffie. Het had geen zin nog langer te zwijgen. Ze vroeg zich af waarom ze niet van meet af aan open kaart had gespeeld. 'Ik ben officieel verloofd. Met William Sackville.'

'Aha! En hoe is Conor daarachter gekomen?'

'Mijn moeder heeft het hem verteld.'

'En zij wil graag dat je met deze William trouwt?'

'Ja, ze denkt dat hij de juiste man voor me is. De juiste partij. Want hij is rijk en voornaam. En dat zijn, volgens mijn moeder, de enige kwaliteiten die ertoe doen in een man.'

'Aha!' zei hij weer. 'Dus daarom ben je weggelopen.'

'Op dat moment wist ik niet goed wat ik wilde. Ik wilde alleen weg. Van William, van mama, en van de toekomst die ze voor me had uitgestippeld.'

'En Conor is kwaad omdat je hem dat niet hebt verteld.'

'Ja. Hij zegt dat hij me nooit meer kan vertrouwen.'

'Ach, hij komt er wel overheen.'

Ellen schudde verdrietig haar hoofd. 'Nee, dat denk ik niet.'

'Hij is boos. Je moet hem gewoon wat tijd geven.'

'Ik denk niet dat hij het me óóit zal vergeven. Je had zijn gezicht moeten zien. Keihard. Onverzettelijk. Echt verschrikkelijk. Blijkbaar had Caitlin hem ook al teleurgesteld. Dus ik ben net zo erg als zij. In de laatste jaren van hun huwelijk hield hij niet meer van haar. Ze vervulde hem met weerzin.'

'Ach! Echt waar?'

'Ja, hij kan zelfs de herinnering aan haar niet meer verdragen. En nu haat hij mij ook.'

'Maar Caitlin is dood, kindje! En jij bent springlevend.'

'Dat is nog niet alles. Dylan is mijn echte vader.'

Het scheelde niet veel of Oswald had zijn kopje uit zijn handen laten vallen. 'Goeie genade! Die zag ik niet aankomen!' Voor de veiligheid zette hij zijn kopje op tafel.

'Ik ook niet, maar toch is het zo.' Ze haalde haar schouders op. 'De doos van Pandora staat wijd open. Daar hebben ze het over in de keuken. Allemaal leugens en bedrog. En ik ben net zo erg als mijn moeder.'

'Vertel me nou eens rustig wat er allemaal is gebeurd. Van het begin af aan.' Hij zette zijn bril op, haalde een zakdoek uit zijn borstzak en begon de glazen schoon te wrijven. 'En laat míj dan oordelen hoe erg het is wat jij en je moeder hebben gedaan!'

Ellen vertelde hem het hele verhaal, vanaf de dag dat haar moeder uit Ierland wegging, tot haar terugkeer, drieëndertig jaar later. Oswald luisterde zwijgend. Hij liet alles op zich inwerken en keek haar aan met een blik van compassie in zijn wijze, oude ogen. 'Waar ligt je hart, Ellen?' vroeg hij ten slotte vriendelijk.

'Hier. Maar ik weet niet of ik hier wel wil blijven zonder Conor.'

'Aha.' Hij zag eruit als een dokter die alle informatie meeneemt in zijn overwegingen voordat hij een diagnose stelt. 'En wat wil je met je vader? Wat ben je van plan? Ga je het hem vertellen? Je moeder wist niet of hij het weet, zei je.'

'Ik weet niet wat ik wil.' Ze keek hem hulpeloos aan. 'Wat denk jij dat ik moet doen?'

Hij vouwde zijn handen in zijn schoot. 'Ik zal je zeggen wat ik ervan denk. Maar uiteindelijk moet je doen wat voor jou goed voelt, Ellen.'

'Oké.' Ze begon nerveus op haar duimnagel te bijten.

'Ik denk dat je met je vader moet praten. Anders blijft die leugen de rest van je leven tussen jullie in staan. En volgens mij wordt het hoog tijd dat iedereen ophoudt met jokken en dingen geheimhouden.' Ze knikte, ook al zag ze als een berg op tegen de confrontatie met haar vader, omdat ze bang was hem verdriet te doen. 'En William moet je zo snel mogelijk duidelijk maken dat de verloving voorbij is. Vriendelijk maar beslist. En niet via de telefoon. In een gesprek onder vier ogen.'

'En dan?'

'Dan kom je hier weer terug.'

'En Conor dan?'

'Tja, dat zal de tijd moeten uitwijzen. Maar je plaats is hier, Ellen. Je hebt een baan bij Alanna, je hebt een kamer bij Peg, en je hebt een vader die je wil leren kennen. Ierland zit in je bloed. Van beide kanten. Het is geen wonder dat je hart hier ligt, als een mus die in zijn nestje zit.'

Ze nam een slok koffie. 'Ik denk niet dat ik het kan,' zei ze toen, terwijl ze haar kopje op tafel zette. 'Alles hier herinnert me aan hem. Waar ik ook kijk, overal zie ik hem.'

'Als je dat zeker weet, moet je gaan. Maar dat zouden we allemaal erg spijtig vinden,' zei hij verdrietig. 'Vooral Peg. En Dylan, natuurlijk. Je zou een grote leegte achterlaten.'

'O, Oswald! Dat moet je niet zeggen.' Ellen begon weer te huilen.

'Maar het is zo.' Hij klopte haar welwillend op haar hand. 'En we hadden toch besloten om van nu af aan alleen nog maar eerlijk te zijn tegen elkaar?'

Toen Oswald en Ellen even later bij Peg de keuken binnenkwamen, zaten de Byrnes nog rond de keukentafel, met Madeline, Dylan en Peg. De stemming was bedrukt, maar niet ongemakkelijk. Er werd op gedempte toon gesproken en er hing een sfeer van verbondenheid. Ze zagen er eerder uit als een dievenbende dan als een ontwrichte familie die na meer dan dertig jaar eindelijk was herenigd. Even voelde Ellen dat haar vastberadenheid wankelde. Bij de gedachte aan de formele keuken in Eaton Court zonk de moed haar in de schoenen. Ze was zo vertrouwd geworden met Peg en Mr. Badger en Bertie. En Reilly, de eekhoorn die in het washok zijn winterslaap hield, had ze nog niet eens ontmoet. Ze voelde zich op haar gemak met haar ooms. Ze maakten haar niet langer nerveus met hun brede schouders en hun donkere gezichten. En in Dylan had ze een zielsverwant gevonden.

De gesprekken in de keuken staakten. Madeline nam haar dochter bezorgd op. 'Wat zei hij?' vroeg ze.

'Ik ga mee naar huis,' antwoordde Ellen eenvoudig.

Peg reageerde geschokt. 'Ga je weg?'

'Maar je bent er net!' zei Dylan. Ellen sloeg haar ogen neer, want ze kon hem niet aankijken. 'Je gaat toch niet terug om met die William te trouwen?'

'Nee, natuurlijk niet.'

'En je komt toch wel weer terug?' vroeg Peg.

'Ik weet het niet.' Ellen moest vechten tegen haar tranen. De blik van Dylan was zo intens dat hij haar dwong hem aan te kijken. Zijn gezicht zag grauw, zijn grote, bruine ogen stonden verdrietig.

'Je kunt je door Conor Macausland niet uit Ierland laten wegjagen, Ellen,' zei hij.

'Precies!' viel Johnny hem bij. 'Die man is gek!'

'Wil je dat wij met hem gaan praten?' vroeg Desmond, en Ellen was verrast door zijn aanbod haar te helpen. Hij was wel de laatste van wie ze dat had verwacht.

'Nee,' antwoordde ze haastig. Ze wilde niet dat haar ooms zich ermee bemoeiden en het allemaal nog veel erger maakten. 'Het is goed zo.'

'En wat zijn jouw plannen?' vroeg Peg aan haar zus. 'Je kunt hier niet na al die tijd naar binnen stappen en dan meteen weer rechtsomkeert maken.'

'Dat was eigenlijk wel de bedoeling,' antwoordde Madeline schaap-achtig.

'Maar?' drong Dylan.

'Nou ja, ik heb niets meer te verbergen, dus...'

'Je blijft in elk geval slapen,' zei Peg.

'Goed. Ik blijf vannacht slapen,' antwoordde Madeline. Toen keerde ze zich naar haar dochter, die nog altijd midden in de keuken stond, samen met Oswald. 'Tenminste, als jij dat goedvindt.'

Ellen knikte. 'Natuurlijk. Blijf zolang als je wilt. Je hebt jaren in te halen.'

'Mooi, dat is dan geregeld,' zei Peg. 'Dan hebben we je in elk geval nog een nachtje hier, Ellen.' Het ontging Ellen niet dat ze dapper glimlachte naar Oswald. Ze moest hier weg, dacht ze. In de wetenschap dat ze het allemaal moest achterlaten, kon ze het niet opbrengen nog langer in de vertrouwde keuken te blijven. Ze vluchtte naar boven. Ze hoopte dat Conor had gebeld, maar toen ze de telefoon aanzette die ze van hem had gekregen, zag ze dat hij dat niet had gedaan. En hij had haar ook niet ge-sms't. Ze liet zich op het bed vallen en staarde ongelukkig naar het plafond.

Ze overwoog hem te sms'en, om nogmaals te zeggen dat het haar speet en om hem te smeken op zijn besluit terug te komen. Maar toen zag ze in gedachten zijn kille, onbewogen gezicht weer voor zich, en bij de herinnering aan zijn woede, legde ze de telefoon weg. Hij zou alleen maar nóg bozer worden. Iedereen had haar gewaarschuwd. Iedereen had gezegd dat er alleen maar narigheid van kon komen. Maar ze verlangde naar hem met elke vezel van haar wezen. Verdrietig ging ze op haar zij liggen, met haar kussen in haar armen.

Blijkbaar was ze in slaap gevallen, want toen ze haar ogen opende, zat haar moeder op het voeteneind van haar bed. 'Ik wilde je niet wakker maken,' zei ze zacht.

'Dat geeft niet.' Ellen kwam overeind.

'Ik weet zeker dat Conor wel bijdraait. Om zoiets onbelangrijks ga je niet uit elkaar.'

'Je kent Conor niet, mam.'

'Ik weet inmiddels alles over hem.'

'En dat zal wel niet veel goeds zijn geweest.'

'Integendeel. Dylan had alléén maar positieve dingen over hem te zeggen. Als hij echt van je houdt, weet ik zeker dat hij bijdraait, lieverd.'

'Ik weet niet zeker of hij genoeg van me houdt. Daar hebben we nauwelijks de tijd voor gehad.'

Madeline glimlachte wijs. 'De liefde heeft geen tijd nodig, Ellen.'

'Hoe is het om Dylan weer te zien? Is het vreemd?'

'Hij is niets veranderd.' Madeline slaakte een zucht. 'Hij is nog altijd de Dylan die ik vroeger kende. De Dylan van wie ik heb gehouden.'

'We spelen gitaar en we zingen samen. Hij is geweldig!'

'Ja, dat hoef je mij niet te vertellen.' Ze nam haar dochter nadenkend op. 'Je lijkt erg op hem. Als ik jullie samen zie, is de gelijkenis nog duidelijker.'

'Heeft papa hem ooit ontmoet?'

'Ja, maar ik denk niet dat hij dat nog weet. Dat is al zo lang geleden.'

'Ik ga het hem vertellen.'

Madelines gezicht verhardde. 'Waarom zou je dat doen?'

'Omdat ik vind dat we allemaal genoeg hebben gelogen,' antwoordde ze vastberaden.

'Wat heeft het voor zin om je vader verdriet te doen?'

'Mam, tegen de tijd dat we hier vertrekken, weet heel Ballymaldoon dat ik Dylans dochter ben. Je weet toch hoe ze zijn? En stel dat papa het op de een of andere manier te horen krijgt. Dat wil ik niet. Hij moet het van jou of van mij horen. En ik heb zo'n vermoeden dat ik het hem zal moeten vertellen.'

'Doe nou niets overhaasts. Denk goed na voordat je erover begint. Het is allemaal al zo lang geleden gebeurd.'

'Het gebeurt nog steeds, mam. Daar ben ik het levende bewijs van. Je kunt míj toch ook niet in het verleden begraven?'

'Nee, natuurlijk niet. Maar denk na over wat het voor je vader betekent, voordat je het heden laat vergiftigen door het verleden. Daar moet je echt goed over nadenken. Dit gaat niet alleen om jou, om mij en om Dylan. Je vader houdt van je.'

'En hij verdient het om de waarheid te weten,' voegde Ellen eraan toe. De lippen van haar moeder vormden een dunne lijn, en ze stak haar kin naar voren. Ellen had een glimp van de oude Maddie Byrne opgevangen, maar ze was inmiddels al zo lang Lady Anthony Trawton dat ze nooit meer echt terug kon naar het meisje van vroeger.

'Je zou me diep teleurstellen als je het hem vertelde.' Ook haar stem had weer de koele, harde klank die Ellen maar al te goed kende. 'Ik begrijp je boosheid omdat ik tegen je heb gelogen, omdat ik je nooit over Dylan heb verteld en omdat ik je een leven van luxe en privileges heb gegeven dat je anders nooit zou hebben gehad. Maar Anthony treft geen enkele schuld. Hij is altijd een goede vader voor je geweest, en voor mij een goede man. Afijn, we gaan lunchen in het dorp. Craic wil me zijn pub laten zien, en nu ik hier toch ben, wil ik ook de rest van de familie ontmoeten. Ga mee. Dat zal je goeddoen. Je kunt hier niet de hele dag gaan liggen mokken. Daar krijg je Conor niet mee terug.'

Ellen ging met tegenzin mee, maar ze moest toegeven dat lunchen met haar familie in de Pot of Gold een troostrijke uitwerking had. Zelfs Peg, die nooit meer een voet in de pub zette, had zich door Oswald laten overhalen om mee te gaan. Ellen was blij dat haar tante haar verzet eindelijk had opgegeven en haar arm door die van Oswald schoof. Bang voor geroddel hoefde ze niet te zijn, want door de komst van haar zus zou niemand het over háár hebben.

Het duurde niet lang of het hele dorp wist dat Maddie Byrne terug was, dus de pub zat stampvol. Iedereen was nieuwsgierig naar het meisje over wie heel Ballymaldoon schande had gesproken toen ze ervandoor ging met een Engelse aristocraat. De terugkeer van de verloren dochter werd uitbundig gevierd, en ze werd als een prinses behandeld, door familie, vrienden en mensen die het verhaal alleen kenden van horen zeggen.

Madeline genoot zichtbaar van de aandacht. Naarmate de wijn rijkelijker vloeide en ze steeds meer het gevoel had in de schoot van haar familie te zijn opgenomen, leek ze weer iets van haar harnas af te leggen. Van haar keurige kapsel was niets meer over dankzij het vocht in de lucht, en de emoties hadden een blos op haar wangen getoverd. Ze glimlachte stralend en was minder verkrampt. Wanneer ze lachte, klonk het niet afgemeten zoals anders, maar hees en spontaan. Ze zag er jonger uit. Opnieuw zag Ellen een glimp van Maddie Byrne, van het meisje dat haar moeder was geweest voordat het allemaal verkeerd ging en ze hard en verbitterd was geworden door de teleurstellingen van het leven. Ellen wist echter dat de verandering van korte duur zou zijn.

Wist Dylan dat ook, vroeg ze zich af. Haar moeder woonde al te lang in Londen om die periode – en de vastberadenheid waarmee ze zich aan haar leven daar had vastgeklampt – gemakkelijk van zich af te kunnen zetten.

Ellen was als verdoofd. Hoe meer ze naar haar familie, naar Oswald en naar Dylan keek, hoe meer pijn het haar deed om hen te moeten verlaten. Maar ze betrapte zich er ook op dat ze haar blik voortdurend door de pub liet gaan, op zoek naar Conor. En elke keer dat de deur openging, elke keer dat er een vlaag koude wind naar binnen kwam, dacht ze dat haar hart stilstond en wenste ze vurig dat hij het was. Maar hij was het nooit. En de kans was groot dat hij het ook nooit meer zou zijn. Zo kon ze niet leven, wist ze. In Londen zou ze in elk geval niet voortdurend en overal hopen hem tegen te komen. In Londen had ze meer kans om hem te vergeten. Dat was haar moeder tenslotte ook gelukt.

31

Conor is zichtbaar ongelukkig. Mijn opzet is geslaagd en ik zou me triomfantelijk moeten voelen. Maar zo voel ik me helemaal niet. Er is iets in zijn verdriet wat me ongemakkelijk maakt, want dit verdriet is anders dan destijds, na mijn dood. Toen straalde hij duisternis en grimmigheid uit, alsof hij een verschrikkelijk geheim met zich meedroeg. Nu heeft hij niets duisters, niets geheimzinnigs. Hij is gewoon vermorzeld, verbijsterd door het verlies. Hij hield van Ellen, en wat nog opmerkelijker was, hij vertrouwde haar. En dat vertrouwen heeft ze beschaamd. Hij is ziek van verdriet. Eerst was ik jaloers op zijn geluk, nu op zijn verdriet.

Wanneer Ellen wegrijdt van het kasteel, kijkt hij haar na tot de auto onder de eikenbomen uit het zicht is verdwenen. Hij blijft nog lang staan, alsof hij verwacht dat ze terugkomt. Maar dat doet ze niet. Ellen is weg, en ik hoop dat ze teruggaat naar Londen. En dat ze daar blijft. De tijd zal Conors gebroken hart helen, en uiteindelijk zal hij beseffen dat zijn liefde voor mij dieper gaat dan de oppervlakkige verliefdheid die hij voor Ellen koesterde. Vrouwen zullen in zijn leven komen en gaan, als fraaie lelies in een vijver. Maar ik ben de onderstroom die er altijd is.

Hij zet zijn handen op zijn heupen en fronst zijn voorhoofd, alsof er een gedachte bij hem is opgekomen die hem woedend maakt. Dan draait hij zich om en loopt doelbewust terug naar het kasteel. Binnen gaat hij opnieuw voor mijn portret staan. Ik kijk op hem neer met mijn ogen van verf, en het is alsof we elkaar net als vroeger aankijken, toen we nog leefden. Ik weet zeker dat hij me kan zien. Mijn hart maakt een sprongetje van blijdschap, want als hij niet intuïtief voelde wat zich achter de verf bevindt, zou hij me niet zo aankijken. Zijn frons wordt dieper, alsof hij zich geconfronteerd voelt met iets wat onmogelijk echt kan zijn. Maar ik ben niet onmogelijk, liefste. Ook in de dood ben ik bij je, echter en oprechter dan toen ik nog leefde. Hij schudt zijn hoofd, dan kijkt hij opnieuw naar mijn knappe gezicht. Ik weet dat mijn dood een kwelling voor hem is. Maar de dood is een illusie, Conor. Ik ben hier! Als je je ogen sluit, als je vertrouwt op je intuïtie, kun je mijn aanwezigheid voelen.

'O, Caitlin,' zegt hij kreunend. 'Wat heb je gedaan?' Ik weet niet goed wat hij daarmee bedoelt. Het liefst zou ik denken dat hij spijt heeft van onze ruzie in de vuurtoren, en dat hij mijn impulsieve vlucht naar boven en mijn sprong naar de dood betreurt. Maar er is iets in zijn gezichtsuitdrukking wat dat tegenspreekt. Hij is boos op me. Hij kijkt me aan met een blik vol weerzin. Wankelend, diep geschokt trek ik me terug uit het schilderij en het voorgeborchte waarin ik nu beland, is nog donkerder dan het vorige. Conor schudt zijn hoofd en glimlacht cynisch. 'Dit is jouw schuld,' zegt hij verwijtend, en ik zie een harde, rancuneuze uitdrukking op zijn gezicht verschijnen. 'Ik had het kunnen weten. Je was jaloers toen je nog leefde, en dat ben je nog steeds. Laat me los, Caitlin.' Hij gaat met een hand door zijn haar en grinnikt verbitterd. Zijn blik gaat naar de plavuizen. Hij is zich ervan bewust dat hij in zichzelf staat te praten en denkt dat het krankzinnig klinkt. Maar mij klinkt het niet krankzinnig in de oren.

Zijn woorden steken als dolken in mijn hart. Het is alsof ik opnieuw sterf. Weet hij dan niet dat ik het allemaal uit liefde heb gedaan? Kon ik maar uitleggen dat híj me ertoe heeft gedreven! Dat ik nooit zover zou zijn gegaan, dat ik hem nooit zou hebben teleurgesteld als ik zeker was geweest van zijn liefde. Dat het dan allemaal nooit zou zijn gebeurd. Dat ik dan nog in leven zou zijn.

Hij laat me achter in het kasteel, maar ik ben niet alleen. Wanneer ik me omdraai zie ik de grauwe, ongelukkige schepselen die op me neerkeken van achter de bovenramen. En ik besef dat ik net zo grauw en ongelukkig ben als zij. Ik kom tot het inzicht dat het universum is opgebouwd uit vibratie. Hoe sneller de vibratie, hoe lichter de entiteit. Deze arme zielen zijn traag en zwaar, net als ik. Ik denk aan Ciara en haar stralende energie. Wat moet ik doen om mijn vibratie op te voeren, zodat ik net zo gelukkig word als zij? Ik weet het niet. Misschien ben ik voorbestemd om tot in eeuwigheid op dit niveau te blijven rondwaren. En de vraag dringt zich op waarom ik de hemel heb opgeofferd. Voor een man die niet van me houdt en voor mijn kinderen die nauwelijks weten dat ik er ben. Ik kijk om me heen en bij de gedachte de eeuwigheid in gezelschap van deze treurige zielen te moeten doorbrengen, zak ik nog dieper weg.

Conor rijdt nors en somber terug naar Reedmace House en snauwt zijn zoon af als Finbar vraagt of hij een potje met hem wil schaken. 'We gaan weg,' zegt hij nijdig. Dan roept hij om zijn moeder. Daphne is verbijsterd wanneer ze hem zo onverwacht tekeer hoort gaan, maar ze kent hem zoals alleen een moeder haar zoon kent. Zijn gezicht staat grimmig, in zijn ogen ligt een bezeerde uitdrukking, zijn hart bloedt. Ze vraagt niet wat er is gebeurd. Conor zal het haar pas vertellen als hij er klaar voor is, en geen moment eerder. Maar ze weet dat Ellen de oorzaak is en haar hart bloedt ook, want ze had haar hoop op Ellen gevestigd.

Ze vertrekken per helikopter naar Dublin en ik ben zo geschokt, zo gekwetst door Conors afwijzing dat ik in Connemara blijf. Ik wil verder. Ik wil mijn duistere voorgeborchte achter me laten, maar daar is het nu te laat voor. Het licht is verdwenen, ik ben in duisternis gedompeld. Het is alsof er een dichte mist over het land hangt. Een mist waar ik nauwelijks doorheen kan kijken. Ik verlang naar het strand. Ik verzamel de weinige energie die ik nog heb, en ga erheen. Door de duisternis die ik oproep, is het te donker om de vuurtoren te zien, maar ik weet dat hij er is. Ik volg het kleine stukje kust, omhoog zwevend en weer neerdalend als een blad op de wind, en ik voel me ellendig tot in het diepst van mijn ziel. Alles lijkt verloren, het is alsof ik in de hel ben terechtgekomen. Maar ook al weet ik niet hoe dat heeft kunnen gebeuren, ik weet dat ik deze situatie aan mezelf te danken heb. En dat het niet in mijn vermogen ligt er iets aan te doen. Wat ik wel weet, is dat mijn verlangen naar licht sterker is dan mijn verlangen naar Conor en mijn kinderen. Diep vanbinnen ben ik me bewust van een gruwelijk, verterend gevoel van heimwee. Ik wil naar huis!

Dan zie ik twee mensen over het strand lopen. Ik weet niet of het dag is of nacht, want om me heen is het nu permanent donker. Wanneer ze dichterbij komen zie ik dat het Peg en Madeline zijn. Wat een merkwaardig duo! Peg is klein en rond, als een kool, Madeline lang en slank, als een selderijstengel. Ik word afgeleid van mijn eigen ellende. Ze lopen te praten, met hun handen in de zakken van hun jas, hun muts over hun voorhoofd getrokken. Bij de branding gekomen blijven ze staan. Boven hun hoofd weerklinkt de klaaglijke kreet van een meeuw. Ze kijken uit over zee. Dan schuift Peg zuchtend haar arm door die van haar zus. Madeline legt haar hand er geruststellend op.

'Het is goed zo, Peg,' zegt ze teder. 'Ze is bij de Heer.'

Peg krijgt tranen in haar ogen. 'Dat weet ik, maar ik mis haar zo.'

'Natuurlijk mis je haar.'

'Er is een gat in mijn hart geslagen dat nooit meer dicht is gegaan, en het is alsof er altijd een ijskoude wind doorheen blaast.'

'O, Peg, en dan te bedenken dat ik het nooit heb geweten! Dat ik niet wist hoeveel verdriet je had! Terwijl we altijd zo close waren!'

'En ik had geen idee hoe moeilijk jíj het had, Maddie. Ik dacht dat je alles had wat je je maar wenste. We hadden contact moeten houden. We hadden elkaar tot steun moeten zijn.'

'Maar nu houden we contact, toch?'

'Reken maar. Ik ben zo blij dat je er bent.'

Madeline glimlacht weemoedig. 'Ik ook.'

'En hoe moet het nu verder met Dylan?' vraagt Peg.

'Wat Dylan en ik ooit hadden, maakt deel uit van een boek dat we al lang geleden hebben we gesloten. En dat weten we allebei. We kunnen het boek niet opnieuw openslaan en verwachten dat we de draad weer op kunnen pakken. Zo werkt het niet. Er zijn sindsdien te veel bladzijden bijgekomen, en we zijn allebei veranderd. Maar ik ben blij dat we de kans hadden om te praten. Ik hou van hem, maar volgens mij hou ik vooral van de herinnering aan hem.'

'En Dylan? Hoe staat het met zijn gevoelens?'

'Dylan heeft zijn dochter gevonden, Peg,' zegt Madeline ernstig.

'Ellen komt terug, denk je ook niet?' Peg maakt zich zorgen dat ze haar nichtje zal kwijtraken.

'Ik weet het niet. Conor heeft haar erg veel pijn gedaan, en dat is mijn schuld. Ik had onder vier ogen met haar moeten praten. Maar ik was zo kwaad. Ik dacht niet na. Zodra ik hem zag, wist ik hoe de vork in de steel zat. Ik wilde dat hij wegging, dat alles weer bij het oude was.'

'Ellen is een schat, Maddie.'

'Ja, dat weet ik. Maar ze is ook altijd een moeilijk kind geweest.'

'Net als jij.'

'Ik was niet moeilijk!' protesteert Madeline, maar ze zegt het met een glimlach, want ze weet dat Peg gelijk heeft.

'Nou en of! Moeder...' Peg aarzelt en kijkt haar zus dan peinzend aan. 'Maddie, vind je niet dat je naar haar graf zou moeten?'

'Nee,' antwoordt Madeline prompt. 'Daar ben ik nog niet klaar voor.'

'Maar Jezus leerde ons dat we moeten vergeven.'

'Ik kan haar nog niet vergeven. Het heeft geen zin om naar haar graf te gaan als ik dat diep vanbinnen nog niet voel. Het enige wat ik voel is wrok, Peg. Het spijt me, ik kan er niets aan doen.' Het ontgaat me niet dat in sommige van haar woorden een Ierse zangerigheid doorklinkt. Het meisje dat ze ooit was, probeert door de vrouw die ze is geworden, heen te breken. Maar dat zal niet meer lukken. Daarvoor is de buitenkant te zeer verhard. 'Jij moet jezélf vergeven, Peg.'

'O, Maddie,' verzucht Peg, en ik zie een uitdrukking van intense afschuw over haar gezicht trekken. Ze deinst achteruit. 'Ik zal het mezelf nooit vergeven. Dat kan ik niet!' zegt ze wanhopig, vervuld van zelfhaat. Die lieve Peg. Ze schrikt terug voor het monster dat ze van zichzelf heeft gemaakt.

'Peg, je kon er niets aan doen! Niemand kon er iets aan doen. God wilde Ciara terug. Daar had Hij zijn redenen voor. Die kunnen wij, mensen, niet begrijpen. Maar daar mag je niet aan twijfelen. Je moet aanvaarden wat Hij ons te dragen geeft.'

'Maar dat kan ik niet!' jammert Peg. 'Als ik beter had opgelet...'

'Met "als" maak je jezelf alleen maar ongelukkig. Het is gebeurd. En je moet verder.'

Op dat moment word ik verblind door een stralend licht. Ik weet dat het Ciara is, ook al ben ik niet sterk genoeg om in het licht te kijken. De mist om me heen verdwijnt door de gloed van liefde, en ik zie dat Madeline haar armen om haar zus slaat en haar dicht tegen zich aan trekt. Het licht lijkt dwars door Peg heen te gaan. Ze slaakt een jammerkreet. Het is alsof haar verdriet samen met die gruwelijke kreet wordt uitgedreven. Dan is ze stil. De zussen blijven staan, in de wind, met de armen om elkaar heen geslagen, terwijl de zee op het strand beukt. Ze doen me denken aan zeelui die schipbreuk hebben geleden en een verschrikkelijke storm hebben overleefd.

Ten slotte laten ze elkaar los. Madeline neemt de handen van Peg in de hare. Ze kijkt in de roodomrande ogen van haar zus en glimlacht bemoedigend. 'Als jij probeert jezelf te vergeven, zal ik proberen moeder te vergeven.'

Peg knikt enthousiast. 'Afgesproken!'

Dan weet ik dat het licht liefde is en dat het sterk genoeg is om het monster te verslaan. Ik weet ook dat de liefde in mijn hart bijna volledig is besmeurd door jaloezie. En ik besef dat ik wel degelijk in staat ben mijn vibratie naar een hoger niveau te brengen, want alleen de liefde kan negativiteit opheffen.

'Dus je komt terug?' vraagt Peg.

'Ik kom terug,' antwoordt Madeline. 'En misschien voel ik me dan sterk genoeg om naar het graf van moeder te gaan.'

'Ik hoop dat Ellen ook terugkomt,' zegt Peg.

Ze beginnen weer te lopen, terug naar het huis van Peg.

'Ellen moet haar eigen keuzes maken,' zegt Madeline vlak. 'Wat een ironie! Ik heb jarenlang geprobeerd Ierland voor haar verborgen te houden en ze heeft het uiteindelijk toch gevonden. Op eigen kracht.'

'Alle rivieren stromen naar zee,' zegt Peg wijs.

'Ja, daar heb je gelijk in. Misschien is het haar bestemming om hier terecht te komen. Dan heeft zij wat mij werd ontzegd, en ik zal mijn best doen om daar niet jaloers op te zijn.'

'En dan heeft Dylan zijn dochter bij zich, nadat hij haar al die jaren heeft moeten missen.'

'Ook dat.'

'Het spijt me dat ze hier een gebroken hart heeft opgelopen.'

'Dat geneest wel weer,' zegt Madeline eenvoudig. 'En anders zal ze leren leven met haar verlies. Net als ik.'

'Is ze echt zo vastberaden om met haar vader te praten?'

Madeline kijkt gekweld. 'Ja. En ik kan haar niet tegenhouden.'

'Dat wordt geen makkelijk gesprek.'

'Ik heb haar gesmeekt het niet te doen. Het verleden haalt me alsnog in, met alle gevolgen van dien. Ik had het kunnen weten, neem ik aan. Uiteindelijk komt alles uit.'

'Ik zal voor je bidden,' zegt Peg ferm.

'Dank je wel. Ook al ben ik bang dat bidden alleen niet genoeg zal zijn.'

Wanneer ze bij het huis komen, staat Ellen in het veld bij de ezel. Ze staart naar de vuurtoren, maar komt naar hen toe bij het hek.

'Wat ben je aan het doen?' vraagt Madeline.

'Afscheid nemen van de ezel,' zegt Ellen. Haar adem is zichtbaar in de vochtige lucht. Haar wangen zijn bleek en ingevallen.

'Kom binnen. Je moet nog ontbijten,' stelt Peg voor.

'Ik kom zo.'

'Ik zal pap voor je maken,' zegt Peg. 'Anders blijft er niks van je over.'

'Jammer dan!' Ellen haalt nors haar schouders op. 'Hij is weg. Het is voorbij. Hij komt niet meer terug.'

'O, Ellen,' zegt Madeline, en haar dochter is verrast door de warmte in haar stem. 'Kom alsjeblieft binnen. Je ziet er zo door en door koud uit.'

'Ik kom zo,' herhaalt Ellen. Ze wendt zich af want ze krijgt tranen in haar ogen. Haar moeder en haar tante lopen naar de keukendeur. Ellen blijft achter bij de schapen, de lama en de ezel. Pas na geruime tijd draait ze zich om en volgt ze hen naar binnen.

Niet veel later komen Dylan, Johnny, Joe, Ryan, Desmond en Craic langs om haar gedag te zeggen. Oswald is er ook, en ze drinken een laatste kop thee samen in Pegs warme keuken. Iedereen kijkt somber, verdrietig. Maar Dylan is de somberste van allemaal. Het gesprek verloopt stroef. Joe maakt een paar flauwe grappen, maar er wordt toch om gelachen. Ze proberen allemaal opgewekt te lijken, ook al hebben ze het gevoel dat er een steen op hun maag drukt.

Eindelijk is het zover. De taxi die Madeline heeft besteld, staat klaar om hen naar het vliegveld te brengen. Haastig omhelst ze haar broers en Peg, bang dat ze haar emoties niet de baas zal zijn. Ze is tenslotte Engelse, haar Ierse passie is met het Ierse meisje diep weggestopt onder het pantser dat ze zich heeft aangemeten. Ten slotte omhelst ze Dylan. Hij houdt haar dicht tegen zich aan, maar zelfs ik kan zien dat ook hij niet door haar pantser heen komt. Hij heeft een glimp van Maddie opgevangen, maar hij berust in de Engelse die haar plaats heeft ingenomen.

Het afscheid van Ellen is een ander verhaal. Ik voel een vreemde pijn in mijn borst wanneer ik zie hoe zijn oude vingers zich om haar jonge handen sluiten. Ze beven, zie ik. Hij weet niet wat hij moet zeggen, dus hij geeft haar een cd. Ze slaat haar armen om hem heen en snikt gesmoord. Zo blijven ze staan, en de pijn in mijn borst wordt heviger. Ineens weet ik wat het is. Ineens herken ik de pijn die mijn jaloezie doet afnemen en me vervult met schuldgevoel. Het is compassie.

32

Ellen ging terug naar Londen, naar haar oude leven, met de vermoeide berusting van een avonturier wiens avontuur op een mislukking is uitgelopen. Ze was amper een paar weken weg geweest, en Londen was nog precies zoals ze het had achtergelaten. Maar zíj was veranderd. Ze hóórde er niet meer. Ze voelde zich een buitenstaander in een stad die vroeger haar thuis was geweest. Met uitzondering van de verloving met William – hij toonde zich niet half zo ongelukkig over de breuk als ze had gevreesd – verwachtte haar moeder dat alles weer net zo werd als het altijd was geweest. Maar Ellen wilde niet terug kruipen in haar oude huid. Die had haar vóór haar vertrek al niet gepast. En in Ierland was er iets in haar veranderd wat nooit meer ongedaan kon worden gemaakt.

Na een ongemakkelijke lunch met William, waarbij ze eerder het gevoel had dat ze een zakelijke overeenkomst had beëindigd dan een verloving, ging ze weer naar huis. Maar ook dat voelde niet langer als thuis. Het leek alsof ze haar kamer was ontgroeid. Zelfs het bed voelde te klein. Ze ging erop liggen om naar de cd van Dylan te luisteren, verteerd door de pijn diep vanbinnen, door het slopende heimwee naar haar nieuwe vaderland. Toen ze hem hoorde zingen over 'Ellen, ver weg, over zee' kon ze haar tranen niet bedwingen.

Ze had besloten dat ze niet langer zou liegen. En dat betekende dat ze haar vader de waarheid over haar afkomst zou moeten vertellen, hoezeer haar moeder ook probeerde haar dat uit haar hoofd te praten. Aanvankelijk had Madeline gedacht dat ze het niet zou doen. Dat het leven weer zijn gebruikelijke loop zou nemen wanneer Ellen eenmaal terug was in Londen. Dat ze Ierland zou vergeten. Madeline belde Emily en vroeg haar om Ellens vriendinnen bij elkaar te trommelen en haar mee uit te nemen. Maar Ierland zat in Ellens hart en in de tranen die bij de minste of geringste aanleiding rijkelijk vloeiden.

Ondanks al haar inspanningen kon Madeline niet voorkomen dat haar dochter een geschikt moment afwachtte waarop ze met haar vader alleen was in zijn studeerkamer.

'Lieverd,' zei hij toen ze binnenkwam. Hij liet *The Times* zakken en keek glimlachend naar haar op. 'Wat kan ik voor je doen?'

'Ik moet met je praten, pap.' Ze deed de deur achter zich dicht.

'Prima.' Hij vouwde de krant dicht en legde die op de hoek van de schoorsteenmantel.

Ellen ging tegenover hem zitten, met haar handen in haar schoot. Hij had niet gevraagd hoe het met haar was sinds ze de verloving met William had verbroken. Hij had ook niet naar Ierland gevraagd. Hij had simpelweg de draad weer opgepakt alsof er niets was gebeurd. Alsof ze een lang weekend met vriendinnen weg was geweest. Hoe moest ze hem vertellen dat ze het verleden van haar moeder overhoop had gehaald? Dat ze had ontdekt dat ze de dochter was van een andere vader?

'En?' Hij trok zijn wenkbrauwen op.

'Ik wil je wat vertellen over Ierland,' begon ze.

'Aha.' Ze meende een zweem van ongemakkelijkheid in zijn ogen te zien. 'Hoe heb je het daar gehad?'

'Ik hou van Ierland.'

'Ja, het is er ook schitterend.'

'Mam praatte er nooit over, dus je begrijpt hoe verrast ik was toen ik een tante en vier ooms bleek te hebben.'

'Ik wed dat ze net zo verrast waren om jou te zien.' Hij grinnikte.

Ellen begon zich steeds ellendiger te voelen. 'Ik voelde me er echt thuis, pap. Alsof ik daar hoorde.'

'Het zit in je genen.'

'Ja, ik heb een grote dosis Ierland in mijn genen.' Ze keek hem aan, in de hoop op een reactie. Maar hij beantwoordde haar blik onschuldig, met een oprechte blik in zijn blauwe ogen.

'Ik heb je moeder ontmoet toen ik bij Peter Martin logeerde. In zijn kasteel. Echt een deksels fraai stukje architectuur.'

'Ik ben in het kasteel geweest,' vertelde Ellen. 'Het is erg romantisch.'

'Is het nog altijd van de Martins?'

'Nee, ze hebben het verkocht en zijn naar Australië geëmigreerd.'

'Goeie genade, wat een eind weg! Ik heb me wel eens afgevraagd wat er van ze was geworden. Na die zomer heb ik ze nooit meer gezien.' Hij wreef peinzend over zijn kin. 'Ik was bevriend met Lorcan, Peters zoon. We zaten samen op Eton en Oxford. Hij was een uitstekende tennisser, met een geduchte forehand. Dat weet ik nog goed.'

'Dylan Murphy, heb je die ooit ontmoet?' Ellen observeerde hem nauwlettend, maar haar vader schudde zijn hoofd. Hij dacht van niet, zei hij. Toen begreep Ellen dat hij geen weet had van de vroegere minnaar van haar moeder. Want haar vader zou nooit huichelen. Daar was hij simpelweg niet toe in staat.

Ze stond op, plotseling nerveus. 'Pap, ik moet je iets heel ergs vertellen. Maar ik kan het niet voor me houden! Ik moet eerlijk tegen je zijn.' Er drukte een steen op haar maag, ze voelde zich ellendig, maar ze kon niet meer terug.

'Is het iets over Ierland?' vroeg hij, en toen ze hem aankeek, zag ze dat zijn blauwe ogen ineens merkwaardig donker waren en intenser dan daarvoor.

'Ja, en over Dylan.'

Hij knikte langzaam, diep inademend door zijn neus. Toen wreef hij opnieuw over zijn kin. 'Die Dylan Murphy…' vroeg hij, voor zich uit starend. 'Heeft hij bruine ogen?'

Ellen fronste. 'Ja, waarom vraag je dat?'

Hij keek haar recht aan. 'Wat heeft Dylan je verteld?' Zijn gezicht stond ernstig.

Ellens hart begon wild te kloppen. 'Hij heeft het me niet verteld,' zei ze snel. 'Ik ben er zelf achter gekomen.' Ze voelde dat er opnieuw tranen in haar ogen kwamen. 'En toen werd me ineens een hoop duidelijk.'

Ze ging weer zitten en schoof naar de punt van haar stoel.

'Mam wilde niet dat ik het je vertelde. Ze heeft me gesmeekt het niet te doen. Maar ik ben mijn grote liefde verloren omdat ik mijn verloving met William had verzwegen. Dus ik wil geen geheimen meer. Geen leugens. Ik kan er niet mee leven als jij het niet weet. En ik zou altijd bang zijn dat je er toch achter zou komen, dat iemand het je zou vertellen. Want dan heb ik wéér gelogen, dan ben ik wéér niet eerlijk geweest…'

Ze praatte koortsachtig verder, nerveus haar klamme handen wringend.

'Ellen, ik wéét het,' zei hij zacht.

Ze keek hem verbaasd aan. 'Je weet het? Wat weet je?'

'Ik ben niet je biologische vader. Dat is toch wat je me probeert te vertellen?'

De opluchting was overweldigend. 'Hoe weet je dat?'

'Lieverd, denk je nou echt dat het me zou ontgaan dat mijn dochter bruine ogen heeft? Zelfs met mijn beperkte kennis van de biologie weet ik dat twee ouders met blauwe ogen onmogelijk een kind met bruine ogen kunnen krijgen.'

'Is dat zo? Dat wist ik niet.'

'En ik heb nog wel zo veel geld uitgegeven aan al die privéscholen van je!' zei hij met een welwillende glimlach. 'Die ontdekking moet een verschrikkelijke schok voor je zijn geweest.'

'Ja, dat was het.'

'Maar zolang jij dat niet wilt, verandert er niets.'

'Echt niet?'

'Nee, waarom zou dat iets veranderen? Het verleden ligt achter ons, en we kunnen niet ongedaan maken wat er is gebeurd. De ontdekking wie je heeft verwekt, verandert niets aan het feit dat ik de afgelopen drieëndertig jaar je vader ben geweest. En die ontdekking verandert ook niets aan het feit dat ik van je hou, Ellen. Helemaal niets.'

Ellen had haar vader nog nooit over liefde horen praten. Het ontroerde haar, haar keel werd dichtgesnoerd. Hij sprak niet graag over zijn gevoelens, en Ellen had daar nooit op aangedrongen. Maar ineens had hij de deur naar zijn emoties wijd open gegooid. Dit was onbekend terrein, voor hen allebei. 'Wat dacht je toen ik was geboren?' vroeg ze met een klein stemmetje.

'Dat je het mooiste meisje was dat ik ooit had gezien, en dat ik me erg gelukkig mocht prijzen.'

'Echt waar?'

'Natuurlijk. Ik hield van je moeder. Het maakte niet uit dat ze zwanger was van een ander, want ik hield van haar. Onvoorwaardelijk. Ze vluchtte uit Ierland en ik mocht haar redder in nood zijn. Ik mocht haar helpen ontsnappen aan haar verleden.'

'Vond je het niet raar dat ze me Ellen wilde noemen?'

Hij grinnikte bij de herinnering. 'Ach, het was niet mijn keuze, maar ze hield voet bij stuk. Ik dacht dat haar oma of iemand anders in de familie zo heette.'

'Dylan noemde haar zo. Ellen Olenska.'

'Ach, *De jaren van onschuld.*' Hij knikte. 'Ik neem aan dat jij in een periode van onschuld bent verwekt. Daarna werd het allemaal behoorlijk ingewikkeld voor je moeder.'

'En ze heeft het je nooit verteld?'

'Nee, ze dacht waarschijnlijk dat ik dan niet met haar zou trouwen. En ik ben er ook nooit over begonnen, omdat ik haar niet van streek wilde maken. Wat mij betrof, deed het er niet toe.'

'Heb je je nooit afgevraagd wie de vader was?'

'Dat deed er ook niet toe.'

'Mama denkt dat je het niet weet. Ze heeft me gesmeekt het je niet te vertellen. Volgens mij is ze bang dat het jullie huwelijk kapotmaakt.'

Hij glimlachte. 'Niets maakt ons huwelijk kapot, Ellen. Toen niet, en ook nu niet. Zulke dingen moet je filosofisch bekijken.'

'Ik heb me altijd anders gevoeld,' zei ze peinzend, 'en nu weet ik waarom.'

'Je was niet anders, Ellen. Je was jezelf. Je bent niet simpelweg een product van twee mensen. Je bent een individuele, unieke persoonlijkheid. Je bent altijd onze dochter geweest, niet weg te denken uit ons gezin. Je past in het geheel, ondanks de verschillen, want je hoort erbij. Niets kan daar iets aan veranderen, of het zouden je eigen negatieve gedachten moeten zijn. Als je blijft denken dat je er niet bij hoort, dan ga je dat uiteindelijk ook geloven.' Hij schonk haar een liefdevolle glimlach. 'En het zijn juist de verschillen die je zo onweerstaanbaar maken, Ellen. Zo bijzonder.'

'Ik heb me nooit bijzonder gevoeld.'

'Dat is dan iets wat wij ons moeten aanrekenen.'

'Hadden we het er maar eerder over kunnen hebben.'

'Dat had niet gekund, denk ik. De tijd is er nu pas rijp voor. Je moest naar Ierland om daar de beweegredenen van je moeder te leren begrijpen. Uit zichzelf zou ze het je nooit hebben verteld. Ik ben bang dat dit de enige manier was.'

'Dan denk ik dat je haar moet vertellen dat je het altijd hebt geweten.'
Ellen stond op.

'Ja, en daar is ze misschien niet blij mee.'

'Nee, dus ik zorg dat ik niet thuis ben als je het haar vertelt.'

Hij stond ook op. 'Je bent erg dapper, lieverd. Er was moed voor nodig om me dit te vertellen.' Hij sloeg zijn armen om haar heen en trok haar liefdevol tegen zich aan. Ze legde haar hoofd op zijn vertrouwde, veilige borst. 'Ik zou het heerlijk vinden als je hier blijft, maar als je terug wilt naar Ierland, dan begrijp ik dat. Denk alsjeblieft nooit dat je niet vrij bent om je eigen keuzes te maken.'

'Ben je teleurgesteld dat ik niet met William ga trouwen?'

'Een beetje,' antwoordde hij, en haar hart haperde. 'Want ik heb sinds Lorcan Martin niet meer zo'n indrukwekkende forehand gezien.'

'O, pap!' Ze maakte zich lachend van hem los.

'Nee, ik ben niet teleurgesteld. Ik had het nog teleurstellender gevonden als je alleen maar met hem was getrouwd omdat je dacht dat wij dat van je verwachtten.'

Ze keek hem recht aan, blij om te zien dat zijn ogen weer lichtblauw waren. En dat er pretlichtjes in dansten. 'Dank je wel, papa.'

Hij drukte een kus op haar voorhoofd. 'Je bent mijn dochter, Ellen. En ik ben erg trots op je.'

33

Ondanks de verbeterde relatie met haar ouders sleepten de daaropvolgende weken zich voort. Ellen miste Ierland en Peg. En Conor miste ze zo hevig dat het leek alsof het verlangen een gat in haar hart had gebrand. Het was haar inmiddels duidelijk dat hij niet meer zou bellen, maar toch kon ze het niet opbrengen om die laatste communicatielijn af te snijden. Dus had ze haar telefoon altijd bij zich, voor het geval hij toch contact zou zoeken. Het permanente gevoel van teleurstelling omdat ze niets hoorde, herinnerde haar echter voortdurend aan haar eigen stommiteit, waardoor ze steeds ongelukkiger werd.

Emily betoonde zich een trouwe vriendin, maar zelfs zij verloor haar geduld nadat ze wekenlang voor afleiding had gezorgd in de vorm van etentjes en bioscoopbezoek. Ze stelde voor alvast een deel van haar vakantiedagen op te nemen en samen naar een zonnige bestemming af te reizen, maar Ellen wilde nergens naartoe. Het liefst zou ze onder de dekens zijn gekropen en er nooit meer onder vandaan zijn gekomen. Haar moeder drong erop aan dat ze werk zocht. Niets was zo ondermijnend voor het moreel als nietsdoen. 'Je moet iets omhanden hebben,' zei ze kordaat. 'Het maakt niet eens zo veel uit wat, zolang je maar íéts doet. Waarom kom je mij niet helpen bij een van mijn goede doelen? We zoeken altijd mensen om brieven in enveloppen te stoppen.'

Haar moeder had gelijk, besefte Ellen. Ze moest iets omhanden hebben. Met bonzend hart haalde ze haar laptop tevoorschijn en zette hem op haar bureau. *Misschien helpt het als je mooie muziek opzet, je steekt een kaars aan, gewoon om een beetje sfeer te scheppen. Dan maak je je hoofd leeg, en je ziet wel wat er komt*, had Dylan gezegd. Wijze woorden.

Ze stak een kaars aan en pakte haar iPod met zijn playlist. De muziek ontroerde haar, ze voelde haar hart zwellen van liefde en verlangen, en haar vingers werden het instrument om uiting te geven aan haar creativiteit.

O, dappere, eenzame toren,
lichtend baken in de zee,
je strijd is gestreden,
het leed is geleden,
de engelen voeren je mee.

Berust in het einde,
in de vrede die wenkt.
Stijg op naar het eeuwige licht,
waar het duister voor zwicht,
en dat de ziel verlossing brengt...

Ze schreef de ene songtekst na de andere, over Conor, over Dylan, en over de vuurtoren waarvan ze de symboliek niet helemaal begreep. De woorden kwamen als vanzelf in haar naar boven, uit de stille, eeuwige plek diep vanbinnen die ze destijds had ontdekt op het strand, op haar eerste ochtend in Ballymaldoon. Toen ze uit geschreven was, ging ze de stad in om een gitaar te kopen en in navolging van wat Dylan haar had geleerd, begon ze muziek te componeren bij haar teksten. De nummers die zo ontstonden, verdreven haar moedeloosheid en waren een manier om uiting te geven aan haar verdriet. Nu begreep ze waarom Dylan zijn pijn, zijn wanhoop in zijn teksten en zijn muziek had gelegd. Dat zorgde ervoor dat hij zich minder ongelukkig voelde. En zij voelde zich dankzij het schrijven en componeren ook minder ongelukkig. Geleidelijk aan trok de mist op en begon ze zich een beeld van de toekomst te vormen.

Zolang ze in Londen bleef, werd ze niet gelukkig. En zonder Conor zou ze ook niet gelukkig zijn, dat wist ze zeker. Maar als ze de rest van haar leven naar hem moest smachten, dan deed ze dat liever in Connemara dan in Londen, waar ze zich eenzaam voelde en een buitenstaander. In Connemara zou ze hem tenminste nog toevallig tegen het lijf kunnen lopen. Ze kon Alanna helpen in de winkel, ze kon muziek schrijven en jammen met Dylan. Ze zou boodschappen doen voor Peg en leren hoe ze voor de beesten moest zorgen. Ze zou zich met volle overgave op haar nieuwe leven storten, want Connemara voelde als thuis. Het vooruitzicht van haar terugkeer vervulde haar met vreugde en energie. Ze sprong van het bed en trok de koffer eronderuit. Voor het eerst in weken was ze gelukkig.

34

De tijd kruipt. Ik weet niet hoeveel weken er inmiddels zijn verstreken, maar het is lente. Ik zie het voorjaar in de bloeiende appelbomen bij Reedmace House, ook al ben ik permanent omhuld door een dichte mist. Ik stel me voor dat de zon al krachtig is, en dat de heuvels stralend geel en paars zijn dankzij de brem en de hei. In gedachten zie ik de trollenbrug en het meer, maar ik heb niet de wil om de plekken die me zo dierbaar zijn te bezoeken. Ik zwerf door de gangen van het kasteel, net als de andere geesten die door hun ongeluk aan dit jammerlijke bestaansniveau zijn geketend. Het is bepaald niet waar ik voor zou hebben gekozen, maar ik ben machteloos, niet in staat om naar een hoger niveau te stijgen. Mijn jaloezie heeft me van mijn vrijheid beroofd. Daardoor ben ik alles kwijt en ben ik eenzamer dan ooit.

Maar dan komt Conor terug naar Connemara. Hij is er verschrikkelijk aan toe. Ik ben diep geschokt. Dit keer heeft hij niet zijn baard laten staan en zijn haar laten groeien, maar in zijn ogen lees ik een diep verdriet en zijn wangen zijn hol en ingevallen. Ik ben me bewust van dezelfde pijn die ik ook voelde toen Dylan en Ellen afscheid namen. Het is alsof mijn ziel groter wordt, en diep vanbinnen voel ik een warmte die er heel lang niet is geweest. Terwijl ik hem volg, het kasteel in, de trappen op naar zijn toren, wordt het gevoel steeds sterker, steeds intenser.

Toen ik nog leefde was deze torenkamer een opslagruimte en had Conor hem niet nodig. Na mijn dood richtte hij de toren in als zijn geheime toevluchtsoord, een plek waar hij alles en iedereen kon ontvluchten en waar hij alleen kon zijn. Nu probeert hij hier zijn verdriet te ontvluchten, maar dat zal hem niet lukken. Zijn verdriet is als een doorn in zijn hart. Een doorn die alleen Ellen kan verwijderen. Hij gaat op het bed liggen en drukt een kussen tegen zijn borst. Ik weet dat hij niet aan mij denkt. Hij verlangt naar Ellen en voor het eerst sinds mijn dood is zijn geluk belangrijker dan het mijne. Ik wil zo graag dat hij gelukkig is! Daar wil ik alles voor doen.

Het verlangen om zijn pijn weg te nemen maakt dat ik me op een vreemde manier opgetild voel. Ik kan niets doen aan de doorn in zijn hart, en ik kan Ellen niet bij hem terugbrengen, maar alleen al het verlangen om dat te doen vervult me met vreugde. Wat is het wonderlijk om aan zoiets blijdschap te ontlenen! Ik heb altijd alleen maar aan mezelf gedacht. Mijn liefde draaide om eigenbelang, en dus was het geen liefde maar afhankelijkheid en behoefte aan aandacht. Ik besef dat die wanhopige afhankelijkheid mijn leven bepaalde. En dat mijn dood daar een gevolg van was. Waarom heb ik dat niet eerder ingezien? Waarom besef ik dat nu pas, in dit duistere, verstikkende voorgeborchte? Het is zo simpel. Waarom moest ik zo lijden om die les te leren?

Met alles wat ik in me heb, verlang ik ernaar Conor uit zijn lijden te verlossen, zelfs als dat betekent dat ik mezelf daarvoor moet opofferen. Als ik met een toverstokje kon zwaaien om hem Ellen terug te geven, zou ik dat doen. Ook al zou hij nooit meer aan me denken. Ook al zou ik naar de achtergrond verdwijnen, als een onwelkome herinnering. Maar wat maakt het uit? Conor wíl niet meer aan me denken. En dat verbaast me niet, na wat ik heb gedaan. Hoe heb ik ooit kunnen denken dat ik zijn liefde kon afdwingen door hem zo wreed te behandelen? Ik had tevreden moeten zijn met de liefde die hij me schonk. Maar dat was ik niet. Ik wilde meer, steeds meer, en dus ging ik te ver. Veel te ver. Ik dacht dat hij niet genoeg van me hield. Maar het lag aan mij. Als ik hém meer liefde had gegeven, zou ik ook meer liefde hebben ontvangen. Dat is de ironie van wat er is gebeurd. Als ik had gedacht aan wat ik kon géven, als ik niet zo geobsedeerd was geweest door ontvángen, zou ik gelukkig zijn geweest. Waarom wist ik dat niet toen ik nog leefde? Waarom heb ik mijn huwelijk kapot laten maken door mijn jaloezie? Ik zie hem op het bed liggen, een sterke, machtige man, maar hij snikt als een kind. En dat komt door mij. Het komt door wat ik hem heb aangedaan toen ik nog leefde. En nu ik dood ben, heb ik het opnieuw gedaan. Het wordt tijd dat ik het goedmaak. En dat ik hem loslaat.

Maar hoe? Wat kan ik doen? Terwijl ik probeer te bedenken hoe ik Ellen en Conor weer bij elkaar zou kunnen brengen, merk ik dat mijn ziel lichter wordt, en de mist om me heen minder dicht is. Ik voel me sterker, alsof ik weer lééf! Vervuld van dit nieuwe gevoel van onbaatzuchtigheid verlaat ik het kasteel en zoek ik het strand op, in de hoop dat de zee me inspiratie zal geven. Ik zou naar Londen kunnen gaan, om Ellen in haar oor te fluisteren. Ik zou kunnen zeggen dat Conor van haar houdt en haar doen besluiten terug te gaan naar Ballymaldoon. Ik zou op zoek kunnen gaan naar Ciara, en haar vragen wat ik moet doen. Ik zou haar hulp kunnen inroepen. Ineens ben ik ervan overtuigd dat ik niet zo machteloos ben als ik dacht. Integendeel. Als mijn handelen wordt ingegeven door ware liefde, ben ik machtig. Ik weet niet hoe ik dit weet. Ik weet het gewoon.

Het is een volslagen verrassing wanneer ik Ellen op het strand ontdek, met Peg en Mr. Badger. Ze lopen te praten, en het is alsof Ellen nooit weg is geweest. Ben ik dan toch niet alleen, vraag ik me af. Is er iemand die over me waakt, iemand die me leidt vanaf een hoger bestaansniveau? Als er lagere niveaus zijn, moeten er ook hogere zijn, waar de engelen zich bewegen. Niveaus die ik niet kan zien. Terwijl ik dat denk, voel ik mezelf opnieuw lichter worden, en een beetje minder ongelukkig. Ik kijk naar Ellen en ik weet dat er een manier moet zijn om haar te helpen. Ik weet alleen nog niet wat die manier is.

En dus volg ik haar terug naar het huis van Peg en kijk ik toe terwijl ze theedrinken en praten. Ik zie Oswald 's avonds langskomen om te kaarten. Ik zie Dylan en Ellen samen gitaar spelen en zingen in de zitkamer. Ik zie Johnny en Joe langskomen voor het ontbijt. Ik zie Ellen terwijl ze aan het werk is in de winkel van Alanna en terwijl ze luncht met Dylan in de pub. Ik sla het leven gade, maar ik heb een doel! Ik ben op zoek naar een manier om de twee diep ongelukkige geliefden weer bij elkaar te brengen. Ik weet dat ik het kan. Ik heb het gevoel dat ik word geleid, ik voel me open en alert omdat ik niet langer volledig in beslag word genomen door mezelf en mijn eigenbelang. Mijn kans zal komen, dat weet ik, en daar kijk ik vol blijdschap naar uit.

Ik wacht af. Het is het enige wat ik kan doen, en het wachten schenkt me vreugde. Ik zie de schoonheid van het landschap wanneer de mist oplost in het licht van mijn liefde. Ik geniet van de dagen die lengen, van de vogels die hun nestje bouwen. Ik luister naar hun lied, ik zie hun vlucht. Ik kijk naar het gefladder van vlinders en naar de nijvere kleine bijen, en mijn hart zwelt dankzij de pracht van Gods aarde.

En dan is het zover! Van opwinding kan ik het nauwelijks geloven! Ellen zit op een middag alleen aan de tafel in Pegs zitkamer. Mr. Badger ligt te slapen op het kleed voor de haard. Peg heeft een vuur gemaakt, want het heeft de hele dag geregend en het is klam en koud. Ellen heeft een geurkaars aangestoken en ze speelt Dylans playlist af op haar iPod. De zoete geur van vijgen en de ontroerende klanken van violen voeren haar mee. Ze heeft haar hoofd leeggemaakt, haar geest is open, ontvankelijk als de vruchtbaarste grond. Het zal me geen enkele moeite kosten mijn zaden te planten. Ze denkt dat ze een songtekst gaat schrijven, maar ik ben van plan haar een verhaal in te fluisteren.

Ik laat de woorden in haar geest neerdalen en ze schrijft ze op, zonder dat ze zich daarvan bewust is. Ze typt snel en ervaren, de inspiratie stroomt zonder haperen. Het gaat heel gemakkelijk, en we beven allebei van euforie en verrassing, te opgewonden om vragen te stellen bij het hoe of waarom.

8 oktober, 2007

Het was nog niet donker. Een gele gloed smeulde achter de heuvels, waar de zon onderging en de hemel bleek flamingoroze begon te kleuren. De vuurtoren tekende zich af als een zwart silhouet, we roeiden erheen in de kleine boot die ons allebei zo goed kende. Met zijn gebruikelijke vastberadenheid droeg hij ons over de golven, als een dappere, trouwe dienaar. Ik glimlachte bemoedigend naar mijn minnaar terwijl hij de riemen door het water trok. Hij had brede schouders en was sterk en gespierd. Ik las de bewondering, de aanbidding in zijn ogen toen hij mijn glimlach beantwoordde, en mijn hart zwol van vreugde. Want het was heerlijk om met zo veel overgave te worden bemind.

We waren al vele malen eerder naar de toren geroeid. Ik had de tocht over het water nog aanzienlijk vaker gemaakt dan hij. De vuurtoren was mijn geheime plek, waar ik in mijn kleine boot naartoe roeide, vervuld van mijn dromen. Ik vond het heerlijk om naar de sterrenhemel te kijken en me andere werelden voor te stellen in het oneindige universum. Om te luisteren naar het klotsen van de golven, naar het gekrijs van de meeuwen. En ik genoot van het gevaar, in het besef van de woede die ik zou ontketenen als ik werd betrapt. Maar die nacht was ik niet alleen. Mijn minnaar was bij me en ik had een plan. Deze keer zouden de gevolgen nog vele malen erger zijn als ik werd betrapt. Ik voelde dat er iets dramatisch stond te gebeuren. Die nacht zou ik hem de kans geven me eens en voor altijd zijn liefde te bewijzen.

Toen we bij het eiland kwamen, legden we de boot vast aan de rotsen. De zee had zich teruggetrokken, de kleine, ondiepe getijdepoelen zaten vol krabben en garnalen. Het was een rustige avond, de wind voelde zacht als een zijden streling. Hij nam mijn hand en samen liepen we het door onkruid overwoekerde pad op naar de vuurtoren. Binnen stonden er op elke trede van de trap kleine kaarsen. Hij stak ze een voor een aan. Ze gloeiden helder in de schemering terwijl de zon lager zonk en de hemel steeds donkerder werd. Zo klommen we naar boven, langs een snoer van waxinelichtjes, naar de ronde kamer, hoog boven de wereld, als een vogelnest.

Mijn geheime kamer zag er schitterend uit, als de grot van Aladin. Ik had de muren behangen met stralend paarse en groene stoffen, op de vloer lagen kleurige kleden en fluwelen kussens. Er was geen elektriciteit, want de vuurtoren werd al jaren niet meer gebruikt. Het enige licht was afkomstig van de talloze kaarsen, in alle vormen en maten, die langs de muren stonden en de ruimte vulden met hun parfum.

We trokken een fles wijn open en dronken op onze toekomst. Toen verloren we ons in elkaar. Hij fluisterde dat hij van me hield, dat hij bereid was voor me te sterven, dat hij zonder mij niet kon leven! Ik geloofde hem niet, zei ik, en toen kuste hij me nog hartstochtelijker, in een poging zijn toewijding te bewijzen. Ik genoot van zijn dappere pogingen me ervan te overtuigen dat ik zijn hart in mijn handen hield. Ik koesterde me in de warmte van zijn liefdesvuur. 'Ik hou van je, ik hou van je, ik hou van je,' mompelde hij, terwijl hij wanhopig probeerde me met lichaam en ziel tot de zijne te maken. 'Ik hou van je, ik hou van je, ik hou van je,' zei hij kreunend. Maar ik hield niet van hem. Dat kon ik niet. Er was maar één man van wie ik hield.

Mijn geliefde hoorde de motor eerder dan ik. Ik keerde loom terug uit hoger sferen, bedwelmd door zijn vleiende woorden, die me nog intenser bevredigden dan het lichamelijke genot dat hij me schonk. Hij schoot in paniek overeind en hief zijn hoofd, als een hond die gevaar ruikt.

'Hoor je dat?' vroeg hij. Ik luisterde. Hij had gelijk. Boven het gebulder van de aanrollende golven klonk het geluid van een motorboot.

Ik ging rechtop zitten en deed alsof ik verrast was. 'Hij is het!' Ik kwam gejaagd overeind en begon mijn kleren tussen de kussens bij elkaar te zoeken.

'Jaysus! Hij mag me niet zien!' Gejaagd schoot hij zijn broek aan.

'Je kunt je hier nergens verstoppen!' Ik keek naar zijn gezicht, dat verwrongen was van angst.

'Wat zal hij doen?'

'Laat hem maar aan mij over.'

'Je zei dat hij in Dublin zat!'

'Ja, dat dacht ik. Misschien is hij het niet.' Ik knoopte mijn jurk dicht. Maar ik wist dat hij het was, want dit was precies mijn bedoeling geweest.

'Hij ís het.' Er lag angst te lezen in zijn wijd opengesperde ogen. 'Wat ga je tegen hem zeggen?'

'Dat ik van hem hou.'

'Dat is niet genoeg! Dat gelooft hij niet!'

Maar het was de waarheid. Het enige wat telde. Ik had dit voor hém gedaan. Voor ons. Hierdoor zou hij inzien hoezeer ik hem nodig had. Hierdoor zou hij beseffen dat hij me overleverde aan de genade van andere mannen, telkens wanneer hij wegging. Hierdoor zou hij begrijpen dat hij me niet alleen kon laten. Ik had hem nodig, ik had zijn liefde nodig. Als dít hem niet kon overtuigen, zou niets hem daarvan kunnen doordringen.

'Hij gelooft me wel,' zei ik tegen mijn minnaar. 'Vertrouw me nou maar.'

Ik haastte me de trap af, langs de brandende kaarsen, voorzichtig, om niet met mijn jurk langs de vlammetjes te strijken. Buiten was het donker. Het enige licht kwam van de maansikkel die door de wolken gluurde en een smal zilveren spoor op het water trok. Mijn man was bezig zijn boot vast te leggen aan de rotsen. Toen hij opkeek naar de vuurtoren, zag hij me in de deuropening staan. Ik verwachtte dat hij boos en geschrokken zou zijn, zoals een kind verwacht door een ongeruste

ouder te worden omhelsd. Over de rotsen en het door onkruid overwoekerde pad kwam hij naar me toe. 'Wat moet dit voorstellen?' Ik las
geen woede in zijn ogen, geen angst, alleen ergernis en vermoeidheid.
En plotseling besefte ik hoe verslagen hij eruitzag, en hoe ongelukkig.

'Ik dacht dat je in Dublin zat.'

'Waar is hij?' vroeg hij gebiedend. Verbergen was onmogelijk, en
mijn minnaar kwam tevoorschijn. Schaapachtig. Bang.

Het gezicht van mijn man werd rood van geschoktheid. 'Caitlin! Wat
bezielt je? Hij is nog een kind!'

'Ik ben een man,' zei mijn geliefde dapper, en hij rechtte zijn schouders. Maar vergeleken bij Conor was hij inderdaad een kind. Een tengere jongen.

'Ronan Byrne. Schaam jij je niet?'

'Ik hou van haar,' verklaarde Ronan.

'Wat zou je moeder zeggen als ze het wist? Heeft ze niet al genoeg
verdriet gehad?'

'Laat mijn moeder erbuiten.'

'Je moeder is een goed mens, Ronan. Ze verdient het niet dat haar
hart opnieuw wordt gebroken.' Ronan was ineens onzeker, als een paard
dat op een heg afstormt maar plotseling beseft dat die te hoog is om eroverheen te springen. 'Ga naar huis,' zei Conor vermoeid. 'Ik wil niet
dat Peg dit te horen krijgt. Is dat duidelijk?' Er klonk een dreiging in zijn
stem die me kippenvel bezorgde. 'Ik neem Caitlin mee terug in mijn
boot.' Ronan wist zich geen raad. Ik zag dat hij in paniek raakte, heen en
weer geslingerd tussen mij en zijn moeder. Hij kon geen kant uit, als een
krab in een getijdepoel.

Plotseling escaleerde mijn woede tot een vulkaan van jaloezie. 'Zie je
nou wel! Het kan je niets schelen dat ik het met een ander doe! Je geeft
niets om me! Je houdt niet meer van me! Je zou willen dat ik dood was!'

Conor vertrok zijn gezicht in een gekwelde grimas. 'Caitlin, ik heb
genoeg van je dramatische gedoe! Deze keer ben je echt te ver gegaan!'

Ik begon te snikken. 'Je houdt niet meer van me,' herhaalde ik jam-
merend.

'Ík hou van je,' verklaarde Ronan, die moed putte uit mijn tranen. 'Ga
met me mee, Caitlin! Laten we samen weggaan!'

Conor onderbrak hem ongeduldig. 'Maak je niet belachelijk, Ronan.

Ga naar huis, naar je moeder, en zet Caitlin uit je hoofd.'

'Ze houdt van me!' protesteerde hij vurig.

'Nee, ze houdt niet van je,' zei Conor rustig. 'Ze heeft je gebruikt! Je bent een pion op haar schaakbord, meer niet.'

'Je liegt! Jíj houdt niet van haar,' zei Ronan beschuldigend. Hij begon zich steeds zekerder van zichzelf te voelen. 'Je geeft niets om haar. Je bent er nooit. Ík ben er altijd. Ík zorg voor haar. Ík geef haar wat jij haar niet kunt geven.' Hij keerde zich naar mij, terwijl zijn ogen vurig en verwachtingsvol schitterden. 'Ga met me mee, Caitlin! Dan gaan we hier weg. Samen! En dan komen we nooit meer terug.'

'Nee, Ronan! Ik hou niet van je. Ik hou alleen van Conor. Ik heb altijd alleen van Conor gehouden.'

Maar Ronan dacht dat ik loog om hem te beschermen. 'Ik begrijp het,' zei hij zacht.

'Nee, ik meen het! Ik meen het echt! We hebben het leuk gehad, maar ik hou van Conor. En ik zal altijd van hem houden. Zolang ik leef!'

Ronans gezicht vertrok, en ineens zag hij eruit als een verdrietige kleine jongen, want hij besefte dat ik het meende. Mijn directheid trof hem als een stomp in de maag. 'Het is niet waar, Caitlin. Ik geloof je niet. Dat zeg je alleen om me te beschermen.'

'Nee, ik meen het. Echt waar!' hield ik vol. 'Het spijt me.'

'Maar we zouden zo gelukkig kunnen zijn! Ergens ver hier vandaan. We kunnen opnieuw beginnen. Geef me de kans je te bewijzen hoe gelukkig we kunnen worden.'

Ik schonk hem een verdrietige glimlach. 'Nee, Ronan. Ik ga hier niet weg. En ik zou mijn kinderen nooit in de steek laten. Doe wat Conor zegt en ga naar huis.' Toen dempte ik mijn stem, zodat alleen Ronan me kon horen. 'Alsjeblieft, mijn lief, wees verstandig. Ga weg voordat hij geweld gebruikt.' Hij schonk me een lange, wanhopige blik, toen haastte hij zich het pad af, naar de plek waar we de boot hadden vastgelegd. Ik hoopte dat hij veilig de kust zou weten te bereiken in het donker. De maansikkel stond inmiddels hoog aan de hemel. Die zou hem bijlichten.

'Kom mee, Caitlin.' Conor wilde mijn hand pakken.

'Dus jij denkt dat dit een spel is?' vroeg ik.

'Je hebt net zelf gezegd dat je niet van hem houdt. Je hebt hem gebruikt om mij te kwetsen. Maar het doet me niets, Caitlin. Helemaal niets.'

'Hij is al maanden mijn minnaar,' zei ik uitdagend. 'Terwijl jij in Dublin zat en in Amerika, had ik een verhouding met Ronan. Wat maakt het uit dat ik niet van hem hou? Hij houdt van mij! Je hebt gehoord wat hij zei! Ik ben alles voor hem.'

'Wat maakt het uit?' herhaalde hij, vervuld van afschuw door mijn wrede onverschilligheid jegens Ronan. 'Caitlin, wat bezielt je? Je lijkt wel gek! Hij is nog een kind en je hebt hem kapotgemaakt.'

'Ik wilde je dwingen me te bewijzen dat je om me geeft.'

'Door me jaloers te maken?' Hij keek me ongelovig aan. 'Ben je echt bereid om zover te gaan?'

'Je begrijpt me niet. Na al die jaren ken je me nog steeds niet.'

'Nee,' zei hij zacht. 'Ik geloof inderdaad niet dat ik je ken.'

Toen kon ik me niet langer beheersen. 'Wat moet ik doen om ervoor te zorgen dat je van me houdt?' riep ik wanhopig.

'Ik hield van je, Caitlin. Maar je hebt me leeggezogen. Ik kan het niet meer.' Hij schreeuwde, zijn stem klonk verwrongen van frustratie. 'Je hebt hulp nodig, Caitlin. Professionele hulp. Want ik weet niet wat ik nog meer kan doen. Je bent in de war. Dat had ik al veel eerder moeten inzien, in plaats mijn kop in het zand te steken en je noodkreten te negeren. Dat was hard, gevoelloos, en dat spijt me. Maar je hebt mij niet nodig. Je moet naar een dokter. Een goede dokter die je helpt om beter te worden.'

'Je denkt dat ik gek ben.'

'Nee! Je bent niet gek, je bent labiel. Maar ik kan ervoor zorgen dat je hulp krijgt.'

'Je wil me niet meer! Je wil me krankzinnig laten verklaren en me in een inrichting stoppen.'

'Dat zeg ik helemaal niet!'

'Je wil van me af!'

'Nee.'

'Je wil me dood hebben!' fluisterde ik, geschokt door het besef dat hij me niet meer wilde.

'Nee, Caitlin. Dat heb ik helemaal niet gezegd.' Hij strekte zijn armen naar me uit, maar ik ontweek hem. Plotseling had ik het gevoel dat de wereld uit het lood raakte en zich draaiend, tollend van me begon te verwijderen. Ik voelde me los van alles, alsof ik boven het eiland en de vuurtoren zweefde, mijlenver van de werkelijkheid. Alsof ik wist dat ik op het punt stond alles te verliezen. Maar ik kon niet meer terug, ik had mezelf niet meer in de hand.

'Je wil me dood hebben!' herhaalde ik, en de kalmte in mijn stem maakte me bang. 'Terwijl ik je altijd alleen maar liefde heb gegeven.' Ik keerde hem de rug toe en vluchtte de trap op.

Toen ik omkeek zag ik dat hij bleef staan. Maar ik wilde dat hij achter me aan kwam, dat hij me in zijn armen nam en me om vergiffenis smeekte. Dat deed hij niet. Ik was alleen. Zoals ik me mijn hele huwelijk alleen had gevoeld. Ik begon wanhopig te snikken, keerde me weer naar de trap en rende verder naar boven. Pas toen ik op de trans stond die rond de vuurtoren liep, besefte ik dat mijn jurk vlam had gevat. Het vuur verteerde de stof zo snel dat ik geen tijd had de jurk af te stropen. Voordat ik wist wat er gebeurde, stond ik in brand. Gek van angst, en beheerst door één laatste gedachte, wierp ik me over de rand.

Pas als het te laat is zal hij beseffen dat hij van me houdt. En daar zal hij de rest van zijn leven spijt van hebben.

Toen zweefde ik boven mezelf en zag ik mijn lichaam te pletter slaan op de rotsen. Conor stond op de trans en keek ongelovig, vol afschuw naar beneden. Hij was toch achter me aan gekomen!

Nu zie ik alles volkomen helder. Hij hield van me, maar dat besefte ik niet. Wat gedragen we ons dwaas als we niet beter weten. Waarom moeten we eerst diep ongelukkig worden, om te beseffen dat de liefde het enige is wat telt? De liefde is alles. De liefde is wat bij ons blijft wanneer we sterven. Het is het enige wat ik meeneem wanneer ik mijn reis vervolg. Het is alles wat ik ben. Maar dat wist ik niet. Dat besef ik nu pas.

35

Ellen stopte met typen. Verbaasd keek ze naar het scherm. De inspiratie was ineens op, het was voorbij, als een lamp die werd uitgeschakeld. Ze had er niets meer aan toe te voegen. Geen woord. Ondanks het vrolijk knetterende vuur voelde het koud in de kamer. Ze wreef in haar handen. Haar vingers waren verkleumd. Toen ging ze terug naar het begin van de tekst en las het verhaal over, met bonzend hart. Dit waren niet haar woorden, dat was duidelijk. Zelfs al had ze het gewild, dan had ze dit niet kunnen schrijven. En het waren ook geen gedachten of vermoedens die ze had verwoord. Toen de namen Ronan, Caitlin en Conor vielen, was ze verbijsterd geweest en ze was bijna gestopt met typen. Maar het verhaal werd haar zo dwingend gedicteerd dat ze geen andere keus had gehad dan door te gaan. Kon het zijn dat Caitlin haar als medium gebruikte? En zo ja, waarom?

Zonder nog één seconde te verspillen aan vruchteloos gepieker, printte ze de tekst en verliet de kamer. Peg was in de tuin met Reilly, die net uit zijn winterslaap was ontwaakt. Ze probeerde hem te leren het nieuwe huisje te gebruiken dat Ronan voor hem had getimmerd. Ellen haastte zich over het grind naar Oswald. Hij stond te schilderen en was bezig de laatste hand te leggen aan het portret van Peg.

'Oswald!' fluisterde ze, en ze trok snel de deur achter zich dicht. 'Ik moet je iets laten lezen.'

Hij keek haar aan over de rand van zijn bril. 'Aha, dus je bent begonnen?'

'Nee, niet echt. Lees het maar. Ik ben benieuwd wat je ervan vindt.'

'Maar je hebt het wel geschreven?'

Ze gaf het hem. 'Technisch gesproken heb ik het geschreven, ja.'

Hij fronste zijn wenkbrauwen. 'Dwergjes.' Hij knikte wijs. Toen schoof hij zijn bril hoger op zijn neus en ging zitten. Hij had niet lang nodig om te lezen wat ze had getypt, maar aan zijn trillende handen zag Ellen dat hij begreep wat er aan de hand was. Ten slotte legde hij de print neer. 'Je beseft dat dit een vorm van inspiratie is?' vroeg hij, met de nadruk op 'inspiratie'. 'En dan heb ik het niet over dwergjes.'

'Je bedoelt dat Caitlin via mij heeft gesproken?' vroeg ze opgewonden. 'Dus dan is ze hier nog ergens? Zou dat kunnen?'

'Er is er maar één die kan zeggen of dit verslag accuraat is,' zei Oswald.

Ellen verbleekte. 'Ik kan het hem niet vragen. Conor en ik hebben geen contact meer.'

Oswald zette zijn bril af en sloeg zijn benen over elkaar. 'Lieve kind, dit is een duidelijke boodschap van gene zijde. Caitlin wíl dat je contact met hem zoekt.'

Ellen zette grote ogen op. 'Echt waar?'

'Maar natuurlijk. Een geest doet niet al die moeite voor niets.'

'Maar waarom zou ze dat willen?'

'Misschien omdat ze zich schuldig voelt, omdat ze iets goed te maken heeft.' Hij wapperde met de tekst. 'Dit is waarschijnlijk de ware toedracht van wat er die avond is gebeurd. Het klinkt in elk geval geloofwaardig. Dat betekent dat Dylan zich niet vergiste toen hij zei dat hij die nacht iemand naar de kust had zien roeien. Arme Ronan. Dat had hij niet verdiend. Ik stel voor dat we dit onder ons houden, Ellen. Peg heeft de laatste tijd al genoeg verrassingen te verwerken gekregen.'

'Blijkbaar heeft Conor nooit iemand verteld dat Ronan op het eiland was. Zelfs niet aan de politie.'

'Als ze dat hier in het dorp wisten, zouden ze niet zo slecht over hem oordelen.'

Ellen liet zich in een stoel vallen. Ze voelde zich plotseling leeg. 'Geen wonder dat Ronan niet over haar wil praten. Hij hield van haar.'

'En zij heeft hem gebruikt. Dat was wreed.'

'Conor zei dat ze labiel was. Nu begrijp ik wat hij bedoelde.'

'Ik denk dat ze wat meer inzicht heeft verworven, daar waar ze nu is.'

'Ik ben niet helderziend, dus hoe wist ze dat ze míj als medium kon gebruiken?'

'Natuurlijk ben je helderziend. Dat zijn we allemaal.' Oswald klonk heel stellig. 'De meeste mensen doen het af als toeval, of geluk, als er onverklaarbare dingen gebeuren. En hoe meer ze hun intuïtieve vermogens ontkennen, hoe minder ze in staat zijn dingen waar te nemen.'

'Maar als Caitlin een boodschap kan doorgeven, waarom doet Ciara dat dan ook niet? Voor Peg?'

'Dat is een goede vraag. En daar heb ik geen antwoord op. Ze heeft kaarsen uitgeblazen, dingen verplaatst en laten rammelen... Wie weet wat ze nog meer heeft gedaan zonder dat wij dat in de gaten hadden? Je moet wel bedenken dat een ziel bestaat uit lichtere vibraties, dus het valt niet mee om stoffelijke zaken te beïnvloeden, want op ons bestaansniveau zijn de vibraties veel zwaarder. Het moet erg frustrerend zijn als je probeert iemand te laten weten dat je er nog bent.' Hij dacht even na. 'Volgens mij moeten wij, aan onze kant, ook openstaan voor dat soort signalen. En misschien heeft Peg, om welke reden dan ook, haar intuïtieve vermogen verdrongen. Sinds haar confrontatie met pastoor Michael, na Ciara's dood, is ze misschien gaan twijfelen aan wat ze zag. En misschien heeft ze zich er toen voor afgesloten. Blijkbaar ben jij erg open en ontvankelijk, dat Caitlin je op deze manier heeft weten te inspireren.'

'Dat is gewoon een kwestie van diep ongelukkig zijn.' Ellen grinnikte wrang.

'En van een intens gemis,' vulde Oswald aan. 'Dat hebben Caitlin en jij gemeen. Jullie missen Conor allebei wanhopig.'

Dankzij Oswalds voorzichtige aandrang besloot Ellen Caitlins boodschap aan Conor door te geven. Ze miste hem zo hevig dat haar hart aanvoelde als een open wond die weigerde te genezen. Ze dacht onafgebroken aan hem, en op een merkwaardige manier ontleende ze troost aan alles wat haar aan hem deed denken: de zee, het strand, de heuvels van Connemara. Daardoor voelde ze zich iets minder ongelukkig, ook al deden de herinneringen die ermee waren verbonden nog altijd pijn. En ook al begon de wond daardoor soms weer te bloeden. Ze zou hem Caitlins boodschap sturen, met een kort briefje erbij. Tenslotte had ze niets te verliezen. Ze hád alles al verloren.

Ze hield het welbewust bij een paar regels. *Lieve Conor, ik ging achter de computer zitten om een songtekst te schrijven, en toen gebeurde er dit.*

Ik kan het niet verklaren, maar ik heb het niet geschreven. Het is me gedicteerd. En het is duidelijk voor jou bedoeld. Ik ben nog steeds in Connemara, bij tante Peg. En ik hoop dat je gelukkig bent. Ellen.

Ze zou eraan willen toevoegen hoezeer ze hem miste en dat het leven zonder hem nauwelijks de moeite waard leek, maar ze hield zich in. Niets was zo erg als een afhankelijke vrouw, die smeekte om weer in genade te worden aangenomen. Ze had tenminste haar waardigheid nog. Ze besloot de brief niet zelf bij hem in de bus te doen, uit angst dat hij thuis was en dat ze hem tegen het lijf zou lopen. In plaats daarvan vroeg ze het aan Oswald, die maar al te graag bereid was voor postbode te spelen. Hij vertrok in de auto van Peg, en toen hij even later terugkwam, wist hij te melden dat Conor in Dublin zat. Maar de huishoudster zou ervoor zorgen dat hij de brief kreeg, had ze hem verzekerd. Ellen besloot er verder niet meer aan te denken. Hij had nooit meer iets van zich laten horen, dus de kans was klein dat hij alsnog contact met haar zou zoeken.

Het leven nam zijn gebruikelijke loop. Overdag werkte ze in de winkel. Tussen de middag at ze haar van huis meegenomen boterhammen op of ging ze naar de Pot of Gold, naar Dylan en haar familie. En wanneer Peg en Oswald 's avonds zaten te kaarten of te schaken, schreef ze weemoedige nummers, die ze met Dylan zong. Hun stemmen combineerden prachtig – als regen en zonneschijn – en creëerden een schitterend spectrum van klank en kleur.

Op een zomeravond, toen het buiten zo zacht en aangenaam was dat ze bij uitzondering in de tuin hadden gedineerd, verdween Oswald na het eten naar zijn huis. Hij kwam al snel weer terug, met het schilderij dat hij had gemaakt, onder een stoflaken. 'Wat heb je daar?' vroeg Peg, die net wilde opstaan om af te ruimen.

'Een cadeautje.' Hij glimlachte trots.

'Maar je hebt je huur toch gewoon betaald?'

'Dit is geen huur, Peg. Dit is iets anders.' Hij zette het schilderij tegen de muur. Ellen had het gevoel dat de hele wereld zijn adem inhield, want de uitdrukking op Oswalds gezicht vertelde Peg dat het geen gewoon cadeau was. 'Dit is voor jóú,' zei hij.

Peg sloeg een hand voor haar mond, haar ogen glinsterden vochtig. 'O,' was alles wat ze zei.

Langzaam trok Oswald het stoflaken weg. Pegs mond viel open, ze hield geschokt haar adem in en de blos op haar wangen werd nog vuriger. 'Maar zo mooi ben ik helemaal niet.' Ze knipperde haar tranen weg.

'Voor mij wel,' zei hij zacht.

'O, Oswald... Ik heb nooit geweten...'

'Nee, natuurlijk wist je dat niet.' Hij schonk haar een liefdevolle glimlach. 'Maar voor mij ben je de mooiste vrouw van de hele wereld.' Hij liep naar haar toe en nam haar handen in de zijne. Ellen stond als aan de grond genageld, en tegelijkertijd voelde ze zich een indringer, alsof ze iets heel intiems verstoorde. Maar Oswald en Peg leken zich niet eens bewust van haar aanwezigheid, overweldigd door de plotselinge erkenning van hun gevoelens voor elkaar. 'Ik hou van je, Peg.'

'Echt waar?' Van onder haar gefronste wenkbrauwen keek ze naar hem op.

'Echt waar, meisje. Al heel lang.'

'Ik weet niet wat ik moet zeggen.'

'Zeg dan alleen maar ja. Dan maak je me de gelukkigste man van de hele wereld.'

Ondanks Pegs geknipper liepen de tranen over haar wangen. Ze probeerde iets te zeggen, maar de woorden bleven steken in haar keel. Dus knikte ze alleen maar stralend, en daarna lachte ze verlegen. Oswald nam haar in zijn armen en drukte haar stijf tegen zich aan. Ellen wist zich los te rukken. Ze liep op haar tenen naar binnen, naar haar kamer, en pakte de mobiele telefoon die ze van Conor had gekregen van het nachtkastje. Een paar minuten later was ze weer buiten en sloeg ze het pad in naar het strand.

Daar bleef ze staan en keek naar de vuurtoren, die er in het zachte avondlicht vriendelijk uitzag. Ze dacht aan Caitlin tijdens haar laatste momenten, en aan Conor, die zich zo bedrogen had gevoeld. En zo ongelukkig. Het schemerde en de eerste ster verscheen aan de hemel boven de vuurtoren, als een verre engel die de weg naar huis wees. Ellen dacht na over de dood, over de zin van het leven, en ze wist dat Caitlin gelijk had. De liefde was het enige wat telde. Zonder de liefde ontbreekt de zin van het leven.

Met de telefoon in haar hand ging ze terug naar de dag waarop ze haar iPhone in zee had gegooid. Dat moment had haar leven zo ingrijpend veranderd, dat het symbolisch was geworden voor een metamorfose. Ze was opnieuw op een punt gekomen dat ze verder moest. Althans, emotioneel. Conor kwam niet terug. Het had geen zin een telefoon bij zich te houden die nooit overging, het was zinloos om hoop te blijven koesteren wanneer ze wist dat die nooit in vervulling zou gaan. Ze wilde niet zoals Dylan haar leven verspillen aan smachten en treuren. Ze moest zich openstellen voor de toekomst. Tenslotte was haar moeder er ook in geslaagd het verleden achter zich te laten en gelukkig te worden met haar vader. Dat kon zij ook.

Ze haalde naar achteren uit, maar op het moment dat ze de telefoon zo ver mogelijk in zee wilde gooien, ging hij over. Ze struikelde, viel bijna voorover en wist het toestel nog net vast te houden. Ze keek er verbijsterd naar. Op de kleine display lichtte zijn naam op.

'Hallo?' zei ze. Het bleef stil, maar ze voelde dat hij er was, aan de andere kant van de lijn. Zijn vibratie doorbrak de stilte, en de maanden zonder hem vielen weg.

'Ellen,' zei hij ten slotte.

'Ja.' Ze durfde nauwelijks adem te halen.

'Ik heb je brief gekregen.'

'O, oké.' Ze probeerde nonchalant te klinken. Het betekende niets dat hij haar belde, hield ze zichzelf voor. Hij wilde het over Caitlin hebben.

'Ik ben niet gelukkig,' zei hij ronduit, zonder eromheen te draaien.

'Dat spijt me.' Schuldbesef trok aan haar hart, als een loden gewicht aan het touwtje van een heliumballon.

'Ben jíj gelukkig?'

Ze wist niet wat ze daarop moest zeggen. Hij wilde haar niet. Dus wat kon het hem schelen of ze gelukkig was? 'Ik ben oké,' antwoordde ze. 'Het leven gaat door.' Meer wist ze niet te zeggen, want er viel niets aan toe te voegen. Haar hart bonsde in haar keel, net als de woorden die bonsden op de poort van haar terughoudendheid, snakkend naar vrijheid. Woorden van liefde, smekende woorden. Maar ze beet op haar lip, vastberaden zich te beheersen en niet te huilen.

'Waar ben je? Het klinkt winderig.'

'Op het strand.'

'Wat doe je daar?'

'Gewoon. Ik vind het hier fijn. Het is een prachtige avond.'

'Ik heb het verhaal gelezen, Ellen.' Hij klonk heel ernstig.

Plotseling wenste ze dat ze het hem niet had gestuurd. 'Sorry. Misschien had ik je er niet mee lastig moeten vallen. Het was opdringerig, tactloos.'

'Kun je naar het kasteel komen?'

'Natuurlijk. Wanneer?'

'Nu.'

'Nu?'

'Tenzij je de hele avond op het strand wil blijven.'

Ondanks zichzelf moest ze lachen. 'Nou, uiteindelijk was ik wel weer van plan om naar huis te gaan.'

'Ik wil je iets laten zien. Het is belangrijk.'

'Oké.'

Hij klonk op slag een stuk minder somber. 'Fijn! Dan zie ik je zo. Ik sta bij de deur.'

Ellen rende over het strand, zo snel als haar knikkende knieën dat toestonden. Ondertussen drukte ze zichzelf op het hart er niet te veel achter te zoeken. Waarschijnlijk maakte hij zich zorgen over Caitlins verhaal. Als hij haar terug wilde, dan had hij dat wel gezegd. Dan had hij gezegd dat hij haar miste. En misschien zelfs dat het hem speet. Maar dat had hij allemaal niet gedaan. Hij had alleen gezegd dat hij niet gelukkig was, maar misschien kwam dat nog steeds doordat ze niet eerlijk tegen hem was geweest. Misschien bedoelde hij dat.

Toen ze thuiskwam, waren Peg en Oswald nergens te bekennen. Ze legde een briefje op de keukentafel neer met de boodschap dat ze naar het kasteel ging om met Conor te praten. De auto stond voor het huis. Ze verwachtte niet dat Peg hem nodig had. Ze stapte in de Volvo en draaide met trillende vingers de sleutel om in het contactslot. Even later was ze op weg naar Ballymaldoon Castle, terwijl ze in haar hoofd een verloren strijd voerde om haar opwinding en gespannen verwachting de kop in te drukken.

De bomen langs de weg stonden inmiddels volop in blad, vogels nestelden in het stralende groen. Op de velden groeide het gras hoog en wild en in de schemering tekenden de heuvels zich schitterend af tegen de avondhemel. Of Conor nou wel of niet van haar hield deed er niet toe, zei ze tegen zichzelf. Want ze was in dit prachtige, woeste, ontembare land toch wel gelukkig. Afgezien van haar familie en Connemara had ze verder niets nodig. Helemaal niets.

Toen het kasteel in zicht kwam, begon haar hart sneller te slaan. Zijn auto stond er en toen zag ze hem, met zijn handen in zijn zakken, in een blauw overhemd, een jasje en een spijkerbroek. Zijn haar was langer en er lag een donker waas van baardstoppels op zijn kaken. Hij was magerder geworden en hij stond een beetje gebogen. Op slag maakte haar nervositeit plaats voor een overweldigend gevoel van compassie.

Ze stopte naast zijn auto en stapte uit. Hij kwam haar tegemoet en nam haar keurend op, niet met zijn gebruikelijke zelfverzekerdheid, maar met een aarzelende glimlach om zijn mond. 'Je ziet er geweldig uit!'

'Bedankt. Jij ook.' Maar dat was niet helemaal waar. Hij had zijn sprankeling verloren. Zijn diepblauwe ogen waren echter nog altijd even sprekend.

'Dus je woont hier nu echt? Voorgoed?'

'Ja, ik ben hier gelukkiger dan in Londen.' Ze wendde haar blik af, want Londen riep onvermijdelijk associaties op met haar oneerlijkheid en haar verbroken verloving. 'Ik voel me thuis bij tante Peg.'

'En wat doe je de hele dag?'

'Ik werk bij Alanna in de winkel. We hebben het erg gezellig samen. En Dylan en ik maken veel muziek.'

'Hoe is het met je boek?'

Ze haalde haar schouders op. 'Ik hou het bij songteksten. Dat gaat me beter af.'

'Ik weet zeker dat Dylan en jij geweldig klinken samen.' Hij verplaatste zijn gewicht ongemakkelijk van de ene voet naar de andere. Terwijl ze ooit zo volmaakt vertrouwd en intiem met elkaar waren geweest, dacht Ellen verwonderd. Nu woei er een ijzige wind door de kloof die hen scheidde. Een kloof zo breed als een ravijn.

'Hoe is het met de kinderen?'

'Prima. Ze worden al zo groot. Je weet hoe dat gaat. Ida vraagt regelmatig naar je.'

Ellen glimlachte. 'Als ze wil dat ik haar nagels lak, hoeft ze het maar te zeggen.'

'Bedankt. Dat zal ze fijn vinden.'

Weer viel er een loodzware stilte, terwijl ze allebei naar een houding zochten, onwennig door de formele manier waarop ze ineens met elkaar omgingen. 'Ik eh… ik zei dat ik je iets moest laten zien. Het is binnen.'

'Oké.' Ze volgde hem naar de deur.

Terwijl ze de hal betraden, dacht ze aan die dag waarop ze de trap op waren gerend naar zijn geheime toevluchtsoord in de toren. Wat was het toen allemaal anders geweest! Nu waren ze vreemden voor elkaar. Hun kortstondige romance leek uitgewist, als iets beschamends, iets wat niet deugde. Ellen slikte krampachtig toen het besef dat het echt voorbij was, haar plotseling in volle hevigheid trof.

'Ik heb je hulp nodig om het schilderij van de muur te halen,' zei hij.

'Wil je het weg hebben?'

'Ik wil je iets laten zien wat erachter zit.'

'O.'

'En ik móét het van de muur halen,' zei hij veelbetekenend.

'Oké.'

Hij keek haar nadrukkelijk aan, en in dat vluchtige moment wist ze zeker dat ze een glimp van verlangen in zijn ogen zag. Hij keerde zich naar het schilderij, en ze begon alweer te twijfelen aan zichzelf. Had ze het echt gezien, of was het de weerspiegeling van haar eigen verlangen geweest?

'Pak jij het links, dan neem ik de rechterkant. En op mijn teken duwen we het tegelijk omhoog. Oké? Heb je het goed vast?'

Ellen omklemde de lijst en wachtte op zijn teken. 'Oké, ik ben er klaar voor.'

'Pas op. Ik wil niet dat je je forceert.'

'Maak je geen zorgen. Het lijkt veel zwaarder dan het is.'

'Oké, daar gaat-ie. Ja! Prima. Nog een klein stukje. Oké. En nu heel voorzichtig laten zakken. Dan zetten we het tegen de muur. Hier.'

Toen het schilderij eenmaal op de grond stond, bekeek Ellen het aandachtig. Van dichtbij zag het er minder spookachtig uit. Had ze het zich alleen maar verbeeld dat Caitlin haar aankeek? Of was het schilderij echt bezeten geweest? Zoals het daar stond, was het gewoon een schilderij. Meer niet. Ellen keek naar de muur boven de haard. Nu het portret er niet meer hing, was er een kluis zichtbaar die in de muur was gemetseld. Conor ging op een stoel staan om hem open te maken.

'Waarom heb je het schilderij laten hangen?' vroeg Ellen. Het ongemakkelijke gevoel was verdwenen.

Conor deed de metalen deur open, reikte in de kluis en haalde er een stapel boeken uit. Toen sprong hij van de stoel. 'Ik wist niet waar ik deze anders moest laten.' Het bleken geen boeken te zijn, maar dikke schriften met een harde kaft.

'Wat zijn dat?'

'Kijk maar. Er is er één voor elk jaar van ons huwelijk.'

'Dagboeken?'

'De dagboeken van Caitlin.'

'Tjonge, heeft ze die allemaal volgeschreven?'

'Ze hield ze dagelijks bij. Echt elke dag.'

'Heb je ze allemaal gelezen?'

Hij schudde zijn hoofd. 'Jaysus, nee. Alleen hier en daar een stukje. Het gaat maar door, over van alles en nog wat.'

'Dus je hebt ze in de kluis laten liggen? Achter haar portret? Waarom heb je ze niet ergens anders opgeborgen?'

'Dat weet ik niet. Ik kon het gewoon niet over mijn hart verkrijgen. Ik voelde me zo schuldig. Ik had haar de dood in gedreven. Ik kon haar spullen niet zomaar ergens opbergen, alsof ze niets waard waren. Dat verdiende ze niet, vond ik. Ze was de moeder van mijn kinderen, en ik heb ooit van haar gehouden.' Er verscheen een gekwelde uitdrukking op zijn gezicht. 'En toen kreeg ik je brief. Kom.' Hij ging op de trap zitten. Ellen voegde zich bij hem, gefascineerd door de laatste fase van Caitlins leven, en daardoor merkte ze niet dat de wind in het ravijn dat hen scheidde geleidelijk aan zijn kilte verloor. Hij sloeg het schrift dat hij op schoot hield open op de laatste bladzijde.

'Ik wil graag dat je dit leest. 7 oktober, 2007.' Ellen boog zich over de tekst en toen ze begon te lezen ging haar hart steeds sneller slaan. Het dagboek was in dezelfde stijl geschreven als Caitlins verslag van haar dood in de vuurtoren. Ze maakte lange, poëtische zinnen en gebruikte dromerige beeldspraken. Het dagboek eindigde met: *Morgen gaat het gebeuren. Morgen ga ik Conors liefde op de proef stellen. Morgen zal ik weten of hij van me houdt. O God, laat hij alsjeblieft van me houden!*

Conor haalde de tekst die Ellen hem had gestuurd uit zijn binnenzak en legde die naast de laatste bladzijde van het dagboek. 'Zie je hoe het doorloopt?'

'Ja. Het is ongelooflijk.'

'Ze is er nog, Ellen,' zei hij zacht.

'Maar waarom?'

'Omdat ze me wil laten weten dat alles goed met haar is. En dat ze me vergeeft. Ik besef dat het raar klinkt, maar ik weet zeker dat ik haar aanwezigheid de afgelopen jaren regelmatig heb gevoeld, vooral in de kamer van de kinderen. Misschien was het mijn verbeelding, maar ik ben diverse keren 's nachts wakker geworden met het onmiskenbare gevoel dat ze vlakbij was en dat ze me in mijn oor fluisterde.'

'Volgens Oswald probeert ze een boodschap door te geven.'

Hij keek haar aan. Zijn blik was intens, zijn ogen waren groot van oprechtheid. 'Ze wil dat ik het verleden achter me laat, Ellen. Waarom zou ze jou anders het verhaal van haar dood influisteren, om het aan mij door te geven? Ik weet wat er is gebeurd. Ik was erbij. Volgens mij...' Hij aarzelde en leek even verlegen, alsof hij niet helemaal zeker was van zijn analyse. Toen keek hij weer naar de tekst. '"Pas als het te laat is zal hij beseffen dat hij van me houdt. En daar zal hij de rest van zijn leven spijt van hebben."' Hij sloeg zijn ogen naar haar op. 'Dat wil ik niet, Ellen! Ik wil niet tot het besef komen dat ik van je hou als het te laat is. En daar de rest van mijn leven spijt van hebben. Als ik iets van Caitlin heb geleerd, is het dat. Ik denk dat ze jou haar verhaal heeft ingefluisterd, omdat ze wil dat we samen zijn.'

Over de kloof heen keken ze elkaar aan. 'Ik heb je gemist, Conor,' fluisterde ze. Er glinsterden tranen in haar bruine ogen. Meer aanmoediging had hij niet nodig. Hij legde zijn handen langs haar gezicht, drukte zijn lippen op de hare en overbrugde het ravijn met een vurige, maar tedere kus.

36

'Ik heb een paar mooie films meegenomen uit Dublin.' Conor laat haar los en kijkt haar aan, innig gelukkig bij het zien van de liefde in haar ogen. 'Heb je zin om mee te gaan? Dan kunnen we ze bekijken.'

Ze glimlacht. 'Ja, leuk!' Ze pakt zijn hand en legt die tegen haar betraande wang.

'Moet je je tante niet bellen om te zeggen waar je bent?'

'O, die heeft het veel te druk om zich zorgen over mij te maken.' Ze schenkt hem een veelbetekenende grijns. 'Bovendien ben ik geen kind meer en hoef ik geen verantwoording af te leggen.'

'Mag ik daaruit opmaken dat we morgenochtend samen wakker worden?' Hij schenkt haar een brede, ondeugende glimlach, net zoals hij dat deed in de hoogtijdagen van onze liefde.

'Dat denk ik,' antwoordt ze.

'Kom! Waar wachten we dan nog op?' Hij staat op en trekt haar overeind.

'Wat wil je met het schilderij doen?'

'Dat hang ik ergens anders op, voor de kinderen, zodat ze zich hun moeder blijven herinneren. En hier boven de haard hang ik een nieuw portret. Volgens mij doe je het geweldig op schilderslinnen.'

Ze begint te lachen, alsof ze het idee absurd vindt. 'Nee, ik vind dat je de kinderen moet laten schilderen. Dat is ook een eerbetoon aan Caitlin. Ik zou haar plaats nooit kunnen innemen, en dat zou ik ook niet willen.'

'Goed, als je daarop staat. Maar als ik weer in het kasteel trek, kom je toch wel bij me wonen, hè?' Ze haalt diep adem, in een poging hem bij te houden. 'Dan kun je die tuin aanleggen waar je het ooit over had, om te zien hoe alles groeit en bloeit, je kunt muziek maken met Dylan en je kunt je eigen werkkamer kiezen om je songteksten te schrijven.'

'Is dat een voorstel om te gaan samenwonen?'

'Dat is een voorstel om de rest van ons leven met elkaar te delen!' Hij drukt een kus op haar slaap en begraaft zijn gezicht in haar haar. 'Want ik weet één ding zeker, Ellen. Zonder jou is de toekomst niets waard. Ik wil je nooit meer kwijt. Kun je me vergeven, denk je?'

'Als jij mij vergeeft.'

Hij schenkt haar een blik vol warmte, zich lavend aan haar schoonheid, aan haar lieftalligheid, smachtend naar liefde. 'Er valt niets te vergeven.'

En ik ben gelukkig. Ik ben me bewust van een euforie die ik nooit eerder heb ervaren. Het is een licht, bruisend gevoel, alsof ik uit louter vreugde besta. Het tilt me zo hoog op dat het me duizelt. Conor is gelukkig, en ik ontleen vreugde aan zijn geluk, ongeacht de vraag in hoeverre dat ten koste van mij zal gaan. Wat is het heerlijk om onzelfzuchtig te zijn. Wat een groot geluk om je te koesteren in de euforie van anderen. Daardoor ben ik van een duister, erbarmelijk wezen veranderd in een heldere, veerkrachtige ziel. Ach, had ik tijdens mijn leven maar geweten wat ik nu weet! Want nu besef ik dat ons leven op aarde een leertijd is, dat we ons altijd blijven ontwikkelen, dat we voortdurend blijven groeien naar een grootsere liefde. Het leven heeft me veel geleerd en waar ik ook heen ga, daar zal ik die kennis bij me dragen in de vorm van een heldere, liefdevolle vibratie, lichter en warmer dan ooit tevoren. Ik weet niet hoe ik dat weet. Dat weet ik gewoon.

En terwijl ik hoger stijg dan de vuurtoren, zie ik dat die verdwenen is. De golven hebben hem weggespoeld. De resten liggen als beenderen op de zeebodem, en ik ben eindelijk vrij om verder te gaan. Het licht om me heen wordt stralender, en ik zie iets wonderbaarlijks. Verbaasd kijk ik naar de prachtige engelachtige wezens die altijd bij me zijn geweest, die me leiden zoals ze dat vanaf het allereerste begin hebben gedaan, met volharding, geduld en liefde. Dus ik ben nooit alleen geweest. Maar dat wist ik niet.

Omringd door mijn licht zie ik Ciara. Ze komt naar me toe en pakt mijn hand. 'Je zult altijd bij hen zijn,' zegt ze met de wijsheid van een oude ziel. 'Maar het is tijd om naar huis te gaan.'

'Ik ben er klaar voor.' Terwijl ik het zeg, weet ik dat het zo is. 'Hoe is het daar?' vraag ik.

Ze neemt me lachend mee naar een grootser licht. 'Nog precies zo als toen je er wegging.'

37

'En, ben je tevreden?' Daphne deed een stap naar achteren om het portret te bewonderen dat Darragh Kelly van de kinderen had gemaakt en dat Joe en Johnny boven de haard in de hal hadden gehangen.

'Het is prachtig!' Conor sloeg zijn arm om Ellen heen. 'Ze zijn het helemaal, hè?'

'Ja. Hij heeft Ida's dromerige schoonheid heel mooi weten te treffen,' antwoordde Ellen.

'Wat vindt Magnum ervan?' vroeg Ida.

'Hij kwispelt, dus hij zal het wel mooi vinden,' antwoordde Finbar. De hond lag voor de haard, doodmoe na een lange wandeling door de heuvels.

'Het is echt schitterend,' zei Johnny terwijl hij zijn handen op zijn heupen zette. 'Die Mr. Kelly is een groot schilder. Absoluut!'

Daphne glimlachte instemmend. 'Dat is hij zeker. Ik zou het heerlijk vinden als ik zo kon schilderen. Maar ik heb moeite met mensen. Ik ben beter met honden.'

'Ik ken een paar meiden die wel wat van een hond hebben,' grapte Joe. 'Misschien zou u die kunnen schilderen?'

'Waarom ga je zelf niet op zoek naar een leuke meid?' stelde Conor voor. 'En dan bij voorkeur een die niet op een hond lijkt!'

Joe schudde met een wellustige grijns zijn hoofd. 'Er zijn er te veel. Geen handvol maar een land vol! Dus waarom zou ik genoegen nemen met één?'

'Wacht maar. Daar kom je nog wel achter,' zei zijn vader wijs.

'Heb je Caitlins portret in de speelkamer van de kinderen gehangen?' vroeg Ellen.

'Nee, nog niet,' antwoordde Johnny. 'Kom mee, Joe. Laten we zorgen dat we hier klaar zijn. Ik krijg trek. Gaan jullie mee voor een biertje?' vroeg hij aan Conor en Ellen.

'Nee, vanavond niet. We gaan een film kijken,' antwoordde Conor met een glimlach naar Ellen, die vragend naar hem opkeek.

'Groot gelijk!' zei Johnny.

'Kun je Dylan een boodschap doorgeven?' vroeg Ellen. 'Wil je tegen hem zeggen dat ik voor de verandering een vrolijk nummer heb geschreven?'

'Op voorwaarde dat jullie het voor ons zingen in de pub,' zei Joe. 'Ik begin een beetje genoeg te krijgen van al die stokoude ballades.'

'Daar valt over te praten,' zei Ellen. 'Zolang je ons niet uitlacht.'

'Nee, natuurlijk niet! Waarom zou ik dat doen?'

'Omdat je nou eenmaal een idioot bent!' zei zijn vader plagend. 'Kom op! Dan doe we dat andere schilderij nog even, en dan gaan we naar de pub.' Ze verdwenen de gang in.

'Wat heb je voor film?' vroeg Ellen toen Daphne de kinderen mee naar boven had genomen.

'*The Age of Innocence*. Die had ik je ooit beloofd, maar het is er nooit van gekomen.'

'Eerlijk gezegd was ik die totaal vergeten door alles wat er is gebeurd.'

'Maar vanavond is het zover. Dit is onze avond!'

Ze grijnsde. 'Van nu af aan is elke avond onze avond,' zei ze hees.

Hij begon te lachen. 'O, Ellen, wat klinkt dat goed en wat voelt dat goed!'

'En wat voelt het goed om híér te zijn,' zei ze ernstig. 'Alsof we allebei zijn thuisgekomen. Nou ja, ík in elk geval. Jij was hier natuurlijk altijd al thuis.'

'Nee, met Caitlin heeft het nooit zo gevoeld. Maar nu is het echt een thuis voor me.' Hij nam haar in zijn armen. 'Je hebt me heel erg gelukkig gemaakt. Hoe heb ik zo stom kunnen zijn om-'

Ze legde een vinger op zijn lippen. 'Niet zeggen. We moeten niet omkijken naar het verleden. Het gaat om het heden, en om de jaren die voor ons liggen.'

Hij kuste haar slaap, haar jukbeen en gleed over haar wang tot zijn lippen de hare vonden. 'Ik hield al van je, maar nu hou ik nog meer van je,' fluisterde hij.

'En ik hou elke dag meer van jou.' Ze sloot haar ogen en sloeg haar armen stijf om hem heen.

Even later zat Ellen op het bed van Finbar en las de kinderen voor. Het verhaal van de soepsteen, over drie Chinese monniken die ruziënde buren in een bergdorpje een lesje geven in delen, simpelweg door soep te trekken van een steen. Ze had het boek speciaal voor de kinderen meegebracht en elke keer dat ze het verhaal voorlas, moest ze aan de Trawtons en de Byrnes denken, en dan hoopte ze dat die elkaar ook ooit zouden vinden, aan een lekkere maaltijd met een goed glas wijn.

'Ellen, denk je dat mama uit de hemel op ons neerkijkt?' vroeg Ida toen Ellen haar instopte.

Ellen keek in de vragende ogen van het kleine meisje en glimlachte teder. 'Dat weet ik wel zeker, lieverd.'

'Hoe weet je dat dan?'

'Dat kan ik niet zeggen. Ik weet het gewoon.' Ze legde een hand op haar hart. 'Soms voel je dingen híér. Dingen die we niet kunnen verklaren. Die wéten we gewoon, maar we weten niet waarom we ze weten. En ik weet zeker dat je mama altijd bij je is. Bij jou, en bij Finbar, en bij papa. Want volgens mij dragen we onze liefde altijd bij ons, ook als we dood zijn.'

Ida glimlachte. Ze was tevredengesteld. 'Welterusten, Ellen.'

'Welterusten, Ida.' Ellen drukte een kus op haar voorhoofd.

Net toen ze de kamer uit wilde lopen, riep Finbar nog iets. Ze draaide zich om. 'Hoe denk je dat mama het zou vinden dat jij nu bij ons woont?' vroeg hij. Het was een moedige vraag. Ellen had hem al een tijdje verwacht.

'Volgens mij vindt ze het fijn dat ik voor jullie zorg. En waar ze ook is, daar zorgt zij ook voor jullie. Alleen kun je haar niet zien.'

'Denk je dat ze je aardig vindt?'

'Dat hoop ik. Wat denk jíj dat ze van me vindt?' Hij gaf geen antwoord, maar trok een nadenkend gezicht.

'Ik denk dat ze je aardig vindt,' zei Ida zonder aarzelen.

Finbar lag nog altijd zwijgend onder de dekens. Hij dacht goed na over haar vraag, terwijl hij probeerde zich zijn moeder te herinneren. Toen rolde hij op zijn zij en nam zijn pluizige speelgoedkonijn in zijn armen. 'Ik denk dat ze je wel oké vindt.' Na die woorden sloot hij zijn ogen.

Ellen lachte. 'Oké, dat is prima. Daar doe ik het voor. Welterusten, Finbar. Trusten, Ida.'

De volgende middag, toen Conor in een conference call zat met Los Angeles, ging Ellen een eind lopen met Magnum. Het was bitterkoud. Er stond een ijzige wind en de grond was bedekt met een dikke laag bevroren sneeuw. Ellen hield van de romantiek van sneeuw, ze genoot van de manier waarop de witte deken glinsterde in de zon, maar die dag had de zon zich verscholen achter het wolkendek. Terwijl ze haar blik over het sombere landschap en de grijze sneeuw liet gaan, zag ze ook in die troosteloze verlatenheid een aangrijpende schoonheid.

Ze wandelde over de heuvels, lekker warm in haar jas gevoerd met schapenvacht, en zag hoe haar adem bevroor tot witte mist. Magnum volgde een geurspoor in de sneeuw en rende vooruit. Het duurde niet lang of Ellen kwam bij de kleine kapel waar Caitlin begraven lag. Het kerkje bood een eenzame, verlaten aanblik op de top van de heuvel, alsof het uitkeek over zee en wanhopig de horizon afspeurde, op zoek naar iemand die nooit meer thuiskwam.

Toen ze het houten hek opende, zag ze links van het pad een grijze gedaante over Caitlins graf gebogen staan. Toen ze wat beter keek zag ze dat hij de verdorde rozen verving door verse.

'Ronan?' riep ze. Maar toen hij zich omdraaide, waren het niet Ronans ogen die haar aankeken van onder de bruine hoed. 'Johnny, wat doe jíj hier?'

Hij richtte zich stijfjes op. 'Ik hield van haar.' Hij haalde zijn schouders op en stopte zijn handen in zijn zakken.

'Jij ook al?'

Johnny fronste zijn wenkbrauwen. Hij fronste. 'Ach, Ronan hield niet van haar. Ze heeft hem kapotgemaakt. Hij kan haar naam niet meer horen!'

'Dus je weet het van Ronan en Caitlin?'

'Natuurlijk weet ik dat. Ik heb het allemaal zien gebeuren en ik wist van meet af aan dat er narigheid van zou komen. Ook al had ik natuurlijk nooit kunnen voorspellen dat het zo afschuwelijk zou aflopen.'

'Dus je wist ook dat Ronan die nacht op het eiland was?'

Hij knikte.

'Hoe wist je dat dan?'

'Dylan zag hem terug roeien naar de kust, maar ik trof hem snikkend langs de weg toen ik bij Peg vandaan kwam. En toen heeft hij me alles verteld. Arme kerel. Hij was er verschrikkelijk aan toe.'

'En toch hou je nog van haar?'

Zijn blik ontmoette de hare, zijn ogen stonden kalm. 'Ik hield van haar ondanks haar fouten. Ze was labiel, Ellen. Broos, kwetsbaar, verloren.' Zijn blik ging naar de zee. 'Maar ze is er niet meer. Ze is weg, net als de vuurtoren. Er is niets meer van ze over.'

'Zijn er nog meer mensen die het weten? Van Ronan, bedoel ik? Behalve Dylan en jij?'

'Nee, en ik ben ook niet van plan het aan iemand te vertellen.' Hij nam haar wantrouwend op. 'Dus ik hoop dat dit onder ons blijft.'

'Natuurlijk.'

'Ik hield van haar, Ellen. Van een afstand.' Hij keek weer naar het graf. 'Hier is ze niet. Dat weet ik. Ze is in de hemel. Bij God. Maar ik vind het prettig om haar nagedachtenis te eren.' Hij glimlachte weemoedig. 'Ik ben gewoon een rare oude romanticus. Dat is alles.'

'Dat is helemaal niet raar. Ik vind het juist heel mooi dat je hier komt om haar te gedenken. Dit kleine kerkhof heeft iets betoverends. Dylan kwam altijd naar de kapel om te componeren, geïnspireerd door de liefde. En ik ben hierheen gegaan toen het uit was tussen Conor en mij. Gewoon, omdat ik me hier iets minder ongelukkig voelde. De kapel is tenslotte gebouwd uit liefde, door een zeeman voor zijn overleden vrouw. Dat is het fundament, en het lijkt erop dat de liefde hier sindsdien altijd is gekoesterd.'

'Je hebt de verbeelding van een schrijver.' Johnny wreef grinnikend over zijn baard.

'Maar het is waar! Hoe meer het leven me leert, hoe meer ik besef dat de liefde het enige is wat telt.'

Johnny schoof zijn arm door de hare, en ze liepen samen de heuvel af, gevolgd door Magnum. 'Conor en jij zijn een goed stel. Op elk potje past een dekseltje, zeggen ze.'

'Ik ben heel erg gelukkig,' zei Ellen.

'Conor is een goed mens. Maar mocht je ooit problemen met hem krijgen, dan ben ik er voor je. Dat weet je.'

'Ja, dat weet ik.'

'Je staat er niet alleen voor, Ellen. Je bent een Byrne.'

Ze lachte. 'En een Murphy.'

Johnny knikte. 'Een betere combinatie is er niet. Zullen we even iets gaan drinken, om op te warmen?'

'Lekker! Ik kan de lichten van de Pot of Gold al zien! Hij roept ons!' Ze boog zich lachend naar hem toe.

'Je bent écht een Byrne en een Murphy.' Even keek hij haar ernstig aan, en toen schonk hij haar een brede grijns. 'En er is niemand die dat meer weet te waarderen dan Dylan.'

'Dylan is een schat!' zei ze uit de grond van haar hart. 'Denk je dat hij ooit met Martha trouwt?'

'Nee, dat zie ik hem niet doen. Dylan is geen man om te trouwen. Niet meer. Hij is al te lang alleen.'

'Wil Martha niet graag trouwen, denk je?'

'Ach, ik denk dat het voor haar ook niet meer zo nodig hoeft. Ze weet wat ze aan hem heeft. Dylan is en blijft een man die zich niet aan banden laat leggen. En volgens mij is Martha heel tevreden met de situatie.' Hij ademde de frisse, koude lucht in. 'Als ik een vrouw was, zou ik ook niet met Dylan willen samenwonen. Het is goed dat ze allebei hun eigen huis hebben. Daardoor zijn ze nog bij elkaar.'

'Daar zou je wel eens gelijk in kunnen hebben.'

'Kom, dan gaan we naar hem toe. Ik ben benieuwd waar hij is.'

'Nou, dat lijkt me niet zo moeilijk.' Ze begonnen allebei te lachen.

'Nee, zeker niet op dit uur van de dag,' viel Johnny haar bij.

Magnum wurmde zich in de beenruimte voor Ellens stoel, en ze reden gedrieën in Johnny's pick-up naar het dorp. Langzaam en voorzichtig, want de wegen waren bevroren en hier en daar glad. De zon ging onder achter de heuvels en het sneeuwlandschap baadde in een zachte roze gloed. Een zwerm vogels vloog op en tekende zich als een schot hagel af tegen de hemel. Aan hun linkerhand lag de zee, weids en onberekenbaar, met onder de golven de vuurtoren, die eindelijk rust had gevonden.

Ze parkeerden achter de Pot of Gold. Magnum sjokte braaf achter hen aan. 'Ik zal Conor even bellen, om te vragen of hij ook komt,' zei Ellen toen Johnny de deur opende. Geel lamplicht stroomde naar buiten, vergezeld van een levendig geroezemoes. Dylans gezicht begon te stralen toen hij Ellen zag. Hij wenkte en ze baande zich een weg naar hem toe. Overal zag ze familie zitten, en helemaal achterin ontdekte ze Oswald en Peg aan een tafeltje in de hoek, samen met Ronan en een aantrekkelijke jonge vrouw die ze nooit eerder had gezien. 'Wat wil je drinken?' vroeg Dylan. 'Hetzelfde als altijd?'

'Hetzelfde als altijd!' Ze glimlachte tevreden. Het klonk zo vertrouwd. Het klonk naar thuis, naar de plek waar ze wist dat ze erbij hoorde.

Epiloog

Alles werkte mee op de ochtend van de bruiloft. Het was een volmaakte dag. Door het milde lenteweer stonden de hei en de brem volop in bloei, vlinders en bijen fladderden en zoemden boven de paarse en gele bloemetjes. De zon scheen stralend aan een onbewolkte hemel en in de tuin van het kasteel cirkelden meeuwen gretig boven de lange tafels met het bruiloftsmaal. Aan de voorkant stond een geel-witte tent op het gazon, dat Johnny en Joe zorgvuldig hadden gemaaid, onberispelijk als een cricketveld. Langs de oprijlaan bloeiden rode tulpen, gele narcissen en geurige peperboompjes. Aan het eind van de laan, waar de eiken ophielden en het kasteel in zijn volle glorie zichtbaar was, boden de ooit zo intimiderende muren een gastvrije aanblik in het vrolijke ochtendlicht. Alle ramen stonden wijd open, en op de torentjes sloegen koerende duiven de bedrijvigheid beneden nieuwsgierig gade. De schaduw van verlies en verdriet was verdwenen, verdreven door de schittering van de liefde die tot in de verste uithoeken doordrong.

Ellen rende opgewonden van de keukens naar de hal, en vandaar de tuin in, nog in badjas en met krulspelden in haar haar, om te controleren of alles perfect in orde was op deze belangrijke dag. De cateraars waren al druk aan het werk met de maaltijd voor de tweehonderd genodigden. De bloemist, die speciaal uit Dublin was overgevlogen, was klaar met de tent en was inmiddels bezig de ezel te versieren met gele rozen. Ronan had een eikenhouten karretje gemaakt voor de kinderen. Maar of de ezel bereid zou zijn dat te trekken, was een vraag die zelfs Peg niet kon beantwoorden. Dat hing van zijn bui af. Hij stond slaperig op de wortel te kauwen die de bloemist hem had gegeven, af en toe zwiepend met zijn staart om een vlieg te verjagen. Ellen zuchtte van genot bij de schitterende aanblik die het kasteel en de tuin boden en haar ogen werden vochtig van geluk. En dan te bedenken dat ze amper een jaar eerder nog had gedacht dat ze Conor en Connemara voorgoed kwijt was. Ze haalde diep adem en dankte God voor het geluk dat Hij haar had geschonken. Durfde ze erin te geloven dat Hij deze keer met béíde handen had gegeven? Ze keek op haar horloge. Het zou niet lang meer duren of de gasten arriveerden, en dan moest ze klaar zijn. Gejaagd, met twee treden tegelijk, rende ze de trap weer op.

In haar slaapkamer rook het naar het boeket van witte rozen en fresia's dat Conor haar die ochtend bij het ontbijt had gegeven. Ze duwde haar neus in een roos en snoof genietend de tere, zoete geur op. In hun eigen kamer, verderop in de gang, kon ze Finbar en Ida horen. Daphne was bij hen. Hun schaterende lach vulde het kasteel. Ellen nam even een moment om te luisteren, dromerig voor zich uit starend, met haar hand liefkozend op haar buik.

Ze werd opgeschrikt uit haar dagdroom door de eerste auto's die vanuit de tunnel van eeuwenoude eiken het terrein voor het kasteel op reden. Van achter het gordijn zag ze de bruiloftsgasten door de tuin naar de tent lopen. Toen ze zich omdraaide, stond Ida in de deuropening. Ze keek Ellen met grote ogen aan. 'Waar is je jurk?' vroeg het kleine meisje.

'Misschien wil jij me helpen hem aan te trekken,' stelde Ellen voor. Ida begon te stralen. 'Je ziet er prachtig uit. Wat zal papa trots op je zijn!' Ida bloosde van plezier en keek naar haar glimmende roze schoentjes die Ellen voor haar in Dublin had gekocht. 'Zo, ik moet opschieten, geloof ik, want ik mag Finbar en jou niet laten wachten. Wil jij me helpen de krulspelden uit mijn haar te halen?'

Conor ontving de genodigden gastvrij en Joe trad samen met drie van zijn neven op als bruidsjonker om de bruiloftsgasten hun plaats te wijzen. Het duurde niet lang of de tent was gevuld met een fecstelijk gekleed gezelschap. Aan het eind van elke rij stoelen prijkte een boeketje gele rozen. Grotere bloemstukken, die als een waterval van bloemen aan weerskanten van het altaar stonden, verspreidden een zoete voorjaarsgeur. De Byrnes vulden de eerste acht rijen rechts van het midden. Pegs oudste zoons, Declan en Dermot, waren er met hun vrouw en hun kinderen. Hun vrolijke kinderstemmetjes klonken boven het gedempte, gespannen geroezemoes uit. De gasten uit Engeland zaten aan de andere kant van het gangpad en de mannen in jacquet boden een schitterende, opvallende aanblik.

Anthony en Madeline Trawton zaten naast Leonora, Lavinia en hun aristocratische echtgenoten. Leonora en Lavinia zagen er in hun designerjaponnen en hoeden van Philip Treacy net zo misplaatst uit als ze zich voelden. Ze waren gewend aan formele kerkelijke plechtigheden en vonden deze landelijke, geïmproviseerde ceremonie zowel schilderachtig als gênant. Terwijl ze om zich heen keken, zagen ze tot overmaat van ramp geen enkel bekend gezicht. In Londen kenden ze iedereen – iemand die ze niet kenden, was oninteressant en niet de moeite waard. Hun echtgenoten voerden een gefluisterd gesprek achter hun programma's, waarbij ze de provinciaals ogende Ballymaldooners hautain observeerden. Die beantwoordden hun arrogante blikken wantrouwend. En ook een beetje jaloers, want de gasten uit Engeland leidden zichtbaar een leven van rijkdom en privilege, waar zíj alleen maar van konden dromen.

Ten slotte nam de bruidegom zijn plaats in aan het eind van het gangpad. Hij zag er prachtig uit in zijn zorgvuldig geperste jacquet en zijn glimmende zwarte schoenen. Een beetje nerveus wisselde hij een paar woorden met de priester, die speciaal voor de ceremonie uit een naburige parochie was gekomen. Ondertussen wierp hij af en toe een blik op zijn zakhorloge en keek hij vol verwachting uit naar zijn bruid.

Even later kwam Ellen naar voren lopen, met Finbar, Ida en Conor. Ze droeg een lichtblauwe jurk die versierd was met kleine gele bloemetjes. Ida's nagels waren gelakt met roze glittertjes, passend bij haar jurk van roze satijn. Finbar hield de hand van zijn vader vast, en Conor keek met een trotse glimlach op hem neer, want hij zag er prachtig uit in zijn lange broek met colbert. Ze schonken Oswald een bemoedigende grijns terwijl ze hun plek innamen op de voorste rij. Oswalds hart begon sneller te slaan. Hij voelde dat zijn bruid elk moment kon verschijnen en richtte zijn blik op de opening van de tent.

Plotseling werd de opening nog groter gemaakt, en Peg verscheen, samen met Ronan. De aanwezigen gingen staan, en iedereen draaide zich om, nieuwsgierig naar de bruid. Ze bleef staan, een beetje verlegen in een simpele, ivoorwitte jurk die Ellen haar had helpen uitzoeken in Dublin. De parelmoeren kraaltjes waarmee de jurk was versierd, glansden in het zachte licht van de tent. Ten slotte haalde ze diep adem, overweldigd door de aanblik van het grote gezelschap en de prachtige bloemen, en schoof haar arm door die van haar zoon, terwijl ze een beetje angstig naar hem opkeek. Ronan boog zich naar haar toe om iets in haar oor te fluisteren, wat een blos van plezier op haar wangen toverde. Toen sloeg ze haar ogen op en zag Oswald die aan het eind van het pad tussen de gele rozen op haar stond te wachten. Uit zijn stralende glimlach sprak zijn liefde en zijn bewondering. Ze glimlachte aarzelend terug en zette haar eerste stap op weg naar hem en hun gezamenlijke toekomst.

Terwijl Peg en Ronan langzaam naar voren liepen, speelde Dylan een klassiek pianostuk waarom Oswald had gevraagd, speciaal voor Peg. Het was doodstil in de tent, iedereen luisterde bewonderend naar Dylans volmaakte spel. Toen ze bij de bruidegom waren gekomen, gaf Ronan zijn moeder een kus voordat hij zijn plaats afstond aan Oswald.

'Dag, meisje,' fluisterde hij vol genegenheid, en Peg keek stralend naar hem op. Trots dat ze zíjn meisje was, en zo voelde ze zich ook, ondanks haar leeftijd.

Het werd een ongebruikelijke plechtigheid. Peg had geen traditionele kerkdienst gewild, maar ze vond de aanwezigheid van God bij haar huwelijk heel belangrijk. Er werden psalmen gezongen, er werd gebeden, Dermot en Desmond lazen beiden voor uit de bijbel en de priester hield een inspirerende preek. Aan het slot van de plechtigheid kwam Ronan naar voren. Hij vouwde met bevende handen een vel papier open en keerde zich naar zijn moeder. Maar toen hij in haar stralende ogen keek en zag hoe gelukkig ze was met Oswald, bleven de woorden steken in zijn keel. Hij slikte krampachtig en deed zijn uiterste best zijn emoties onder controle te krijgen.

'Ik wil graag een zegenwens voorlezen. Het is een tekst die we allemaal kennen, maar als ik eerlijk ben moet ik bekennen dat hij me tot nu toe nooit zo veel zei.' Hij zweeg even en haalde diep adem om zijn zenuwen in bedwang te houden. Toen keek hij opnieuw naar zijn moeder en zocht hij bemoediging in haar blik. 'Ik weet dat Ciara bij ons is. En ik weet dat jij dat ook weet, mam. Ze is altijd bij ons, elke dag, en vandaag helemaal. Het is de liefde die ons verbindt en daarom weet ik dat ze ook altijd bij ons zal blijven.' Peg veegde een traan van haar wang en hield Oswalds hand stijf in de hare toen Ronan de beroemde Ierse zegenwens voorlas:

May the road rise to meet you,
May the wind be always at your back,
May the sun shine warm upon your face,
The rains fall soft upon your fields.
And until we meet again,
May God hold you in the palm of his hand.

May God be with you and bless you;
May you see your children's children.
May you be poor in misfortune,
Rich in blessings,
May you know nothing but happiness
From this day forward.

May the road rise to meet you
May the wind be always at your back
May the warm rays of sun fall upon your home
And may the hand of a friend always be near.

May green be the grass you walk on,
May blue be the skies above you,
May pure be the joys that surround you,
May true be the hearts that love you.

Tegen het einde werd Ronans stem onvast, maar hij hield vol tot en met de laatste woorden. Toen hij terugliep naar zijn stoel, zwol Dylans pianospel aan in een ontroerend crescendo.

Oswald nam de hand van zijn vrouw en bracht die naar zijn lippen. 'Heb ik al tegen je gezegd hoe prachtig je bent?' vroeg hij.

Pegs ogen glinsterden van geluk. 'O, ouwe schurk die je bent!' zei ze lachend. 'Ik ben te oud voor dat soort complimentjes.' Maar Oswald zag dat ze straalde, door haar tranen heen. Daarop keerden ze zich naar hun gasten, die – onverwacht maar uitbundig – losbarstten in applaus. Met een veerkracht in hun tred en een glimlach op hun gezicht liepen ze door het gangpad, in het voorbijgaan breed grijnzend naar vrienden en familie.

De genodigden stroomden ook naar buiten en verspreidden zich over het gazon. De kinderen renden naar de ezel, om hem te aaien en om zich onder toezicht van hun moeders in het wagentje te laten rondrijden. Tot hun grote vreugde liep de ezel braaf rondjes over het gras, van de ene wortel naar de andere, die Ronan had neergelegd om hem in beweging te krijgen. De volwassen begaven zich naar het eten en de wijn. Ellen sloeg de Engelsen en de Ieren belangstellend gade. Aanvankelijk beperkten ze zich tot hun eigen groep, respectievelijk de jacquets en de nette pakken. En er was niemand die de oversteek durfde te wagen. Maar dankzij de champagne en het uitgebreide buffet werd de sfeer losser, en geleidelijk aan begonnen de groepen zich te mengen. Ellen dacht aan *Het verhaal van de soepsteen* dat ze de kinderen voorlas en waarin samen delen mensen nader tot elkaar bracht. In dit geval waren het bruiloftsmaal en de gedeelde sympathie voor Peg en Oswald de bindende factor.

Toen werd haar blik naar Conor en Ronan getrokken. Ze stonden diep in gesprek gewikkeld, enigszins afzijdig van de rest, in de schaduw van een ceder. Ellen nam een slok vlierbessenlikeur. Enigszins ongerust sloeg ze hen gade. Op een bijzondere dag als vandaag moesten ze toch in staat zijn elkaar te vergeven?

'Wat kijk je bezorgd, Ellen Olenska?' Dylan kwam naar haar toe.

'Vanwege die twee. Ronan en Conor.'

'Nou, we hoeven ons niet af te vragen waar ze het over hebben.'

'Wat denk je? Ziet het eruit alsof ze aardig zijn tegen elkaar?' vroeg ze, nog altijd ongerust.

'Niet echt. Ze staan erbij als twee honden, waarvan de een niet voor de ander wil wijken.'

'Uitgerekend vandaag zouden ze de strijdbijl moeten begraven! Het kan toch niet zo zijn dat Ronan nog steeds denkt dat Conor zijn vrouw heeft vermoord!'

'Nee, natuurlijk denkt hij dat niet. En dat heeft hij ook nooit gedacht.

Hij was gewoon jaloers en moest een reden bedenken om Conor te haten. Maar diep in zijn hart weet hij hoe het echt zit.'

'Dus hij weet ook dat Caitlin nooit van hem heeft gehouden?'

'Ja, en dat is een hard gelag. Het valt niet mee om dat te accepteren. Kom, dan laten we ze met rust. Ze komen er wel uit samen.'

'Dat hoop ik.'

'Oswald heeft ons gevraagd of we willen zingen,' vervolgde Dylan.

Geschrokken keek ze hem aan. 'Wij? Jij en ik?'

'Inderdaad.' Hij grijnsde ondeugend. 'Het wordt onderhand tijd dat we optreden voor een echt publiek, vind je ook niet? En we zijn goed. We hoeven ons nergens voor te schamen.' Hij legde een arm om haar middel en loodste haar naar de tent.

Toen ze nog even achteromkeek, zag ze dat Conor zijn armen uitstrekte en Ronan omhelsde. Het was een vaderlijk gebaar.

In de tent was het warm door het grote aantal mensen en het rook er heerlijk, naar bloemen en parfum. De stoelen waren langs de kant gezet, zodat er in het midden ruimte was om te dansen. Oswald en Peg hielden hof als een koning en een koningin, omringd door vrolijke, gelukkige hovelingen. Toen ze Ellen en Dylan zagen binnenkomen, riepen ze hen.

'We willen graag een van jullie nummers horen,' zei Oswald. 'Want we zijn benieuwd waar jullie de afgelopen maanden mee bezig zijn geweest.'

'Heb je ook vrolijke nummers?' vroeg Peg hoopvol.

Dylan fluisterde Ellen iets in haar oor, waarna hij achter de piano ging zitten, met zijn vingers boven de toetsen. 'Klaar?' vroeg hij. Ze knikte. Haar hart bonsde en ze deed een schietgebedje dat ze hem niet zou teleurstellen. Dylan zette in en Ellen haalde diep adem. Alle ogen waren op haar gericht terwijl ze naast Dylan achter de piano stond. Ze was blij dat het publiek haar knikkende knieën en haar klamme handen niet kon zien. Dylan keek met een bemoedigende grijns naar haar op en zodra ze begonnen te zingen, was de harmonie er en vulden hun stemmen de tent met hun rijke, magische klank. Peg keek verbaasd, Oswald boog zich naar haar toe om iets te fluisteren, waarop ze heftig knikte. Ellen begon ervan te genieten. Het ongemakkelijke gevoel verdween toen ze eenmaal op gang was. Haar blik ging over de hoofden heen naar haar moeder. Ze zag direct dat die de hand van haar vader vasthield. En dat haar ogen glansden van trots en van weemoed.

Aangetrokken door de muziek kwamen Conor en Ronan de tent binnen, samen met nog wat andere gasten die op het gras waren achtergebleven. Het duurde niet lang of er werd meegeklapt, en Oswald trok Peg de dansvloer op en begon vrolijk met haar rond te zwieren. Ze lachte en bloosde en schopte met haar benen toen het klappen luider werd. Dylan vervolgde met een lied dat ze allemaal kenden en iedereen zong mee. Conor pakte Ellens hand en trok haar mee. Zelfs Leonora en Lavinia werden rondgewerveld door hun mannen, die hun jasje hadden uitgedaan en dansten met hun overhemd uit hun broek. De muziek verenigde hen allemaal, maar niemand genoot zo uitbundig als het bruidspaar.

Conor trok Ellen in zijn armen. 'Je hebt Peg een prachtige bruiloft gegeven.' Hij drukte zijn stoppelige wang tegen de hare.

'Maar zonder jou had ik het niet gekund,' antwoordde ze.

Ze voelde dat zijn gezicht begon te gloeien. 'Zou je je voor ons ook zo'n dag wensen?'

Ze hief haar gezicht naar hem op en keek hem in de ogen. 'Is dat een huwelijksaanzoek, meneer Macausland?'

'Inderdaad. In mijn hart ben ik nog van de oude stempel, een man van tradities.'

Er verscheen een voorzichtige glimlach om haar mond. 'Ik moet zeggen dat het ook wel zo gepast zou zijn.'

De veelbetekenende manier waarop ze dat zei, maakte dat hij haar onderzoekend aankeek. 'Wat bedoel je daarmee?'

'Nou, gezien mijn toestand...' Ze grijnsde besmuikt, terwijl haar ogen twinkelden van moederlijke trots.

Hij stopte met dansen en bleef abrupt staan. 'Je wil toch niet zeggen...'

'Ja, dat wil ik wel.'

'Jaysus, echt waar?' Zijn glimlach werd breder. 'Ik hoop niet dat je me voor de gek houdt, Ellen Trawton.'

'Nee, liefste, ik hou je niet voor de gek. Je wordt weer vader.'

'Jaysus, Maria en de heilige Jozef!' Lachend sloeg hij zijn armen om haar heen. 'Dan kunnen we maar beter zorgen dat we de gepaste stappen zetten, anders draait je oma zich opnieuw om in haar graf.'

'Ach, dat heeft ze al zo vaak gedaan, ze moet onderhand behoorlijk duizelig zijn!' Ellen glimlachte.

'Wanneer mogen we het vertellen?'

'Nog niet. Dit is Pegs grote dag.'

'Morgen dan?'

'Goed. Morgen.'

Hij drukte zijn lippen tegen haar slaap. 'En daarna is er weer een morgen. Elke dag opnieuw. Elke dag is er een nieuwe morgen voor ons samen. Tot we afscheid nemen van dit leven.'

'En we hebben van Caitlin geleerd dat zelfs dan op elke dag een nieuwe morgen volgt.'

Een woord van dank

Ik heb ervan genoten dit boek te schrijven. Vanaf het moment dat ik me door mijn fantasie liet meevoeren naar de westkust van Ierland, was ik gefascineerd door die wilde, ruige heuvels, de verlaten boerderijen, waar alleen de wind en de schapen wonen, en door de groep verrukkelijke personages die ik onderweg tegenkwam. Ik werd verliefd op Ballymaldoon, en de vele uren die ik er doorbracht in mijn verbeelding waren een feest! Het voelde niet als werk. Maar ik had wel hulp nodig, want ik wilde niet dat mijn personages klonken alsof ze uit Chelsea kwamen! En daarom sta ik in het krijt bij Jane Yarrow, mijn Ierse vriendin, die het uitschaterde bij sommige dingen die ik mijn personages liet zeggen. Wat hebben we gelachen samen! Ze is een geweldige imitator, en het duurde niet lang of ik hoorde de stemmen van Dylan, Conor en Peg in mijn hoofd. Ze kwamen tot leven en ik weet zeker dat ik hen tegenkom, de volgende keer dat ik in Connemara ben.

Ik ben dolblij dat Sheila Crowley, mijn agent, van Ierse afkomst is. Ze heeft me geweldig geadviseerd, en enkele van de ideeën en suggesties die ze deed, hebben het boek in veel sterkere mate bepaald dan ze ooit had kunnen denken. Verder ben ik haar innig dankbaar voor haar expertise als agent, maar ook voor haar inspiratie en haar vriendschap. Ik zie de toekomst met vertrouwen tegemoet en ik ben me er al maar al te zeer van bewust dat ik me zonder haar niet in zo'n gunstige positie zou bevinden. Mijn dank gaat ook uit naar Katie McGowan en Rebecca Ritchie, bij Curtis Brown.

Simon & Schuster hebben me opgestuwd naar de bestsellerlijst, en mijn dank daarvoor is niet in woorden uit te drukken. Ze vormen een indrukwekkende ploeg. Dynamisch, enthousiast, boordevol ideeën en energie, maar het belangrijkste is dat ze mijn boeken begrijpen en dat ze weten hoe ze mijn werk optimaal moeten presenteren. De covers zijn fenomenaal. Het zijn als het ware prachtige ramen waardoor de lezers in mijn imaginaire wereld kunnen springen. Alle schrijvers willen dat de covers hun boeken recht doen, maar het is verbijsterend te zien hoe vaak dat niet het geval is. Dus, dank je wel, Simon & Schuster, want jullie snappen het! En jullie snappen mij!

Vandaar dat ik ook mijn uitbundige dankbaarheid uitspreek jegens Suzanna Baboneau, mijn eerste redacteur, Kerr MacRae, mijn Svengali, Clare Hey, die het boek regel voor regel, met de grootste nauwkeurigheid heeft geredigeerd, en de geweldige groep mensen die hun expertise hebben ingezet voor de productie en de verkoop van mijn boeken. Wat ze doen, is ongelooflijk. Dank je wel James Horobin, Dawn Burnett, Maxine Hitchcock en Hannah Corbett.

Aan de andere kant van de Atlantische Oceaan is de ploeg van Simon & Schuster US al even indrukwekkend, net als het verspreidingsgebied. Wanneer ik in New York ben, is Trish Todd, mijn redacteur, de enige die me Saks uit weet te krijgen! Ik zie nu al uit naar onze lunches, al zou ik willen dat de Atlantische Oceaan niet zo groot was. Trish is een geweldige steun en ik ben blij dat ze me onder haar hoede heeft genomen.

Zoals altijd bedank ik mijn moeder voor haar redigeerwerk. Zij krijgt het manuscript als eerste te zien, en dankzij haar genadeloze oog voor slecht gekozen formuleringen en grammaticale onjuistheden, weet ze het enorm te verbeteren. Bovendien – en dat is bijna nog belangrijker – bezit ze een loepzuivere kijk op mensen en hun relaties, en ik denk dat ik mag zeggen dat ik iets van haar talent heb geërfd.

Dit boek heeft een sterke, spirituele invalshoek, die rechtstreeks voortkomt uit mijn eigen overtuigingen en ervaringen. Ik ben mijn vader dankbaar omdat hij jaren geleden die belangstelling bij me heeft gewekt en het vuur brandende heeft gehouden, zowel tijdens onze lange wandelingen in de vrije natuur, als op de talloze stoeltjesliften in Klosters. De laatste vijftien jaar heb ik ervaren als een fascinerende spirituele reis dankzij Susan Dabbs, mijn dierbare vriendin en wijze denker. Maar papa was mijn allereerste goeroe.

Ten slotte bedank ik mijn kinderen Lily en Sasha voor de gave van de liefde, en Sebag, mijn man, voor zijn steun, zijn ideeën en zijn goede raad. Hij is mijn held en een onuitputtelijke bron van vreugde. Dankzij hem ben ik in staat het beste uit mezelf te halen.